MARCIN WOLSKI

PAMIĘTNIK STAREGO UBEKA

FRONDA

Projekt okładki: Fahrenheit 451

Ilustracje na okładce: © ralko@fotolia.com, © Netfalls@fotolia.com,
© Myst@fotolia.com

Dyrektor projektów wydawniczych:
Maciej Marchewicz

Korekta i redakcja:
Małgorzata Terlikowska

Skład i łamanie:
Point PLUS, Warszawa

ISBN 978-83-8079-060-5

Wydawca

Fronda PL , Sp. z o.o.
ul. Łopuszańska 32
02-220 Warszawa
Tel. 22 836 54 44, 877 37 35
Faks 22 877 37 34
e-mail: fronda@fronda.pl
www.wydawnictwofronda.pl
www.facebook.com/FrondaWydawnictwo
https://twitter.com/Wyd_Fronda

Andrzejowi Zaorskiemu – Ojcu duchowemu
postaci Bronisława Betona-Batona
Matka

I

Zleceniodawca

Nie wiedziałem, że istnieje naprawdę. Przynajmniej do dnia, kiedy zadzwonił do mnie, przedstawiając się jako wielbiciel mojej twórczości. Zapytałem, czy przypadkiem nie pomylił mnie z moim bratem.

– Z tą postkomunistyczną szmatą, Marcinem Jędrasem? – zachrypiał. – Tajnym współpracownikiem TW „Literat 2"? W życiu!

Zdrętwiałem. Na temat uwikłań mego brata bliźniaka pojawiły się ostatnio liczne doniesienia, które ten stanowczo dementował.

Zresztą czy bliźniaka? Z całą pewnością nie jesteśmy jednojajowi. Wprawdzie urodziliśmy się rozdzieleni jedynie godzinną przerwą, ale wiele wskazuje na to, że jesteśmy braćmi przyrodnimi. Różnią nas nie tylko kolor włosów, oczu i grupa krwi, ale nade wszystko charakter. Stąd brały się całkiem poważne podejrzenia na temat prowadzenia mojej nieboszczki matki, o której mój kochany tatuś nigdy nie mówił inaczej niż „ta suka".

Naturalnie, powinienem zawsze i wszędzie bronić pamięci mojej mamusi, ale jakoś nie potrafiłem. Pelagia Jędras była kobietą z gatunku tych, o których sąsiadki mówią z przekąsem „ładniutka". Tak zresztą wyglądała na zdjęciach z młodości. Zadarty nosek, pełne policzki, szelmowski uśmiech... Reszta też – same krągłości. Ojciec zadurzył się w niej bez pamięci między dwoma kolejkami ciepłej ogólnowojskowej wódki. Oczywiście każdemu wolno kochać, ale kto przytomny żeni się z barmanką z klubu garnizonowego?

Zapomniałem dodać, że tatuś był podówczas lekarzem wojskowym, który wkrótce po Październiku ewakuował się do cywila i na lata ugrzązł w małym miasteczku na Ziemiach Odzyskanych, w poniemieckiej chałupce położonej ledwie trzysta metrów od siedziby swego dawnego garnizonu. Miał ładne drobne ręce, które niewątpliwie po nim odziedziczyłem, wszelako bez jakiejkolwiek sprawności manualnej, która z niego uczyniła cenionego chirurga. Skądinąd jego legendarny perfekcjonizm przyczynił się do jego śmierci. Mówiono mi, że kiedy szedł już po umyciu rąk na operację, potknął się na schodach, a lecąc na przeciwległą ścianę, instynktownie cofnął dłonie, aby ich nie pobrudzić. Instynkt zawodowy okazał się silniejszy od samozachowawczego. Ale nie odbiegajmy od tematu!

Wśród wszelkich możliwych kandydatów na naszego współojca szczególnie pasował mi listonosz, który – jak sięgnę pamięcią – nawet jeśli nie miał listów, zawsze kiedy przejeżdżał koło naszej posesji, dzwonił rowerowym dzwonkiem. Podejrzenia moje wspierało nie tylko niezwykłe podobieństwo mego brata Marcina do funkcjonariusza Poczty Polskiej (zwłaszcza wydatny nos), ale wielka predylekcja do listów. Od kiedy pamiętam, pisał. Do dziewczyn, do kolegów, do instytucji, ze skargami i zażaleniami, nawet do mnie, a jak się okazało również do Służby Bezpieczeństwa. Ja przeciwnie, nawet napisanie kartki pocztowej przychodziło mi z wysiłkiem, choć wiersze, powieści i opowiadania pisałem w wielkich ilościach już od dzieciństwa. Marcin tych gatunków podówczas nie uprawiał. Ale podejrzewam, że mi zazdrościł.

Moi starzy rozwiedli się, kiedy mieliśmy jedenaście lat. Marcin zabrany przez matkę pisywał do mnie sążniste epistoły. Ja odpowiadałem zdawkowo, więc w końcu dał sobie spokój. Z własnej inicjatywy powiadomiłem go jedynie o śmierci taty, co zdarzyło się w przededniu rozdania matur. Na pogrzebie się nie zjawił, spotkaliśmy się dopiero na studiach, bo obaj zdaliśmy na polonistykę.

Inna sprawa, że ja studiowałem, na warszawską stancję zarabiałem korepetycjami. On głównie „działał" i w związku z tym korzystał ze służbowej jedynki w akademiku przy Kickiego, przydzielonej mu przez Organizację. Pojawiał się też w awangardowych teatrzykach studenckich, ale tylko jako kierownik artystyczny. Organizował rozmaite zloty, spędy, turnieje poetyckie. W efekcie studiował pięć lat dłużej niż ja. Zawsze jest coś za coś. Kiedy ja już piąty rok byłem belfrem, on dopiero został redaktorem studenckiego pisma „Parabola". Dostał też okienko recenzenckie w „Aktywności", znanym opiniotwórczym miesięczniku. I szybko mnie przegonił.

Kiedy wreszcie udało mi się złożyć w wydawnictwie książczynę z opowiadaniami, on zadebiutował głośnymi *Płowcami* – powieścią z kluczem z lat panowania Władysława Łokietka. Z ciekawości kupiłem opasły wolumin i mocno wstrząśnięty rozpoznałem w tym dziele tylko niewiele zmienione rozwinięcie mojej młodzieńczej powieści, której kopię nasz tata wysłał mu kiedyś do przeczytania. Wściekłem się, ale co miałem zrobić? Wytoczyć rodzonemu bratu proces o plagiat? Dać mu w mordę? Mógłbym, gdyby nie był wyższy i silniejszy. A biegać po mieście i się żalić? Co by to dało? On jako młody, zdolny, cieszył się poparciem Związku Literatów, do którego przyjęto go z początkiem tysiąc dziewięćset siedemdziesiątego siódmego roku. Ja bezpartyjny i niezrzeszony byłem popychadłem rady pedagogicznej. I to niezbyt długo. Z początkiem roku osiemdziesiątego, po opublikowaniu w drugim obiegu mych *Opowiadań prywatnych* (wcześniej odrzuciło je pięć legalnych wydawnictw), ostałem się bezrobotnym.

Zbiegło się to z nagrodą literacką dla mego brata za *Zapiski kłusownika*, dziełko napisane do spółki z nieznanym mi bliżej Bronisławem Betonem-Batonem. Olałem promocję książki odbywającą się na salonach „Żołnierza Wolności" przy Grzybowskiej. Kilka dni później Marcin nieoczekiwanie odnalazł moją kawalerkę i doszło wtedy do nieprzyjemnej rozmowy, w trakcie której zaproponował mi zmianę nazwiska.

– To ci na pewno pomoże! Sam rozumiesz, braciszku, świat jest za mały dla dwóch piszących Jędrasów. Rozmawiałem ze znajomym z MSW, wymianę dokumentów załatwią ci od ręki.

– I jak miałbym się niby nazywać?

– A to już zostało ustalone. Jędrzej Marciński!

Może powinienem mu się postawić, zwłaszcza że niedługo potem wybuchł Sierpień, z honorami przywrócono mnie do pracy, choć jak się okazało – na krótko. Ale trafiło mi do przekonania, że inne nazwisko będzie czymś lepszym niż nieustanne tłumaczenie się przed kolegami z opozycji z pokrewieństwa z reżimowym pismakiem.

Wprowadzenie stanu wojennego zastało mego brata na Zachodzie, gdzie sposobił się do zajęcia stanowiska radcy kulturalnego. Nie pomnę już w Lizbonie czy Madrycie. Co ciekawe, nigdy tej funkcji nie objął. Na przełomie grudnia i stycznia udzielił bardzo ostrej wypowiedzi do Radia Wolna Europa, w której oświadczył, że „wybiera wolność"! Po miesiącu dostał stały felieton w paryskiej „Kulturze" i rychło wylądował na stypendium Instytutu Wolności w Stanach Zjednoczonych. Do kraju wrócił w tysiąc dziewięćset osiemdziesiątym dziewiątym roku, witany nieomal jak mąż opatrznościowy. Z marszu został senatorem, później posłem... Nasze drogi towarzysko zbiegały się rzadko, politycznie nigdy. Kiedy on popierał Mazowieckiego, ja walczyłem o Wałęsę. Kiedy on wsparł Wałęsę podczas „nocy grubych teczek", ja już kibicowałem Olszewskiemu. Ostatecznie podzielił nas rozpad PO-PiS-u... Wyglądało, że i tym razem wybrał lepiej ode mnie. Aliści...

Chociaż nazwisko „Marcin Jędras" figurowało na wyniesionej z Instytutu Pamięci Narodowej „liście Wildsteina", mógł to jeszcze ignorować, gadając: „A mało to Jędrasów po świecie chodzi". Kiedy jednak pojawiły się ciekawe dokumenty w „Biuletynie IPN-u", poświadczające jednoznaczną rolę TW „Literata 2", kiedy napisała o nim artykuł Joanna Siedlecka, a później na temat jego agenturalnej działalności zagranicznej w latach od tysiąc dziewięćset osiemdziesiątego drugiego do osiemdziesiątego dziewiątego dołożył swoje pięć groszy Sławomir Cenckiewicz – Marcin zniknął z publikatorów. Powiadają, że objął jakąś nieantenową posadkę w telewizji TKN oraz trafił jako doradca kulturalny na dwór jednego z najbogatszych Polaków... W każdym razie z głodu nie umierał!

Z tym że to nie był już ten wypasiony Jędras z dawnych lat. Jego trzecia żona, luksusowa blondynka jakby wycięta z okładek „Vogue'a" (który przeleżał się z miesiąc u fryzjera), rzuciła go, obdzierając bezlitośnie z trzech czwartych majątku. Dzieci z poprzednich małżeństw zostały na Zachodzie. Wysiadło zdrowie.

Musiało być z nim źle, skoro ostatnimi czasy przypomniał sobie o bracie. Życzenia mi przysyłał, na Wigilię się wprosił. Ba, w „Wysokich Obcasach" opublikował nawet artykuł pod tytułem *Całe życie w cieniu brata*. Sugerował w nim, że zawsze byłem jego mistrzem i mentorem, i nawet Nagroda Nike, którą jakiś czas temu dostał, właściwie mnie się należała. Gdyby na tym zakończył... Niestety, pojawiło się ostatnie zdanie, jak twierdził

„dopisane przez jakąś redakcyjną mendę": „Powiadają, że w życiu każdego świętego pojawia się w końcu okres ciemny, czas zwątpienia, kuszenia, utraty wiary, a niekiedy otwartej służby diabłu – w przypadku mego wielkiego brata było to fatalne zauroczenie braćmi Kaczyńskimi i obłędną ideą faszystowskiej Czwartej Rzeczpospolitej. Jednak ufam, że brat mój ukochany, niczym Matka Teresa i jej podobni giganci Kościoła, po mrocznym czasie pobłądzenia doczeka wschodu słońca i rozbłyśnie w Panteonie Polskiej Literatury".

Niezłe, co? W końcu jego komplementy zawarte w części pierwszej, dla człowieka, który w wolnej Polsce z trudem utrzymywał się na powierzchni, publikując w niskonakładowych czasopismach recenzje o filmach, których nikt nigdy nie oglądał, bez szans na przekłady i tantiemy autorskie, i tak były czymś nadzwyczaj przyjemnym. Inna sprawa, że telefon, który otrzymałem tamtego ciepłego popołudnia, dowodził, że tak zupełnie anonimowy nie jestem.

– Pan jesteś kryształ, diament samorodny, panie Marciński! – kadził mi rozmówca, przedstawiający się jako Bronisław Beton-Baton. – Więcej takich, a mielibyśmy tu nie tylko Czwartą, ale i Piątą Rzeczpospolitą, o Szóstej nie wspominając, kurczę pieczone w pysk.

Nieprzywykły do takich superlatyw zapytałem, o co chodzi.

– O prawdę, panie Jędrzejku, jeśli mogę tak pana nazywać.

– Może pan.

– O samą prawdę, czystą prawdę i tylko prawdę! – powtórzył raz jeszcze.

– A konkretnie?

– To nie jest rozmowa na telefon. Odwiedź mnie pan w mojej leśnej samotni, to pogadamy. Nie pożałujesz pan. Oj, nie pożałujesz, a słyszałem, że pańska kondycja finansowa jest wysoce niezadowalająca.

Trafił mnie w czuły punkt. Wydatki związane z opieką nad chorą mamą (na starość przypomniała sobie o „ukochanym syneczku") i koszty jej pogrzebu (dla Marcina było to zbyt bolesne, żeby się tym zajmować, a zwłaszcza płacić) pochłonęły moje ostatnie oszczędności. W „Tygodniku Republikańskim" z honorariami zalegano mi już trzeci rok. W telewizji „Victoria", gdzie miałem swoje filmowe okienko, taktownie nigdy nie obrażano mnie propozycją wynagrodzeń. A wydawnictwo? Cóż, pół nakładu moich ostatnich trzech książek, których nie dało się sprzedać ze względu na opór Empików i milczenie nawet zaprzyjaźnionych recenzentów, leżało w mojej piwnicy, a drugie pół na strychu.

– Niczego nie mogę obiecać... – zacząłem niepewnie, zastanawiając się, o jakiej zaliczce mógłbym myśleć.

– Od obiecanek cacanek to jestem ja. Zaręczam, że będzie pan mile zaskoczony moją ofertą. A póki co, chyba może pan niezobowiązująco odwiedzić starego kłusownika w jego pieleszach?

– Gdzie konkretnie?

– Słyszał pan przypadkiem o Puszczy Białowieszczańskiej?

– Każde dziecko słyszało.

– Czerwony Kapturek też słyszał, ale nie widział, póki go wilkiem nie poszczułem – zachichotał radośnie. – Więc zrobimy tak. Wsiądzie pan jutro na Warszawie Wschodniej o 8.28 do pociągu.

– Do jakiej miejscowości mam kupić bilet?

– O to się nie kłopocz. Żadnych biletów! Pociąg będzie o 8.28, z peronu czwartego! Wysiądziesz w Chojnówce, a ja cię już tam odbiorę.

– A może przynajmniej podać mi pan, na wszelki wypadek, numer swojego telefonu?

– Nie mogę.

– Jak to?

– Bo nie mam telefonu.

– To jak pan dzwoni?

– Sposobem, kurczę pieczone w pysk – rzucił energicznie i się rozłączył.

Nie wiedziałem, co o tym myśleć, a kiedy sprawdziłem w pamięci telefonu i zobaczyłem, że nikt do mnie nie dzwonił przez ostatni kwadrans, skłonny byłem uwierzyć, że wszystko to mi się przyśniło.

Dopiero wychodząc z mieszkania, znalazłem na podłodze karteluch z nabazgranym tekstem: „Wschodni, peron IV. Nie kupuj pan przypadkiem żadnego biletu, w pysk!".

Nie należę do ludzi wskakujących do basenu, nie sprawdziwszy, czy jest w nim woda. O Bronisławie Betonie-Batonie nie byłem w stanie niczego się dowiedzieć. Nie figurował w Wikipedii, a z życiorysu mego brata w tajemniczy sposób zniknęły jakiekolwiek notki dotyczące *Zapisków kłusownika*.

Wyglądało, że nikt nigdy ich nie napisał. W tym momencie przypomniałem sobie, że kiedyś dostawszy od Marcina „wydanie drugie poprawione", cisnąłem broszurę na pawlacz. Wspiąłem się tam, ale nie znalazłem niczego oprócz kurzu. Co u licha?!

Postanowiłem zasięgnąć języka u samego źródła. Była środa, wczesne czerwcowe popołudnie, a więc mój braciszek powinien znajdować się na polu golfowym pod Jabłonną.

Nie pomyliłem się. Marcina Jędrasa zastałem przy piątym dołku. Ucieszył się niebywale na mój widok, ale zaraz sposępniał, dowiedziawszy się o moim zaproszeniu do pana Batona i jego ofercie pracy dla mnie.

– Wypadłem z gry – westchnął boleśnie. – Już mu nie jestem przydatny. Oto jest wdzięczność.

– Wybacz mi, ale niczego nie rozumiem. Kim jest ten gość?

– Kim jest? Łatwiej byłoby powiedzieć, kim nie jest. Czytałeś moje *Zapiski kłusownika*? Wysyłałem ci...

– Nie czytałem. Chyba ktoś mi ukradł...

– To i lepiej. Nie będziesz się niczym sugerować. Spisywałem jego wspomnienia. Tyle że w koszmarnych latach PRL-u można było pisać jedynie o łowiectwie, czy przygodach wędkarskich, a ten człowiek to kopalnia tematów, sezam z tajemnicami, puszka z Pandorą...

– Możesz jaśniej. W Wikipedii go nie znalazłem.

– W Wielkiej Sowieckiej Encyklopedii też go nie ma. Choć powinien być! Słuchaj – rzucił okiem na wypasionego roleksa na przegubie – może poszlibyśmy na obiad? Mam tu zniżkę klubową. Lepiej gada się przy pieczystych.

Odgadł moje myśli, a może usłyszał, jak mi w brzuchu burczy, bo faktycznie przyjechałem tu bez śniadania. Siedliśmy w gustownym pawilonie. Zamówiliśmy – ja tatara i barszcz z pasztecikiem, a mój brat na przystawkę ośmiorniczki, potem zupę z żółwia w kokilce z truflami, a jako danie główne krwistą polędwicę ze szparagami, na deser zaś płonące lody, a wszystko to popił dwoma butelkami czerwonego wina. Ja umoczyłem ledwie usta. Prowadziłem przecież samochód, a na Modlińskiej widziałem dwa radiowozy kręcące się jak sępy w poszukiwaniu swych ofiar. Już po pierwszym kieliszku Marcin przeszedł do rzeczy.

– W zasadzie wiadomo mi o nim tylko tyle, co sam mówi.

– Jak to?

– Nigdy nie widziałem jego dokumentów ani niczego podobnego.

– Ale przecież musiał gdzieś kiedyś się urodzić?

– Pięć lat zajęło mi ustalenie tych tak prostych faktów. A i tak pewien niczego nie jestem.

– No ale ile ma lat? To chyba wiesz.

– Nie do końca, opowiadał na przykład, że jako siedemnastolatek brał udział w przewrocie w Piotrogrodzie, a nawet uczestniczył w nabijaniu armat Aurory.

– Niemożliwe, musiałby mieć dziś ponad sto dziesięć lat. A głos, który słyszałem w telefonie, aż tak stary nie był.

– Sporo czasu minęło, zanim zwierzył mi się, jak do tego doszło. Oczywiście zastrzegł, że to nie do druku. Choć może dzisiaj zmienił zdanie.

– Zamieniam się w słuch.

– Twierdzi, że urodził się w Odessie jako syn krawca Lejby Rozenkranca w niespokojną zimową noc przełomu stuleci. Początkowo nazywał się Mordechaj, zdrobniale Mordka, ale szybko zmienił imię na Bronisław. O swych przygodach sam ci opowie, ja zajmę się jego wiekiem.

– Z tego, co wspomniałeś, powinien mieć sto piętnaście lat!

– Zaraz, zaraz, jeszcze nie skończyłem. Wedle jednej z wielu wersji, w latach trzydziestych pracował jako ochroniarz w słynnej klinice profesora Pawłowa. Czasy były ciężkie, głód, toteż w najgorszym momencie pozostało ich tam tylko trzech.

– To znaczy?

– Profesor Pawłow, Bronisław i pies. A jedzenia w ogóle mieli tyle, co przydzielano na eksperymenty.

– Wiem, te ze ślinieniem się i dzwonkiem. Odruchy warunkowe!

– To nic nie wiesz. Pawłowa pod groźbą wywózki do łagru zmuszono, by prowadził mnóstwo dodatkowych badań. Między innymi, na osobiste zamówienie towarzysza Stalina, poszukiwał leku na starzenie się. Dżugaszwili chciał być „wiecznie żywy", ale w innym sensie niż Uljanow. I podobno profesorowi udało się osiągnąć cel. No, prawie! Opracował preparat z udziałem środków promieniotwórczych, dzięki któremu odwracał się cały proces życiowy i w miesiąc dorosły pies stawał się szczeniakiem. Niestety, wiecznie głodny Bronisław któregoś razu dorwał się do spreparowanej już karmy i zjadł wszystko. Z nerwów profesor dostał wylewu, a Bronek cofnął się do wieku sześcioletniego malczyka. Stąd jego druga data urodzenia tysiąc dziewięćset trzydzieści. I tej kazał mi się trzymać jako oficjalnej.

– Rozumiem.

– Nic nie rozumiesz. Wedle jeszcze innej wersji, którą mi podał jakiś czas później, i która brzmi znacznie prawdopodobniej, był jedynie synem Mordechaja (vel Bronisława seniora)...

– Z nieprawego łoża?

– Przeciwnie, z najprawszego, jakie można sobie wyobrazić! Opowiadał mi w stanie lekkiego upojenia alkoholowego, że jest wnukiem samego Mikołaja II. Choć potem wyrwał kartki z mego notesu i je zjadł.

– Co ty gadasz? Jak miałoby to być możliwe?

– Tata Mordechaj w czasie rewolucji służył w ekipie czekisty Jurowskiego przeprowadzającej egzekucję carskiej rodziny w domu kupca Ipatiewa w Jekaterynburgu. Robota jak robota. Służba nie drużba! Ale serce nie sługa, spodobała mu się carewna Anastazja i postanowił ją ocalić. W szaty dworskie przebrał podobną do niej praczkę Praskowię, podstawił do piwnicy, w której odbywała się egzekucja, a samą księżniczkę wywiózł razem z brudną bielizną.

– A to cwaniak!

– Nie do końca. Carewna Anastazja okazała się cwańsza od niego. Przy pierwszej okazji mu prysnęła...

– Opuściła swego wybawcę? Jak mogła?

– Wiesz, jacy byli ci Romanowowie. Antysemici! Defekt Mordechaja sprawiał, że przyzwoitość nie pozwalała carewnie na miłość oralną, którą z innymi uwielbiała. Mordka dziesięć lat jej szukał... Znalazł bodajże w Hiszpanii, dostarczył do Sojuza, poślubił, no i Bronek ponoć jest owocem tych poszukiwań.

– A księżniczka Anastazja jaką okazała się matką?

– Sam go pytaj. Ja więcej nie wiem. I nie chcę wiedzieć! Dowiedziałem się jedynie, że gdy podrósł, służył w najrozmaitszych formacjach sowieckich i polskich, działał w siłach specjalnych, zna najtajniejsze sekrety władzy... Od tysiąc dziewięćset czterdziestego piątego czy szóstego przebywał w Polsce jako pop.

– Duchowny?

– Jako „pełniący obowiązki Polaka", tak się wtedy określało sowieckich doradców przy rządzie PRL-u.

– I myślisz, że mi o tym wszystkim opowie?

– A w jakim innym celu wzywałby do siebie literata? Jedni robiąc rozrachunek z życiem, potrzebują księdza, a inni z tak rozwiniętym ego jak on – biografa.

– No to mógł poprosić ciebie. Ty jesteś renomowanym autorem. Pracowałeś już z nim. Spisywałeś wspominki łowieckie...

– Ech, braciszku. On myśli o potomności na kilka pokoleń naprzód. Potrzebuje kogoś uczciwego o nieposzlakowanej opinii, a ja się do tego nie nadaję.

Przynieśli rachunek. Zerknąłem na cenę – dziewięćset siedemdziesiąt osiem złotych. Marcin wyciągnął czerwony długopis, przekreślił sumę i wpisał w zaokrągleniu pięćset złotych.

– Mam tu pięćdziesięcioprocentową ulgę! – powiedział z szerokim uśmiechem. – Więc jak zapłacisz te pięćset, to będzie tak, jakbyś płacił tylko za siebie.

Zapłaciłem.

* * *

Według rozkładu jazdy z peronu czwartego dworca Warszawa Wschodnia o godzinie 8.28 nie odchodził żaden pociąg, ani na wschód, ani na zachód. Owszem pod godziną 7.51 widniał przyśpieszony z Bogatyni do Suwałk, a o 9.02 osobowy ze Świnoujścia do Sanoka... Dobre kilkanaście minut kręciłem się, nie wiedząc, co począć. Dlaczego w ogóle zdecydowałem się jechać? Że nie miałem ciekawszych propozycji? Że interesowało mnie spotkanie z człowiekiem legendą? Że wreszcie z nieujawnionego konta wpłynęło na mój rachunek osobisty dziesięć tysięcy złotych z dopiskiem „koszty podróży", a ja nie miałem komu ich zwrócić? W dodatku wyjeżdżałem kompletnie na wariata. Trzykrotna próba skontaktowania się z naczelnym nie powiodła się. „Abonent chwilowo niedostępny". A Beata? Trzeba trafu, że z moją „narzeczoną na przychodne" mieliśmy ciche dni, więc poprzestałem na SMS-ie, że wyjeżdżam na krótko.

„Opóźniony pociąg przyśpieszony do Suwałk wjedzie na tor przy peronie czwartym" – nieoczekiwanie rozległo się z głośnika. I po chwili dotarł do mnie łomot kół. Rzuciłem okiem na zegarek, była dokładnie 8.28. W moim mózgu zazgrzytał wielki pytajnik: „Skąd Baton mógł wiedzieć o opóźnieniu?". Moja podróż dopiero się zaczynała. W życiu nie jechałem na gapę, i była to sytuacja wybitnie niekomfortowa. Atoli pouczenie mego brata brzmiało: „Jeśli nie chcesz zadzierać z Batonem, stosuj się ściśle do jego poleceń", więc postanowiłem je respektować.

Jednak kiedy otworzyły się drzwi i wszedł do przedziału konduktor, serce podskoczyło mi do gardła. Kolejarz sprawdził skrupulatnie wszystkim bilety, ale kiedy chciałem sięgnąć po portfel, powstrzymał mnie gestem ręki.

– Później – powiedział.

Sytuacja powtórzyła się, kiedy zajrzał, by sprawdzić bilety, rewizor. Poderwałem się z ławki:

– Chciałem wyjaśnić...

– Później!

Identycznie zareagował kierownik pociągu.

– Później!

Co u licha, czy oni wszyscy byli w zmowie z jakimś stupiętnastoletnim staruszkiem?

Tymczasem zaniepokoiło mnie co innego. Od momentu opuszczenia Warszawy pociąg nie zatrzymał się ani razu.

– Przepraszam bardzo – zwróciłem się do zażywnej niewiasty w chuście – nie orientuje się pani przypadkiem, kiedy będzie Chojnówka?

Popatrzyła na mnie wzrokiem, jakbym zapytał ją o pogłowie zielonych ludzików w Roswell i pokręciła głową. Siedzący obok mnie młodzieniec ukrył nos w gazecie. Dziewczyna z naprzeciwka zachichotała głupkowato, a ksiądz przytknął palec do ust.

Tymczasem pociąg zagłębił się w lasy gęste, zda się dziewicze. Niebawem ujrzałem dwóch młodzieńców o mętnym spojrzeniu idących korytarzem. Szarpnięciem otworzyli drzwi do naszego przedziału.

– Kto pytał się o Chojnówkę? – rzucił wyższy.

Ksiądz, a może ktoś tylko za księdza przebrany, wskazał na mnie.

– Chono z nami, koleś! – warknął ten wyższy.

Jako intelektualista z urodzenia mam wrodzony wstręt do przemocy fizycznej. Zresztą stawianie oporu dwóm dryblasom wydawało mi się niewskazane. Wyprowadzili mnie na korytarz i popychając przyjacielsko, podprowadzili pod kibel. Potem jeden otworzył drzwi, a drugi szarpnął za hamulec bezpieczeństwa. Pociąg zwolnił, ale dość nieznacznie. To jednak im wystarczyło. Kopniak w plecy wypchnął mnie z wagonu. Upadłem prosto w rów wilgotny nieco, ale miękki, wonny roślinnością i kwieciem, z niewielkim dodatkiem moczu i olei ciężkich. Skład oddalił się z hukiem, a ja z trudem uniosłem się najpierw na kolana, potem na równe nogi. Zmacałem okulary, które mi spadły, i nasadziłem je na nos. Zaraz ujrzałem stacyjkę maleńką, drewnianą i napis wielkimi czarnymi literami – „Chojnówka".

Doszedłem do budynku, rozglądając się za obiecaną podwodą, ale jedyny samochód w zasięgu wzroku od dawna nie miał kół, a także okien, i stał na cegłach jak monument jakiejś dawno minionej epoki. W promieniu paruset metrów nie zauważyłem żadnego powozu ani furmanki. W ogóle nie było też żywej duszy, jeśli nie liczyć gościa – ewidentnego menela drzemiącego na ławce. Ale „koniec języka za przewodnika". Zbliżyłem się do tego żywego kłębka szmat.

– Proszę pana... – zacząłem grzecznie.

Uniósł brodaty łeb doktora Wilczura trzeciej świeżości i rzekł:

– Witaj pan, panie Marciński. Czekam tu, czekam, aż mnie zmogło. Kurczę pieczone w pysk!

– Pan Baton? – nie dowierzałem własnym oczom.

– A któż by inny? – zarechotał. – Mógłbym wysłać kogoś, ale nie godzi się z pośrednictwem umyślnych podejmować tak równie znakomitego gościa. No, ale jedziemy!

– Jedziemy? – rozejrzałem się za jakimkolwiek pojazdem. – Ale czym?

– Rowerem! – zawołał radośnie, podnosząc z ziemi wiekowy tandem. – W tych okolicach to jedyny pewny środek lokomocji.

W jego ustach słowo rower zabrzmiało oczywiście jak „jowej", ale oszczędzę czytelnikom oryginalnej transkrypcji. Ograniczę się do stwierdzenia, że pan Bronisław nie wymawiał litery „r". Oryginalnie by to brzmiało: „No! Juszajmy, panie Majciński".

To powiedziawszy, uśmiechnął się do mnie chytrze i wyciągnął z kieszeni czarną opaskę.

– Pan wybaczy, ale będę musiał zasłonić panu oczy – rzekł. – Takie są reguły. Nikt nie wie, gdzie ja mieszkam. I niech tak zostanie.

– Mam jechać w zasłoniętych oczach na rowerze?! – zaprotestowałem. – Zabiję się.

– Spokojna głowa, to przecież tandem. Na raz, przyciskasz pedał, na stop – nogi z pedału. Ot, i cała filozofia, w pysk!

Filozofia może w tym jakaś była, ale spróbujcie jechać godzinę, albo i dwie na tandemie, z związanymi oczami, po wyboistych ścieżkach. Ze sto razy zakręciło mi się w głowie, a w pewnym momencie omal nie zwymiotowałem na szerokie plecy Batona.

– Nie przejmuj się pan, panie Marciński – pocieszał mnie pan Bronisław. – „Początki zawsze są trudne", jak mawiał major Smith, odgryzając czubek cygara Fidelowi Castro.

Parokrotnie usiłowałem leciutko podważyć opaskę i rzucić okiem na okolicę, ale za każdym razem, kiedy podejmowałem taki wysiłek, gdzieś z boku rozlegało się złowrogie warczenie.

– Nie podglądaj pan, panie Marciński, bo będzie kara.

– Co pan, niczego nie podglądam. Zresztą jeśli nawet przypadkiem mi się trochę zsunęło, to nie może pan tego widzieć!

– Ale mój pies Piorun widzi!

Wreszcie skrzypiący wehikuł się zatrzymał. Zdjąłem opaskę. Pierwszą rzeczą, na której zatrzymał się mój wzrok, była wkopana w ziemię tabliczka z napisem „Strefa niezdekomunizowana". „No nieźle!" – pomyślałem.

– Moja posesja nie należy do strefy Schengen! – pochwalił się Baton.

Pozwoliłem sobie rzucić wzrokiem za siebie i zaraz zobaczyłem solidną bramę i wysoki płot zwieńczony podwójną liną drutów, przy których emaliowane izolatory wskazywały, że mogą być pod napięciem...

Drugim obiektem, który rzucił się w moje oczy, był Piorun. Niezbyt wielki kundel o brzydkich oczach i silnej szczęce. Ot ratler, który z racji przerośniętego ego postanowił zostać pitbullem.

– Nie lekceważ go pan! – pouczył mnie gospodarz. – Bo sobie to zapamięta.

– Taki groźny?

– A żebyś pan wiedział. Na jego widok pies Baskervillów ucieka do mysiej nory!

– Nawet nie szczeknął...

– Bo oduczył go żem. Bez ostrzeżenia rzuca się do gardła. Mamy zademonstrować?

– Nie, dziękuję.

– I słusznie. Z Piorunkiem żartów nie ma. Kiedyś idziemy przez puszczę, a ja rzucam dla żartów „aport!". Ponieważ nikogo innego dookoła nie było, dzika mi przyaportował, zagryzłszy go uprzednio. W pysk!

Za tabliczką wypatrzyłem domostwo, doskonale ukryte w dzikim winie. Na pierwszy rzut oka była to najnędzniejsza ludzka sadyba, jaką zdarzyło mi się oglądać. Na drugi też, ale na trzeci...

Baton za pomocą pilota rozbroił alarmy, unieruchomił wilcze doły i inne zlokalizowane przy wejściu pułapki, gotowe intruza pochłonąć, poszarpać, zdekapitować lub wysłać w kosmos, i zaprosił do wnętrza. Pierwsze drzwi, dziurawe, zbite z niechlujnych dech, nie wzbudzały szacunku, drugie – stalowe wydawały się zdecydowanie solidniejsze, a za trzecimi z bordowego palisandru ukrywało się wnętrze zupełnie z innej bajki.

Zatkało mnie! Co będę kłamać, znalazłem się w prawdziwym pałacu, wypełnionym stylowymi mebelkami (co prawda każdy z innej epoki), ale z pewnością wartymi majątek. Centralnie rozpościerało się spore marmurowe patio z bijącą fontanną, a przy nim przechadzały się dwa pawie. Jak później zauważyłem, cały obiekt musiał być niewidoczny nawet z kosmosu, bo nakryty został siatką maskującą. Dookoła wirydarza ciągnęły się galerie i mnóstwo pokojów, pełnych sreber, obrazów, starych zegarów i wszelakiej broni. W jednym z pomieszczeń moją uwagę przykuł obraz przypominający do złudzenia zaginiony *Portret młodzieńca* Rafaela, natomiast drzwi do toalety pokrywały bursztynowe reliefy przywodzące na myśl słynną komnatę z Carskiego Sioła.

Baton zauważył moje zainteresowanie.

– Oryginały – powiedział z dumą. – Trofiejne!

Przy wejściu do ogródka zobaczyłem jeszcze słynną bezręką Wenus.

– To też oryginał? – zakpiłem.

– A jak pan myśli? Ci w Luwrze muszą się zadowalać duplikatem.

– Ale skąd pan to ma...?

– Gdyby te szedewry umiały mówić... – rozmarzył się Baton. – To bym musiał je zastrzelić, żeby nie kłapały językiem.

– No ale jeśli to naprawdę Wenus z Milo...?

– O niej to mogę panu powiedzieć. Jeden z moich mentorów, niejaki Stirlitz, wygrał ją uczciwie w karty od marszałka Göringa. Znaczy obaj szulerzyli, z tym że Max okazał się w tym lepszy. Przegrana straszliwie Hermanna zdenerwowała, wyciągnął spluwę, zaczął strzelać do naszego agenta, ale po kokainie nie mógł trafić, więc tylko rzeźbie łapska poobtrącał.

– To ta Wenus miała ręce?

– A co miała nie mieć, obie!

– Teraz rozumiem pańską ostrożność – powiedziałem. – Posiadając taką kolekcję, nie może pan wpuszczać byle kogo.

– Kolekcję to mieli państwo Superczyńscy, zanim jej państwu nie wtrynili, a ja mam jedynie kilka bliskich sercu pamiątek. A złodziejów się nie boję, bo żaden by się nie odważył ze mną zadrzeć.

– W takim razie po co ta kryjówka?

Odpowiedział dopiero po chwili pauzy.

– Wie pan, co jest najcenniejsze, panie Marciński, we współczesnym świecie?

– Nie mam pojęcia, ropa?

– Wiedza, panie Jędrzejku, wiedza. Gdybym chciał zrobić użytek z mojej... Ho, ho, ho...! Od lat próbują robić pode mnie podchody, a to CIA, a to Mossad, rok temu musiałem ze stawu południowego wyciągać agenta Koreańczyka, bo się topił...

– Południowego?

– Staw był południowy, ale Koreańczyk jak najbardziej północny. W pysk!

– Nie są pewni pańskiej dyskrecji? – dopytywałem.

– Dyskrecja to jedno, a posiadane przeze mnie dane, to drugie. Wie pan, ile mi dawano za prawdziwą, kenijską metrykę Obamy, albo za dyplom magisterski Olka Kwaśniewskiego z Akademii w Bałaszysze, nie mówiąc już o zobowiązaniu do współpracy ciotki Angeli... Ale rozumiem, że chce pan jak najszybciej przejść do rzeczy.

– Skoro pan nalega.

– No to proszę chwilę zaczekać, ja się tylko trochę ogarnę, bo w charakteryzacji z gościem gadać nie będę. I proszę niczego mi nie dotykać, bo się Piorunek zdenerwuje.

Popatrzyłem na psa, pies popatrzył na mnie. Oczka zapaliły mu się na czerwono, a paskudny pysk zdawał się mówić: „Tylko spróbuj".

Pan Bronisław wrócił po kwadransie. Prawie go nie poznałem. Znikły zarost, włosy w strąkach i gigantyczny brzuch. Teraz wyglądał mniej więcej jak aktor Kirk Douglas. Różniły ich jedynie wzrost (powiedzieć niski krępy w jego przypadku zabrzmiałoby jak komplement), pałąkowate nogi i dykcja. Później dowiedziałem się, że Beton-Baton jako wyborowy agent potrafi upodobnić się do kogo chce i w trakcie wojny o Falklandy trzy dni buszował po Londynie, udając sobowtórkę Margaret Thatcher.

Na powitanie zaproponował nalewkę własnej produkcji, pędzoną, jak twierdził, na kwiatach paproci, po czym zalegliśmy w fotelach, on w Ludwiku XV, ja w Ludwiku Filipie.

– Rozumiem, że wie pan, po co go tu ściągnąłem? – zagaił gospodarz.

– Brat chyba pana uświadomił. „Cholerka – pomyślałem – skąd wie, że gadałem na jego temat z Marcinem?"

– Nie tylko wiem, żeś gadał, ale nawet coś gadał – wydawał się czytać w moich myślach. Potem pstryknął jakimś przełącznikiem i rozległ się głos mego brata: „A w jakim innym celu wzywałby do siebie literata? Jedni robiąc rozrachunek z życiem, potrzebują księdza, a inni z tak rozwiniętym jak on ego – biografa".

Wyłączył nagranie i z zadowoleniem przyglądał się mej osłupiałej minie.

– Kelnerzy! – wyjaśnił bez dodatkowych pytań. – Nagrywają teraz wszystko, jak leci i sprzedają komu popadnie. Na szczęście staremu Batonowi przysługuje prawo pierwokupu. No więc, wie pan, o co chodzi – chcę, żeby powstała moja *Autobiografia*. Prawdziwa, od razu wydanie trzecie, poprawione. Wchodzisz pan w interes, to spisujemy umowę. Dla pewności krwią. Na czerpanym papierze.

– A jak nie wchodzę? – zapytałem.

– No to wychodzisz. Tyle że... – zawiesił głos – jest późno, droga nieznana, puszcza niebezpieczna. To i owo może się przytrafić.

Poczułem gorący oddech na karku, ale był to tylko Piorun, który wsparł się na dwóch łapach na moim fotelu, niepokojąco blisko mego gardła. Zrobiło mi się nieprzyjemnie.

– Tylko jaką mam gwarancję, że nic mi się nie przydarzy już po ukończeniu dzieła?

– Masz pan moje słowo honoru! – powiedział dobitnie. – Zresztą to nie będzie tak prędko. Mamy wspomnień do spisywania na lata, a wydawnictwo gotowe jest podpisać umowę, podobną jak z Mietkiem Rakowskim, od razu na dziesięć tomów. Ze swej strony zapewnię tu panu idealne warunki do pracy – cisza, spokój, pełna izolacja...

Ostatnie stwierdzenie nieco mnie zaniepokoiło.

– Czy to znaczy, że przez cały czas pisania nie będę mógł stąd wyjść?

– Samemu? A po co? Będziesz pan chciał się zrelaksować, mój przyjaciel Wołodia przyśle samolot, polecimy na Krym, a jak tam dla pana za gorąco, to nad Kołymę. Co dusza zapragnie – białe noce albo białe niedźwiedzie!

Byłem cokolwiek przerażony, ale postanowiłem nie tracić resztek godności i zmieniłem temat.

– Nie mówiliśmy w ogóle o honorarium.

– A co tu mówić? Ja będę pracował dla własnej nieśmiertelności, pan dla sławy.

– Bez pieniędzy?

– A kto mówi, że bez? Zaliczkę pan dostał, a potem podzielimy się honorariami. Pan weźmiesz... – chwilę wydawał się coś przeliczać w myślach – powiedzmy, niech stracę, dziesięć procent zysków.

– Wykluczone! – zaprotestowałem. – Muszę mieć co najmniej pięćdziesiąt procent.

– Rozbój na równej drodze – jęknął. – Dwadzieścia procent. To moje ostatnie słowo.

– Czterdzieści!

Stanęło na trzydziestu trzech i trzech dziesiątych. Chociaż byłem dziwnie spokojny, że i tak ich nigdy nie zobaczę.

– Wpływy pójdą wprost do banku w Lichtensteinie – tłumaczył Baton. – Wolałbym na Kajmanach, ale to globalne ocieplenie... Nie można ryzykować, że pewnego dnia szmal nam się po prostu nie utopi.

Potem zaprosił mnie do „pokoju operacyjnego". Myślałem, że żartuje lub używa nazwy na wyrost, ale piwniczki pod domem nie powstydziłaby się niejedna tajna służba. Kilkanaście monitorów, pulpity niejasnego przeznaczenia, wreszcie dwa obrotowe fotele, które zajęliśmy. Baton za pomocą pilota przywołał przedstawicielkę wydawnictwa „Koszt i Spółka", która pojawiła się w postaci hologramu i stanęła między nami.

Podpisanie umowy zajęło nam parę minut, a pan Bronisław zdążył jeszcze uszczypnąć ją w kształtną, choć wirtualną pupę. Nie czytałem dokładnie tego, co podpisywałem, ale wydaje mi się, że zrzekłem się wszelkich roszczeń i praw. Jedynym punktem, który oprotestowałem, była zgoda, aby w razie czego Baton po mnie wszystko dziedziczył.

– W porządku, nie nalegam – ozwał się mój współautor. – Ale czy to takie rozsądne? Wiem, że nie masz, panie Marciński, żadnego potomstwa, z żoną się rozwiodłeś, ergo jakby coś się przydarzyło, wszystko dziedziczy po tobie ta szuja Jędras!

– Mogę się jeszcze ożenić i mieć dzieci – obstawałem przy swoim.

– Wiem, wiem, ale twoja Beatka – tu mnie kompletnie zaskoczył – po operacji jajników niczego ci nie urodzi. Oczywiście jeśli nalegasz, to w porządku, nie było tego punktu! Wykreślamy!

Umowę podpisaliśmy, hologram dziewczyny zniknął, dokumenty zresztą razem z nim. Czułem się porządnie zmęczony, więc zapytałem, czy mogę iść do mojego pokoju się zdrzemnąć.

– Oczywiście, oczywiście, proszę tylko nie zapomnieć o zaproszeniu na kolację. Piorun zaprowadzi.

Nie spodziewałem się łoża z baldachimem i pompejańskiej łazienki, ale przynajmniej standardu służbówki, odpowiadającej reszcie domostwa... Pierwszym zaskoczeniem było, że pies wyprowadził mnie na zewnątrz budynku, szedł pół kroku przede mną, a kiedy tylko próbowałem się zatrzymać, odwracał się i tarmosił za nogawkę. Tak doszliśmy do ziemianki na skraju zagajnika, wkopanej w ziemię budy, składającej się z pozbawionej okien izdebki, kibla, łóżka i małego telewizora z odtwarzaczem DVD.

– Tu mam mieszkać!? – żachnąłem się.

– A co? Spodziewałeś się rokokowych mebelków, jacuzzi i perskiego dywanu?! – zdawały się odpowiadać przekrwione oczy cerbera.

II.
Pierwsze dni

Załamywanie rąk nigdy nie należało do moich specjalności. Nawet w sytuacjach beznadziejnych, jak wtedy w stanie wojennym, kiedy wyrzucono mnie ze szkoły i pozbawiono możliwości uprawiania belferki, do której, jak się okazało, nie miałem już nigdy powrócić, potrafiłem realnie określić sytuację. Wystarczyło dokonać bilansu, a potem znaleźć rozwiązanie, choćby doraźne, jak praca u kuzyna, który miał małą manufakturę „biżuterii z plastyku".

Tak i teraz od pierwszej chwili głowę zaprzątała mi jedna myśl – jak dać stąd drapaka? Miałem nadzieję, że nie okaże się to zbyt trudne. Owszem, popełniłem błąd, dałem się zwabić na to odludzie. W dodatku nie powiedziałem nikomu poza bratem, dokąd się udaję. Zresztą komu miałem się zwierzyć? Jak już wspomniałem, do naczelnego się nie dodzwoniłem, a kochanki nie wtajemniczałem... A była żona? Joanna od lat mieszkała w Londynie i nie utrzymywała ze mną żadnych kontaktów. Co do Jędrasa nie miałem żadnych złudzeń. Nawet gdyby dotarła do niego wiadomość o moim zniknięciu, przy swoim życiowym relatywizmie i wygodnictwie nie stuknąłby palcem o palec, by mnie ratować.

Dlatego kiedy tylko zamknęły się za mną drzwi ziemianki, tylko przez chwilę miałem ochotę bluzgać na Batona, czy na własną łatwowierność. Natychmiast spróbowałem trzeźwej refleksji. Owszem, znalazłem się na odludziu, nikt nie wiedział, gdzie jestem. Ale na Boga! Żyjemy w dwudziestym pierwszym wieku, w kraju wprawdzie źle rządzonym, ale jednak cywilizowanym, gdzie dorosły człowiek nie może tak po prostu zniknąć.

Prędzej czy później ktoś zainteresuje się jego losem. Nawet jeśli tym kimś miałby się okazać Urząd Skarbowy. Zresztą – myślałem – Baton nie jest aż taki sprytny, za jakiego się podaje. Nie poddał mnie osobistej rewizji, nie odebrał komórki i przegapił schowany w teczce laptop, który szczęśliwie przeżył upadek z pędzącego pociągu.

Sięgnąłem do kieszeni, i przeżyłem pierwsze rozczarowanie. Na ekranie mojej Nokii widać było jak byk „brak zasięgu". Nie wiedziałem, że są jeszcze takie rejony Polski, które przegapili operatorzy telefonii mobilnej. Mój laptop co prawda działał, ale próba połączenia się z internetem skutkowała jedynie żądaniem podania hasła do miejscowego Wi-Fi. Poprzysiągłem sobie, że zdobędę lub wykradnę ten kod przy pierwszej nadarzającej się okazji. Na uspokojenie przypomniałem sobie dewizę: „Inteligencja musi wygrać z siłą". I od razu poczułem się lepiej. Potem umyłem się, chwilę jeszcze pomyślałem nad różnymi ewentualnościami ucieczki i doliczywszy się dziesięciu znakomitych patentów, pozwoliłem sobie na relaksującą drzemkę.

Do pałacu wróciłem w porze kolacji. Na grzeczne pytanie gospodarza, jak mi się podoba moje locum, odparłem zgodnie z prawdą, że to parszywa nora. Zaprotestowałem też przeciwko totalnemu odcięciu od świata.

– To skandal, żebym nie mógł, kiedy najdzie mnie ochota, wyskoczyć choćby na piwo.

– A po co panu świat? – żachnął się pan Bronisław. – Przyjechał pan pracować, a nie szlajać się po okolicznych pubach. Piwo jest w lodówce, inne trunki w barku. Po prostu pracujmy. Swojej komórki (wiedział, skubany, że ją mam schowaną) możesz pan używać jako dyktafonu. I do roboty, panie Jędrzejku! Do roboty! Możemy zaczynać od zaraz.

Wymówiłem się bólem głowy, zmęczeniem podróżą i szokiem poupadkowym.

– Nie nalegam – łaskawie zgodził się Baton. – Chociaż taki piękny wieczór.

Faktycznie. Noc zapowiadała się widna, księżycowa, co sprzyjało moim planom. Byłem wypoczęty i gotowy, aby dać drapaka. Jak mniemałem, cały teren nie mógł być otoczony płotem i zasiekami, i prędzej czy później musiałem znaleźć jakąś dziurę albo ścieżkę.

Przykra niespodzianka spotkała mnie zaraz po kolacji. Baton odprowadził mnie do ziemianki i pożyczywszy mi dobrej nocy, zamknął za mną drzwi na klucz.

Zacząłem krzyczeć i walić w solidne dechy.

– Jakim prawem mnie pan więzi!? – wołałem.

– Ja pana nie więżę, tylko ochraniam – odpowiedział. – Siła dzikiego zwierza krąży po okolicy, a jednego lata widziano tu zombi.

– A jak się zacznie palić? Nie wydostanę się ze środka!

– Przecież się nie pali!

– Ale gdyby się paliło?

– Nastąpi automatyczne zwolnienie blokady zamka.

W tym momencie mogłem tylko przeklinać, że nigdy nie wciągnąłem się w palenie papierosów i nie mam zapałek. Tymczasem z zewnątrz usłyszałem krótkie: „Piorun, waruj!". I zapadła cisza.

* * *

O ile pierwsze godziny spędzone w Budzie Polskiej (jak nazywał swoją sadybę Baton – w odróżnieniu od Budy Ruskiej, siedziby innego słynnego myśliwego – przypadkowo również Bronisława) dobrze wżarły się w moją pamięć, następne dni nie odznaczyły się niczym szczególnym. Nie udało mi się zwiedzić nawet najbliższych okolic rezydencji. Baton był dziwnie niechętny przechadzkom, nadto nalegał, by ruszać z kopyta ze wspomnieniami. Nie sprzeciwiałem się – nagrałem kilka, a może kilkanaście opowieści, które zamieszczę w dalszej części dzieła. Pan Bronisław był rozmówcą niesfornym, mówił co chciał, nie poddawał się rygorom chronologii, uwielbiał dygresje. Mimo gromadzenia materiału, z przerażeniem zastanawiałem się, jak mam ułożyć z tego sensowną całość.

Co do reszty wrażeń z pierwszych dni mej niewoli – jedzenie okazało się dość monotonne. Rano – jajka i biała kiełbasa, żądanie twarożku zbył śmiechem, że ostatnią krowę musiał zastrzelić, bo za dużo ryczała, zamiast dawać mleko. Na obiad niezmiennie była zupa, którą zapewne sam gotował, gęsta, zawiesista breja bez smaku i możliwości określenia składu przecieru. Do tego na drugie jakaś dziczyzna, własnego łowu, wieczorem bigos. A przez cały dzień – do woli – smalec, ogórki kiszone i kapusta z beczki. Ciekawe, czy równie wykwintnym menu potraktował swego czasu mojego brata?

Tymczasem trzeciego dnia przy śniadaniu Baton widząc, jak kleista jajecznica rośnie mi w ustach, powiedział znienacka:

– Jadę dziś do miasta, panie Marciński. Widzę, że jesteś pan francuski piesek, więc muszę urozmaicić panu dietę. Pod moją nieobecność nie robić niczego, przepisać to, co dotąd zostało nagrane. I nie myszkować mi po domu, kurczę pieczone, bo dam w pysk.

Tego ostatniego nie mogłem mu obiecać, chociaż, naturalnie, potulnie pokiwałem głową. „Szerokiej drogi!"

Ledwie tylko usłyszałem warkot oddalającego się gazika (a więc dla siebie miał jakiś samochód), natychmiast chciałem przystąpić do rewizji. Niestety, poza kuchnią i salonem wszystkie pomieszczenia okazały się zamknięte, podobnie jak brama na zewnątrz. Do pokonania wysokiego parkanu skutecznie zniechęcał napis: „Baczność! Wysokie napięcie!". Kiedy już wydawało mi się, że wszelkie moje działania są skazane na niepowodzenie, w służbówce znalazłem stary, zdezelowany aparat telefoniczny na klawisze. Wtyczka pasowała do gniazdka, a po włączeniu rozległ się mocny sygnał. Niczym głos wolnego świata! Tylko do kogo należało zadzwonić? Do brata raczej nie. Do przyjaciół? Ich pomoc nie nadeszłaby prędko, zwłaszcza że nie potrafiłbym określić dokładnie, w którym miejscu Puszczy Białowieszczańskiej się znajduję, a stacyjki Chojnówka nie było na żadnej mapie.

Wystukałem uniwersalny numer alarmowy, a następnie połączyłem się z policją. „Tu policja! – odezwał się mechaniczny głos. – Chcesz zgłosić przestępstwo, wybierz jeden. W sprawie mandatów, wybierz dwa. W sprawie skarg i zażaleń, wybierz trzy". Wybrałem jeden. I znów usłyszałem automat: „W sprawie napadu, wybierz jeden. W sprawie wypadku drogowego, wybierz dwa. W sprawie zagrożenia katastroficznego, wybierz trzy. W sprawach innych, wybierz cztery". Wybrałem czwórkę, a głos ciągnął monotonnie: „W sprawie przemocy w rodzinie, wybierz jeden. W sprawie molestowania seksualnego, wybierz dwa. W sprawach przypadków nękania osobistego lub telefonicznego, wybierz trzy. W innych sprawach, wybierz cztery. Lub czekaj na zgłoszenie się konsultanta...".

– Nareszcie – pomyślałem i po odczekaniu piętnastu minut i dwudziestu dwóch sekund (co mi tam, nie ja płacę rachunki) zgłosił się konsultant – niewątpliwie żywy człowiek.

– Czym mogę służyć? – zapytał uprzejmie.

– Chciałem zgłosić uprowadzenie.

– Rozumiem. Pańskie imię, nazwisko, PESEL, NIP...

– NIP-u nie pamiętam.

– Nie szkodzi. Numer dowodu osobistego! – podałem i już gdzieś po kwadransie mogliśmy przejść do rzeczy. – Kto konkretnie został uprowadzony? – pytał funkcjonariusz. – Dziecko, współmałżonka może?

– Ja.

– Słucham?

– Zostałem uprowadzony, uwięziony i pozbawiony możliwości powrotu do domu i tylko cudem udało mi się zadzwonić na policję.

– Aha, jeśli pan pozwoli, zadam kilka pytań.

Policjant sprawiał wrażenie niesłychanie kompetentnego. Spytał, ile osób mnie uprowadziło i nie zdziwił się, że jedna. Czy użyto wobec mnie broni palnej, białej, przemocy fizycznej? „Nie użyto". Gdzie przebywam? „W ziemiance". Gdzie znajduje się ta ziemianka? „Nie wiem". Czy zażądano jakichś pieniędzy za moje uwolnienie? Czy porywacz postawił w ogóle jakieś warunki? Odpowiadałem negatywnie, bojąc się cały czas, że mój rozmówca uzna mnie za wariata, albo po prostu wyśle do diabła. Nic z tego, wykazał się anielską cierpliwością i dopiero gdzieś po następnym kwadransie podsumował:

– Powinien pan chyba porozmawiać z naszym ekspertem.

– Bardzo chętnie.

– W takim razie już łączę.

Tym razem trwało to ledwie parę sekund i dotarł do mnie głos: „Cześć, panie Jędrzejku. Widzę, że bardzo stęsknił się pan za mną! W pysk!". Słuchawka wypadła mi z rąk...

Mówiąc szczerze, represje za moją akcję okazały się niewielkie. Trzy dni tylko o chlebie i wodzie, po czym nasze wzajemne relacje, jakgdyby nigdy nic, wróciły do normy. Tym łatwiej, że po tej próbie na dłuższy czas straciłem ochotę do podejmowania działań sprzecznych z regulaminem.

Przeciwnik okazał się dużo sprytniejszy, niż podejrzewałem, a zdezelowany telefon zniknął. Idiota ze mnie. Gdybym zadzwonił do Beaty, poruszyłaby niebo i ziemię, żeby mi pomóc! Z rozpaczy wziąłem się do pracy. Początkowo nagrywaliśmy nasze rozmowy, a ja je mozolnie spisywałem, ustawicznie pośpieszany przez mego gospodarza. Później stwierdziłem, że tradycyjne notowanie będzie praktyczniejsze. Bronek mówił rozwlekle, często się powtarzał, wrzucał swoje ulubione partykuły w rodzaju „kurczę pieczone w pysk", tak więc szło nadążyć.

Niestety, w tym, co opowiadał, dyscypliny nie było żadnej. Gdy próbowałem namówić go na przyjęcie przynajmniej przybliżonej chronologii, tylko fukał gniewnie, po czym natychmiast zjawiał się Piorun, również fukając, a ja zgadzałem się na wszystko. Planowałem, że rozmowę z kłusownikiem zacznę od dzieciństwa, ale drążenie tematu szło mi jak z kamienia.

– To były, panie Jędrzejku, takie czasy, że nie mogłem pozwolić sobie, żeby być dzieckiem – powiedział w końcu. – W dodatku szybko zostałżem obustronnym sierotą. W pysk! Miałem pięć, najwyżej sześć lat, kiedy moją mamę zadenuncjowała pewna babina, dokwaterowana do naszej komunałki w Sankt Leningradzie. W tamtym czasie wyglądała jak worek brukwi, ale wcześniej była ściśle tajną damą dworu cara Mikołaja II, dlatego bez trudu rozpoznała w mojej rodzicielce zaginioną księżniczkę Anastazję. I ja się pana, Europejczyka, pytam, co tata miał zrobić, kiedy dowiedział się o donosie?

– Uciec?

– Prawdziwy komunista nigdy nie ucieka. Wybrał jedyne możliwe rozwiązanie. Zastrzelił obie z tego samego nagana jedną kulą.

– Co pan mówi? – zawołałem, chwytając się za głowę.

– Przecież widziałem ten incydent tak dobrze jak teraz pana. Lokatorkę zastrzelił za zdradę, a mamusię jako zdemaskowanego wroga klasowego. Po prostu musiał. I tym razem jemu samemu się upiekło, nawet awansował, został asystentem samego Gienricha Jagody, takim specjalistą od czystej roboty...

– Od czystej?! – zdziwiłem się, równocześnie nie mogąc pozbyć się przerażającego obrazu dwóch martwych kobiet na zakrwawionym linoleum, który pojawił się w moim mózgu.

– A nie pamięta pan, jaka to była epoka? „Wielka czystka". Więc czyścili jak złoto... Niestety, choć tatko w porę aresztował komisarza Jagodę, wkrótce sam został zdemaskowany jako szpieg fiński, chiński i świński, no i pojechał na białe niedźwiedzie.

Baton nie chciał zdradzić konkretów dotyczących tego zdarzenia. Raz tylko powiedział, że zdecydował kolejny donos. Kiedy indziej pochwalił się, że w tysiąc dziewięćset trzydziestym dziewiątym dostał brązową odznakę imienia Pawlika Morozowa, gówniarza, który zadenuncjował własnych rodziców. Wystarczyło dodać A do M... Więc dodałem, ale nie pochwaliłem się wnioskami.

Równie powściągliwy był pan Bronisław, jeśli idzie o innych członków swojej rodziny. Utrzymywał, że jest sam jak palec, który zawsze miał w pogardzie trwałe związki. (Nie licząc naturalnie Związku Radzieckiego.) Co nie znaczy, że nie było w jego życiu kobiet. Tych nie potrafił zliczyć, a jak twierdził, w czasie krótkiej służby w marynarce narzeczoną miał w każdym porcie.

– I powiem panu z ręką na portfelu, do dziś nie wiem, co one wszystkie we mnie widziały! – wspominał z rozmarzeniem.

– Nigdy się pan ich o to nie pytał?

– A jak miałem się pytać, skoro obowiązywała konspiracja? W pysk. Żadna nigdy nie poznała mojego nazwiska, a ja często ich twarzy.

– Jak to?

– Preferowałem randki w ciemno, a jak przyszło działać w kraju arabskim, towar często był, jak to się mówi, „w opakowaniu". No i zdarzało się, że kupowałem kota w worku. Raz na przykład, podczas akcji w Maroku, dostałem rabat u handlarza żywym towarem w Marrakeszu. Wywiózł żem taką jedną w burce na pustynię, rozbieram ją, a to nie zgadniesz pan...

– Wielbłąd?

– Facet! W dodatku eunuch. Żadnego pożytku. Przecież zboczeńcem nie jestem... – tu obdarzył mnie przyjacielskim kuksańcem. – Choć, prawdę powiedziawszy, nie takie orientacje w życiu się odgrywało. Pamiętam, jeszcze w latach pięćdziesiątych jechał żem z zagraniczną delegacją koleją transsyberyjską w kostiumie transwestyty. Używałem wtedy pseudonimu „Krasawica".

– Ale po co?

– Przewodniczący delegacji naszych Żółtych Braci nie tolerował żadnych mężczyzn w swoim towarzystwie. Skądinąd mu się nie dziwię, parę fajnych Chinek w życiu poznałem. A widział pan kiedyś pięknego Chińczyka?

– Rzecz gustu.

– W dodatku musiałem pilnować, żeby delegacja za bardzo się nie rozglądała i patrzyła wyłącznie w lewo. Bo widzisz pan, po lewej stronie torów zbudowano już komunizm, znaczy jego makiety zaprojektowane przez inżyniera Potiomkina, a po prawej jeszcze nie zdążono. I chodziło o to, żeby towarzysze chińscy nie popatrzyli w prawo. Początkowo szło nam nieźle, bo Przewodniczący w ogóle nie spojrzał ani razu w okno, tylko chciał coraz to nowych kobiet do salonki. Mieliśmy naszykowane dwa tuziny komsomołek, ale droga długa, a jemu ciągle Mao!

– A to ten Przewodniczący? – zaskoczyłem. – Mao Tse...

– Tse tse...! Całą podróż był pod muchą! Na szczęście nie był szczególnie wybredny, jeśli idzie o urodę, i podobała mu się każda etranżerka. Niestety, po pewnym czasie skończyły się nam konduktorki i maszynistki, a nawet dróżniczki pochodzące z łapanki! No i na wysokości Nowosybirska tłumacz delegacji kiwa na mnie palcem i mówi: „Nu «Krasawica», tiepier ty!". Z trudem powściągnąłem uśmiech. Ale mój gospodarz, jak stwierdził, był przygotowany na każdą sytuację. Miał ze sobą rakietki i piłkę, a stół w restauracyjnym posiadał idealne wymiary do ping-ponga. A Przewodniczący, wiadomo, był fanatykiem tej gry... Co będę panu gadał, dojechaliśmy do samej Moskwy, a on ciągle jeszcze chciał grać!

– I wygrał pan z nim?

– A pan by wygrał? W staniku, gorsecie i na szpilkach? Nabawiłem się takiego wstrętu do tej gry, że dziś jak tylko wezmę piłeczkę do ręki, robię się żółty i odczuwam ból przy siadaniu. Kurczę pieczone w pysk!

* * *

Powoli, z ogromnymi trudnościami zacząłem wreszcie konstruować ramy życiorysu zasłużonego kłusownika. Najbardziej ciekawiło mnie, jak stał się Polakiem.

– A co to takiego trudnego? Jak się całe życie było internacjonalistą, to bycie przedstawicielem jakiejkolwiek nacji nie nastręcza najmniejszych trudności. No może raz jak podczas ofensywy Tot chcieli, żebym był Wietnamczykiem, w pysk. Już nawet chciałem się żółtaczką wszczepienną zakazić, ale okazało się, że byłem odporny!

– Wspominał mi pan też o akcjach w Afryce...

– A tak, sporo tego było, Angola, Etiopia...

– No właśnie. Grał pan wtedy Murzyna?

– A co to trudnego? Jeden Murzyn na milion bywa albinosem, a jak to nie chwytało, zawsze mogłem być kreolem – doradcą z socjalistycznej Kuby. „Chico grillado in mordes".

– Co takiego?

– Kurczę pieczone w pysk, po ichniejszemu! Inna rzecz, że jedna z ważniejszych przygód przydarzyła mi się podczas praktyki w Afryce, kiedy walczyłem z dekolonizacją.

– Chyba o dekolonizację! – poprawiłem.

– Jak ją zwał, tak ją zwał. Istota walki była przecież prosta. Zabrać imperialistom kolonię, a dać ją nam. Niestety – westchnął – udało się tylko częściowo.

– Jak to częściowo?

– Po okresie początkowych sukcesów cały interes przejęli Kitajce. Ale wcześniej wyglądało to zupełnie inaczej. Szliśmy jak burza. Osobiście przybyłem do Rodezji w roku tysiąc dziewięćset sześćdziesiątym pierwszym, w ramach komisji, która miała wyjaśnić, co się stało z Dagiem?

– Dagiem?

– Sekretarzem Generalnym ONZ Dagiem Hammarskjöldem, który zginął w katastrofie samolotowej. W końcu śmierć Sekretarza Generalnego (nawet jeśli tylko ONZ-u) to nie w kij dmuchał. U nas to by napisali, że zmarł na własną prośbę, albo ze względu na zły stan zdrowia, i każdy by zrozumiał. Ale w szerokim świecie taka ściema nie da rady. Początkowo myślałem, że ten Hammerszyld to jakiś syjonista, a tu nie uwierzy pan, Szwed! Albo przynajmniej takiego udawał! Dostaliśmy za zadanie ustalić przyczyny katastrofy, a do wyboru mieliśmy aż pięć wersji i wszystkie prawdziwe. A) że był pijany pilot; B) że Dag zmusił go do lądowania, bijąc go po łbie immunitetem dyplomatycznym; C) że samolot zawadził skrzydłem o pancernego baobaba; D) że trafił go grom z jasnego nieba; no i E) że się rozbił we mgle przy czwartym podchodzeniu do lądowania. Niestety, przybywamy na miejsce, a tu zgłasza się na ochotnika kilkunastu towarzyszy afrykańskich i dawaj na wyścigi meldować i o nagrodę pytać.

– Co meldować?

– Różnie. Jeden, że strącił maszynę z bazooki, drugi, że spowodował sztuczną mgłę, trzeci, że podczas przeglądu na lotnisku w Nairobi odkręcił to i owo, czwarty, że zamienił Hammarskjöldowi teczkę... Na bombową! Na szczęście pułkownik Littlewood, nasz przewodniczący, miał głowę na karku.

– Littlewood?

– Amerykański, bezstronny komunista (po polsku Lasek)! Na początek kazał rozstrzelać tych wszystkich gadatliwych ochotników, w pysk, a potem komisyjnie ustalił, że przyczyna katastrofy jest nieznana, i umorzył śledztwo. Salomonowy wyrok!

– Być może. Ale z tego co czytałem po latach, prawda o tej zbrodni wyszła na jaw. Podobno znaleziono nawet ustny rozkaz z Kremla. „Załatwić sekretarza".

– Wypadek przy pracy. Zresztą nie o tego sekretarza chodziło, ale nie ma się czym martwić, panie Marciński. Wpadki zdarzają się nawet najwybitniejszym agentom.

– Panu na pewno nie!

– No to pana zaskoczę. Zdarzyło mi się raz, że musiałem zlikwidować zdrajcę. I to z własnego grona. W dodatku takiego co zbiegł za granicę. Inna sprawa, że nic mu to nie pomogło! Jak trzeba, to ręce mamy dłuuugie!

Poruszyłem się nieswojo, myśląc o swoim planie ucieczki, a Piorun jakby zgadując moje myśli, zastrzygł uchem.

– Oczywiście zdrajców likwiduje się dużo lepiej niż starych towarzyszy. To jednak zdecydowanie bardziej dyskomfortowe. Tatuś opowiadał mi, że kiedy przyszło mu osobiście rozwalać towarzysza Berię, to płakał jak żubr.

– Zaraz, o ile dobrze zapamiętałem, pański tatuś przepadł w „wielkiej czystce".

– Na parę lat! Ale zrehabilitowany, już w tysiąc dziewięćset czterdziestym pierwszym wrócił na front. A potem nic innego nie robił, tylko przez dziesięć lat mnie szukał. Ale Baton głupi nie był, więc go nie znalazł.

Pomyślałem o nagrodzie im. Pawlika Morozowa otrzymanej za zadenuncjowanie własnego ojca, toteż zawzięte poszukiwania syna przez Mordkę Rozenkranca wydały mi się w pełni uzasadnione.

– Tylko jak się pan zdołał ukrywać tak długo? Przecież pan był dzieckiem!

– Ale bystrym. Przez pięć lat udawałem dziewczynkę w domu sierot imienia Nadieżdy Krupskiej. Piękne to były lata. Jeden malczyk i tysiąc dziewczynek. Ech, żyć nie umierać! Ale wszystko, co dobre, ma swój kres.

– Wpadł pan?

– To było nieuniknione, mimo świetnie prowadzonej konspiracji. Zarost mnie się sypnął, a jak jeszcze dwie koleżanki ze wspólnej sypialni w ciążę zaszły, zrobił się skandal. Nie wiem, co by się ze mną stało, ale akurat odwiedzał nasz ośrodek sam generał Sierow. Z prezentami przyjechał dla sierotek.

– Ludzki człowiek!

– I jaki odpowiedzialny! W końcu większość dziewczynek z jego przyczyny została tymi sierotkami. Zobaczył, co się stało, i zaraz wziął mnie na przesłuchanie... Musiałem mu się spodobać, bo zamiast zastrzelić na miejscu jak psa, zabrał mnie ze sobą. „Wychowam ordynusa na ordynansa" – obiecał. I dotrzymał słowa, ponad rok glansowałem mu...

– Buty? – wtrąciłem domyślnie.

– Też! I wtedy właśnie razem z nim trafiłem do Polski. Generał szukał czwórki do brydża – głównie wśród przedwojennych oficerów i asów podziemia i tak dobrze szukał, że udało mu się zgromadzić aż cztery czwórki. Może pan słyszał? „Proces szesnastu".

– Słyszałem, niestety. Rozumiem, że i tam odegrał pan swoją rolę?

– Opowiem inną razą. Zresztą krótko to wszystko trwało. Na Nowy Rok generał Sierow przebrał się za Dziadka Mroza i w ramach rozdawnictwa prezentów podarował mnie swojemu ulubionemu miejscowemu towarzyszowi, który się nazywał jak ta gwiazdka betlejemska... – Światło!

– Osławiony Józef Światło?!

– No i dzięki niemu stałem się prawdziwym Polakiem! W pysk.

Chciałem podrążyć smakowity temat, ale Baton nie dał się zbić z pantałyku.

– Miało być o wpadce, to będzie. Wysłano mnie, jak mówiłem, do Londynu. Późne lata osiemdziesiąte. Dostałem adres, rysopis i parasol.

– Parasol? – zdziwiłem się. – No rzeczywiście, w Londynie zawsze pada.

– Parasol z zatrutym końcem. Niby sprawa prosta jak drut od tego parasola, a tu wydarza się taki pech...

– Trucizna nie zadziałała?

– Pogoda, proszę pana, zawiodła. Trzy tygodnie „rybie oko”! Rzecz w Brytanii niespotykana! Żar z nieba, ani jednej chmurki. I jak mam wyjść na ulicę z parasolem w grabie, żeby nie być podejrzanym? Ślę więc telefonogram do centrali z prośbą: „Przyślijcie parasolkę od słońca!”.

– Niezły pomysł.

– A oni, że wszystkie umbrele w terenie, bo robią akcję na papieża. Oczywiście Baton nie taki głupi. Sięgnąłem po inne metody. Podrzuciłem żem zdrajcy truciznę w olejku do opalania.

– I co?

– Sukces okazał się połowiczny. Służąca trup, ciotka sztywna, a on nawet łysiny nie posmarował.

– I zrezygnował pan?

– To pan mnie nie zna. Za ostatnie pieniądze kupiłem żem bombę od Irlandzkiej Armii Republikańskiej i podrzuciłem mu do sejfu. Niech się chłopak rozerwie. I już następnego dnia rozerwało włamywacza, który przypadkowo usiłował się tam dostać. Z rozpaczy postanowiłem załatwić sprawę standardowo. Sztucerem. Zasadziłem się w krzakach w Hyde Parku, bo ten dysydent co czwartek przyłaził tam na corner i przemawiał...

– I co?

– Zastrzeliłem jak psa, w pysk!

– W takim razie gdzie tu wpadka?

– Niestety, akurat nadeszła pieriestrojka. Zmieniły się koncepcje. Zdrajcę pośmiertnie ułaskawili, a mnie za moją wierność dali naganę z wpisem do akt.

III.
Pamięć genetyczna

Praca z Batonem niekiedy jest naprawdę syzyfowa. Bywa, że jednego wieczora uda mi się mozolnie wydobyć z niego jakieś informacje dotyczące przeszłości, po czym następnego dnia, niczym Penelopa, jedną rzuconą mimochodem rewelacyjką pruje wszystko, cośmy mozolnie udziergali. Najciężej było z kwestiami związanymi z jego młodością, a także relacjami z ojcem, którego najpierw (jak udało mi się wydedukować) zakapował, a potem przez dobrych kilka lat unikał. Wersji, którą znałem od brata, że sam jest cudownie odmłodzonym przez prof. Pawłowa Mordechajem, jakoś nie podtrzymywał. Za to zupełnie nieoczekiwanie z własnej woli opisał mi spotkanie ze swym rodzicem po latach.

– Myślałem, że mnie zastrzeli, w pysk, a tu się okazało, że mnie kocha – zwierzył się bardzo wzruszony Bronisław. – Nawet odznaki Pawlika Morozowa, której nie udało mi się schować pod klapę, mi pogratulował.

– A kiedy to mniej więcej było?

– Mogę panu powiedzieć z dokładnością co do pół minuty. Czwartego stycznia tysiąc dziewięćset pięćdziesiątego pierwszego roku o godzinie 18.28.

– Skąd ta drobiazgowa pewność?

– Ano stąd, że właśnie nasze zwycięskie wojska chińsko-koreańskie wyzwoliły Seul i rozpoczął się bojowy bankiet, na którym spotkali się obserwatorzy i doradcy z państw miłujących pokój. Mnie delegował tam pułkownik Światło, pragnąc, żebym się przetarł w szerokim świecie, a tatusia Kominform, czytaj GRU.

– Wyobrażam sobie, jak to musiało wyglądać, kiedy stanęliście twarzą w twarz na bankiecie.

– Akurat na bankiet nas nie wpuścili. Zawdzięczamy to upierdliwemu kwatermistrzowi, który zobaczył, że ma na liście dwóch Bronisławów Batonów. I niewiele myśląc, skonfrontował nas ze sobą, w korytarzyku koło schodów. Poczciwy człowiek. Skonfrontował, a mógł rozstrzelać bez konfrontacji!

– Wyobrażam sobie wzruszenie pańskiego ojca.

– Początkowo nie dał po sobie nic poznać. Kamienna twarz, spiżowe czoło! Ale kiedy strzeliłem obcasami i zawołałem po polsku: „Sierżant Baton melduje się na rozkaz" i jeszcze pocałowałem go w rękę, zupełnie się rozkrochmalił. Uznał za syna. Z rozpędu uznałby nawet za córkę, której na szczęście nigdy nie miał. W dodatku kiedy nieudolnie usiłowałem zakryć brązową odznakę imienia Pawlika Morozowa, powiedział: „Synu, jestem z ciebie dumny. Postąpiłeś jak komunista".

– Wzruszające!

– Naprawdę wzruszające sceny rozegrały się później. Bo kwatermistrz nie uległ nastrojowi chwili i powiedział: „Jak nie patrzyć, jest o jednego Batona za dużo. Ustalcie między sobą, który jest prawdziwy?". „Obaj jesteśmy!" – odparliśmy chórem. „W rozkazie mam skonfrontować obu. Wrócić z jednym. Który z was bardziej chce żyć?".

– Dylemat godny greckiej tragedii – przyznałem. – Rozumiem, że każdy był gotów się poświęcić dla drugiego?

– Wręcz przeciwnie! – Baton nerwowo zachichotał. – Ojciec uważał, że winien przeżyć on, z racji na swe bezcenne doświadczenie, a ja, że ja, ze względu na całe życie, które teoretycznie miałem przed sobą. Żaden nie chciał ustąpić, ani nawet ciągnąć zapałek, bo obowiązywał zakaz palenia. Po godzinie przekomarzanek wkurzony kwatermistrz zdecydował, że rozwali nas obu. Wziął pięciu chłopa i prowadzi na stary chiński cmentarz, żeby nie mieć później kłopotu z naszymi zwłokami... I wtedy ba-ba--ba-bach...!

– Zastrzelono was?

– Nalot amerykański! Serie z karabinów maszynowych. Giną wszyscy z plutonu egzekucyjnego, a nas nawet nie drasnęło.

– Palec Boży!

– Albo ichniejszy strzelec nie był dość wyborowy! W każdym razie, żeby nie mówić długo, przeżyliśmy jak w letargu.

– Na cmentarzu? W jakiejś krypcie?

– Mówisz pan, jakbyś nigdy nie widział chińskiego cmentarza.

– Bo nie widziałem.

– Wygląda to jak osiedle domków jednorodzinnych, eleganckie hawiry, z marmuru, zadaszone, okna, drzwi. Żyć, nie umierać. Znaleźliśmy jeden taki gustowny sarkofag, i opróżniliśmy, nie bez trudu, bo w środku kilku nieboszczyków było. Na szczęście obok znajdował się staw, a rybki były wygłodzone... No i mieliśmy tam jak u Konfucjusza za piecem.

– A jedzenie skąd?

– Akurat jedzenia było aż za dużo. Bo jak nie było nalotów, to miejscowi odwiedzali swoich zmarłych. Biesiadowali obok nieboszczyków i zawsze coś dla nich zostawili. Przeważnie produkty pierwszego gatunku. Co prawda nigdy nie przepadałem za kuchnią chińską, ale jak sobie człowiek wmówi, że szaszłyk z psa to cielęcina, zgniłe jaja – francuski ser, a jaskółcze gniazda – rosołek z przyprawami – to idzie wytrzymać.

– Jak się nie ma, co się lubi... – skomentowałem dla podtrzymania rozmowy, a także zapobieżenia nachodzącym mnie mdłościom.

– Otóż to. Cmentarną nudę tatko skracał mi opowieściami, dzięki którym poznałem całe jego życie, i w ten sposób przyswoiłem mnóstwo tajemnic naszego fachu, które wykorzystuję do dziś.

– Długo trwała ta cmentarna idylla?

– Miesiąc! Ponieważ wśród pożywienia było sporo miodu – można rzec, miesiąc miodowy! Aliści po miesiącu imperialiści na abarot oblegli Seul i poczuliśmy, że trzeba będzie opowiedzieć się po którejś stronie. Na wszelki wypadek tatko zdecydował, że się rozdzielimy. Zamierzał poddać się Amerykanom, podając się za obywatela tureckiego, zaplątanego w wir historii.

– Znał turecki?

– A jak mógł nie znać, skoro wychował się w Odessie? Ja z kolei miałem wracać do swoich. I zobaczyć, kto większą karierę zrobi. Ale o tym opowiem innym razem...

– Dlaczego nie teraz? – zaprotestowałem nieśmiało.

– Bo muszę wpierw zobaczyć, jak panu wychodzą moje wspomnienia i zdecydować się, czy warto to kontynuować?

Przyjąłem wspomniane rewelacje do wiadomości, jako całkiem nie-złe wytłumaczenie wiedzy Batona na temat zdarzeń, w których w żad-nym wypadku (wyjąwszy cudowne odmłodzenie) nie mógł uczestniczyć osobiście. Choć niedługo potem zdecydował się uchylić rąbka swej chy-ba największej tajemnicy. I znów zrobił mi koszmarny mętlik w doku-mentacji.

Szliśmy właśnie na spacer, kiedy na polance ukazał się dorodny żubr, na którego karku przysiadł niewielki ptaszek.

– Chce pan zobaczyć, jakiego mam cela? – zapytał kłusownik. I nim zdążyłem zaprotestować, złożył się, strzelił i żubr padł martwy.

– Myślałem, że chciał pan trafić ptaszka.

– Jednym strzałem załatwiłem obu. Żubr przygniótł ptaszynę. Piorun, aport!

Pies jakoś nie kwapił się z aportowaniem żubra i dopiero po dłuższym czasie przyniósł rozgniecionego ptaka.

– No to ile dałby mi pan lat? – zapytał dumny ze swego strzału Baton.

– Z jakieś pięćdziesiąt... dziewięć. A przecież wiem, że jest pan po osiemdziesiątce.

– Zaraz po osiemdziesiątce! Przecież ja sam do końca nie wiem, ile ja mam lat. Papiery to ja żem zmieniał tysiąc razy, podobnie jak twarz i odciski palców. Nawet u nóg!

– Jednak sam pan wspominał, że urodził się w tysiąc dziewięćset trzy-dziestym.

– I to jest częściowo prawda. Ale jakby dobrze policzyć, to mam prawie trzydziestkę więcej.

– Niemożliwe – zdumiałem się, zastanawiając równocześnie, czy w opowieści o profesorze Pawłowie, którą przekazał mi Jędras, nie kryło się ziarno prawdy.

– Jak mówię, że możliwe, to możliwe... W połowie lat osiemdziesią-tych już jako półemeryt (bo z prac zleconych przecież nie zrezygnowa-łem) pojechałem do Rumunii. Ze skierowaniem do słynnego zakładu ge-riatrycznego.

– Coś słyszałem o tamtejszych eksperymentach.

– To było wtedy bardzo modne. Podobno jeden z partyjnych bonzów z Ameryki Łacińskiej po przeszczepieniu sobie małpich hormonów wydymał w trakcie jednego plenum całe swoje Biuro Polityczne. I to nie wypuszczając z ust cygara. W pysk.

– Rozumiem, że chciał pan pójść w jego ślady?

– Bez przesady, nie musiałem sobie niczego przeszczepiać! Z moimi starymi hormonami to ja bym jeszcze i ho ho... Zdecydowałem się tylko na pobieżny *face lifting*, bo policzki mi tak obwisły, że zaczepiałem o pagony... Ale co to za kuracja, ot niewarte wzmianki, drobne dawki botoksu zmieszanego z samtexem! Tymczasem pewnego dnia w toalecie, gdzie akurat się drzwi nie domykały, spotkałem jednego faceta i na pierwszy rzut oka zorientowałem się: „Geniusz!".

– Medyczny?

– Nie, Karpat!

– Nie powie pan, sam Nicolae?

– Z żoną, tyle że Elena korzystała akurat jedynie z pisuaru. Poznał mnie od razu i mówi: „Batonesku, czy nie zrobilibyście czegoś dla rewolucji proletariackiej?". No to ja spuszczam wodę, wychodzę z kabiny i odpowiadam: „Nie takie rzeczy się robiło, towarzyszu!". On na to, że czasy są dziwne i wprawdzie jest bardzo dobrze, a nawet jeszcze lepiej, jednak wypadałoby się zabezpieczyć. I w związku z tym – pyta – czy wziąłbym udział w programie „memuaresku". Znaczy się w naukowym utrwalaniu pamięci.

– I zgodził się pan?

– A pan by się nie zgodził, gdy ochroniarze zarepetowali broń? Widząc moją ochotę do podjęcia zadania, Nicolae wytłumaczył w czym rzecz: „Na oddziale siódmym kituje jakiś stary agent Kominternu, skądinąd obywatel kanadyjski, kryptonim «Dekabrysta». Podobno był z Leninem w Smolnym i ze Stalinem pod Carycynem... Jednak znajduje się w stanie, w którym żadna operacja nie może mu pomóc". „Nawet w Rumunii?" – pytam. „Wiecie, towarzyszu, jeśli równocześnie występuje cukrzyca, rak trzustki, Parkinson i AIDS, nie ma ratunku. Umrze w przeciągu tygodnia, a jego wiedza razem z nim". „To przykre". „Bardzo!".

Od słowa do słowa wytłumaczył mi swoje zamiary. Jego naukowcy wykombinowali przeszczep kawałka mózgu starego komunarda z pamięcią operacyjną do mojej czaszki...

– Cholera!

– Oczywiście, zapierałem się rękami i nogami, póki nie zobaczyłem pacjenta.

– A co to zmieniło?

– Wszystko! Bo to był mój tatko!

– Ja cię kręcę!

– Więc pomyślałem sobie, jeśli nawet nie ma piekła, to dobrze byłoby unieśmiertelnić chociaż kusoczek jego bogatej osobowości. Dlatego powiedziałem: „Czyńcie swoją powinność, towarzysze chirurdzy".

– I co?

– Operacja się udała. To znaczy „Dekabrysta" zszedł, a ja pamiętam wszystkie jego przygody, jakbym sam w nich uczestniczył.

– A nie ma pan czasem rozdwojenia jaźni?

– Czasami, kiedy wspominam pewne epizody, podczas których on służył Amerykańcom, a ja Ruskim, widuję nas równocześnie po obu stronach barykady. Ale kiedy uzmysławiam sobie, że przecież cele działań pozostawały wspólne, odzyskuję równowagę. Poza tym korzystam z jego zasobów tylko wówczas, kiedy muszę. Na szczęście nie przeszczepili mi jego sumienia...

– Przecież sam pan twierdził, że niczego takiego nie miał!

– Tak się tylko mówi. Wie pan, nie u takich twardzieli na łożu śmierci odzywa się sumienie. W każdym razie podejrzewałem, że po zabiegu trzymać mnie będą w tej Rumunii jak jakiegoś Drakulę całe lata, ale wystarczyła interwencja naszej ambasady, abym wrócił szczęśliwie do domu. Aż taki niezależny to Nicolae nie był.

– W takim razie po co był ten eksperyment?

– Dobre pytanie! Po latach jestem prawie pewien, że to była jedynie próba. Wykorzystano mnie w charakterze króliczka doświadczalnego. Są świadectwa, że w jakiś czas potem Geniusz Karpat osobiście poddał się podobnemu zabiegowi. Część jego mózgu przeszczepiono różnym młodym aktywistom przebywającym wtedy na urlopie w Mamai...

– To znaczy, że Nicolae żyje!? – wykrzyknąłem. – Przecież wszyscy widzieli jego egzekucję!

– Mnie pan to opowiadasz? Mnie, który był bliżej tych wydarzeń niż ktokolwiek? Przypadkowo w tysiąc dziewięćset osiemdziesiątym dziewiątym pojechałem na wczasy z grupą młodych prowokatorów... eee sportowców, do ośrodka Securiate pod Sinaią. I jako fachowiec wpadłem w sam środek wydarzeń. Trzeba było rozbroić równocześnie parę bomb – opanować gniew ludu, obalić władzę Ceaușescu i nie stracić kontroli nad wydarzeniami. Za moją radą zwołano do Bukaresztu wiec aktywu z poparciem dla partii i rządu.

– Pamiętam!

– Co pan pamięta?

– Jak demonstracja poparcia spontanicznie przemieniła się w rewolucję.

– Spontanicznie? Pan jest gorszy niż dziecko. To było wszystko wyreżyserowane, oczywiście przez nas. Tłum wiedział, co ma krzyczeć, bo dostał teksty. Hasło numer trzy miało brzmieć: „Niech żyje Geniusz Karpat". Tymczasem my wydrukowaliśmy hasło „Nie żyje!" i puściliśmy plotkę, że tam na balkonie stoi tylko sobowtór. Dzięki temu w trymiga demonstracja poparcia zmieniła się w manifestację potępienia. Geniusz Karpat rzucił się do ucieczki.

– A nie baliście się, że prowokacja się wyda?

– Jak cholera. Toteż trzeba było szybko dopasować zgodność słów i faktów. Jak Geniusz nie żyje, to nie żyje. Procesik, plutonik, egzekucyjka, sam na ochotnika zgłosiłem się do tego plutonu! I po kłopocie.

– I mówi pan o tym tak spokojnie? – poczułem za koszulą strumyczek zimnego potu.

– Oczywiście, przecież wiem, że zabiliśmy jedynie pusty skafander. No i żonę. Ale to zrobiliśmy już wyłącznie dla przyjemności. Tymczasem jego mózg, co prawda we fragmentach, nadal żyje!

– Rozumiem, że nie byłby pan sobą, gdyby się pan nie dowiedział, kto jest aktualnie nośnikiem jego tożsamości?

– Mam pewne podejrzenia, ale zmieńmy temat. Opowiem panu kiedy indziej...

– Ośmielę się nalegać, panie Bronisławie. Bez tej informacji pańskie pamiętniki będą niepełne.

– Nie mogę nikogo skrzywdzić ani pomówić! W pysk! – Bronisław wił się jak piskorz. – Wie pan, ile teraz kosztują procesy. Zresztą widziałem tylko listę imion. Bez nazwisk.

– I kto na niej był?

– Z Polski jakiś Aleksander, z Rosji Władymir, z DDR-u Angela...

Zobaczyłem pulsowanie czerwonego światełka na dyktafonie. Najwyraźniej wyczerpywała się bateria, albo mój telefon miał swój rozum!

IV.
Pieskie życie

Czas płynął, wiosna przemieniła się w lato, a ja ciągle pozostawałem w niewoli. A im częściej zastanawiałem się nad sposobami mojej ucieczki z tego uroczego zakątka, tym mocniej zdawałem sobie sprawę, że w pierwszej kolejności będę musiał rozwiązać problem Pioruna. Zaprzyjaźnienie się z nim nie wchodziło w grę.

– Jest nieprzekupny jak Robespierre i bezlitosny jak Macierewicz! – mawiał o nim gospodarz. I nie sądzę, żeby akurat przesadzał. Z mojej ręki nie chciał wziąć nawet kanapki z kawiorem, a próba zawołania: „Piorun, do nogi" skutkowała całkowitym brakiem reakcji. To znaczy gapił się na mnie ze stoickim spokojem, tak jakby chciał dać mi do zrozumienia: „Świń z tobą nie pasałem!".

Skądinąd lojalność pana i psa była obustronna. Wiedziałem, że swojego aktualnego ulubieńca darzył Baton osobliwym sentymentem i przywiązaniem.

– Wyobraź sobie, panie Marciński – opowiadał – miałem w swym długim życiu ponad setkę psów i każdy jeden nazywał się Piorun. Chyba że to w Ameryce było, to wtedy wołałem na niego Thunderbolt. W ogień by za mną wskoczył! A moich wrogów wyczuwa pięć razy wcześniej ode mnie.

Oczywiście, rozważałem rozmaite rozwiązania tego problemu. Wiedziałem na przykład, że Baton ma w swym magazynku zapas trutek – na szczury, na dziki, a nawet na ludzi, ale wzdragałem się przed takim rozwiązaniem. Nie tylko dlatego, że miłość do zwierząt została mi zakodowana od dziecka, ale zdawałem sobie sprawę z okrutnych kar, jakie mogłyby na mnie spaść, gdyby szlag trafił ukochanego czworonoga. Baton niejednokrotnie zwierzał mi się ze swego życiowego credo:

– Muchy bym nie skrzywdził, ale człowieka z największą przyjemnością! Wie pan, dla mnie każde żyjątko to stworzenie Boże. Nawet jak imperialiści nam stonkę z samolotów zrzucali, to ja ją żywcem łapałem i słoikami do szwagra woziłem.

– Do szwagra? A więc jednak miał pan jakąś rodzinę? – ucieszyłem się, znajdując rozbieżności w jego dotychczasowych wyznaniach. – A że się zapytam, ze strony ojca czy ze strony mamusi to był szwagier?

– Łoj! – sapnął. – Tak się tylko mówi. To był „szwagier przyszywany", bośmy swego czasu równocześnie posuwali jedną damulkę z resortu. Luna się wabiła. Cóż to była za suka!

– Ale co ten „szwagier" z nią robił?

– Panie Marciński, dorosły z pana człowiek i nie wie...? Dość powiedzieć, że Luna pod mundurem nie nosiła niczego. Tylko podwiązki i pejcz... Aż szkoda, że fotografa przy tym nie było.

– Ale ja o stonkę pytam!

– O jaką stonkę? Aaa, o żuka z Kolorado? Już mówiłem. Szwagier eksperymentował na różne sposoby, nalewkę z tego pędził, destylował, sublimował, bo dostał zadanie z Ministerstwa Handlu ustalić, z czego Amerykańce robią ten swój słynny napój coca-cola.

– Słyszałem, że receptura otoczona jest najściślejszą tajemnicą...

– Ale szwagier upierał się, że główny komponent pochodzi właśnie z gniecionej stonki. Toteż nie ustawał w eksperymentach. Niestety, chyba coś mu nie wyszło albo wyszło za dobrze, bo pewnego dnia, kiedy na publicznej prezentacji łyknął swego koncentratu, brzucho mu rozerwało. Na szczęście ja tego paskudztwa do ust nigdy nie brałem, chyba że z dodatkiem whisky.

– A z rumem pan nie pije? – dopytywałem się. – Powinien być pan przecież entuzjastą koktajlu „Cuba Libre"?

– Kuba jest bardziej libre bez tej jankeskiej coli! Zresztą takie mieszanie trunków, panie Jędrzejku, jest mocno przereklamowane. I szkodliwe dla organizmu. Co innego normalny samogon. Można spożywać go pod każdą postacią, w pysk. I kaca nie ma. A kac to śmiertelny wróg, z którym przegrać może nawet prawdziwy komunista. Opowiadałem panu historię o Piorunku numer trzydzieści trzy?

– Chyba nie. A gdzie to miało się wydarzyć?

– W Bajkonurze, czyli nigdzie. Wysłano mnie tam wkrótce po wystrzeleniu pierwszego sputnika. Ówczesny przywódca ZSRR, towarzysz Chruszczow, podejrzewał, nie bez podstaw, że w sygnale pip, pip, pip, który wydawał nasz obiekt, krążąc po orbicie, mogła być zakodowana jakaś poufna informacja dla Amerykanów.

– Naprawdę?

– Naukowcy, wiadomo, element niepewny – cytował Pierwszego Sekretarza Baton. – Niejeden profesorek przyjeżdżał na kosmodrom wprost z łagru, a niejeden tam wracał, więc różne rzeczy mogły mu strzelić do głowy. Powiem szczerze, osobiście też nigdy nie miałem zaufania do tych jajogłowców. Same podejrzane elementy. Ciołkowski – Polak. Sacharow – goj... Dobrze, że chociaż żonę miał naszą. Osobiście najbardziej zaprzyjaźniłem się tam z pewnym psim treserem, Jurijem.

– Treserem?

– Przecież mówię wyraźnie, z treserem, specjalistą od tych psów, które w kosmos w jedną stronę ekspediowali, Łajka, Biełka, Striełka, Piorun...

– To Pioruna też wysłali? – zdumiałem się.

– Chcieli wysłać! Ale nie dopuściłżem. Spiłem na umór tresera, Jurij mu było.

– Już pan mówił.

– Bo dwa razy go spijałem. Potem analogicznie spiłem ochronę, obstawę... I zamiast psa, wsadziłżem do rakiety tego tresera... Myślałem, skoro lot ma być w jedną stronę, to przecież nie poznają zamiany...

– Matko Boska!

– Tymczasem okazało się, że cały ten lot to tylko taki pic dla telewizji, żeby Amerykańcom wyższość radzieckiej techniki pokazać. Wykombinowali tak, że jedna rakieta startuje, a druga, znaczy się sama kapsuła zrzucona z balonu, wyląduje na piachu.

– Słyszałem o takich pogłoskach...

– Wie pan, jak ja się zdenerwowałem, kiedy to do mnie dotarło, w co się wpakowałem? Z nerwów kompletnie wytrzeźwiałem. Wkrótce włączyli

transmisję z otwierania pojemnika na pustyni. Patrzę, a tam zamiast psa
– Jurij... Zarzygany jak nie przymierzając klozet na dworcu białoruskim, ale
żywy i cały.

– Chwileczkę, to jak on się nazywał?

– On? Mam na końcu języka. Zaraz... Jak ta wasza imperialistyczna piosenkarska wywłoka...

– Madonna?

– Nie, Lady Gaga... No i właśnie Ga... ga... rin.

Nie dałem mu skończyć.

– Pierwszy człowiek w kosmosie! – wyszeptałem z szacunkiem. – I to
pan go tam wysłał!?

Uśmiechnął się skromnie.

– Trochę się bałem, że wyjdzie na jaw moja rola. Ale okazało się, że
od przypadku głowa nie boli. Wszyscy przypisywali sobie ten niebywały
sukces. Kurczatow pieczony w pysk! Jurij został gierojem Sowieckowo Sojuza, choć do dziś dnia śledztwo nie wykryło, w jaki sposób znalazł się w tej
rakiecie. Kosmonauta ma się rozumieć trzymał gębę na kłódkę. A kiedy
w końcu chciał opublikować pamiętniki, to w jego samolocie przydarzyła
się awaria... A Piorun nie sypnął, bo jak miał sypnąć...

– Chyba że w Wigilię.

– Dlatego na wszelki wypadek jeszcze w Adwent dałem sobakę
do uśpienia, ale opłakałem jak brata... I niech mi pan to napisze tłustym
drukiem. „O – pła – kał!". Bo jak powiedział Adolf Hitler do swej suki Blondi: „Człowieczeństwo człowieka mierzy się jego stosunkiem do zwierząt".
Po czym ją zastrzelił. I przy okazji Evę Braun, żeby za bardzo nie płakała.

* * *

Rozpracowanie Pioruna zajęło mi ponad miesiąc. Doszedłem do wniosku,
że skoro jest inteligentny jak człowiek, trzeba postępować z nim po ludzku. I znaleźć odpowiednią metodę. Jako młody człowiek interesowałem się
hipnozą, którą wykorzystywałem w mej pracy pedagogicznej, dając korepetycje uczennicom ze starszych klas. Zapadały w sen już podczas pierwszej prywatnej lekcji, a budziły się dopiero po klaśnięciu w dłonie. I nie pa-

miętały niczego z procesu edukacyjnego, choć podejrzewam, że przynajmniej niektóre tylko udawały sen i cały czas przez przymknięte powieki podglądały moje zabiegi, a nawet czynnie się w nie włączały.

Początkowo recytowałem Piorunowi moje młodzieńcze poezje, co wywoływało w nim ataki agresji. Później próbowałem opowiadać kawały, na koniec zacząłem liczyć od końca barany, co pewien czas dorzucając tekst: „Łapy masz ciężkie, powieki masz ciężkie, ogon masz superciężki"... Dwa razy uśpiłem siebie, ale w końcu po profilaktycznym wypiciu przeze mnie pięciu kaw, pies zachrapał. Wymknąłem się z domu. Przez warzywniak, sad, zagajnik dotarłem do lasu i zagłębiłem się w jego ostępy.

Dziwny to był las – powiedziałbym taki bardziej deszczowy. Mgła wisiała nad nim nisko, odgłosy dobiegały niezwykłe, jakby w koronach zagnieździły się małpy... Szedłem, szedłem... Wedle moich obliczeń dawno powinienem dotrzeć do płotu, a tu im dalej w las, tym więcej było drzew. Pojawiły się nawet liany i bambusy. W naszym klimacie?...

Żarty skończyły się, gdy na ścieżkę tuż przede mną wyszedł najprawdziwszy tygrys. Nie pomnę już bengalski czy usuryjski, bo ostatnim wysiłkiem wspiąłem się na lianę i wbiwszy w nią zęby, czekałem co dłużej wytrzyma, znudzony tygrys czy wiotkie pnącze.

Baton pojawił się mniej więcej po godzinie. Tygrysa przegonił strzałem ostrzegawczym, a potem mierząc do mnie ze sztucera, zaczął przesłuchanie.

– Coś pan Piorunkowi zrobił, że śpi jak zabity, dosypał mu czegoś do karmy? Przecież od pana niczego nie weźmie?

– Nic mu nie wsypałem. Chyba tylko znudziłem go, czytając pańskie wspomnienia.

– No, no! – pogroził mi palcem. – Żeby mi to było przedostatni raz.

– A dlaczego nie ostatni?

– Bo za ostatnim zastrzelę pana, w pysk. Albo pana poszczuję czymś gorszym.

– A co może być gorszego od wygłodniałego tygrysa? – na moment zapomniałem o mdlejących rękach.

– Choćby kangur. Mało że po pysku spierze lepiej niż Gołota, to jeszcze wszystkie wartościowe rzeczy do torby zabierze.

– Ale skąd tu miałyby się wziąć kangury?

– Mówiłem panu, globalne ocieplenie to i fauna nadwiślańska się zmienia. Parę sezonów temu zaaklimatyzowały się strusie, a dwa lata temu nadleśniczy zrobił deal z nadleśnictwem Canberra. U nich jest nadmiar kangurów, na które polować nie wolno. U nas z kolei jest zatrzęsienie żubrów, do których nam strzelać zakazano. No to stanęło na tym, że my eksportujemy żubra do Australii, a Australijczycy do nas kangura. Parytet ustaliliśmy pięć i pół kangura na jednego żubra, chyba że dolar skoczy. Żeby jeszcze tak często nie przeskakiwały przez moje ogrodzenie, to bym był nawet rad z takiego zoologicznego urozmaicenia.

Podroczył się ze mną i na koniec pozwolił mi zsunąć się z liany.

– I tak nigdzie by pan nie doszedł – pocieszył mnie, kiedy wracałem potulnie do domu, rozcierając zgrabiałe dłonie. – Przestrzeń się tu zakrzywia i chodziłby pan w kółko. „Białowieszczańska anomalia geopolityczna" – zarechotał. I dodał: – Czy pan wiesz, że na mapie mój matecznik ma wszystkiego trzy kilometry wzdłuż i dwa w szerz. A faktyczny obszar liczy sto razy tyle.

– Rozumiem. Mapy są zafałszowane?

– Mówiłem a–no–ma–lia. Coś tu w Budzie Polskiej popieprzyło się z czasem i przestrzenią. Kiedyś mieliśmy tu poligon Armii Czerwonej, na którym ćwiczono możliwość wprowadzenia geometrii nieeuklidesowej na całym świecie, ale kiedy pod laskiem pojawiła się czarna dziura, zlikwidowano program, z generałem Łobaczewskim, w pysk. A jakiś czas potem nawet z poligonu zrezygnowano.

– Dlaczego?

– Występowało tu zbyt wiele zjawisk nadprzyrodzonych. Znikali ludzie, całe baterie. Parokrotnie lądowało UFO. Raz nawet na moczarach odnalazł się cały oddział niemiecki, który nie wiedział, że wojna się skończyła, a innym razem przez uskok czasoprzestrzenny wypadło pół kohorty rzymskich legionistów. Jednak żarty się skończyły na dobre, kiedy setce kursantów NKWD ukazała się Matka Boska. Sam pan rozumiesz, nie można było dalej tego tolerować! Ale do polowań teren nadaje się znakomicie. Dzięki stałej sztucznej mgle nie widać nas nawet z kosmosu. Z map wynika, że nic tu nie ma, miejscowa ludność jest zastraszona i za chińskiego Boga tu nie wlezie. Słowem, cisza, spokój, bezpieczeństwo! Dlatego kiedy przeszedłem na rentę, zacząłem tu organizować polowania. W końcu w całym Układzie Warszawskim nie było lepszego ode mnie fachowca.

– Zwłaszcza jeśli idzie o nagonkę? – uśmiechnąłem się domyślnie.

– Albo i bez nagonki! Najważniejsze, że znałem się na protokole dyplomatycznym. Te ćwoki z BOR-u każdemu wystawiałyby tylko zające i kuropatwy, a ja, człowiek bywały, i wiem, co lubi na przykład taki Francuz.

– A co lubi Francuz?

– Wiadomo, że ślimaki i żaby. No i jak przyjechał polować do nas Pompidou, to mu wygoniłem przed lufę najstarszą miejscową ropuchę, żabę po prostu – kolosalną!

– I zastrzelił ją?

– Już miał zamiar. Ale nasz Edek go powstrzymał, mówiąc: „A może by tak, wicie rozumicie, towarzyszu Georges, najpierw ją pocałować, bo a nuż to – że się tak wyrażę – towarzyszka królewna". Żabojad już się do całowania chciał brać. Ale nasz Pierwszy znał procedury bezpieczeństwa i mówi: „Jako pierwszy całować będziecie wy, towarzyszu Jaroszewicz!". Błysło, huknęło...

– I co, żaba zamieniła się w królewnę?

– Nie, zwyczajnie sfajdała się pod siebie, za to w towarzyszu Piotrze zaszły nieodwracalne zmiany. Postanowił od tej chwili zostać uczciwym komunistą. A jak wiadomo, pojęcie takie zawiera wewnętrzną sprzeczność. Żadne środki dyscyplinujące nie pomagały! Stracił stanowisko premiera – nic. Internowaliśmy go w grudniu osiemdziesiątego pierwszego – bez skutku. Dopiero jak mu wysłano do domu w Aninie sekcję specjalną...

– Pomogło?

– A jak? Pozostało już tylko zrobić sekcję zwłok... Ale ja nie o tym. Opowiadałem przecież o polowaniach. Największy raban bywał, jak przyjeżdżali Ruscy.

– Domyślam się. Po polowaniu nie można się było doliczyć rogów i dubeltówek?

– Też. Ale najgorsze były stawiane nam przez nich wymagania. Przecież nie wypadało, żeby na ten przykład towarzysz Leonid strzelał do zajęcy jak do kaczek. No to osobiście mu załatwiłem raz niedźwiedzia, raz tygrysa, jako typowych przedstawicieli miejscowej fauny, i jakoś szło. Aż w osiemdziesiątym pierwszym wzywają mnie na samą górę i Nadłowczy mówi do mnie: „Musicie zapewnić coś ekstra, towarzyszu Baton, to może nie wejdą". Odpowiadam: „A co mają wchodzić, kiedy wszędzie są, towarzyszu generale?". On mi na to: „Niby tak. Ale można wchodzić biernie, albo, że się tak wyrażę – czynnie. Poza tym nasz dostojny gość wzrok ma coraz słabszy, więc zapewnijcie mu coś dużego, tak żeby bez pudła trafił".

Biorąc pod uwagę, że ostatnio były na rozkładzie bawoły, nosorożce, a nawet jeden kangur, wiele nowych możliwości nie miałem. Ale od czego pomyślunek. „A mamut byłby dobry?" – pytam. „Mamut, mówicie?" – zdziwił się Nadłowczy. „Ale skąd go weźmiecie?". „Będzie wyhodowany metodą klonowania przez naszych naukowców specjalnie na ten strzał, towarzyszu Wojciechu!" – melduję ochoczo. „Partia daje wam w tej sprawie wolną rękę, Baton" – usłyszałem od strony ciemnych okularów.

– Tym razem chyba pan przesadził – zawołałem. – Mamut w dwudziestym wieku?

– Fakt, na pierwszy rzut oka, ciężki problem. Czego jednak się nie robi dla sprawy. Z cyrku, zresztą rosyjskiego, wypożyczyłem słonia, perukarze dorobili mu kudły, plastyk poprawił ciosy, rekwizytor dorzucił plakietkę „Solidarności", żeby było w co mierzyć...

– I Breżniew go zastrzelił?

– Prawie. Bo gdy słoń, w końcu niegłupie bydle, zobaczył Pierwowo Sekretara, to najpierw odegrał na trąbie *Międzynarodówkę*, potem odtańczył trepaka, na koniec podał pół litra Stolicznej i zasalutował...

Wzruszony Leonid się rozpłakał, odłożył broń i powiedział do nas: „Charaszo! Ja jewo nie ubiju. Bo widać, że szczery komunista. Załatwcie to własnymi rękami, małady". „Tak jest, tawariszcz Leonid!" – wyprężył się Nadłowczy, oczywiście na tyle, na ile pozwalał mu ortopedyczny gorset. A ja z boczku półgłosem zanuciłem: „Trzynastego, nawet w grudniu jest wiosna!".

V.
Operacja „Marylka"

Ani się obejrzałem, jak zaczął się kolejny tydzień mojej niewoli. Chwilowo zarzuciłem myśli o ucieczce, próbując najpierw odnaleźć słabe punkty w rzeczywistości, którą „Stary Kłusownik", jak sam siebie pieszczotliwie nazywał, sobie zorganizował. Tym, na co zwróciłem uwagę już trzeciego dnia, a co potwierdzało się drobnymi dowodami w dniach następnych, był fakt niekompletnej izolacji kryjówki. Ktoś Batona odwiedzał. Nocą, biesiadując do późna, przeważnie zostawialiśmy salon i kuchnię w dość opłakanym stanie, a przecież rano znajdowaliśmy apartamenty czyściutkie, wysprzątane, tak jakby w trakcie mojego snu zjawiał się jakiś dobry duszek albo duszka. O tym, że mogła to być kobieta, przekonywały mnie drobne wskazówki – zapach perfum w sypialni Batona, opuszczona deska w gościnnej toalecie, czy pozostawiony pod prysznicem żel do higieny intymnej. Parokrotnie oprócz warkotu gazika pana Bronisława, wypuszczającego się na jakieś nocne łowy, docierał do mnie dużo wyższy warkot mniejszego silniczka. Ani chyba motoweru czy skuterka. Zauważyłem sporą regularność tego zjawiska, dźwięki rozlegały się (jeśli już się rozlegały) o 10.30 wieczorem i 6.30 rano. Wreszcie pojawił się jeszcze bardziej namacalny dowód. Któregoś dnia po deszczu znalazłem na podjeździe do domu odcisk opon jakiegoś niewielkiego jednośladowca. Mogłem zapytać wprost, kto tu był, ale nie chciałem się wychylać ze swoją spostrzegawczością. Poza tym, nie bez podstaw, przypuszczałem, że Baton w przypływie gadulstwa prędzej czy później mi się swym gościem pochwali.

Odnotowałem też, że nocne wizyty wprawiają go w zdecydowanie lepszy nastrój. I właśnie, pewnego dnia korzystając z wyjątkowo dobrego humoru pana Bronka, postanowiłem zapytać go o jego najsłynniejszą akcję. Zareagował jak zwykle spontanicznie:

– Panie Jędrzeju, niech mnie pan zabije, nie wiem. Wszystkie były słynne, tylko niekiedy szły na cudze konto. Na przykład, pamiętam raz w Dallas...

– Był pan w Dallas!? – wykrzyknąłem. – Nie powie pan, że w samo popołudnie dwudziestego drugiego listopada tysiąc dziewięćset sześćdziesiątego trzeciego roku.

– Panu akurat powiem, co mi zależy! Zresztą to się już przedawniło.

– Czy aby na pewno? Słyszał pan, że Polański do tej pory nie może się wyplątać z tego procesu z małolatą? Dziewczyna już przechodzi na emeryturę, a jego jeszcze ciągają po sądach!

– Bo to jest cała Ameryka – splunął pogardliwie kulką flegmy. – Co innego zgwałcić, zresztą na własną prośbę, małolatę dla prywatnej przyjemności, a co innego zastrzelić prezydenta z obowiązku.

– Jeszcze pan powie, że nazywał się wtedy Lee Harvey Oswald?

– Nie powiem. Choć szkoliłem tego gagatka w Mińsku Białoruskim parę miesięcy, w pysk. Fajny chłopak, ideowy jak Korczagin, tylko cela za grosz nie miał.

– W Kennedy'ego jednak jakoś trafił!

– Taak, a słyszał pan o teorii drugiego strzelca? Jeden kropił z hurtowni książek, a drugi z mostka nad autostradą... A był jeszcze ten trzeci! – znacząco zawiesił głos.

– Nie przekona mnie pan do swego udziału!

– Nie mam zamiaru, zresztą nie chciałem o tym mówić, przyjdzie czas, opowiem, jak to znalazłem się na linii ognia...

– *Na linii ognia*? – w tym momencie odezwała się we mnie dusza starego krytyka filmowego. – Widział pan ten film?

– *Na linii ognia*? – zmarszczył brwi z namysłem. – A o czym to było? Może o Machejku goniącym za słynnym „Ogniem" po skalnym Podhalu? Tyle że ten obraz nazywał się, jeśli dobrze pamiętam, *Rano przeszedł huragan*.

– To inna historia. Film, o którym myślę, był o ochroniarzu, który całe życie się gryzł tym, że nie upilnował Kennedy'ego w Dallas. Tak się tym gryzł, że się na koniec wściekł. Pienił się i miał wodowstręt, więc samą whisky bez wody golił.

– A jak on biedak mógł upilnować, kiedy Baton wykonywał swoją misję?

– Był pan tym drugim strzelcem zaczajonym na estakadzie?

– Tam miał stanowisko mój świętej pamięci tatuś. Ja byłem tym trzecim. Jakby pan zbadał, kto był wtenczas introligatorem w tej Centralnej Składnicy Księgarskiej, z której padły strzały...

– To pan strzelał?

– Jażem tylko podbił rękę Oswalda, tak sprytnie, że kulka przeznaczona dla Jacqueline trafiła Johna Fitzgeralda.

– Nie do wiary. Utrzymuje pan, że celem snajpera była Jacky Kennedy?

– Poniekąd – uśmiechnął się zagadkowo.

– Wariata pan ze mnie robi? – zdenerwowałem się.

– Mniej emocji, panie Marciński. Tak samo mi mówiły te dupki z komisji Warrena, zanim w końcu nie dały mi żółtych papierów. Do głowy im nie przyszło, że Oswaldem kierowały pobudki osobiste. Zakochał się w Jackie, próbował ją nachodzić, listy pisał.

– Jednym słowem stalker?

– Przecież mówię, że Oswald. I choć miał za zadanie zlikwidować prezydenta, przy okazji chciał wyrównać własne rachunki z jego żoną. Za żadne skarby nie mogłem do tego dopuścić. Pani Kennedy była w trakcie werbunku...

– Dla KGB?

– Akurat dla GRU! Inna sprawa, że po śmierci męża straciła dla nas wszelką wartość. Bo jakąż korzyść mogliśmy mieć z kablowania na Onasisa. Ale mieć wśród swoich współpracowników pierwszą damę... – tu szelmowsko przymrużył oko.

– To chyba niemożliwe, żeby zrobić agentkę z żony prezydenta...

– Oj, żeby się pan nie zdziwił! Nie pierwsza ona, nie ostatnia...

– Ale mimo wszystko trudno mi uwierzyć!

– Wiem, wiem, pamiętam takie powiedzonko: „Żona cenzora musi być poza wszelkimi podejrzeniami". Ale to teoria, w praktyce baby, kiedy mąż

siedzi na wysokim stanowisku, nudzą się i same w ręce nam się pchają...
Weź pan Argentynę, taka słynna Evita, a oddała się memu tatusiowi na
Perónie.

– Na dworcu?! – zdumiałem się.

– Na Juanie Perónie, znaczy się mężu – prezydencie, który chrapał na-
walony jak piec, a łóżko nie za szerokie... Ale jak to się mówi: „Don't cry
Argentina"... I niech pan nie robi takiej zdziwionej miny, to była kobieta po
przejściach. I takie są potencjalnie najwartościowsze. À propos, słyszał pan
o operacji „Marylka"?

– Nie.

– Szkoda, bo to prawdziwa sensacja dwudziestego wieku! No więc
dawno temu mieliśmy we frontowym teatrzyku GRU taką jedną artystkę o imieniu Marylka. Pulchniutka blondyneczka, duże niebieskie oczy...
A oddana partii i rządowi, aż strach! Nawet towarzysz Beria, który miał
temperament jak wszyscy diabli, po weekendzie spędzonym z nią na daczy
w Kuncewie, musiał jechać do sanatorium. A po powrocie zamiast kontynuować romans, postanowił zrobić z niej matrioszkę.

– Matrioszkę?

– Nigdy pan nie słyszał tego określenia? – zdziwił się Baton. – Matrio-
szka to słynna rosyjska baba w babie. A przy okazji kryptonim operacji re-
alizowanej przez nas od dziesięcioleci. Wprowadzało się naszą, doskonale
wyszkoloną agentkę w obce środowisko, dawało nową tożsamość. I pod-
lewając forsą, czekało, jakie kwiatek wyda owoce. Akurat na początku lat
pięćdziesiątych kręciło się po Hollywoodzie takie jedno aktorskie beztalencie – Norma Jeane Mortenson, po mężu Baker. Biedactwo za wszelką cenę
chciało zrobić karierę. Ale miało tak kiepskie warunki, nos za duży, cyc za
mały, tak że mogło występować najwyżej w pornolach. Dlatego Norma postanowiła pójść do kliniki, którą prowadził nasz człowiek doktor (nazwij-
my go) Rabinowicz, i zażądała, aby jej biust powiększyć, nos skrócić, nogi
wydłużyć, a przy okazji talentu dodać. A myśmy tylko na to czekali z naszą
agentką Marylką.

– Chwileczkę, ale żeby dokonać takiej roszady, trzeba było być osobiście w USA. Wpuścili pana tam w czasie szalejącej zimnej wojny?

– A po co było wpuszczać? Tatuś już tam był. I kierował całą operacją.

– Zaraz, przecież mówił pan, że wprost z Korei dał się zwerbować Amerykanom jako podwójny agent.

– Ustalmy, że poczwórny. Amerykanie myśleli, że on tylko udaje podwójnego, a w istocie pracuje dla nich. Ale nie znali duszy prawdziwego komunisty... Mordka tak kochał Rosję Sowiecką, że by się z nią ożenił. Naturalnie gdyby była wolna! I służył jej jak, nie przymierzając, mój Piorun.

– Ale co z tą Normą?

– W tej akcji wyrobiliśmy, że tak się wyrażę, dwieście procent Normy. Wzięliśmy wspomnianą brzydulę na zabieg, z którego już nie wyszła żywa, za to w jej rolę weszła nasza Marylka, której niczego nie trzeba było poprawiać, co najwyżej pomóc w angielskim się podciągnąć. Chyba słyszał pan o metodzie nauki języka przez sen?

– Coś słyszałem, ale niedokładnie.

– Przespała się z kilkudziesięcioma amerykańskimi jeńcami z Korei i już szprechała perfekt! Potem tylko trzeba było nadać jej odpowiednie pseudo. Sam je wymyśliłem na cześć wielkiej ryby nazywanej marlin, którą podgrandziłem pewnemu staremu człowiekowi, co już nie mógł – i prezydenta, co to wymyślił hasło „Ameryka dla Amerykanów" – Monroe.

– Wielkie nieba, to wy stworzyliście Marilyn Monroe? Taką gwiazdę!

– Nie chwaląc się, tymi rękami i nie tylko rękami! To była nasza pięćdziesiąta druga gwiazda na amerykańskim sztandarze! Oczywiście nikt nie podejrzewał, że pięcioramienna. Efekt operacji przeszedł wszelkie oczekiwania – nasza Marylka stała się symbolem Ameryki. Pamiętam, kiedy śpiewała prezydentowi Kennedy'emu *Happy birthday to you*, to aż mi ciarki chodziły po plecach. Czułem, prawie namacalnie, jak los supermocarstwa znalazł się między naszymi komsomolskimi udami. Dziewczyna jak burza szlajała się wśród imperialistycznej elity, romans z prezydentem, z jego bratem – prokuratorem generalnym, zaliczyła nawet tego pastora przywódcę Czarnych, podobnie jak Johna Lennona w trakcie amerykańskiego tournée...

Żachnąłem się.

– Z Lennonem to pan chyba przesadził?

– Ja przesadziłem?! Fakt, trochę tam przesadzałem... kwiatki, bo pracowałem jako ogrodnik u niej w willi, aby stale trzymać rękę na szlauchu...

znaczy na pulsie. Wie pan, jakie fantastyczne były przesyłane przez naszą dwójkę raporty? O desancie w Zatoce Świń na Kubie wiedziałem wcześniej niż Pentagon... Ale nie ma rury bez kolców. Marylka zasmakowała w urokach Ameryki, w głowie jej się przewróciło. I mimo że podnieśliśmy jej stawkę, przelewaną na konto w Genewie w rublach transferowych, pewnego dnia powiedziała mi tak: „Batuś, ja już pieniędzy mam dosyć i tylko diamenty są prawdziwymi przyjaciółmi dziewczyny". Z wrażenia aż usiadłem na wersalce. „Mówisz to półżartem czy serio?" – zapytałem. – „Chcesz w ałmazach, dostaniesz ałmazy..." A ona: „Nie wiem, co mam dalej robić, jestem taka skłócona z życiem...". To ja ciągnę ją dalej za język, a ona mi deklaruje, że już nie chce wracać do Związku Radzieckiego, i nie wierzy w komunizm...

– I co pan z tym zrobił?

– Początkowo nic. Byłem gotów jeszcze puścić babskie brednie mimo uszu. Tym bardziej że naćpała się szybciej niż zwykle, dała mi to, co mi się należało, dwa razy, po czym wypchnęła do domku ogrodnika, twierdząc, że musi jeszcze popracować nad rolą. Prawie jej uwierzyłem, ale na wszelki wpadek wróciłem kuchennym wejściem i zdążyłem jeszcze podsłuchać, jak ta głupia blondynka przez telefon zwierza się jednemu ze swoich słynnych kochasiów na temat pracy w GRU. Płacze i sypie nasze najtajniejsze tajemnice, podaje punkty kontaktowe, kryptonimy... Kurczę pieczone.

– W pysk! – wyrwało mi się mimowolnie.

– No i co ja miałem zrobić...? Co ja miałem zrobić? – dwie łzy przetoczyły się po czerstwym licu starego agenta.

– Musiał pan zameldować w centrali? – domyśliłem się.

– Nie było czasu na meldowanie! Trzeba było działać natychmiast, na własną odpowiedzialność, by zminimalizować szkody. Ale jak sobie pomyślę, że musiałem zrobić to sam, osobiście... – wyciągnął swe sękate łapy i chwilę nim się przyglądał, jakby widział je po raz pierwszy. – Nawet się nie broniła, zbyt była naprana, naćpana i w ogóle... Buzieńkę przykryłem poduszeczką, docisnąłem... Troszkę powierzgała, troszkę poszarpała się. rybka moja, i po wszystkim. A mnie serce krwawiło! Bo wiadomo, że mężczyźni wolą blondynki. Potem zatarłem ślady i ulotniłem się, nie czekając, aż ktoś odnajdzie zwłoki... Wyglądało, że sytuacja jest opanowana. Niestety, skrewiła nasza technika. Facet od billingów ustalił wprawdzie, że tamtej nocy odbyła cztery rozmowy telefoniczne ze swymi kochasiami. Niestety, nie dostałem informacji, która była ostatnia i komu zdradziła naszą siatkę.

– A z kim rozmawiała?

– Z wszystkimi czterema... Johnem Fitzgeraldem, z Robertem, z Martinem Lutrem i z tym Bitlesem, w pysk. To dostarczyło nam mnóstwo dodatkowej roboty, ale kroczek po kroczku.

– Co pan chce przez to powiedzieć?

– Ja? Nic! – zrobił minę niewiniątka. – „Nie sugerujcie, abyście nie byli sugerowani" – mawiał zawsze major Smith. Batona przy tym nie było. A nawet jak był, to pary z ust nie puści.

Byłem kompletnie osłupiały.

– Przyznaje pan tak łatwo, że te wszystkie morderstwa Kennedych, Kinga i Lennona to była wasza robota?! – wykrztusiłem.

– A czyja miała być? Nie bądźcie dzieciak, Marciński. Może było przy tym za dużo hałasu i rozgłosu, ale uczyliśmy się dopiero, jak załatwiać takie rzeczy po cichu. Zresztą wkrótce po śmierci Marylki zaświtała mi w głowie pewna myśl, którą przedstawiłem wkrótce najwyższemu kierownictwu.

– Co to była za myśl?

Rozejrzał się dookoła, jakby sam mógł być przez kogoś podsłuchany i ściszył głos:

– Żeby zacząć używać do takich spraw seryjnych samobójców!

VI.
Teoria spisku
i prawa autorskie

Jedną z nielicznych dozwolonych rozrywek, którymi skracałem czas mej niewoli, kiedy Baton nie miał czasu ani nastroju, żeby mi dyktować swoje wspominki, było oglądanie filmów. W bibliotece pana Bronisława nie było wprawdzie żadnej książki, za to odnalazłem wspaniałą kolekcję płyt DVD, w dodatku większość była z dubbingiem lub polskim lektorem.

– Człowiek tyle tych języków posiadał, że po latach wszystkie mu się mylą, więc wolę, kiedy inni za niego czytają – zwierzył mi się w zaufaniu. – Inna sprawa, rzadko to oglądam.

Jak się okazało, zbiór ów odziedziczył po swoim wieloletnim gościu, koledze z resortu, niejakim Zenobim Osice.

– Facet w tysiąc dziewięćset osiemdziesiątym dziewiątym tak się przeraził, że ukrył się tu u mnie – wyznał kłusownik. – Zapewniałem mu pełne bezpieczeństwo, a mimo to zgodnie ze swym nazwiskiem trząsł się do końca życia.

– Co go tak przeraziło? Przecież od samego początku dekomunizacja u nas nie była traktowana serio? Miał coś grubszego na sumieniu? Zajmował się mokrą robotą, czy należał do komanda śmierci?

– Żadnego komanda śmierci u nas nie było – żachnął się Baton. – Wiem to najlepiej, bo sam je szkoliłem! A jeśli idzie o Zenia, to był zwyczajnym urzędnikiem.

– W takim razie czego tak się bał?

– On dobrze wiedział, czego się bać. Oficjalne stanowisko, które zajmował, brzmiało „rekwizytor". Wydawał sprzęt na akcje. Jak trzeba było uciszyć jakiegoś księdza, albo uspokoić na amen studenta, to grupa specjalna szła do Osiki po „środki indywidualnej prewencji". Toteż teraz bał się podwójnie, albo i potrójnie. Po pierwsze, śledztwa, gdyby władza przypadkiem spróbowała rozliczać „organy". Po drugie, kolegów, którzy mogli się obawiać, że ich sypnie, no i KGB, od którego miał swój sklepik w ajencji... W efekcie schronił się u mnie na całych piętnaście lat. Nikt o nim nie wiedział, żaden lustrator nie wytropił! Jeden pisarz, co za „Solidarności" przesiedział rok w trumnie, całą książkę o swych wrażeniach napisał, a o Zenku nawet sonet nie powstał. A miły był to lokator, do rany przyłóż, domem mi się zajmował, ogrodem, można powiedzieć, że przez te wszystkie lata był mym majordomusem, kuchcikiem i sejsmografem.

– Sejsmografem?

– Nie wie pan, co to takiego? Takie specjalne urządzenie wskazujące możliwe ruchy tektoniczne. Osika trząsł się silniej lub słabiej w zależności od sytuacji. Najpierw w tysiąc dziewięćset dziewięćdziesiątym bardzo. Po „nocnej zmianie", kiedy wspólnie obaliliśmy Olszewskiego, troszkę mniej. A jak do władzy wróciła lewica, prawie w ogóle przestał. No, a gdy wygrał wybory Kwaśniewski, Zenek gotów był nawet opuścić moją gościnę. Niestety, zaraz wybuchła sprawa „Olina" i znowu wpadł w dygot. Trzęsionka trzymała go pomimo późniejszych rządów Millera. Wreszcie, jak wygrały Kaczory, wyglądał już jak zupełny Parkinson. Co będę mówić, aż naczynia w kredensie dzwoniły, a podczas konferencji Ziobry same meble się przesuwały... Aż wreszcie stało się najgorsze. Wyobraź pan sobie, któregoś dnia o szóstej rano dzwonek do bramy...

– Policja?

– Nie, nowy gajowy, który pomylił drogę. Ale nim zdołał się przedstawić, zanim ja wstałem z wyra, serce Osiki nie wytrzymało i wykorkował, w pysk. Na mogiłce za domem wyskrobałem mu: „Ofiara reżimu Kaczora i Macierewicza". Pewnie gdziekolwiek teraz przebywa, potrafi to docenić.

Nie skomentowałem.

– Z drugiej strony – ciągnął Baton – był to wielce pożyteczny gość, po tym jak się trząsł, można było zawczasu poznać, jakie wiatry w naszej ojczyźnie wieją.

Tak czy owak filmowa kolekcja Osiki zyskała w mej osobie wiernego widza. Było to o tyle miłe, że telewizorek w mojej ziemiance odbierał tylko kanał „Kultura" i kreskówki dla dzieci. Z jakichś powodów Baton nie zamierzał mi udostępnić kanałów informacyjnych.

Któregoś wieczora wziąłem do mej ziemianki *Teorię spisku* z Julią Roberts i Melem Gibsonem. Widziałem to już parę razy, ale – jak mawiał jeden zaprzyjaźniony aktor – lepiej obejrzeć dobry film pięć razy niż zły do połowy.

Obejrzałem więc obraz do połowy, akcja zrobiła się pasjonująca, zwłaszcza ze względu na worki z napisem „Geronimo", ale niestety wpadł Baton i gdy tylko rzucił okiem na ekran, rozdarł się jak stare prześcieradło: „I ty, brudasie, kontra me?!".

Nie rozumiałem, o co chodzi. Po dłuższym potoku wyzwisk, klątw i kalumnii, głównie zresztą skierowanych pod adresem Hollywoodu, Ameryki, prawa autorskiego, dowiedziałem się, że oglądam film zrealizowany dokładnie według jego pomysłu, który został mu brutalnie ukradziony.

– Pańskiego pomysłu? – nie musiałem udawać zaskoczenia. – Napisał pan scenariusz *Teorii spisku*?

– Nie napisał, ale przeżył żem! Wyłącz pan, to opowiem – spełniłem jego życzenie, a przy okazji sięgnąłem po notes i dyktafon. – Nie wiem, czy już wspominałem panu, że pod koniec lat osiemdziesiątych pracowałem przez pewien czas w naszej ambasadzie w Waszyngtonie?

– Rozumiem i notuję, pracował pan w polskiej ambasadzie...

– Nic pan nie rozumiesz! W naszej, to znaczy naszej, a resztę sobie dośpiewaj. No i dostałem żem zadanie zdobycia drugiej tożsamości. Zobacz pan... – wyciągnął z kieszeni amerykański paszport z mnóstwem kolorowych stempli. Pod zdjęciem było nazwisko Barry MacBaton. – Dostałem za zadanie, podobnie jak kiedyś mój świętej pamięci tatuś, wtopić się w amerykańskie środowisko i rozsadzić je od środka. Kiedy już wszystko świetnie szło, zimna wojna się skończyła, i rozwiązano naszą komórkę.

Z żalu wypiłem razem z prowadzącym mnie oficerkiem tyle burbona, że film mi się urwał.

– Nie wierzę, żeby pan przedawkował! Prędzej whisky by w Ameryce zabrakło! A może napój został czymś doszprycowany? – podsunąłem.

Popatrzył na mnie z szacunkiem...

– Uczysz się, Jędrzejku, uczysz. Tak było! Składu chemicznego mogę się jedynie domyślać, w każdym razie doznałem pełnego zaniku pamięci. Nie wiedziałem już, ani kim jestem, ani dla kogo pracuję. To znaczy metodą dedukcji ustaliłem, że jestem tajnym agentem, ale czyim? Wszystko pozostawało dla mnie tajne! Czego ja się napróbowałem, żeby tę pamięć odzyskać, do ilu ambasad zapukałem? Na początek odwiedziłem czeską, ale ta na sam mój widok podzieliła się na czeską i słowacką. Potem wpadłem do DDR-owskiej. Wszyscy pracownicy przez mur zwiali do RFN. Wreszcie zachodzę do rosyjskiej...

– Czyżby tam również pana nie przyjęli?

– Mało, że nie przyjęli, to jeszcze dali po mordzie, w pysk, a oficerek, którego przypominałem sobie jak przez mgłę, powiedział: „Wpadnij tu jeszcze raz, Baton, a ruski miesiąc popamiętasz".

– A więc jednak poznał pana?

– Co z tego, kiedy ja sam siebie nie poznawałem!

– I długo pana tak trzymało?

– Okrągły rok. Na szczęście zapamiętałem, jak się prowadzi samochód, no i nie zapomniałem planu Nowego Jorku, więc mogłem pracować na taksówce. Ale czułem, że za tym wszystkim czai się jakiś spisek. Miałem nawet własną teorię na ten temat.

– Rozumiem, opracował pan własną „teorię spisku", ale stąd do oskarżenia filmowców o plagiat daleko...

– Posłuchaj pan dalej! Te cwaniaki z Hollywoodu celowo wprowadziły kilka różnic. Choćby w obsadzie. Wprawdzie Mel Gibson jest nawet trochę do mnie podobny z urody, ale jego partnerka nic.

– To chyba oczywiste, że Julia Roberts nie jest podobna do pana.

– Nie o mnie mówię, tylko o agentce federalnej w ichniejszym magistracie, która pomagała mi się wyplątać z tej sprawy. Wyobraź sobie pan dużą czterdziestopięcioletnią Murzynkę, a nie jakąś pretty woman.

– Ale przynajmniej duże niebieskie oczy? – zapytałem ironicznie. Nie kupił aluzji.

– Co pan – warknął – zez rozbieżny! I w dodatku astma. Nie to co Monika.

– Jaka znowu Monika?

– Wspominałem panu, że pracowałem jako taksówkarz, no i kiedyś wiozłem moją gablotą taką małolatę. Czternaście lat, ale młodo wyglądała. Zwiedzała Waszyngton z wycieczką szkolną. Zgubiła się... Ani pieniążków, ani planu stolicy nie miała.

– A pan jej pomógł? Bardzo to szlachetne...

– Taki jestem! Jeszcze jej, za darmo, miasto pokazałem, jak to się mówi od kuchni. „O tu – mówię Biały Dom, gdzie Kennedy razem z bratem chórzystki z rewii obracali. Tu Pentagon, gdzie Roosevelt, choć kaleka na wózeczku, dokonywał przeglądu sił kobiecych przed wymarszem na front... A tu Biblioteka Kongresu, gdzie Thomas Jefferson osobiście napisał ustęp konstytucji na plecach swej czarnoskórej niewolnicy. Trzciną cukrową!".

Wyznam, poczułem się zdegustowany tymi wynurzeniami.

– Czy się godzi takie historie opowiadać uczennicy? – rzuciłem.

– Kiedy ta dziewczyna po prostu piła mi z ust. A usta miała słodsze od malin, a cycuszki od malinówek.

– Panie Bronisławie! – zawołałem. – Ja tego nie mogę napisać, przecież muszą istnieć jakieś bariery...

– Najważniejsze, że nie było między nami żadnej bariery językowej. Dziewczyna była nasza. Lewińska się nazywała. Inna sprawa, że zaraz poradziłem jej, żeby nie przedstawiała się Lewińska tylko Lewiński, bo Amerykanie od razu poznają, że jest cudzoziemką i żadnej kariery nie zrobi.

– A chciała zrobić karierę?

– Jak cholera. „Wszystko zrobię, żeby szczyt osiągnąć" – mówiła. „Tylko jak tego dokonać?" To ja jej na to: „Ucz się, dziecko, języków obcych. Jak będziesz w tym dobra, to może jako stażystka nawet do Białego Domu trafisz. A jak się nauczysz ekstra po francusku, to może i do Owulacyjnego Gabineciku się dostaniesz. Naturalnie pozostaniemy w kontakcie, tak abym w razie czego mógł pospieszyć ci z pomocą..." – tu wręczyłem jej oryginalne kubańskie cygaro, zachowując dla siebie drugie. „To będzie nasz znak porozumiewawczy" – ustaliłem z rozanieloną pannicą.

– Rozumiem, że po tym werbunku małolaty odwróciła się pana zła passa?

– Jakby pan zgadł. W dodatku niedługo później grupa ćpunów, których niebacznie pouczyłem, żeby nie sikali na kolumnę Waszyngtona, taki mi łomot spuściła, że od razu odzyskałem starą pamięć, a zgubiłem nową. I nie wiem, czym się skończyło, czy ja tę Monikę zwerbowałem, czy nie, dałem zadanie i jakie?... Co za plama! Najgorsze, że nie wiem nawet, czy Bill Clinton pracował dla nas, czy dla Kitajców? Bo niby cygaro Lewińskiej pokazywał, ale podobno się nie zaciągał.

– Ale jednak utrzymuje pan, że to mógł być spisek?

– Bez dwóch zdań. Tylko czyj? Zwłaszcza nie dawało mi spokoju powtarzające się w moich snach hasło „Geronimo", „Geronimo". Z rozpaczy zasadziłem się na mojego oficerka z sowieckiej ambasady. Długo czekałem, wreszcie wychodzi. Idę za nim, za łeb łapię, potem głowę mu wtykam do Rzeki Wschodniej, podtapiam, podtapiam, on się krztusi, jak nie przymierzając talibany w Klewkach. A ja mu tylko jedno pytanie zadaję, co znaczy to słowo „Geronimo"?

– Wiadomo, wódz indiański.

– Błąd! W końcu ustaliliśmy, że było to ostatnie zdanie rozmowy, podczas której rozwiązywaliśmy współpracę. Powiedział mi wówczas: „Gieroj nimo tiepier w Sajedinionnych Sztatach niczewo do raboty!" „Gieroj nimo!".

– Ale kino! – westchnąłem, a kiedy się oddalił, z prawdziwą przyjemnością wróciłem do Julii Roberts.

* * *

Kolejny raz Baton zakłócił mi projekcję, kiedy postanowiłem powzruszać się *Titanikiem*.

– A wiesz pan, że i ja tam odegrałem swoją rolę na tej łajbie – powiedział, wchodząc do ziemianki w najbardziej dramatycznym momencie przełamywania się statku, kiedy z emocji gryzłem palce, choć przecież i tak znałem zakończenie.

– Rozumiem, że drugoplanową? – rzuciłem na odczepnego. – Bo jakoś nie zauważyłem pana na ekranie.

– Główną rolę grał żem! Co prawdą zakulisową! Ale główną!

– Rozumiem, napisał pan scenariusz...

– Ja? – obruszył się. – Powie pan jeszcze, że jako „Murzyn" u tego Kameruna? W życiu! A mimo to Oscara i tak powinienem wziąć.

Zrozumiałem, że z dalszego oglądania filmu będą nici, wyciągnąłem więc komórkę i włączyłem nagrywanie.

– Za co miałby pan dostać tego Oscara? – zapytałem.

– Za odkrycie wraka „Titanica". I to już w tysiąc dziewięćset pięćdziesiątym czwartym roku.

– Nic o tym odkryciu nie słyszałem.

– No bo w KGB nie pracują chwalipięty. Dopiero teraz można o tym mówić. A i to półgłosem.

– Mówić można, ale żadnych dowodów pewnie na to zdarzenie nie ma?

– Są pośrednie. Na przykład niech mi pan odpowie, dlaczego Amerykańce do tej pory się głowią, jak to się stało, że gdy już tam dotarli, kasa okrętowa świeciła pustkami?

– Pana robota?

– A jak! Miał żem wtedy praktyki z głębokiego nurkowania na północnym Atlantyku. Żaden robot, tylko radziecki człowiek w specjalnym kombinezonie.

– Były już wtedy takie kombinezony?

– I to dwustronne. Na prawą stronę do latania w kosmos, na lewą do nurkowania w głębinach.

– I wystarczył jeden kombinezon? – nie dowierzałem. – Cztery kilometry pod wodą?!

– A co?! Człowiek był młody, krzepki, ideowy, a jak by jeszcze strzelił pół litra, to i bez kombinezonu by poszedł.

– No ale jednak te potworne ciśnienie zewnętrzne...?

– Jakie ciśnienie? Panie Marciński, w Związku Radzieckim było wtedy takie ciśnienie wewnętrzne, że w głębinach Atlantyku czułem się jak ryba w wodzie.

– Tylko niby skąd się pan tam znalazł? – nie potrafiłem poskromić swego krytycyzmu. – Z dotychczasowych opowieści wynika, że był pan wtedy w Polsce ordynansem pułkownika Józefa Światły.

– Ale co miał żem robić, kiedy moje światło zgasło. Szef dał nogę do zachodniego Berlina, a ja z jego butami, które glansowałem do połysku, zostałem we wschodnim, w pysk!

– Nie uprzedził pana?

– Teraz myślę, że mnie sondował, czy nie chciałbym z nim prysnąć. Na przykład pytał mnie przecież o sklepy po drugiej stronie, o amerykański styl życia, ale ja tak przekonująco odgrywałem szczere obrzydzenie komsomolca, że mnie zostawił. I to w jakiej sytuacji? Tragicznej! Póki nie zaczął nadawać w Wolnej Europie, sądzono, że to ja osobiście mu łeb ukręciłem i wrzuciłem do Szprewy. I powiem panu, panie Marciński, jeszcze tydzień przesłuchań i bym się do tego przyznał, a nawet wskazał miejsce! No i co było robić! Z desperacji na studia uciekł żem. Do Moskwy. Tam dostałem się z miejsca na Akademię im. Feliksa Dzierżyńskiego.

– Bez egzaminów?

– A kto miałby je przeprowadzić, kiedy wszystkich profesorów rozwalili podczas likwidacji zdradzieckiej kliki Berii? Zanim nie ściągnęli nowych, zajęcia prowadził pedel i woźna. Na szczęście potem zrobił się bardzo wysoki poziom. Na przykład zajęcia z wieszania. Tyle że ja tego nigdy nie polubiłem.

– Naprawdę?

– A pan by polubił, zwłaszcza jeśli delikwent za nic nie chciał iść na współpracę z wymiarem sprawiedliwości ludowej. Na przykład gapi się wyzywająco. Albo wykrzykuje hasła na cześć towarzysza Stalina. A jak tu wieszać kogoś ze Stalinem na ustach?... I dlatego bardzo szybko zapisałem się na seminarium pod tytułem „Nieznani sprawcy".

Zmroziło mnie, więc postanowiłem wrócić do tematu.

– Ale co z tym „Titanikiem"?

– A co ma być? Odkryłem, przybyłem i wyczyściłem, zwłaszcza wszystkie ślady.

– Jakie znowu ślady?

– Towarzysza Lenina!

– Co pan wygaduje?! – wykrzyknąłem. – Skąd by się wziął Lenin na „Titanicu"? Wygrał może miejscówkę w pokera?

– Płynął pod pseudonimem z wykładami dla socjaldemokratów amerykańskich.

– No to miał wielkie szczęście, że wyszedł z tego cało.

– A czy ja mówię, że wyszedł. Utopił się we własnej kabinie, do ostatniej chwili pisał tekst pod tytułem *Co robić?* Wyobraź pan sobie, ostatnie możliwe do odczytania zdanie brzmiało: „Nie oddychać!".

– Nie może być?!

– Ale tak było! Umarł w butach. I ja żem musiał te buty odnaleźć. Na szczęście poznałem po platfusie i po złotych świnkach, które pod podeszwą chował... Był pan kiedyś we wraku?

– Nigdy, mam awersję do wody. A jak jeszcze sobie pomyślę, że taki wrak to jedna wielka trumna...

– Faktycznie. I wyobraź pan sobie, że z tych ofiar praktycznie nic nie zostaje. Masz pan pojęcie, że z całego Wielkiego Ulianowa nie została ani kosteczka, tylko buty, świnki i trocki...

– Lew Dawidowicz Trocki?

– Troczki od kalesonów – poprawił się.

– Zaraz, zaraz – nie dawałem za wygraną – ale jeśli Lenin się utopił, tak jak pan mówi w tysiąc dziewięćset dwunastym roku, to kto zrobił Wielką Rewolucję?

– Troczki. Tfu Trocki!

– To wiadomo, ale poza nim kto ją firmował, kto przejął władzę? Są przecież filmy, nie mówiąc o fotografiach.

– A żebym ja wiedział kto. Towarzysze niemieccy znaleźli w Szwajcarii jakiegoś Izraelitę z lekkim mongolizmem, i po zapuszczeniu mu brody uznali, że pasuje. Na początek starczyło. A po rewolucji trzeba szybko było go podtruć, żeby za dużo nie gadał. A potem Stalin powolutku zaciukał wszystkich, którzy znali niewygodną prawdę – Kamieniewa, Zinowiewa, Bucharina, Trockiego.

– Szkoda, że nie ogłosił pan tych rewelacji przed nakręceniem filmu *Titanic*... – stwierdziłem z udawanym żalem. – Można to było pięknie pokazać. Di Caprio i pani Winslet szukają gorączkowo miejsca na miłość, a tu sam Lenin zaprasza ich do własnej kabiny, pokazuje gdzie baza, gdzie nadbudowa. I w tym momencie dochodzi do katastrofy...

– Pan nie wie, co pan mówi! – przerwał mi impulsywnie Baton. – Nie było żadnej katastrofy. To było celowe działanie.

– Carskiej ochrany?

– Nie, załogi „Titanica". Sternik miał we śnie objawienie, że na pokładzie jest diabeł, który zniszczy stary dobry świat i wyprawi kilkadziesiąt milionów ludzi na tamten świat, więc zacisnął zęby i z pełną premedytacją, dla dobra ludzkości walnął w górę lodową.

– A nie prościej było wysadzić jednego pasażera za burtę?

– Niestety, sternik nie wiedział, kto zacz ten diabeł, kurczę pieczone. Nie wiedział nawet, czy kobieta, czy mężczyzna, w pysk.

– To bywają diabły płci żeńskiej? – zaciekawiłem się.

– Głównie, panie Jędrzejku, głównie. I dlatego tak je lubię. I powiem jeszcze jedno, czego nigdy nikomu nie ujawniłem, te buty ze świnkami, które znalazł żem na „Tytaniku", to były szpilki...

– Sugeruje pan, że Władymir Ulianow był transwestytą?!

– Ja niczego nie sugeruję. Może w tym rejsie towarzyszyła mu Krupska albo inna Inessa Armand? W każdym razie zaliczyłem kurs nurkowy celująco i dostałem za to nagrodę oskarda.

– Chyba Oskara?

– To pan nie znasz Kraju Rad. Żeby mi się w głowie od sukcesów nie zawróciło, dostałem oskard w rękę i trzymiesięczne skierowanie do kopalń Magadanu. W pysk!

Straciłem zupełnie zainteresowanie *Titanikiem* i czując, że Baton zbiera się do wyjścia, sięgnąłem po DVD ze *Szklaną pułapką 3*. Za wcześnie! Baton zauważył mój ruch i się zatrzymał.

– A zostaw pan te bzdury i obejrzyj coś z życia – wrzasnął. – Pójdź, pan, ze mną i obejrzyj jakiś program dla rolników, albo transmisję z sejmu, albo Wielką Orkiestrę Świątecznej Przemocy...

– Przecież mamy lato. Sezon ogórkowy...

– I dlatego potrzebuje pan adrenalinki? Bo co masz, pan, w tych filmach? – prychnął z obrzydzeniem. – Na okrągło tylko przemoc, gwałt i seks. I złodziejstwo! – chciałem zareagować, ale nie dopuścił mnie do słowa. – Powiem panu, panie Marciński, że nic mnie tak nie wkurza, jak kradzież własności intelektualnej. Żeby tak chociaż najmniejszymi literkami na muzyce końcowej napisali, kto to wszystko wymyślił? Nic...

– Sugeruje pan, że wymyślił również scenariusz filmu *Szklana pułapka*?

– Moje życie to same szklane pułapki – powiedział – w które włażą z butami rozmaici – łypnął na mnie spode łba – pismacy!

– Przecież pan sam mnie zaprosił – uniosłem się godnością. – Jak pan nie chce, mogę niczego nie pisać! Tylko proszę mnie stąd wypuścić.

Lekko złagodniał.

– Ależ pisz, pan, pisz! Tylko prawdę. A prawda w sprawie wspomnianej szklanej pułapki była następująca. Zimą trzydziestego siódmego roku zespół mego tatki aresztował w Moskwie jednego generała.

– Tylko jednego?

Nie kupił żartu.

– Dopiero od wiosny zaczęto ich brać hurtowo. No więc przywieźli generała na Łubiankę, elegancko ubranego, bo tego dnia dekorowany był orderem Czerwonej Gwiazdy. Mundur, po zerwaniu epoletów, zostawili mu – ale buty – oficerki, wtedy mówiono na nie – szklanki, mój stary osobiście polecił mu ściągnąć. Trochę były na tatkę za ciasne, ale postanowił pójść w nich na akademię z okazji rocznicy Rewolucji Lutowej.

– Czego się nie robi, żeby ładnie wyglądać.

– Przechodząc przez portiernię, usłyszał, jak wartownicy mówią, że na ulicy jest „szklanka". To go trochę zaniepokoiło. „Jeszcze się w tych skórzanych butach poślizgnę. I padnę na Mordkę" – pomyślał. Więc wziął szklanki pod pachę i w samych onuckach myk, myk do willysa...

– Boso, ale w ostro... w onucach – podpowiedziałem.

– Niestety, okazało się, że na ulicy nie było gołoledzi, tylko ktoś naprawdę stłukł szklankę. Prawdopodobnie czekiści spełniali toast za rewolucję i starym zwyczajem cisnęli pustym szkłem w bruk. A cieć akurat zajęty był przy egzekucjach, więc nie pozamiatał... Po paru krokach tatko wyglądał jakby wdepnął w wiśnie, też szklanki.

– Bolesna sprawa.

– Ból to nic. Gorzej, że jego świąteczne onuce były całe w strzępach. A następne miały być fasowane dopiero na pierwszego maja. Na domiar złego okazało się, że aresztowali nie tego generała co trzeba. Ten właściwy otrzymał tego dnia bohatera Związku Radzieckiego, ale przez nikogo nie niepokojony wrócił do domu.

– Fatalna pomyłka!

– Tatko już chciał przeprosić niesłusznie zatrzymanego i zwrócić mu oficerki, kiedy zjawił się Jeżow. Przywalił w Mordkę raz z lewej, raz z prawej, i wyjaśnił, że NKWD nie myli się nigdy. W rezultacie oba generały pojechali na Syberię. Winny z niewinnym.

– A co z butami?

– Nie przyniosły szczęścia kolejnym właścicielom. Najpierw Jeżow podarował je Jagodzie, potem Beria je donaszał. Po jego egzekucji buciki nosił Gottwald, po nim trafiło się Bierutowi...

– Ten też umarł w butach?

– Jeśli dodam, że fatalne oficerki otrzymał w spadku Andropow, po nim Czernienko, to chyba się nie pomylę, kiedy powiem, że takie szklanki to była prawdziwa szklana pułapka.

Wreszcie dopuścił mnie do głosu.

– Rozumiem – powiedziałem – że wzburzył pana sam tytuł, ale przecież cała fabuła filmu nie ma nic wspólnego z pańską karierą. Rzecz się dzieje w Stanach, gdzie jakiś cwaniak postanowił dokonać skoku na Bank Rezerw Federalnych.

– Jakiś cwaniak? – zapienił się. – To niech pan się zapyta, czyj to był plan, żeby za jednym zamachem zgarnąć całe złoto Ameryki.

– I pan krytykuje złodziejstwa intelektualne, a twierdzi, że sam zaplanował superwłamanie... – żachnąłem się.

– Bo to nie miało być żadne złodziejstwo, tylko zbiórka pieniędzy na dokończenie światowej rewolucji. Po sztabce na Angolę, Mozambik, Wietnam, Kubę...

– I nic dla siebie?

– A kto mówi, że nic. Popatrz na Owsiaka – pracowity jak mrówka i złoty jak melon. Nic tak nie wzbogaca człowieka, jak działalność charytatywna. Oczywiście duchowo! Tyle że trzeba zawsze zachować umiar. Wziąć swoje dziesięć procent, no góra dwadzieścia. Niestety, od czasu jak sprywatyzowali KGB, to nikt już tam nie chce walczyć za idee. Nawet mój pomysł sprzedali macherom z Hollywoodu. Niejeden zresztą.

– A co jeszcze było pańskie? – postanowiłem dopytać. – Naturalnie poza *Titanikiem*. Może *Osiem i pół*...

– Osiem i pół tysiąca innych filmów! Rzuć pan pierwszy tytuł z brzegu?

– *Smoleńsk* – rzuciłem z grubej rury.

– Takiego filmu nie ma i nie będzie, ale gdyby był, to byłby oparty na dokonaniach moich najlepszych uczniów. Skądinąd rozmawiałem o tym z reżyserkiem od *Eksmisji* i Julek twierdzi, że to ewentualnie znakomity materiał na komedię. Co pan jeszcze uważa, że nie może być moje?

– *Ronin* – zaryzykowałem.

– Ten klub? A kto tam gra pierwsze skrzypce? Jakiś Orzeł?

– Reno! – odparłem.

– Nie pytam, jaką marką jeździł bohater, tylko kto grał?

– Jean Reno... Musiał go pan widzieć w obrazie *Leon Zawodowiec*.

– No to było od razu tak gadać. Sam kiedyś, kiedy wykładałem na kursie cenzorów, myślałem, że dobrze by było nakręcić arcydzieło pod tytułem *Baton Zawodowiec w Poroninie*.

– Ciekawe – powiedziałem z grzeczności. – I o czym miałoby to być?

– Chyba już panu mówiłem, że w roku tysiąc dziewięćset czterdziestym siódmym zostałem wysłany na zimowisko w Gorce. Szkoła przetrwania. Przeżyć tydzień wśród górali, gdzie nawet każda owca reprezentowała czarną reakcję.

– I jak pan dał radę?

– Udawałem kompletnego barana. Zresztą już trzeciego dnia Światło zabrał mnie do krakowskiej centrali, a tam czekali towarzysz Machejek, Wałach i bodaj że Motłoch.

– Piękny skład.

– I kompetentny! Najpierw kazali mi przysiąc na „Krótki kurs WKP(b)", że zachowam sprawę w tajemnicy, a potem opowiadali, że na Montelupich w Krakowie szambo wybiło i jest smród...

– To zrozumiałe.

– ...ponieważ razem z ekskrementami wypłynęła jedna teczka. Niejakiego Kurasia.

– Bohatera filmu *Polskie drogi*, którego grał Kaczor?

Spurpurowiał cały.

– Nie mów mi pan o Kaczorach, bo nie zdzierżę – wycedził. – Teczka Józefa Kurasia, pseudonim „Ogień". Bandziora...! Pardon – zmitygował się

– według obecnie obowiązującej terminologii „zasłużonego przeciwnika władzy ludowej". „W tej teczce – informują mnie – jest pamiętnik pewnego cepra z GOPR-u, z którego wynika, że stara Kurasiowa miała w tysiąc dziewięćset czternastym z turystą rosyjskim Władimirem U..."

– O kurwa! – wyrwało mi się.

– Nie, nie! Kurasiowa twierdziła, że robiła to z miłości. Ale słuchaj pan dalej, jako owoc tego romansu, w roku tysiąc dziewięćset piętnastym dziecko się urodziło. Chłopiec płci męskiej. Józek...

– Józek?

– Nazwany tak na cześć Stalina, który jako niedoszły pop miał być ojcem chrzestnym, podczas wizyty u Lenina.

– Nie może być!!!

– A jak pan myśli, skąd się wziął jego późniejszy pseudonim? Z cytatu tatusia „Z iskry rozgorzeje ogień". No i jak pan widzi, zrobił się wielki problem.

– Dla pana?

– Dla całej partii. Bo wprawdzie „Ogień" to wróg i zdrajca, co najpierw wstąpił do UB, potem wystąpił, ale jak tu podnieść rękę na rodzone dziecko wodza proletariatu? A puścić żywcem też nie można.

– Dlaczego?

– A wiadomo, co posiadacz takich genów może nawyprawiać? Słyszał pan chyba o Kostce Napierskim?

– Coś niecoś. Podobno był naturalnym synem króla Władysława IV.

– Właśnie. Z nieprawej wazy... eee łoża. Ale jak narozrabiał dzięki wspomnianym genom!? Powstanie górali, bunt Chmielnickiego, potop szwedzki. Dlatego drugi raz do czegoś podobnego nie mogliśmy dopuścić. I nie dopuściliśmy!

– Ciekawe jak?

– Pojechałem do Nowego Targu. Przedstawiłem się jako syn wspomnianego cepra, pokazałem pamiętnik paru góralom, wytłumaczyłem, kim był tatuś ichniejszego watażki, i po paru dniach nie było „Ognia". Własnymi rękami go załatwili. Trochę dymu i po krzyku.

– Chwileczkę, ale przecież wedle pańskiej opowieści Lenin utonął dwa lata wcześniej na „Titanicu", więc jak mógł spłodzić „Ognia"?

– Panie Marciński, po pierwsze – myśmy w tysiąc dziewięćset czterdziestym siódmym nie wiedzieli o tym utopieniu. A po drugie – każde socjalistyczne dziecko wiedziało, że niezależnie czy szlag by go trafił w tysiąc dziewięćset czternastym, tysiąc dziewięćset czterdziestym siódmym, dwudziestym czwartym czy dwa tysiące czternastym, Lenin pozostaje wiecznie żywy!

VII.
Opowieści łowieckie

Mój pobyt w gościnie u pana Bronisława przedłużał się. Ratunku ani pomocy znikąd nie mogłem się spodziewać. Z dzienników telewizyjnych, na które czasami udało mi się rzucić okiem, nie wynikało, żeby zaginął jakiś chudy literat. Można powiedzieć, że poniekąd zazdrościłem pasażerom zaginionego nad Oceanem Indyjskim samolotu z Malezji, bo ich przynajmniej szukali... Tymczasem dni stawały się coraz bardziej upalne, tak że można było zacząć wierzyć w te wszystkie banialuki na temat globalnego ocieplenia. Zresztą w każdej bzdurze można znaleźć jakieś ziarno prawdy. Ale może był to jedynie specyficzny klimat Puszczy Białowieszczańskiej, gdzie – jak miałem się przekonać na własnej skórze - lata były gorące nad miarę, a zimy nieprawdopodobnie mroźne. Ponieważ nawet samodzielny wstęp do lasu miałem zabroniony (są tam kleszcze i coś jeszcze - twierdził pan Bronisław), cierpiałem od upału okrutnie. W rezydencji był wprawdzie basen, ale ozdabiała go tabliczka: „Kąpiel na własne ryzyko". Kiedy zapytałem gospodarza, co to ma znaczyć, przyznał, że hoduje tam aligatory.

– Żadnego nie widziałem - wyznałem prostodusznie.

– Bo są tajne, w pysk. Ale proponuję dać nurka... Pożyczyć panu slipy?

Podziękowałem. Nad basenem byłem raz na początku mojej bytności i wówczas zrobił na mnie przygnębiające wrażenie - pokrywały go rzęsa, szuwary, nenufary, kto wie, jakie paskudztwa mogły kryć się w jego głębinach.

– A zresztą jak o upale może mówić ktoś, kto nigdy prawdziwego upału nie widział! - wypominał Baton. - Pamiętam, jak byłem na puszczy Sahara!

– Chyba na pustyni - poprawiłem.

– Kiedyś była tam puszcza, ale wie pan, kiedy Murzyni zasmakowali w socjalizmie, wszystko wycięli.

– O ile wiem, na Saharze nie ma Murzynów.

– Bo Murzynów też wycięli. Do nogi.

Usłyszałem lekkie warknięcie i Piorun na komendę otarł mi się o łydki, które natychmiast pokryły się gęsią skórką.

– Odruch warunkowy – Baton poklepał swego ulubieńca po grzbiecie.

– Zresztą, kto wyciął, ten wyciął. Ale faktycznie, gorąco jest nawet tutaj jak u Murzyna... co robić.

Natychmiast przypomniał mi się jeden z moich ulubionych filmów nakręcony według książki Corneliusa Ryana. Niestety, nie znalazłem go w domowej płytotece. Baton zapytany stwierdził, że kiedyś był, ale go połamał w przypływie złości.

– Przecież lubi pan filmy batalistyczne. Co panu się nie podoba w operacji „Overlord"?

– Mam niemiłe wspomnienia. Kiedy towarzysz Stalin dowiedział się o lądowaniu koalicjantów w Normandii, wpadł w prawdziwy szał, mszcząc się na winnych i niewinnych. Na przykład nasz dom sierot, w którym przebywałem, spod ciepłego Taszkientu przeniesiono do Norylska za koło polarne.

– Nie bardzo rozumiem, czym generalissimus aż tak się zdenerwował? Przecież cały czas naciskał na aliantów na utworzenie drugiego frontu.

– I pan się jeszcze pyta, Jędrzejku! Naciskał dla zasady, ale cały czas miał nadzieję, że taki front nigdy nie powstanie, i to my sami wyzwolimy całą Europę aż do Gibraltaru... Ale jak pan nalega, mogę zapytać w wypożyczalni w Chojnówce.

– To w tej dziurze jest wypożyczalnia DVD? – zdziwiłem się.

– Dla mnie jest.

Postanowiłem trzymać go za słowo i niedługo potem podetkałem mu pod nos całą listę filmów, które chętnie bym sobie przypomniał. Obok *Najdłuższego dnia* umieściłem tam inny obraz na podobny temat.

Wziął kartkę bardzo niechętnie, jakby była nasączona trucizną.

– Szer. Rajan... – przesylabizował w sposób charakterystyczny dla ludzi nienawykłych do czytania. Jak twierdził, komuś, kto całe życie działał w kręgu cyrylicy, alfabet łaciński sprawiał pewne trudności. – A to co takiego?

– Też epos o lądowaniu o Normandii. Temat został wprawdzie potraktowany wycinkowo, ale za to w jakim znakomitym wykonaniu. Co będę panu mówił, Spielberg dostał za to kolejnego Oscara...

– Zaraz – zaciekawił się Baton – to ten sam Spielberg co nakręcił listę Szydlaka?

– Schindlera! – poprawiłem. – Przemysłowiec, co ratował Żydów, nazywał się Schindler.

– Mam informacje z pierwszej ręki. Szydlak się nazywał, ale dla tych polonofobów z Hollywoodu to było zbyt polskie nazwisko, więc zmienili na brzmiące bardziej światowo.

Puściłem uwagę mimo uszu, koncentrując się na zaletach dzieła i znakomitych efektach specjalnych. Okazało się, że temat nie jest Batonowi zupełnie obcy.

– Słyszałem, że film miał większy budżet niż generał Eisenhower na cały front Zachodni – powiedział. – Ci Amerykanie nie liczą się z forsą.

– Zwłaszcza gdy chodzi o życie ludzkie! – podchwyciłem. – W tym wypadku o życie jednego człowieka. Skądinąd jedynie szeregowca. Akcja zaczyna się w momencie, gdy w Waszyngtonie połapali się, że już trzej jego bracia akurat polegli i jeszcze czwarty gdzieś zginął...

Urwałem, widząc, że Baton stężał. Nie zapowiadało to niczego dobrego. Po chwili z jego ust wyrwało się dosadne określenie: „O sukinkoty! Złodzieje!". Zrozumiałem, że pewnie znowu chodzi o kradzież pomysłu, a Baton błyskawicznie to potwierdził, mamrocząc:

– Szerajan, Szerajan... Nazwisko od razu wydało mi się znajome!

– Szeregowiec Ryan! – poprawiłem.

– Dokładnie starszy szeregowiec Anastas Aramowicz Szerajan z Erewania. Przed wojną afgańską w radiu tam pracował. Dowcipami się zajmował.

– Aha! Wymyślał słynne dowcipy o Radiu Erewań?

– Nie, działał w ekipie, która łapała tych, co je powtarzali! I też, jak ten Amerykaniec, miał trzech braci. Syjamskich... tfu, ormiańskich! Pamiętam jak dziś. W poniedziałek to było.

– A pan nie lubi poniedziałku?

– A kto lubi! No więc pewnej środy wzywa mnie sam Jura Andropow i mówi, że z kartoteki dostał doniesienie: w zeszłym tygodniu pagibło trzech braci... Szerajanów. Za rodinu.

– A to była rodzina kogoś ważnego?

– Rodina mirowowo komunizma – warknął zły, że mu przerywam dramatyczną opowieść. – Pierwszy poległ w DDR, jak przez mur berliński chciał nawiać. Drugiego wystrzelili w kosmos w przypadkowo niehermetycznej kapsule. A trzeci, niestety, na poligonie...

– Nieszczęśliwy wypadek?

– Wino o skrzynkę z samtexem odbijał...

– Rzeczywiście pech. Ale ten czwarty przeżył?

– Czwarty podobnie jak ten pański zaginął w Afganistanie w dolinie Panczsziru. I właśnie w tej sprawie mnie wezwano na Kreml. „Musisz go odnaleźć, Bronisławie Mordechajewiczu, kanieczno!" – powiedział mój najwyższy zwierzchnik.

– Niesamowite humanitarne zadanie – zawołałem pełen podziwu. – Odnaleźć i ocalić!

Baton lekko się zmieszał.

– Jak by to panu powiedzieć, Jędrzejku... Wręcz przeciwnie. Odnaleźć i zaciukać. I to tak sprytnie, żeby na mudżahedinów poszło.

Zbaraniałem.

– Ale... dlaczego?

– Na wszelki wypadek! Nie ma pan pojęcia, jak są mściwi ludzie z Kaukazu. Jakby ten Szerajan wrócił szczęśliwie do domu, to mógłby zacząć dochodzić, co się stało z jego braćmi. A Jurij już wtedy przewidywał problemy etniczne. Więc sam pan rozumie, nie było innego wyjścia!

– I pan wykonał ten rozkaz?

Uśmiechnął się chytrze.

– A czy ja głupi, żeby się śpieszyć. Siedziałem sobie w Kabulu, szukałem, badałem... Jak ten Penelop. Co w dzień wyniuchałem na temat Szerajana, to nocą wysyłałem mu jako ostrzeżenie, żeby mógł wymknąć się z zasadzki.

– To do pana zupełnie niepodobne.

– A co miałem robić? Cwane Ormiaszki zapłaciły mi za nieznalezienie Szerajana sto razy tyle, ile dostałbym premii za jego znalezienie. No więc grałem na zwłoki... eee, na zwłokę! Ale ile można. Na szczęście przyszła pieriestrojka i mogłem się odmeldować.

– A Anastas Aramowicz?

– Szerajana do tej pory nie znaleziono. Jedni twierdzą, że w Bollywood pornole kręci. Inni, że w San Francisco dragi sprzedaje.

– No to w filmie Spielberga jest dokładnie na odwrót. Oficer, który ma go odnaleźć, gra go Tom Hanks, ginie...

– Jak się na taką akcję wysyła Forresta Głąba, to nic dziwnego.

– ...natomiast Szeregowiec Ryan żyje długo i szczęśliwie, i opiekuje się cmentarzem braci.

– Mniejsza o szczegóły – machnął ręką pan Bronisław. – Tym razem im nie daruję, proces wytoczę i tylko z torbami puszczę. Gdzie ma pan tę listę? – podniósł kartkę z tytułami filmów i długo wodził wzrokiem. A potem wziął długopis i postawił na marginesie kilkanaście ptaszków.

– Na początek starczy – rzekł. – To będzie moja lista Szwindelera! Wynajmę dobrego adwokata, który całe Hollywood do ruiny doprowadzi.

– Obawiam się, że to może drogo kosztować.

– Ten adwokat zrobi to za darmo, bo to największy prawnik na świecie, a jak jeszcze zobaczy, jaką mniejszość etniczną w skarpetkach może puścić, to z radości jeszcze mi dopłaci, Koń jeden...

Wstał i zatarł ręce.

– No to pójdę popływać – rzekł pogodnie.

– A aligatory?

– Też bym się przejmował? Kruk kruka nie wykuka, a gad gada nie ruszy. Zresztą najpierw wykąpie się Piorun... Do nogi, sobako!

Po dotarciu nad basen szeroko otworzyły mi się oczy. Zdarzył się cud. Od czasu mej ostatniej bytności nad nim ktoś go oczyścił, umył. W tej chwili wypełniała go krystaliczna woda, a na powierzchni nie dało się zauważyć ani jednego listka, ani jednej zdechłej muchy.

Baton rozebrał się do gatek, wskoczył do środka, przepłynął w jedną stronę, w drugą, parskając przy tym jak wieloryb. Miałem ogromną ochotę pójść w jego ślady, ale obawiałem się jakiejś pułapki. Nie podobał mi się entuzjazm, z jakim mnie zachęcał.

– No śmiało, panie Jędrzejku, śmiało...

Zsunąłem sandał i już zamierzałem zanurzyć nogę, kiedy przypomniała mi się jedna z wcześniej usłyszanych opowieści: „A wiesz pan, dlaczego nie mogą do dziś znaleźć tego Szweda Wallenberga?" „Nie mam pojęcia". „Bo mu generał Sierow zafundował w hotelu «Budapeszt» kąpiel w kwasie... Na pierwszy rzut oka ciecz wyglądała zupełnie jak woda...". Toteż wprawdzie wydawało się, że Baton pływa zupełnie bezpiecznie, straciłem całkowicie ochotę na kąpiel. Zamiast tego wziąłem prysznic i siadłem w cieniu na leżaku.

Baton dołączył do mnie po kwadransie. Był w doskonałym humorze i mogłem mieć nadzieję, że uda się go oderwać od wielkiej polityki i skierować w stronę anegdot stricte myśliwskich, co mogłoby ubarwić naszą nieco monotonną opowieść.

– Mało panu wspomnień łowieckich? – dziwił się. – Opowiadałem już przecież o nagonce w sześćdziesiątym ósmym, pułapkach w siedemdziesiątym szóstym, obławie w osiemdziesiątym pierwszym i odstrzale w latach późniejszych...

– Ale to były wszystko polowania na ludzi! – naciskałem.

– A co ja poradzę, że zwierzęta kocham, a ludzi mniej.

– Jednak jest pan kłusownikiem.

– Kłusownikiem? – skrzywił się. – Wielkie słowo. Ja mógłbym należeć do każdego koła łowieckiego, tylko ja mam swoją filozofię, której nabawiłem się w Indiach od pewnej świętej krowy z kasty niedotykalskich... Dowiedziałem się od niej, niestety, o wędrówce dusz. I od tej pory poluję tylko na te zwierzęta, które w poprzednim wcieleniu były złym człowiekiem.

– Ale jak pan to pozna je?

– Bo jakby były dobrym, to by awansowały do tej nirwany, krainy wiecznych przyjemności. No więc na polowaniu strzela się jak leci do wszystkiego, co się rusza, ale kiedy kłusuję, mogę wybierać te szczególnie złe osobniki.

– Ale jak je pan rozpoznaje?

– Po oczach. Słyszał pan, jak trafił żem pierwszego w swej karierze rysia? Na skalnym Podhalu, kiedy wiele lat po pobycie w Gorcach pojechałem na babki do Rabki. Resort załatwił mi wczasy pracownicze, toteż urabiałem ręce po łokcie. Wie pan, te wszystkie znudzone samotne matki z dzieckiem na leczeniu. Od Mszany Górnej do, nie przymierzając, Dolnej! Któregoś dnia, pod wieczór idę sobie przez zagajnik, wypatrując jakiejś łani, co się odbiła od stada. A tu widzę coś się błyszczy...

– Oczy rysia?

– Konkretnie okulary, więc łubudu z obu luf. I tak zginął Ryszard K. po dwudziestu latach ukrywania się, ostatni członek bandy „Ognia".

– Panie Bronisławie, miało być o zwierzętach!

– Może być o zwierzętach. Chce pan o tygrysie? – skinąłem głową, więc tylko wygodniej ułożył się na leżaku i opowiadał. – W Bengalu dobry czas temu grasował pewien tygrys ludobójca. Podobno w poprzednim wcieleniu był kierownikiem miejscowej izby skarbowej. Po prostu bestia! Będąc przejazdem w Bengalu, z okazji castingu do rewii *Oh Kalkuta*, dowiedziałem się, że za jego pręgowany łeb wyznaczono wielką nagrodę, bo zżarł już stu trzydziestu sześciu facetów...

– Kobiety, rozumiem, oszczędzał?

– W krajach islamu kobiety się nie liczą. Toteż ich nie liczyli. I wie pan, co ja zrobiłem w zaistniałej sytuacji? Miałem młodego ordynansa rodem z Łodzi, ksywka „Skóra", który potem w tamtejszym pogotowiu pracował. I on wpadł na pomysł, żeby te różne trupy nieboszczyków, które niedopalone bezproduktywnie spływają Gangesem i Brahmaputrą, wyławiać... I wystawiać na przynętę. Układając je mniej więcej co kilometr, przeprowadziliśmy bestię przez całe Chiny, Mongolię Zewnętrzną i Wewnętrzną, aż do ZSRR, i tam go łaps. W pysk!

– Tygrysa ludojada?

– Po miesiącu przebywania w łapach NKWD został jaroszem, po dwóch miesiącach wstąpił do Komsomołu, a po roku dostał nagrodę leninowską za wyjadanie Chińczyków, usiłujących samowolnie przepłynąć przez Ussuri...

– Miły kotek! – pokiwałem głową.

– Kotka! – poprawił. – Bo to samica była. Wydała zresztą nawet potomstwo, którego dusze po szybkiej śmierci – musieliśmy akurat szyć ciepłe futra dla świty pierwszego sekretarza – wcieliły się w ciała rzutkich biznesmenów z Hongkongu, Tajwanu i Singapuru. I tak powstały te słynne „azjatyckie tygrysy".

– A na lwa pan polował?

– Myśli pan o kimś konkretnym? – zachichotał. – Bo jeśli idzie o Lwa Rywina, to i z nim, i na niego. Wyobraź sobie, jak był jeszcze całkiem malutki i nawet po polsku nie bardzo umiał, to uczestniczyliśmy wspólnie w polowaniach dla wierszyny RWPG w Kenii organizowanych przez kierownictwo Radiokomitetu za czasów Macieja Szczepańskiego.

– „Krwawego Maciusia"! – popisałem się znajomością tamtych czasów.

– Jaki on tam krwawy? Jak podczas polowania na białe nosorożce drugi sekretarz ambasady radzieckiej w Kenii skaleczył się w paluszek, to prezes omal nie zemdlał. W pysk. W dodatku ranę dali wyssać wiceprezesowi Patykowi.

– Zaraz! – pohamowałem jego zapał narracyjny. – Ale wydaje mi się, że białe nosorożce są pod ochroną.

– Toteż były to czarne nosorożce, tylko dla potrzeb polowania z udziałem towarzyszy radzieckich przemalowaliśmy je na biało.

– Ale dlaczego?

– Wie pan, jaki to byłby wydźwięk, gdyby w zachodnich gadzinówkach pojawiły się teksty w rodzaju: „Sekretarz Generalny podczas wizyty przyjaźni strzela do czarnych"...

– Rozumiem, że do białych, po przyjaźni, można?

– Tu nie chodziło o przyjaźń, tylko o miłość. Konkretnie o jurność. Bo wie pan, że taki sproszkowany róg to jest najlepszy afrodyzjak na świecie? Oczywiście nie każdy potrzebuje. Ja i bez afrodyzjaku mogę zawsze i o każdej porze. Niestety, Leonid już nie mógł... No to daliśmy mu taki proszek z miodem, poprawiliśmy Maskowską. Co to się wtedy działo?! Lońka w powrotnej drodze posiadł pięć stewardes, kierownictwo ministerstwa spraw zagranicznych DDR-u, obu pilotów, na koniec wyrwał im drążek i wołając „Urrra!", poleciał na podbój Afganistanu...

– Nigdy bym nie pomyślał...

– Ja też bym nie pomyślał, tym bardziej że proszkiem, który podaliśmy Leonidowi, wcale nie był róg nosorożca, który na targu w Nairobi wymieniłżem od ręki na dwustukaratowy diament, a moje własne spopielone paznokcie.

– Tu popiół, tam diament.

– A co, kurczę pieczone, miało się ten lwi pazur. Bo widzisz pan, nie ma nic lepszego w tym fachu niż lwi pazur połączony z żyłką...

– Wędkarską?

– Obrażasz mnie pan, czy jak? A co to ja Wałęsa jestem, żeby kij godzinami w wodzie moczyć? Na rybę to się chodziło z granatami, a jak przez przypadek zrzuciliśmy do Bajkału bombę atomową, to tyle ich wypłynęło brzuchami do góry, że moglibyśmy wyżywić cały Trzeci Świat. Naturalnie gdybyśmy chcieli. Ale powiem panu, panie Marciński, w zaufaniu – łowić to jeszcze od biedy mogę, ale jeść to paskudztwo... Doskonale pan wie, ani ja, ani mój pies Piorun nie znosimy ryb.

– Tylko kurczę pieczone, i kurczę pieczone – pozwoliłem sobie na mały żarcik. – A jak radzicie sobie, jak przyjdą święta?

– Jakie święta?

– No Wigilia albo Wielki Piątek?

– Mnie to obojętne, ale Piorunek, katolik, rodowodowy po medalistach, zachowuje chrześcijańską tradycję. Więc muszę mu przy takich okazjach tłumaczyć, że to, co akurat szama, to drób à la łosoś, albo podaję mu świnkę jako karpia po żydowsku.

– A pan nawet karpia po żydowsku nie zje?

– Uczulenie. Od ryby czuję, jak tułów pokrywa mi się łuską. Nabawiłem się tego, służąc jakiś czas na wyspie Guan.

– Chyba Guam! – poprawiłem.

– Wiem, co mówię! Pięć miesięcy służby i nic innego do jedzenia, albo ryby... albo guano! – zobaczył na mej twarzy wyraz obrzydzenia i roześmiał się serdecznie. – Żartował żem, ...albo frutti di mare! Też nie przyswajam, w pysk. Wyjątek robię dla śledzika pod postacią zakąski. À propos – tu wykonał znaczący ruch kantem dłoni, uderzając się w szyję – pora taka, że warto byłoby się napić. Co pan na to?

Nie odmówiłem. Wypiliśmy po setce i Baton wrócił do tematu.

– Ale skoro chcesz pan wiedzieć o mych osiągnięciach w tej dziedzinie, to moja pierwsza gruba ryba... – umilkł, jakby coś go zaniepokoiło. – Nie! Opowiem panu od razu o drugiej. Otóż będąc kiedyś z konwojem w Murmańsku...

– Konwojem? Opowiada pan własne wrażenia czy tatusia z drugiej wojny?

– Jak najbardziej własne! Konwojowałem wtedy skazańca, który w ostatnim życzeniu zapragnął się wykąpać w morzu, bo nigdy nad żadnym nie był. Sędzia miał poczucie humoru, więc powiedział – zgoda! Tyle że wbrew oczekiwaniom skazanego, któremu marzyło się Morze Czarne albo Kaspijskie, wyznaczył kąpiel zimą w Morzu Barentsa! Facet w trzy minuty zmienił się w sopel i do dziś dnia stoi na nadbrzeżu jako pomnik „Pracownika Morza". A ja mając parę dni wolnego, mogłem wypuścić się na wieloryba. Konkretnie na jedną wielką rybę, którą ogłoszono wrogiem publicznym numer jeden.

– Rybę? Wieloryb to przecież ssak – zauważyłem.

– Mnie tam nie przeszkadza. Natomiast kierownictwu trochę. Była to bowiem olbrzymia bestia, na którą podobno polowano już dwieście lat. Bez skutku. Opowiadano, że harpunów to miał nawbijanych więcej w cielsko niż gwoździ na brzuchu ma solistka zespołu rockowego. I to groziło pokojowi światowemu.

– Nie rozumiem.

– Wypij pan na drugą nóżkę, to się panu rozjaśni. Bestia miała w sobie tyle żelastwa, że na radarze wyglądała jak wrogi atomowy okręt podwodny... A kierownictwo nie lubiło, jak coś takiego wpływało na Morze Barentsa. No więc popłynęliśmy łapać tego Hobby Dicka.

– Moby... Czyżby to był sam Moby Dick, słynny biały wieloryb?!

– Jak to na kacu. Wtedy wszystkie wieloryby, podobnie szczury lądowe i myszki są białe.

– I jak to się skończyło?

Bronisław skrzywił się jakoś tak dziwnie.

– Dużo by mówić, ale powiem panu coś innego, też z ryb. Tyle że to w Peru się działo. Jak żem był u nich z wizytą przyjaźni u szefa ichniejszej tajnej policji, to chcieli, żebym został konsultantem od przesłuchań. Miałem sprawić, żeby nawet ryby śpiewały w Ucajali.

– Wróćmy jednak do tego Moby Dicka – nie odpuszczałem.

– A po co wracać? Opowiem panu lepiej, jak byłem ochroniarzem literata Putramenta. Z wędką na pięciu kontynentach.

– Kto dziś pamięta Putramenta? – stwierdziłem, coraz bardziej zaciekawiony niechęcią Batona do kontynuowania opowieści. – Natomiast Moby Dick to historia uniwersalna.

– Jak mówię, daj pan spokój, to daj pan spokój. Masz pan tu stertę filmów, to oglądaj. Pierwszy z brzegu. Co to takiego?

– *Rybka zwana Wandą*.

– Kurczę pieczone, wolałbym inny, na przykład o Wandzie, co nie chciała Niemca.

– O ile wiem, nie ma takiego filmu.

– O właśnie, a jak pan myśli, dlaczego?

– Nie mam pojęcia, może za wątły pretekst fabularny.

– Za wątły? To pan polskich filmów nie ogląda? Zmowa, panie Marciński, w pysk, zmowa Eurokratów! Kurczę pieczone! Dzisiaj każda Wanda musi chcieć Niemca! A nie wybrzydzać.

– No wie pan, zawsze można owego Rydygiera kimś zastąpić – zauważyłem pojednawczo.

– Tylko kim? – podrapał się w głowę. – Ukraińcem?

– W żadnym wypadku, racja stanu!

– No to może Pepikiem?

– To byłaby droga na skróty.

– Cyganem?

– Co pan? Rasizm?

– Żydem...

– Jeszcze gorzej! Antysemityzm... Ale zaraz, panie Bronisławie. Zawsze można nakręcić film o Wandzie, co nie chciała Polaka.

– Że ciemny, brudny, biedny i nudny?

– Co nie chciała Polaka, bo wolała Polkę! – po piątym kieliszku miałem zdecydowanie lepszy humor i mniejszą powściągliwość językową.

Baton popatrzył na mnie podejrzliwie.

– To już może lepiej wróćmy do tych ryb... – zaproponował, podnosząc kieliszek. – Za tych, co na morzu! Do dna! A przy okazji, powiem panu, jak się skończyła ta historia z Hobby Dickiem. Pewnego dnia dostajemy sygnał. Wieloryb na Bałtyku w szwedzkie sieci się zaplątał. Ciągną miejscowi rybacy, ciągną...

– Wyciągnąć nie mogą?

– Skąd pan wie? Faktycznie tak było, toteż zawołali na pomoc trawler przetwórnię. Ciągną i ciągną...

– Wyciągnąć nie mogą?

– A jak. Potem zawezwali jednostkę z ochrony wybrzeża, następnie trałowiec. Na koniec amerykański lotniskowiec.

– I co, wyciągnęli?

– No, niestety, wyciągnęli. Rosyjską łódź podwodną z mieszaną załogą. Pół na pół GRU i KGB. Wzięli jednostkę na hol. Oglądają to dziwo. Co to jest? A tu cała załoga idzie w zaparte. „Jaka łódź? Jaka podwodna? My zwyczajny wieloryb!". A kapitan powtarza jak nakręcony: „Jesteśmy Hobby Dick. Moje nazwisko Jonasz Jonaszowicz Jonaszow. Kategorycznie żądam skontaktowania z rosyjskimi obrońcami praw zwierząt!". No to zadzwonili do czołowego obrońcy praw człowieka i przy okazji zwierząt Władimira Władimirowicza. A on odpowiada: „Nie mam nic wspólnego z tym wielorybem". I co mogli w tej sytuacji zrobić neutralni Szwedzi? Kazali odrąbać hol i bul, bul, bul, jednostka poszła na dno. Ot i cała prawda o okręcie podwodnym Kursk.

Zimno mi się zrobiło, ale prawdziwy biograf nie powinien się byle czym przejmować, więc rzekłem:

– Nie dowiedziałem się, niestety, jaka była pańska rola w tym dramacie?

– Doniosła. Akurat jako bezrobotny sierota po Związku Radzieckim chwytałem się różnych robót po portach Europy i mnie to odcinanie liny przypadło.

– Co pan? Nie mógł pan przecież...?

– Musiałem! Płakałem, ale rąbałem, w pysk!

Miałem dosyć, zerwałem się na równe nogi i skoczyłem do basenu. Doświadczenie okazało się bolesne. Nie zauważyłem, że w trakcie popijawy mój gospodarz spuścił całą wodę.

* * *

Następnego dnia zaraz po śniadaniu pan Bronisław przeprosił mnie, że będzie musiał mnie zamknąć na dzień w mojej ziemiance.

– Oglądaj sobie pan filmy, nawet porno. Byle cicho. Stolarz do mnie przychodzi i nie może pana zobaczyć, bo jeszcze sobie pomyśli, że z chłopem żyję i reputację na całą okolicę mi zepsuje.

– Ale co pan chce jeszcze robić? – dziwiłem się. – W swojej rezydencji ma pan przecież boazerię nawet na suficie?

– O to, to, to – ucieszył się. – Sufit, panie Jędrzejku! Umyślił żem sobie tak. Zrywam boazerię, robię takie kwadraty jak na Wawelu, jak to mówią salcesony... nie... kalesony?

– Kasetony!

– Jak je zwał, tak je zwał. A w każdym jedna będzie głowa.

– Tylko skąd pan te wyrzeźbione głowy weźmie?

Zaraz pożałowałem swojej ciekawości, ponieważ Baton zaprowadził mnie do szafy w piwnicy, gdzie mieścił się prawdziwy salon okropności. Na półkach zalegały całe rzędy wysuszonych główek, przeważnie z przerażającym wyrazem twarzy.

– Na Boga! – zawołałem. – Skąd pan to ma? Obrobił pan jakąś kryptę na cmentarzu...?

– Kryptę...? – zachichotał. – Do kryptografa Omara należała ta łysa. Ta z maską na twarzy to naszego chirurga, Artiom się nazywał. A widzisz pan tę z wytrzeszczonymi ślepiami? To sanitariuszka Wala... Uważaj pan, bo się pan uwalasz!

– Ale skąd się wzięło to wszystko? – wyjąkałem wstrząśnięty. Jeśli dotąd mogłem uważać opowieści Batona za przechwałki współczesnego Munchausena, miałem przed oczami namacalny dowód, że nie wszystko było fikcją...

– Przebywałem kiedyś z wyprawą naukową wśród łowców głów – wyjaśnił – na Nowej Gujanie czy Starej Gwinei... Oficjalnie nazywało się to ekspedycja etnograficzna.

– A nieoficjalnie?

– Instytut Podstaw Marksizmu zlecił nam epokowe badanie, czy da się zrobić komunizm na skróty. Bez tych wszystkich stadiów pośrednich, jak niewolnictwo, feudalizm, kapitalizm, socjalizm. Tylko bezpośrednio. Od wspólnoty pierwotnej ciupasem do komunizmu.

– Sądząc po eksponatach – wskazałem na wysuszone czerepy, z trudem tłumiąc odruch wymiotny – wyszło wam średnio.

– To jest rewizjonistyczne stawianie sprawy na głowie, panie Jędrzejku! Wyprawie towarzyszyły nam pewne „dopuszczalne straty". Okazało się bowiem, że tubylcy gotowi byli współpracować z naszą pokój miłującą ekspedycją, pod warunkiem, że raz na miesiąc odbędzie się uczta... Z przysmakiem. A co jest dla nich największym przysmakiem w karcie dań? Biały człowiek, no ewentualnie żółty.

– A Murzyn?

– Szamani zajmujący się dietetyką z jakichś powodów zabraniają.

– Rozumiem, ale dziwię się, że nie wykorzeniliście tego wstecznego zabobonu.

– Nie było to w interesie światowej rewolucji. Tym bardziej że nasz dowódca... major Smith Smithowicz Smithow wpadł właśnie na pomysł wojny samowystarczalnej. Wie pan chyba, że w każdej wojnie przysłowiową piętą tego... Ajschylosa jest wyżywienie armii, aprowizacja, tabory. Na szczęście Pierwszy Niezmechanizowany pułk Socjalisticzeskiej Republiki Papui (w planach) nie potrzebowałby papu i w ogóle niczego.

– „Pułk sam się wyżywi"? – ironizowałem.

– No. Wyobraź pan sobie. W wydanej w dwóch egzemplarzach pracy majora Smitha *Technika socjalistycznej wojny samowystarczalnej* jest rozwinięcie tej wizji. Ot, rzuciłoby się takich bojowców w ramach bratniej pomocy do jakiegokolwiek kraju i a oni już by powalczyli z imperializmem. Za żarcie. Ogołociliby teren wroga do ostatniej kosteczki. Niestety, szkolenie tubylców musiało potrwać, a tu co miesiąc, chcąc nie chcąc, musiała być uczta. Toteż kiedy zabrakło wrogów, trzeba było do menu wprowadzić przyjaciół...

– A ci wszyscy nieszczęśnicy – wskazałem na makabryczne trofea – szli do garnka na ochotnika?

– A kto by na ochotnika poszedł do gara? Poza tym Wala była jaroszką i protestowała z uporem godnym lepszej sprawy... Najgorzej miał krypto-graf Omar. Kiedy tubylcy, a byli już po skróconym kursie światowej gastro-nomii, dowiedzieli się, że jest z pochodzenia Tatarem Krymskim, postano-wili zjeść go na surowo. Na żywca! Po lekkim stłuczeniu. Z dodatkiem jaja i tuńczyka.

– W takim razie ciekawy jestem sposobu ich wyznaczania spośród członków waszej ekipy?

– Dokonywaliśmy tego, zgodnie z tradycją, za pomocą rosyjskiej ruletki. Każdy miał swój służbowy numer, kręciliśmy taką dziecinną ruletką. No i na kogo wypadło, bęc!

– W takim razie musiał pan mieć wielkie szczęście, że nie trafił na ruszt?

– Major Smith, który robił za krupiera, często mi powtarzał: „Baton, jesteście zerem", kurczę pieczone. I to akurat uratowało mi życie, bo w ruletce, wiadomo, zero krupierskie się nie liczyło, w pysk.

– A jak się cała ekspedycja skończyła?

– Marnie. Po zjedzeniu kryptografa straciliśmy kontakt z centralą... Skończyły się też zrzuty. Broni i innych pomocy naukowych. Więc kiedy z całej ekspedycji zostaliśmy tylko my dwaj z dowódcą, daliśmy nogę.

– Tylko pogratulować, że się to wam udało.

– A co się miało nie udać, pastą do butów pomalowaliśmy się na Murzynów. I nawet ślepa, bezzębna Papuaska nie wzięłaby nas do gęby...

– Tylko jak uciekając, zdołał pan zabrać te wszystkie głowy?

– Co pan? Przywiózł je kilka lat później syn miejscowego kacyka, który przyjechał studiować na uniwersytecie Lumumby w Moskwie. Myślał, że tak jak u nich taki suchy łeb może być walutą.

– I wymienił pan mu?

– A czy ja głupi, żeby się dać złapać łowcy jeleni? Wygrałem całą kolekcję w ruletkę I jeszcze to... – zaprowadził mnie z powrotem na górę, do salonu myśliwskiego, gdzie wręczył mi maleńką szkatułkę.

– Boże! A cóż to, krasnoludek inwalida? – zauważyłem, oglądając malutkiego człowieczka w mundurze khaki bez nóżek.

– Miniaturka naszego oficera politycznego – Wasyla. Normalnie kanibale zmniejszają tylko głowy, ale okazało się, że Wasia jest niejadalny... Zgorzkniały, bez przerwy tylko truł i truł. Nie uwierzy pan, po skosztowaniu tylko jego nóżek w galarecie zatruło się pół wsi, no i rada w radę zmniejszyli go całego. Żeby go dać na sufit jest trochę za mały, ale jak się go pociągnie chemolakiem za kołatkę ujdzie...

Zamknął drzwi i wróciliśmy na górę. Mdliło mnie, toteż szklaneczkę whisky przyjąłem jak wybawienie. Zapadliśmy w fotele w salonie myśliwskim przed ścianą pełną trofeów łowieckich. Baton jeszcze raz popatrzył w sufit, a potem powiódł wzrokiem po swych zdobyczach.

– Ach, żeby te wszystkie zwierzaki umiały...

– Mówić? – zgadłem.

– Pisać wspomnienia! Bo mówić niektóre akurat umiały. Opowiadałem panu o moim guźcu?

– Nie... – błyskawicznie zmieniłem baterie w dyktafonie.

– O operacji „dzika świnia" też pan na pewno nie słyszał?

– W rzeczy samej, nie słyszałem.

– No więc jakieś ćwierć wieku temu „zawod imieniem Miczurina" postanowił uczcić kolejną Rocznicę Rewolucji. Pan wie, jak to się wtedy czciło?

– Wiem. W większości redakcji zaciągnięto warty produkcyjne, a pewien literat, przodownik pracy z Pomorza, zobowiązał się napisać sto wierszy o służbie bezpieczeństwa na miesiąc przed terminem wprowadzenia stanu wojennego.

– No więc czynów było w pysk. Znaczy się w bród. Jedna kopalnia wyrzeźbiła Lenina z bryły węgla brunatnego, inna – makietę ZSRR w proporcji jeden do jeden, z lodu... Nic dziwnego, że Miczurinowcy nie chcieli być gorsi. I udało im się metodą inżynierii genowej wyhodować dzika z głową towarzysza Breżniewa. Jakoś nie przyszło im do głowy, że nie zostanie to dobrze ocenione. W dodatku mutant odziedziczył wprawdzie urodę po tatusiu, ale charakter po matce. I dał nogę. Uciekł znaczy się. Znalazłem się wówczas w specjalnej grupie pościgowej. Miałem za zadanie dostarczyć tego dzika żywego lub martwego. Przecież jakby coś takiego trafiło w ręce imperialistów? Breżniew parzystokopytny! Rok tropiłem, na Ukrainie, na Białorusi. Aż dostaję iskrówkę. Jest. Widziano tę dziką świnię koło Łańska.

– W tym partyjnym ośrodku wypoczynkowym?

– Teraz to tam głównie mafia na wczasy jeździ, ale wtedy to był ośrodek dla ViP-ów... Łapię za broń, odnajduję trop... I nad ranem zwierz wychodzi mi na przesiekę. Czekam. Widzę. Już przeładowuję sztucer, a ona... ta świnia do mnie: „Nie strielaj". Ja pytam: „Paczemu mam nie strielać?". „Patamu szto ja wasz gienieralnyj siekrietar. Leonid".

– A pan co?

– Jak to co, z obu luf...

– Niemożliwe!

– Pewnie, że niemożliwe. Żartowałem! Za rękę wziąłem i do ośrodka zaprowadziłem. Bo Lońka wylazł na kacu z kwatery i zabłądził w lasku.

– A co z tym dzikiem? Czy jak kto woli guźcem?

– A kto to wie? W stanie wojennym widywali go jeszcze jakiś czas to tu, to tam. W dodatku, żeby go ludzie nie poznali, założył ciemne okularki. Potem przepadł. Może go bezrobotni zjedli, w pysk. W każdym razie kilka lat temu w Desie nabył żem ten komplecik. Dwa złote kły i zakręcony, rozdwojony ogonek zakończony sierpem i młotem... Plus patrzałki – tu urwał i zamyślił się nad czymś głęboko.

– I to cała historia? – zapytałem.

– Cała!

– Coś panu nie wierzę.

– I masz pan rację. Ów guziec okazał się niezwykle jurny, tak że zostawił w kraju mnóstwo potomstwa. Spotykam je co i rusz. Tyle że jeden ma więcej w sobie z aparatczyka, drugi więcej ze świni... A ja już jestem za stary, żeby na nich wszystkich polować.

VIII

Rozkosze małego ekranu

Powiem szczerze, że chyba bym zwariował, gdybym wyłącznie spisywał wspomnienia mego gospodarza, czy jak kto woli klawisza. Niewyraźna dykcja, wielokrotne przeinaczenia faktów, pomyłki dotyczące miejsc i dat, wreszcie na każdym kroku elementarny brak logiki i prawdopodobieństwa sprawiały, że nie wiedziałem, czy śmiać się, czy płakać. Oczywiście wielu postawionych w podobnej sytuacji (na przykład mój brat) olałoby konsekwencję i spisywało jak leci, nie przejmując się wynikiem finalnym. Też bym tak zrobił, ale coś mi na to nie pozwalało. Przyzwoitość? Raczej przeświadczenie, że wśród tych bajdurzeń kryją się jakieś strzępy prawdy, która, jeśli nie wydobędę jej od Batona, nigdy nie ujrzy światła dziennego.

Na przykład przewijający się wśród wspomnień major Smith? Kim był? Nie miałem wątpliwości, że był to pseudonim (Smith Smithowicz Smithow), ale co więcej? Baton mówił o nim „dowódca" raz z atencją, raz ze strachem... Czasem przywoływał go w anegdocie.

– Major Smith miał dużo gorzej. Zwłaszcza kiedy jeszcze był kawalerem. Pamiętam, kiedy byliśmy z bratnią przemocą w Afganistanie, poznał piękną kobietę z miasteczka...

– Jak poznał, że była piękna? Przez zasłonę?

– A noktowizor to pies? Zaczęli się więc potajemnie spotykać. A to w czołgu, a to w leju po bombie... Bo tam najbezpieczniej. A jednak miejscowi ich wyśledzili. Złapali majora za... mniejsza za co i zaproponowali albo kamienowanie, albo przejście na islam i ślub z dziewczyną...

– Rozumiem, że major wybrał zestaw...

– Drugi! I bardzo tego żałował.

– Co pan? Co to za problem zostać muzułmaninem? Pięć razy dziennie trykać głową dywanik, raz w życiu do Mekki. I zawsze mieć drobne na ewentualną jałmużnę.

– Niestety. Już po ślubie okazało się, że Fatima vel Miriam jest agentką Mossadu. I dla ważności związku potrzebny jest jeszcze jeden chrzest – nożem. Z miłości major naturalnie zgodził się i na to. Osobiście przy ceremonii nie byłem. Ale sądząc po odgłosach, było to głośne wydarzenie. Major kwiczał jak zarzynane prosię. Mimo że nie podawali wieprzowiny.

– Ale potem żyli...?

– Krótko i nieszczęśliwie. Zresztą związek nie został skonsumowany. I jedno panu powiem – rozsądny człowiek powinien żenić się między swoimi.

– To znaczy mężczyzna z mężczyzną?

– Katolik z katoliczką, komunista z komunistką, Polak z Polką...

– Nie podejrzewałem pana o taki konserwatyzm. A przysłowiowy sojusz miasta z wsią?

– A daj pan spokój. W stanie wojennym sam omal nie ożeniłem się z babą od cielęciny...

– Naprawdę!?

– Zdemaskowałem, kurczę pieczone, taką spekulantkę na własnej klatce schodowej, oczywiście za pysk i do mieszkania... A tu, po zdjęciu kożucha baba okazuje się babeczką, góra dwadzieścia lat, duże niebieskie oczy i od słowa do słowa...

– Zaczęła się rozmowa...?

– Nie zaczęła. Dziewczyna miała zasady. Powtarzała w kółko: „Po ślubie, po ślubie". Taka była twarda, że może bym się i nawet ożenił. Ale jak żem poznał jej rodzinę spod Chojnówki, te sto pięćdziesiąt osób, nie licząc sąsiadów... W tym trzech popów, dwie zakonnice. A większość gada po białorusku...

– Nie lubi pan mniejszości?

– Mniejsza o mniejszość. Wprawdzie jestem sierotą – marksistą, ale byłem gotów zaakceptować i tych wszystkich kuzynów, i nawet ślub w cerkwi... Ale jak się okazało, iż rzekoma cielęcina pochodzi z hodowli

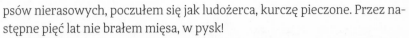

psów nierasowych, poczułem się jak ludożerca, kurczę pieczone. Przez następne pięć lat nie brałem mięsa, w pysk!

Kiedy indziej przywoływał złote myśl autorstwa swego dowódcy, w rodzaju: „Jak mawiał major Smith, kto w młodości nie był socjalistą...".

– Ten na starość będzie świnią! – dokończyłem. – Ale to chyba cytat z Churchilla?

– Ale końcówka jest majora. „Kto w dojrzałym wieku się nie nakradł, ten na starość pójdzie z torbami i kijem żebraczym".

Ale nie potrafił powiedzieć mi jednoznacznie, czy ów Smith nadal żyje. Więc zaciskałem zęby i pracowałem dalej. Ale ile można pracować?

Jedynym ratunkiem i sposobem odreagowywania była wspomniana już kolekcja filmowa. Równocześnie dla człowieka pozbawionego możliwości korzystania z telefonu i dostępu do internetu stanowiła więź łączącą z dawnym życiem. Swoją drogą, nigdy nie myślałem, że można za nim tak tęsknić. Jakże brakowało mi tych rozwlekłych redakcyjnych kolegiów, nudnych wieczorów autorskich kolegów, na których próbowałem robić za prelegenta, kłótni z paroma przyjaciółmi, którzy zostali mi z dawnych lat, ale chyba nawet nie zauważyli mego zniknięcia, spotkań w klubie dyskusyjnym, gdzie raz na tydzień biliśmy pianę, omawiając bieżącą politykę, na którą nie mieliśmy najmniejszego wpływu... Nie wspomnę już o wizytach Beaty i namiętnych... rozmowach na tematy interesujące obie strony.

Inna sprawa, że w warunkach mego internowania nawet do tych filmów miałem dostęp reglamentowany i obarczony dodatkowymi warunkami. I tak, chcąc obejrzeć np. *Układ zamknięty*, musiałem równocześnie zaliczyć *Młodą gwardię*, a *Uwikłanie* otrzymałem dopiero po dwukrotnym obejrzeniu *Jak hartowała się stal*. Na domiar złego pan Bronisław przepytywał mnie na wyrywki, czy przypadkiem nie symulowałem oglądania podrzucanych mi gniotów. Sam osobiście za nowszymi obrazami nie przepadał, twierdząc, że wkurza go oglądanie, jak się na jego życiu dorobili Hollywood, Mosfilm i wytwórnia z Chełmskiej.

Choć bywały wyjątki. Raz na przykład, kiedy pozwolił mi dłużej poprzebierać w swej płytotece, z przyjemnością natrafiłem na film z apetyczną Kasią Zetą Jones na okładce i spojrzałem pytająco na mego nadzorcę. Pozwoli czy też nie?

– *Maska Zorro* – odczytał tytuł. – Mam wrażenie, panie Marciński, że chyba już gdzieś o tym wcześniej słyszałem.

– Gdzieś?! – zawołałem. – Za mojego dzieciństwa wszystkie dzieciaki bawiły się w Zorro, i nie było podwórka...

Załapał i natychmiast wybuchnął:

– Nie przypominaj mi tego, panie Jędrzejku, bo mię szlag trafi! Takich rzeczy się nie zapomina! Pracowałem wtedy społecznie w Komitecie Blokowym numer trzydzieści pięć. Ile się człowiek tego nazdrapywał, nazamalowywał... Chociaż z drugiej strony łatwiej zamalować jedną literę, niż jedenaście, nie licząc biało-czerwonej chorągiewki.

– Ale co partii przeszkadzała litera Z?

– Partii nic. Ale towarzysz Wiesław doszedł do wniosku, że „znak zero" to było o nim i o jego kompetencjach, a przy okazji wezwanie do buntu przeciwko legalnej władzy.

Uznałem, że wciągnięcie go w historię o dwóch Zorro, to niezły sposób aby przy okazji dopytać o dalsze kontakty Batonów, ojca i syna. Przeczytałem więc z pudełka obsadę na czele z Anthonym Hopkinsem i Antonio Banderasem. Odczytanie nazwiska tego ostatniego wywołało skrzywienie ust i komentarz – że jak ktoś się nazywa Banderas, to musi być Ukraińcem, ale nie dałem się wciągnąć w dyskusje na temat UPA i Prawego Sektora.

– Ważne, że obaj mieli na imię Antoni – podkreśliłem.

– A który z nich był tym Zorrem?

– Obaj!

– Nie próbujcie ze mnie robić kretyna, Marciński – zjeżył się. – Jak to dwóch? Chyba że to ta retro-inspekcja, czyli jeden z nich to młody Zorro, a drugi – Zorro na starość?

– Ależ nie. To dwóch facetów zupełnie z sobą niespokrewnionych. Tyle że z czasem jeden stanie się drugiego zięciem...

– Czyli jak? Jeden Zorro dobry, drugi zły?

– Obaj dobrzy. To znaczy źli, bo rozbójnicy!

– Rozumiem, jak Janosik, Robin Hood albo Rumcajs?

– Właśnie. I ten drugi ma być kontynuatorem legendy pierwszego. Ale zanim do tego dojdzie, trzeba nauczyć, jak być Zorro.

– Zabierać biednym, a dawać bogatym? – ucieszył się Baton. – To każdy głupi potrafi. Chociaż podwyższyć sobie kwalifikacje nigdy nie zaszkodzi. Pamiętam, jak w Peru prowadziłem rekolekcje dla aktywistów Świetlistego Szlaku.

– Rekolekcje?

– Oczywiście w ramach seminarium duchownego zajmującego się teologią wyzwolenia. Pamiętam, że odbywało się to w klasztorze żeńskim – przymrużył jedno oko, a drugim spojrzał na mnie. – Co ja będę mówił. I tak pan nie uwierzy. Książkę o tym nawet napisali – Pan Taleon i Wizytantki!

– W tym przypadku nauczanie jest bardziej skomplikowane – nie dałem zbić się z tematu. – Stary Hopkins uczy Banderasa fechtunku, dobrych manier, gwizdania...

– Gwizdania?

– Na czarnego konia, żeby stanął. Tyle że młody chyba pomylił tonacje. Bo jak przyszło co do czego, koń stanął o metr dalej. I Zorro jak nie wyrżnie dupą w bruk.

Tak to Batona rozbawiło, że śmiał się dobre trzy minuty. Proponowałem, żeby zaczął ze mną oglądać film, ale pokręcił głową.

– Wolę, jak pan opowiada. Dla mnie te wszystkie filmy lecą za szybko, a w dodatku jak nie ma przerwy na reklamy, to się zupełnie nie można skoncentrować. Mów, pan, jak to się wszystko zaczęło?

– Zaczęło się dwadzieścia lat później... Po tym jak w pierwszym odcinku gubernator Kalifornii wsadził Hopkinsa do więźnia, ożenił się z jego kobitą i jeszcze ukradł mu córkę... z urody taką bardziej Eleni. I Greka udawał.

– Ach, ci amerykańscy gubernatorzy, zwyczajne świnie – skomentował zdegustowany. – A ich prezydenci jeszcze gorsi, dziwkarz na dziwkarzu. U nas nie do pomyślenia!

– Dlatego nie można się dziwić, że stary Zorro ucieka z więzienia i chce się zemścić. Tyle że już nie może.

– Dlaczego?

– Wiek nie ten, kondycja gorsza, a w dodatku skrupuły moralne...

– Całkiem możliwe – nieoczekiwanie zgodził się ze mną. – Popatrz pan na mnie, panie Jędrzejku, kiedyś to ja bym wroga klasowego normalnie, gołymi rękami, załatwił, a po latach nawet Pinocheta mi było żal, więc kiedy wpadł do Londynu, kiedy aktualnie i ja tam byłem (w interesach), zamiast go wysadzić, zastrzelić lub przynajmniej aresztować na podstawie międzynarodowego listu gończego, ledwie dosypałem mu co nieco do herbaty na fajfie u Thatcherowej.

– I jak się udało panu podejść tak blisko?

– Normalnie, dołączyłem do delegacji polskiej prawicy, która pojechała ryngraf mu wręczać...

– Ryngraf? – coś zaczęło świtać mi w głowie.

– No to była taka trójca: redaktor katolickiej gadzinówki, kandydat na przywódcę prawicy i młody zapaleniec co chyba medycynę chciał studiować, bo mówili potem o nim spin doktor. Przy takich rekomendacjach miałem wszędzie otwarte drzwi... Nawet na Downing Street.

– Coś konkretnego pan mu dosypał? – dociekałem.

– Kierownictwo Kraju Rad proponowało rad, ale ja, patriota, zdecydowałem się na polon. Ale niestety ktoś termosy pomylił i to, co było dla gościa, służba wypiła. Pinochet spokojnie wyjechał, za to całe Downing Street świeciło przez miesiąc jak choinka, tak że mogli oszczędzać na elektryczności.

– Dobrze, że przynajmniej naszej delegacji nic się nie stało.

– Niezupełnie nic. Ledwie otarli się o mnie, a już prawicowy redaktorek stał się liberalnym ateuszem, lider stracił siły i widziałem go, jak chodzi o lasce, a spin doktor utył, wyłysiał, rzucił przyjaciół i doradza swoim wrogom. No więc sam pan rozumie, że nie chcąc popełnić tego rodzaju błędów, do wykonania zadania Zorro emeryt wynajął sobie Banderasa, który też ludzi gubernatora nie lubił, od czasu jak mu brata zabili, a jego głowę zamarynowali w winie.

– Po co?

– Może żeby sprawdzić, czy po śmierci też będzie miał taki łeb do alkoholu. Jednak największy łeb do interesów to miał tam gubernator, tyle że był zapominalski. No więc narysował sobie mapę, gdzie w Kalifornii jest złoto.

– Jak to gdzie, wszędzie, pełne wystawy?

– Dziś, a wtedy Kalifornijczycy tego nie wiedzieli. A gubernator w tajemnicy przed własnym społeczeństwem, żeby przypadkiem nie dostało gorączki z tego złota, wybudował sobie własną kopalnię. Warunki panowały tam straszne. Po prostu Kołyma...

– Tak zimno?

– Tak gorąco. Nic więc dziwnego, że biedacy marli tam jak muchy w smole i marzyli, żeby legendarny Zorro wrócił, zabrał wszystko bogatym i dał biednym.

– Ech! – kątem oka zauważyłem grubą łzę, która przetoczyła się po policzku Batona.

– Coś się stało? – zapytałem.

– Nic takiego. Po prostu własna młodość mnie się przypomniała... – szybko otarł twarz rękawem.

– Pańska?

– A czyja? Też się grabiło bogatych, a dawało biednym, naturalnie jeśli popierali władzę ludową.

– O czym pan mówi?

– O reformie rolnej, o nacjonalizacji. Sam jeden pogoniłem ze stu obszarników. Jakbym wtedy spotkał tego Zorra, to bym mu powiedział tak: „Alejandro Diegowiczu de la Viega, ja jestem waszym najwierniejszym uczniem. Tyle że zamiast szpady mam ołówek kopiowy, zamiast czarnego konia czarną pobiedę...".

– A zamiast czarnej maski?

– Czarną listę, w czarnej teczce! Ale co dziś za to mam? Czarną niewdzięczność! Nawet mi do własnych akt zajrzeć nie pozwolą... Oj, życie.

– Sądzę, że to nadrobimy – powiedziałem. – Powstanie książka, później na jej podstawie będzie można film nakręcić.

– Myślałem o tym. I to niejeden raz! W sześćdziesiątym ósmym był już nawet gotowy scenariusz *Lejtnant Zorrow wymierza sprawiedliwość*. Niestety, po zajściach marcowych reżyser wyjechał do Szwecji, kompozytora wylali z kapelą, a główny aktor założył własną bojówkę do łapania mniejszości narodowych, toteż musiałem ukryć swoje poglądy pod maską obojętności.

Ponieważ miałem nieco inne widzenie wydarzeń marcowych, nie rozwijałem tematu, próbując przeskoczyć do pasjonującego mnie sedna sprawy.

– Wracając do tych relacji mistrz i uczeń, ojciec i syn, chciałbym jeszcze dopytać, czego właściwie nauczył się pan od swego ojca. I kiedy? Bo od rozstania pod Seulem nie wspominał pan o ponownych kontaktach, chyba aż do dnia zamachu w Dallas...?

Przerwał mi gniewnie.

– Ja się nie musiałem niczego uczyć, panie Marciński! Pewne rzeczy dziedziczy się po prostu w genach. A te przekazano mi w Rumunii.

– Ale konkretnie co pan odziedziczył?

– Nie powiem, bo jeszcze mi władza, która teraz wszędzie szuka pieniędzy, naliczy od tego, co odziedziczyłem, podatek spadkowy.

To mówiąc, wstał, jakby chcąc dać mi do zrozumienia, że na dziś koniec rozmowy, i rzekł, podchodząc do regału z płytami.

– Lepiej obejrzyj sobie coś rozwijającego a zarazem wychowawczego. Masz pan tu... – cisnął w moją stronę kilka starych płyt DVD – *Pancernik Potiomkin*, *Człowiek z karabinem*...

– Same ruskie? – skrzywiłem się.

– A co, panu ruskie się nie podobają? No to idźmy dalej, *Winczester 63*, *Strzelby Apaczów*, *Działa na wrony*.

– A nie można czegoś z białej broni...?

– Myśli pan o filmach z gatunku płaszcza i szpadla? Mnie one ani grzeją, ani ziębią. Co pan powie na... Wziął kolejne pudełko i sylabizował tytuł. *Markiza Anielka wśród pijaków*?

– Mogę, ale wolałbym – sięgnąłem po inną płytkę – *Na ostrzu szpady*.

– Czy to aby nie o tym regencie Pawłowskim?

– Jeśli już to renegacie, regent to rządził we Francji. I jeśli oglądał pan ten rimejk *Garbusa*, to jego akcja właśnie dzieje się za czasów Regencji.

– W Związku Radzieckim mieliśmy szkołę prostowania garbusów – ożywił się kłusownik. – Przykładało się do takiego pion ideologiczny. I albo się prostował, albo szedł do piachu z powodu przetrąconego kręgosłupa! A tu – wygrzebał kolejny film – widzę na okładce aż czterech garbusów ze szpadami. Tyle że wszyscy już wyprostowani.

– Chyba słyszał pan o trzech muszkieterach oraz d'Artagnanie!? – byłem zdumiony jego ignorancją. – Nie bawił się pan w to jako dziecko?

– W zasadzie to obowiązkowo musieliśmy się bawić w Timura i jego drużynę. Ale jak dyrektor sierocińca nie widział, to i owszem bawiliśmy się w trzech muszkieterów. I psa.

– Ja to zawsze bywałem d'Artagnanem – powiedziałem chełpliwie.
– A pan, niech zgadnę? Portosem? Aramisem?

– Nie zgadł pan. To był żeński sierociniec, a więc obawiając się zdemaskowania, na ochotnika grywałem Milady, a gdy ją zaciukali – nausznika kardynała – kawalera de Rokwor, bo mi sery przeważnie zajeżdżały...

– No to to jest tu coś dla pana. *Człowiek w żelaznej masce*.

– Nie słyszałem. Faceta w żelaznym gorsecie owszem znałem, o żelaznym uścisku też słyszałem, a żelazną wolę miałem sam... Ale w masce... coś takiego. O terrorystach może?

– Też przeróbka z klasyki. Tym razem z wicehrabiego de Bragelonne. Historia podobno prawdziwa. Dawno, dawno temu królowa we Francji nie mogła mieć dzieci.

– Zdegenerowany naród – pokiwał głową Baton. – Wie pan, że oni to robią tylko po francusku, więc skąd niby miałyby się brać dzieci? Aż za pięć dwunasta przed śmiercią króla Ludwika XIII urodził się potomek, a potem bach, bach drugi. Szczęścia też niekiedy chodzą parami – stwierdził filozoficznie.

– Ale bliźniaki w rodzinie królewskiej to nieszczęście. Zwłaszcza gdy są podobne. A te były jak krople wody, chociaż akurat nie do króla. No więc żeby je jakoś rozróżniać, młodszemu dali żelazną maskę.

– A to sknery. U nas w telewizji to by chociaż złotą maskę dali.

– Tymczasem – kontynuowałem – okazuje się, że choć dzieciaki podobne, z charakteru są diametralnie różne. Jeden dobry, a drugi zły.

– Jakby panu taką maskę dali, to też by pan był zły – zauważył Baton. – Mój Piorun ledwie z tydzień w kagańcu bez żarcia pochodzi, to taki wściekły, że bez kija nie podchodź...

– Tyle że tam efekt działań wychowawczych był dokładnie odwrotny.

– Powiem panu, w tych sprawach nie ma reguł, chociaż przeważnie oba bliźniaki są z piekła rodem. Czytał pan *O dwóch takich* Kornela Morawieckiego?

– Makuszyńskiego – usiłowałem sprostować.

– Polubiłem tych urwisów, ale przez całe życie ciekawiło mnie, na kogo wyrosną. I doczekałem się. Kiedy życie rzuciło mnie na placówkę do tego ich Zapiecka, oczom nie mogłem uwierzyć. Jeden został tam prezydentem, a drugi premierem. Na krótko, bo zaraz później wziął władzę niejaki Patał-łach. No, ale jak kto za młodu chce ukraść księżyc, to na starość chce zostać „Królem Słońce".

– No właśnie! Ten bez maski wyrósł na króla despotę, podrywacza i szuję, a ten w masce okazał się po prostu do rany przyłóż. I dlatego d'Artagnan dał się dla niego zastrzelić.

– Co pan? Muszkieter? Zastrzelić? – zawołał Baton. – Przecież oni broni palnej w ogóle nie używali. A czyje to dzieło, tego Dumasa syna czy ojca?

– Ojca. I ma to spore znaczenie, bo okazało się, że d'Artagnan był ojcem Filipa, tego księcia dobrego od żelaznej maski...

– Aha, a kto był ojcem tego drugiego, szui?

– Anna Austriaczka przysięgała, że spłodził go osobiście stary król... Ale nie bardzo wierzę.

– Dlaczego?

– Bo podobno Ludwik XIII oglądał się wyłącznie za chłopakami.

– A co to przeszkadza, raz się zmusić do obowiązków małżeńskich? Sam parę razy musiałem zmuszać do tego kilku celebrytów.

– Zmuszać? Nie bardzo rozumiem w jakim celu...

– Kilku z nich chciało zostać przyjaciółmi Związku Radzieckiego, a Związek Radziecki nie lubił takich, co mogli go potraktować od tyłu, ale jak pojawiły się dzieci, to można było pisać w raporcie o takim „normalny mężczyzna, chociaż nie fanatyk!". Ale co z tymi bliźniakami?

– Cóż, historycy i tak uważają, że naturalnym ojcem Ludwika XIV był kardynał Mazarini, i stąd wziął się jego paskudny charakterek.

– Bliźniaki dwujajowe – zamyślił się Baton. – Coś podobnego przydarzyło się w rodzinie Grubego Rycha na Targówku, u którego krótko mieszkałem na stancji. Pamiętam, też się mu bliźniaki urodziły.

– Z dwóch ojców?

– Nie rachował żem, może i z trzech. A jeśli policzyć i skromnego sublokatora, to czterech będzie. W każdym razie dzieciaki były do siebie zupełnie niepodobne – jeden normalny – katolik wyrósł na uczciwego włamywacza, a drugi mało że wypisz wymaluj Cygan, to wstąpił do Milicji Obywatelskiej, przynosząc wstyd całej rodzinie.

– Przynajmniej pan powinien być z niego dumny! – zdziwiłem się.

– Jestem, ale Gruby Rycho do dziś dnia uważa, że kiedy ich opuściłem, wstąpiłem do seminarium.

– Skąd ten pomysł?

Zmieszał się.

– Ojej, spotkaliśmy się raz podczas pielgrzymki papieża. Byłem wtedy właśnie w służbowej sutannie i musiałem coś kombinować naprędce... Ale nadal nie powiedział mi pan, jak skończyło się z tymi bliźniakami?

– W filmie całkiem nieźle. Muszkieterowie wpadają na pomysł, żeby podczas balu maskowego tego złego podmienić na dobrego. Wystarczyło tylko dobrego nauczyć zwrotu „Państwo to ja", a drugiemu nałożyć maskę.

– Na pysk! – spuentował Baton. – Ciekawy spisek! I jeśli jeszcze opłaciło się to Francji...

– Opłaciło się, ale dość średnio, tyle że film już o tym nie mówi. Ludwik XIV też okazał się niezłym despotą i zrujnował kraj. Inna sprawa, że jego brat bliźniak mógł być jeszcze gorszy.

– I tak to w życiu bywa. Pamiętam, kiedyśmy podczas wczasów na Krymie wymieniali towarzysza Chruszczowa na Breżniewa, to też myśleliśmy, że wybieramy mniejsze zło.

– Ale przynajmniej biedny Nikita nie musiał żelaznej maski do końca życia nosić – zauważyłem.

– Ale ust już nigdy więcej otworzyć nie mógł. Inna technologia, panie Jędrzejku. Niewidzialny namordnik, plus wychowawcze elektrowstrząsy...

– Jednak jakieś pamiętniki napisał.

– Napisał, pewnie że napisał! Jakieś zajęcie przecież musiał mieć! – żachnął się pan Bronisław. – Tylko kto mu je cały czas dyktował? Kurczę pieczone... – Chyba przez szacunek dla sekretarza generalnego nie dorzucił ulubionego „w pysk".

IX.
Kody i koty

Nieustannie rozważając szanse mego wydostania się z niewoli, wykorzystywałem każdą chwilę nieuwagi Batona na gromadzenie informacji, które zsumowane mogłyby kiedyś dopomóc mi w ucieczce. Wyciągałem go na spacery, wyprosiłem wizytę na dachu rezydencji, żeby rozejrzeć się po okolicy, choć wysokie drzewa skutecznie zasłaniały pole widzenia i tylko raz, przy silniejszym powiewie wiatru, wydało mi się, że za zagajnikiem dostrzegam jakąś asfaltową drogę odległą o kilkaset metrów. Łowiłem wszelkie dźwięki z zewnątrz, śledząc przeloty ptaków i z rzadka samolotów. Któregoś dnia, mówiąc o jego samotnym bytowaniu tutaj, spytałem, czy nigdy nie miał kłopotów z sąsiadami.

– Teraz już nie mam – powiedział z wyraźną satysfakcją. – Ale kiedyś zagnieździła mi się tu taka jedna miastowa. Pani docent. Przynajmniej tak stało w jej papierach.

– Ładna chociaż?

– Panie Marciński, tego rodzaju relacje między nami nie wchodziły w grę. Znienawidziliśmy się od pierwszego wejrzenia. Mało, że brzydka jak noc z trzydziestego lutego na pierwszego marca, to kociara. A wie pan, co ja myślę o kotach... Fuj! – zaczął nagle się drapać po ramieniu. – Na samą myśl zaczyna mnie coś obłazić! Słyszał pan o rasie angielski kot liliowy?

– Nie.

– Pana szczęście! Duże puchate bydle, o przewrotnym wyrazie pyska. W dodatku ten jej Pluton był rozmiarów małego tygrysa. Jak raz przelazł tu przez płot, to mój Piorun ze strachu poprosił o azyl w akwarium z piraniami, które tam podówczas hodowałem.

– I co?

– I nic. Pluton wskoczył do akwarium, Pioruna z jakiegoś powodu oszczędził, ale wyjadł wszystkie piranie. W pysk! Na dodatek któregoś dnia podczas obchodu rewiru patrzę, a Kowalska, one wszystkie nazywają się Kowalskie, buduje sobie ambonę w lesie. I montuje tam lunetę.

– Taka wścibska?

– Kiedy poszczułem na nią leśników, pokazała papiery, że astronomka... Ale ja swoje wiem... Czy myśmy nie mieli własnych astronomów? Choćby ten z Torunia... Znawca nieba. Jak mu było... Niech mi pan przypomni!?

– Rydzyk?

– Nie, Wolszczak! Czy jakoś tak. Niby ciała niebieskie oglądał, ale raporty mi składał całkiem przyziemne... W dodatku, panie Jędrzejku, jak ktoś jest prawdziwym astronomem, to w nocy patrzy w niebo, a nie w dzień sąsiadowi na działkę. Choć o kamuflaż Kowalska dobrze zadbała. Każdy z jej kotów, a miała ich z pół tuzina, nazwała jak ciało niebieskie. Kot Pluton, kot Jowisz, kot Mars, kot Merkury... Ale co pan się tak tą sprawą interesuje? Zna pan jakichś Kowalskich?

Zrozumiałem, że muszę szybko zmienić temat, jeśli nie chcę, żeby odkrył moje myśli o ucieczce.

– *Kod Merkury*! – zawołałem może odrobinkę za głośno. – Widział pan może film pod tym tytułem?

– Ja o kotach niczego nie oglądam! – burknął.

– Ale to nie o kocie, tylko o kodzie. Kod Merkury. Tajny kod CIA.

– E tam, tajny – roześmiał się Baton. – Nim tego „Merkurego" wprowadzili, to już mieliśmy w Moskwie wydaną w pięciu egzemplarzach książkę kodową z dopiskiem copyright by Ames, Zacharski i wspólnicy. Zresztą co to były za kody? Dziecko by je złamało.

– No i tak się właśnie stało w obrazie pod wspomnianym tytułem. CIA zamieściło szyfr w jakimś magazynie dla szaradzistów, żeby sprawdzić, czy przypadkiem ktoś tego nie rozwiąże, bo uważali, że to nie do rozwiązania.

– Oj, znam tych platfusów od rebusów. Parę lat temu, kiedy pracowałem w periodyku „Wesoła Dwururka", zrobiliśmy taką krzyżówkę, w której nagrodą miał być samochód od sponsora. I celowo porobiliśmy za krótkie rubryki, żeby nikt nie mógł rozwiązać, a nagroda została w redakcji.

– A w tym filmie chłopczyk imieniem Szymon nie tylko rozwiązał zagadkę, ale jeszcze zadzwonił po nagrodę.

– Bezczelny szczeniak! Ja bym takiemu nogi z dupy powyrywał...

– Ciekawe, ale Amerykanie mają chyba podobne podejście do dzieci, bo jak się szef służb specjalnych dowiedział o incydencie, kazał sprzątnąć dzieciaka, jego rodziców i jeszcze potem po sobie posprzątać. Tyle że nasłane zbiry spaprały sprawę, a Szymkowi przyszedł z pomocą sam Bruce Willis... Skądinąd też funkcjonariusz.

– Jeden z komanda morderców? – zainteresował się kłusownik.

– Nie, on akurat pracował w nasłuchu.

– Miła, spokojna praca, w ogóle się nie kurzy. Tylko uszy trochę puchną. Pamiętam, jak pracował żem w nasłuchu Wolnej Europy, to mieliśmy tylko jeden problem, tak się uwinąć, żeby na rano zrobić notatkę, z której nasz Komitet Centralny mógł się dowiedzieć, o czym obradowało poprzedniego dnia nasze Biuro Polityczne. Ech, czasy. I czego się ten Willis nasłuchał?

– Głównie wymówek za niesubordynację. Zawodową. No i tego, że za bardzo kochał dzieci. Szczególnie miał słabość do małych chłopców.

– Kurczę pieczone. Pedofil?

– Akurat nie. Niewyżyty ojciec. Biedne dzieci, a szczególnie sieroty wzruszały go do łez.

– To zupełnie jak towarzysz Stalin – ożywił się pan Bronisław. – Tak kochał biedne maleństwa, że parę milionów tatusiów posłał do piachu, żeby móc się opiekować sierotkami.

– Bruce Willis też musiał bardzo wielu facetów załatwić, żeby Szymka uratować. Chociaż chłopak nie ułatwiał mu zadania. On do dzieciaka gada, a ten jak słup.

– Szymek Słupnik? Łoj, to ja znam to schorzenie. Automatyzm się nazywa!

– Autyzm! – poprawiłem, choć wiedziałem, że i tak Baton będzie mówić po swojemu. – Nie wiem, czy pan wie, że podobnie upośledzone dzieciaki niby nie mają kontaktu ze światem, ale w głowie mogą mieć prawdziwy komputer.

– Mnie to pan mówisz?! Kiedy jeszcze komputery były zakazane jako imperialistyczne przesądy i zabobony, pracował u nas na Łubiance jeden czubek, co miał w głowie całą bazę danych, pełen rejestr skazanych wrogów ludu, listy aresztowanych. I na wyrywki mógł podać każdą informację.

– I co się z nim stało? Bo rozumiem, że już go tam nie ma?

– Jak w pięćdziesiątym szóstym przyszła odwilż i okazało się, że trzeba wrogów uznać za przyjaciół, więźniów wypuścić, a zgładzonych zrehabilitować, nasz człowiek-komputer po prostu zwariował.

– Co pan? Jak wariat mógł zwariować?

– Dziwi się pan? To pan z prawdziwymi wariatami nigdy kontaktu nie miał.

– A pan miał?

– Niestety, panie Jędrzejku, to jest element zupełnie niepoczytalny. Łatwiej wyciągnąć lisa z jamy niż informacje z prawdziwego świra... Jeden, ksywka „Napoleon", dopiero po trzech miesiącach przesłuchań przyznał się, że jest Juliuszem Cezarem.

– Czyli okazał się kompletnym wariatem?

– Takich absolutnie kompletnych wariatów to nie ma. Wszystko, nawet szaleństwo, ma swoje grance. Dasz wiarę, panie Jędrzejku, że w całym naszym obozie socjalistycznym mieliśmy na pęczki Napoleonów, Hitlerów, a nawet jednego Hirohito, ale nigdy nie zdarzył się wariat, który by się podawał za Stalina.

– Poza jednym na Kremlu?

– Panie Marciński! – nagle zmarszczył brwi...

– A wracając do pańskiego człowieka-laptopa, na czym polegało jego wariactwo?

– Stał się niesamowicie normalny. Ożenił się, wystąpił z partii, zmienił pracę. I nawet jego dane same wyparowały mu z pamięci... Więc nawet nie trzeba go było wykasować.

– Przeżył?

– No aż takiej odwilży nie było. Humanitarnie go uśpiono. Żeby się nie męczył.

– Myśli pan, że dzisiaj by się nie przydał? – zapytałem.

– A po kiego? Po co obciążać głowy, ja sam jak się podszkoliłem w komputerach, mam tylko jeden problem, jak nie zapomnieć kodu dostępu.

– Wie pan, każdy kod można sobie przypomnieć. W jednym filmie widziałem, jak facet przykładał hackerowi pistolet do łba i mówił: „Masz sześćdziesiąt sekund na złamanie kodu Pentagonu".

– Z pistoletem przystawionym do głowy to ja wyrecytował żem kiedyś cały Koran, i to po pasztuńsku.

– Już mi pan o tym opowiadał.

– No to powtórzę jeszcze raz. Najważniejszy jest czynnik ludzki, a tradycyjne metody ochrony są lepsze od elektronicznych. W latach pięćdziesiątych, kiedy podejmowałem dopiero pracę w resorcie, ktoś wpadł na pomysł, żeby sprowadzić pierwszy komputer dla KGB. Decyzja prawie była klepnięta. Ale sprawą zainteresował się osobiście towarzysz Chruszczow. I pyta nas, ile to ustrojstwo zabierze miejsca? „No, dziesięć milionów lamp ukradzionych z amerykańskiego demobilu zajmie całą Łubiankę" – odpowiadam. „Ale za to w godzinę wyliczą, kiedy się kapitalizm zawali". A na to Nikita Siergiejewicz: „To taniej wyjdzie posadzić dziesięć milionów czekistów z liczydłami. A i wynik będzie pewniejszy".

Roześmiałem się, ale Bronisław kontynuował.

– Na szczęście już towarzysz Breżniew docenił elektronikę. A dzisiaj rosyjscy hakerzy są prawie tacy dobrzy jak chińscy.

– Prawie? – zdziwiłem się.

– Indywidualnie nasi są lepsi, ale jeśli na jednego Ruska przypada tysiąc Kitajców, a każdy klika myszką, to samą ilością muszą wygrać! No i lepiej kradną Amerykanom technologie, to trudno się dziwić, że mają lepsze osiągi. Ale ja nie o tym. Wie pan, jak w końcu poradziłem sobie z tą astronomką?

– Panią Kowalską?

– No i czułem, że pan ją zna! Ale to już znajomość nieaktualna. Słyszał pan, jak się to zakończyło?

– Domyślam się...

– Niczego się pan nie domyślasz! Ja nic jej nie mogłem zrobić. Bo jako sąsiad byłbym pierwszym podejrzanym, poza tym byłem prawie pewien, że dla kogoś pracowała. Jak dla Amerykanów, to pikuś, ale jeśli (co bardzo prawdopodobne) dla Mossadu, ich zemsta byłaby straszna.

– No więc jak pan rozwiązał problem?

– Naukowo. Nabył żem kod dostępu do pewnego starego satelity, który sprowadzano z orbity, żeby utopić w Pacyfiku.

– Zużył się?

– Nie, tylko podawał zbyt prawdziwe dane, a towarzysze chińscy tego nie lubią. Dzięki kodowi dostępu przekodowałem trajektorię tak, że ten kosmiczny szmelc dupnął dokładnie w ambonę mojej sąsiadki. I kaput. Zamiast ambony zrobił się katafalk!

– Pogratulować precyzji – powiedziałem z przesadnym uznaniem.

– Bo jeśliby się pan choć trochę pomylił, szkoda byłoby tej posesji...

– Brałem to pod uwagę. Wszystko ubezpieczyłem, a na czas akcji wybrałem się na wakacje do Nowej Zelandii.

Korzystając, że zawiesił głos, szybko zmieniłem baterię w dyktafonie.

– Słuchając pańskich wspomnień, panie Bronisławie, można odnieść wrażenie, że potrafił pan przebywać w dwóch miejscach naraz – rzekłem.

– Ja? Tylko w dwóch?! – obruszył się Baton i ponownie usiadł na fotelu.

– To jest pomówienie, drogi literato! Jak ja bym pokazał panu moją teczkę osobową...

– To niech pan pokaże.

– Została utajniona w ramach aneksu do aneksu...

– Kuchennego?

– Nie żartujcie, Marciński! – naraz zrobił się śmiertelnie poważny i poczułem się jak na przesłuchaniu. – Wiesz przecież, że chodzi o aneks w sprawie raportu o rozwiązaniu WSI... Ale sza! Nikt nie wie, że zrobiłem sobie mikrofilm. Żebym jeszcze wiedział, gdzie go schowałem... – tu zamyślił się – ale nic nie szkodzi, Piorun wie! Natomiast jeśli idzie o pana pytanie, faktycznie, zdarzało mi się bywać w paru miejscach naraz, chociaż w jednym miejscu w paru osobach to byłem tylko raz w życiu. Góra dwa.

– Ale nie ujawni pan szczegółów?

– A co mam nie ujawniać, jeśli nie dotyczy to spraw współczesnych! I tak w GRU mam już ze trzy wyroki śmierci z zamianą na grzywnę i jedno dożywocie. A historia, o której chcę panu opowiedzieć, zdarzyła się wtedy, gdy robiłem za sobotwora.

– Kogo?

– Za sobotwora – powtórzył. – No takie alter jego.

– Ale pytam, czyj był sobowtór?

Baton wstał i zbliżył do mnie swą dziobatą twarz.

– A do kogo jestem podobny?

W pierwszej chwili przyszło mi na myśl, że dzioby i cera upodabniają go do generalissimusa, a z kolei łysina i kości policzkowe do wodza rewolucji (wystarczyłoby w jednej wersji dodać wąsy, a w drugiej brodę). Ale było to tylko przelotne wrażenie.

– No nie wiem... – mruknąłem – chyba troszkę do... Ale nie, nie powiem, żeby pana nie urazić!

– Nie urazisz mnie, panie Jędrzejku, bo ja potrafię być zmiennym w sposób doskonały. Raz jak Kamel. Raz jak Leon... A teraz – przyjął postać majestatyczną. Poznaje pan?

– No nie wiem... – podobieństwo nie było może uderzające, ale gdyby dorzucić charakterystyczny wąs.

– Ha, ha! – zaśmiał się tubalnie. – Boi pan się przyznać. A przecież widać, że jestem podobny jak brat syjamski, tyle że niezrośnięty. Ale fakt, ja też się trochę bałem podczas tej akcji. Bo to w osiemdziesiątym pierwszym było.

– Czego się pan bał? Ruskich?

– Z Ruskimi to ja mógłbym żyć pod jedną pierzyną. Mimo pluskiew! „Solidarności" się bałem, list proskrypcyjnych przez nią układanych, czystek, egzekucji członków partii i ich rodzin...

– Pan wierzył w takie bzdury?

– Wtedy wierzyłem. Człowiek był młody, głupi. Powiem panu szczerze, wierzyłem we wszystko święcie, aż do czwartego czerwca roku pamiętnego. Potem znowu przestałem wierzyć, ale od dziewiętnastego września dziewięćdziesiątego trzeciego, kiedy wygrał Miller z towarzyszami, znowu popadłem w zauroczenie.

– I długo pana jeszcze trzymało?

– Żeby nie skłamać, jesienią dwa tysiące piątego wrażenie jeszcze się wzmogło, kiedy w oczach zaczęło mi się dwoić, bo zobaczyłem Kaczyńskich u władzy. A ci przecież to jeden sobotwór drugiego... Do normy wróciłem dwa lata później.

– Wróćmy jednak do pańskich zdolności aktorskich. Nie powiedział mi pan, czyj to miał być za sobowtór?

– A po co mówić? Przecież widać! Przewodniczącego, w pysk. Miałem za zadanie podczas jednego nagrania w telewizji udawać Lecha. Wygłosić przemówienie do narodu. Wszystko zostało doskonale przygotowane. Mieli mnie dowieść motorówką na ulicę Woronicza.

– Motorówką? Co pan gada? Woronicza nie leży nad rzeką!

– Od armatek wodnych, których użyto przeciw demonstrantom, cała ulica płynęła. A gazem łzawiącym można było samochody napędzać... Tekst miałem wyryty na blachę, więc tylko przemawiać i rzucić naród na kolana.

– Sądzi pan, że z taką dykcją to by się udało? – tu wyobraziłem sobie, jak w charakterystyczny sposób dla siebie zamieniając „r" na „j", mówi: „Djodzy jodacy!".

– Jak chcę, to ja mam świetną dykcję i niebywałe zdolności mimitatorskie... Chce pan posłuchać tamtego przemówienia? Miałem wykute na blachę!

Naprężył się, napiął, zmienił na twarzy, a nawet nie wiadomo skąd na klapie ujawniła mu się Matka Boska.

– „Myli państwo i ty sympatyczny narodzie – zaczął dość pewnie, z charakterystycznym timbrem głosu – są w ojczyźnie rachunki krzywd. Ale dzięki Bogu i Generału nie musimy za nie płacić. Co nam obca pomoc wzięła, sami zabierzemy. Precz z radykałami i popaprańcami. Niech żyje stan wojenny, stan małżeński i Stan Tymiń... Nie to z innego przemówienia. Połączmy Związek Solidarność ze Związkiem Radzieckim..."

Faktycznie szło mu całkiem nieźle.

– I wygłosił pan ten tekst? – zapytałem.

– Chwila moment! Co pan taki w gorącej wodzie topiony? Wcześniej na dwa dni wsadzili mnie razem z Lechem do jednej celi. Żebym sobie podpatrzył gesty, wyrażenia, zaprzyjaźnił się... Na spacerniaku robili mi zastrzyki z genu podobieństwa i kiedy już całkowicie się upodobniłem, wsadzili nas do jednej suki i wiozą. Lechu czemuś smutny łypie na mnie, jakby skapował, co go czeka... I nagle mówi: „A klapę to czemu masz pustą?". I przypiął mi ten swój święty obrazek. No to ja mu dałem łyknąć z piersiówki i nawet żeśmy bruderszaft wypili.

– Podał pan mu swoje prawdziwe imię? – zdumiałem się.

– Tylko służbowe. „Bolek". Przyjeżdżamy na miejsce i pułkownik spiker mówi: „Bolek, wystąp".

– No i?

– Wystąpili żem oba. Trochę zdziwiony oficer próbuje dalej i pyta: „Który tu kapral Wałęsa?".

– I znów obaj krok w przód?

– No... Pułkownik sprawdza, ale jak tu sprawdzić. Przy takim podobieństwie? Przenośnego wariatografu nie ma! A tu jeszcze Lechu mówi: „Towarzyszu pułkowniku, a dlaczego nie daliście mi miniaturki w klapę". No i klapa. Studio stygnie, naród czeka... Przywieźli na konfrontację księdza Jankowskiego...

– I nie poznał, który jest który? To wręcz niemożliwe?

– Poznał, ale z jakiegoś powodu wskazuje na mnie i gada: „Ten, najmilsi, jest oryginał, a tamten tandetna kopia i w dodatku chyba Izraelita". Parę godzin zużyli na bezskuteczne weryfikowanie, bo przecież nie chcieli wyemitować falsyfikata. Na koniec odwołali nagranie, a nas obu ciupasem odstawili do Arłamowa.

– Ale w końcu chyba prawda wyszła na jaw przy pierwszej wizycie żony?

– O tym, jako dżentelmen, mówić nie będę, w pysk. W każdym razie od tego czasu jestem trochę pogubiony. Do dziś dnia nie jestem pewien, kogo na kogo tam podmienili. Jego na mnie, czy mnie na niego.

X.
Lolita

Wielokrotnie podejmowane próby wyciągnięcia Batona na rozmowy o jego życiu rodzinnym nie dawały rezultatu. Owszem, jeśli chodziło o erotyczne sukcesy, sypał imionami, miejscami na wszystkich możliwych kontynentach. Nigdy jednak nie dał się namówić na zwierzenia na temat trwałych związków, a tym bardziej uczuć.

– Co to są kobiety, panie Jędrzejku? – mawiał. – Seks plus statystyka. A ze statystyką u mnie krucho. Przy pięćsetnej kobitce straciłem rachubę.

– I nigdy pan nie stracił głowy dla żadnej z nich?

– Nigdy, chociaż parę razy blisko było. Jeden dżihadysta w Afganistanie trzymał już mi kindżał na gardle i tylko czekał, aż się kamera ustawi. Pan uwierzy? Oskarżył mnie o gwałt na jego...

– Siostrze?

– Gorzej! Wielbłądzicy! A czy ja wyglądam na takiego? Na szczęście, kiedy wyrecytowałem mu w dialekcie pasztuńskim: „Nie ma Boga oprócz Allacha, a Mahomet jest jego prorokiem", zaczął się zastanawiać, czy chce ściąć właściwego człowieka. A zastanawiał się wystarczająco długo, żeby nasi uderzyli od strony Kandaharu, i tak ocalał żem, w pysk.

– Miałem na myśli utratę głowy w sensie przenośnym, o miłość?

– Panie Marciński, za kogo mnie pan uważasz, za naiwniaka? Miłość? Ja bym prędzej uwierzył w ekonomię polityczną socjalizmu! Owszem, mieliśmy to na kursie w ramach cyklu: „Jak usidlać potencjalne figurantki" – wykłady z bajeru, z technik erotycznych, a nawet, jak udawać, że się poezję pisze. Ale to była tylko służbowa gra. Zdałem przedmiot celująco i z pisemnego, i z ustnego. Najtrudniejszy był jednak egzamin praktyczny. Wsiedliśmy w pięciu plus instruktorka do moskiewskiego metra. I każdy dostał pięć godzin na rozkochanie w sobie losowo wybranych obywatelek. Kola trafił łatwo – stosunkowo młoda kobita z siatkami i głodnym wzrokiem poszukującym jakiegokolwiek mężczyzny. Od razu widać – żona więźnia.

– Jak to pan poznał?

– To był pięćdziesiąty piąty rok i większość rodowitych moskwiczan wtedy siedziała. Z kolei Wasi przypadła milicjantka o ponurej twarzy. Oczywiście mógł się jej przedstawić jako kolega po fachu, ale przecież nie mógł się zdekonspirować. Ale znalazł sposób, zaczął głośno opowiadać kawały o towarzyszu Chruszczowie i funkcjonariuszka natychmiast go zwinęła. Zanim doszli na posterunek, tak skutecznie ją oczarował, że do dzisiaj są małżeństwem. Dalej, Żenia trafił na prostytutkę...

– No to chyba była łatwizna?

– Akurat! Panie Marciński, poderwać prostytutkę bez pieniędzy, to jak rozwiązać kwadraturę koła. Powiem więcej, kwadraturę „Kaukaskiego kredowego koła".

– Zatem jak pański kolega tego dokonał? Bo rozumiem, że jednak dokonał?

– Namówił mnie, żebym zaczął się do niej po chamsku dostawiać, po czym wystąpił w jej obronie, mnie dał w pysk (bolało, ale czego się nie robi dla kolegi), a ją samą wyniósł na rękach na peron. Kurwiszcze oszalało ze szczęścia. O takim rycerskim zachowaniu to tylko w książkach czytała! Żenia miał u niej zniżkę aż do pierestrojki. Dalej... O Griszy opowiadać nie będę. Bo się brzydzę.

– Dlaczego?

– Bo nieborak trafił na pedała.

– Na geja, panie Bronisławie, na geja – poprawiłem zgodnie z poprawnością polityczną.

– Może teraz to są gieje, ale wtedy były wyłącznie pedały! – warknął zagniewany, bo nie lubił, jak mu ktoś przerywa.

Poniechałem jałowej polemiki, pytając, czy i ten kolega wykonał zadanie.

– Oczywiście! Czekista żadną robotą nie może się brzydzić, ale aż do czasu jak go wysadziła w powietrze pewna szahidka w Iraku, uchodził powszechnie za cwela. Inna sprawa, że najtrudniejsze zadanie przypadło mnie.

– Jakie? Miss Moskwy, czy córka Stalina?

– Obywatelka motorniczy składu.

– Takie trudne? – zdziwiłem się. – Przy pańskim uroku osobistym? Wystarczyło poczekać, kiedy skończy służbę.

– Tyle że ona kończyła służbę godzinę po wyznaczonym terminie.

– Rozumiem jednak, że pan sobie i z tą przeszkodą poradził?

– Oczywiście!

– Ciekaw jestem jak?

– Normalnie. Wysiadłem z wagonu na stacji Majkowska, pobiegłem do przodu składu i kiedy metro ruszało, wepchnąłem pod koła obywatela o antypaństwowym wyglądzie.

– O mój Boże!

– Niech pan nie histeryzuje. Nic się nie stało. Tylko jednemu Ormiaszce głowę ucięło. Za to Katiusza – motorniczyni, w ciężkim szoku. Płacze, trzęsie się, nie ma mowy, żeby prowadziła w takim stanie pociąg. Więc się zgłosiłem jako student psychologii z obywatelską pomocą. Zabrałem ją do kontaktowego lokalu. Tam pocieszałem i pomalutku rozbierałam, pocieszałem i rozbierałem... No i po pół godzinie – niesamowite zaskoczenie!

– W jakim sensie?

– Pozytywnym. Pan wie, jak wyglądały wtedy kobiety w Moskwie? Jak worek szmat trzeciej świeżości. Tymczasem w tym przypadku pod dwudziestą warstwą barchanów odnalazła się cud dziewuszka, góra dwadzieścia lat, a wyglądała na jeszcze młodszą...

Pomyślałem, że wreszcie zdobyłem jakiś konkret o Batonie i zakonotowałem w mózgu „lubi młode".

– I jaki był ciąg dalszy?

– Następnego dnia miałem egzamin z rysunku i śpiewu. Oblałem niestety. Bo choć śpiewająco narysowałem portret towarzysza Malankowa z pamięci, nikt już o tym przywódcy nie pamiętał. A nawet nie mógł.

– A więc może zgodzi się pan ze mną, że bardzo młoda dziewczyna jest w stanie omotać starszego pana? – drążyłem.

– Niby mnie jakaś młódka?! Musiałbym być jeszcze starszy?

– No ale słyszał pan chyba o syndromie Lolity i widział pan film Kubricka według tego noblisty Nabokova.

– W pewnym wieku nawet noblista chciałby być trochę na bokow... Ale chyba nie oglądałem tego. Zresztą, jak to szło?

– Starszy gość, trzydziestosześcioletni profesor literatury, zakochuje się w nimfetce.

– Nimfe...? Takiej topielicy, jak w balladzie Świteź?

– W małolacie! Dziewczyna z tej historii miała trzynaście lat, ale staro wyglądała. No, ale prof. Hubertus nie był drobiazgowy. Na początek ożenił się z jej matką – wdową...

– Tego to nie rozumiem? Pomylił się roztargniony profesorek? Krótkowzroczny był?

– Przeciwnie, wyjątkowo dalekowzroczny! To był element jego perwersyjnej strategii. Chciał się znaleźć z dziewczynką pod jednym dachem, a dopiero później pod wspólną kołdrą.

– To nie mógł pokoju podnająć?

– Na początek wynajął, za bardzo wysoki czynsz. Ale potem wyliczył sobie, że taniej wyjdzie ożenić się z mamusią – właścicielką domu, a już jako tatuś będzie mógł brać dziewczynkę na kolana, kąpać...

– I wolno to tak było?

– W latach pięćdziesiątych w Ameryce molestowanie jeszcze nie było zabronione, a przemoc w rodzinie należała do podstawowych praw człowieka.

– Piękne czasy! – westchnął Baton. – Wyobrażam sobie, jaki ubaw musiała mieć ekipa podczas nagrywania?

– Ekipa i owszem miała! Natomiast nieletnia aktorka, żeby obejrzeć film, w którym grała główną rolę, musiała doczekać do pełnoletności.

– A ile miała lat, nagrywając?

– Czternaście. Tyle że w tych śmielszych scenach miała pełno..., a nawet bardzo pełnoletnią dublerkę. A dlaczego pan pyta?

– Bo widziałem już *Romea i Julię*, w którym czternastoletnią Julię grała Nina Andrycz.

– Potęga charakteryzacji?

– Nie, wystarczyło, że była wtedy żoną premiera Cyrankiewicza...

– Słyszałem o jednym reżyserze, co w czasach rządów AWS-u przygotowywał *Wizytę starszej pani* Dürrenmatta i w roli tytułowej postanowił obsadzić Agatę Buzkównę... Myślał, że się podliże władzy, ale jak się rozeszło, że córka premiera ma grać stuletnią staruchę, to zastrajkował zespół.

– Ale co z tym Hubertusem? – przerwał mi Baton. – Mówił pan, że uczył literatury?

– Jednak osobiście preferował „literaturę aktu". Nieszczęściem matka Lolity szybko zorientowała się, ku czemu sytuacja ta zmierza. Tak się tym zdenerwowała, że z nerwów wpadła pod samochód...

– To dobrze. A jak on to zniósł?

– Karoserię jeszcze dało się wyklepać... – powiedziałem dramatycznym tonem.

– O Hubertusa pytam!

– Był bardzo zadowolony! Nareszcie mógł przestać klepać bidę, bo odziedziczył po żonie spory majątek, a zacząć klepać słodkie maleństwo. Jako profesor wiedział, że teraz będzie mógł bez przeszkód rozwinąć swój talent pedofil... pedagogiczny. Tymczasem Lolita zrobiła mu kawał.

– No, no...

– Pojechała na obóz harcerski.

– Tego się obawiał żem, w pysk.

– A po obozie to już nie on jej, a ona jemu mogła udzielać korepetycji z *ars amandi*...

– Proszę?

– Ze sztuki miłości.

– A to sztuka! – Baton zagwizdał z podziwu, co poderwało Pioruna na nogi.

Ściszyłem głos:

– I w dodatku małolata okazała się niebywale perwersyjna. Chociaż Hubertus chciał jej nieba przychylić i jeździł z nią autostopem po całych Stanach, to ona zakochała się w innym takim paskudnym typie. Co panu będę mówił, pisarz...!

– Jak pan?

– Jak Cezary Michalski przemnożony przez Jerzego Urbana.

– Kurczę pieczone. To gdzie ona miała oczy?

– Żeby jeszcze robiła to dla pieniędzy. Nie. Wkrótce wpadła w taką nędzę, że tylko urodziła dziecko, a zaraz potem umarła.

– No to sam widzisz, panie Jędrzejku, co się dzieje, jak na starość człek zgłupieje.

– Na szczęście panu to się nigdy nie zdarzyło.

– A kto mówi, że nigdy. Ale zawsze na moich warunkach. Zresztą pokażę panu.

– Kiedy? – z wrażenia nieomal odebrało mi mowę.

– Dziś wieczorem!

Nie mogłem się doczekać, tym bardziej że nie zdradzał mi żadnych szczegółów, ale kiedy wybiła dziesiąta i nic się nie działo, nawyk wyrobiony od ponad tygodnia zadziałał. Wstałem, pocałowałem (w rękę) Bronka na dobranoc i ruszyłem w stronę ziemianki.

– A dokąd to? – krzyknął. – Chwila, moment!

– Oczy mi się kleją.

– Dostanie pan nalewki.

Do tej pory nie wiem, czy bardziej powinienem się cieszyć, że zostałem, czy żałować, że nie poszedłem. Wpół do jedenastej zawarczał motor, a chwilę potem weszła do pokoju istota w motocyklowym kombinezonie nieokreślonej płci, o oczach wielkich jak plasterki mechanicznej pomarańczy. Skłoniła się przed gospodarzem, po czym jej wzrok zawisł na mnie.

– Mamy gości, Lola – rzucił Baton. – Ale zachowuj się, jakby nikogo nie było. Ciała naprzód.

Nie trzeba było jej dwa razy powtarzać. Zdjęła kask i kruczoczarne loki rozsypały się po jej ramionach. Szarpnięcie za zamek błyskawiczny spowodowało, że kombinezon spadł z niej jak łupina z kasztana. Wyskoczyła ze środka, w seksownej koszulce i kusych szorcikach, jędrna, świeża, jakby przybyła wprost ze zgrupowania finalistek miss świata. Na Batonie wydawała się jednak nie robić większego wrażenia.

– No na co czekasz, za miotłę i do roboty. Nie zapominaj, za co ci płacę… – rzucił szorstko.

Bóstwu nie trzeba było dwa razy powtarzać.

– To…? – z wrażenia nie mogłem wydać z siebie głosu.

– Moja gosposia i tyle. W dobie szalejącego bezrobocia żadna praca nie hańbi. Aha, Lola, zrób drinka dla pana redaktora!

Poruszała się zwinnie i precyzyjnie, nalała mi whisky i podała, okraszając uśmiechem, w którym mazowiecka jasność jej oczu łączyła się z kapryśnym kształtem warg przywodzącym na myśl zachód słońca nad Morzem Karaibskim.

– A co się tak gapicie, jakbyście oglądali Internacjonał Geografik, Marciński? – zauroczenie zmącił głos Batona. – Możecie jeszcze dodać w swoim opisie, że cycki miała jak sopki Mandżurii, a kuperek jak wolna Sobótka... Nie mówiąc już o Łysej Polanie...

– Ale skąd pan ją wytrzasnął? – zapytałem, gdy zniknęła w głębi kuchni.

– Z pośredniaka. Zresztą sama może powiedzieć. Chono tutaj i powiedz panu Jędrzejowi, skąd jesteś.

– Z Bora-bora – powiedziała głębokim altem.

– A dokąd mam cię zabrać za miesiąc za dobre sprawowanie?

– Do Baden-Baden – padła odpowiedź.

– A gdzie zarabiałaś wcześniej na chleb?

– W go-go.

– Jak sam pan widzisz, za bardzo rozmowna nie jest i troszkę się jąka – rzekł i znienacka klepnął ją w wydatny tyłeczek. Zaśmiała się całym garniturem olśniewających zębów. – Ale pracuje bez zająknienia. Taka już z niej...

– Laska z laska – dorzuciła z własnej inicjatywy.

Tysiąc pytań cisnęło mi się na usta, tym bardziej że dziewczyna chwyciła odkurzacz i tańcząc z nim jak w reklamie płynu do czyszczenia dywanów, zaczęła przemierzać pokoje apartamentu. Czy sprzątanie jest jedynym zajęciem Lolity, czy wiązały ją z gospodarzem jakieś bliższe kontakty cielesne, bo jakoś nie wyobrażałem sobie, żeby kogoś starszego cztery razy można było darzyć czym innym niż wyłącznie platonicznym uczuciem? Pod koniec jej tańca zaczęło mi się nawet zbierać na pytanie, czy za dodatkową odpłatność, albo wyjątkowo dobrą pracę wyczarterowałbym ją na pół nocy do ziemianki. Ale instynkt samozachowawczy nie pozwolił mi na taką zuchwałość.

Zresztą rzecz wyjaśniła się w ciągu pół godziny.

Kiedy widać już było, że ekspresowy porządek zbliża się do końca, Baton spojrzał na zegarek.

– No, komu w drogę temu czas – powiedział, a ponieważ nie zareagowałem, żelaznym chwytem za ramię ustawił mnie do pionu. Piorun też znalazł się obok mej nogi.

– Pa, pa! – dobiegło podwójne pożegnanie Loli, kiedy ze zwieszoną głową człapałem w stronę ziemianki.

Tam rozogniony, z trudem utrzymując ręce na kołdrze, liczyłem czas i czekałem na warkot motoru. Mimo że wytężałem słuch, nie zabrzmiał aż do 3.33. Wówczas, jak mniemam, usnąłem.

* * *

Kiedy się obudziłem, słońce stało wysoko na niebie. Baton jadł drugie, a może nawet trzecie śniadanie, a po jego gosposi nie było nawet śladu. Trudno bowiem nazwać śladem znakomity porządek panujący w całej rezydencji.

Mój gospodarz był w znakomitym nastroju. Próbowałem wysondować coś więcej na temat Lolity, ale nie chciał mi odpowiedzieć nic na temat zakresu jej obowiązków, tylko zajął się robieniem tostów śniadaniowych.

– Może panu się nie podobać, że zatrudniam taką młodzież – rzekł w końcu – ale musi pan docenić mój wkład w zwalczanie szalejącego bezrobocia.

– Sądzi pan, że bez tego „sprzątania" u pana ta hmm... Lolita byłaby długo bezrobotna? Biorąc pod uwagę jej, jak pan sam zaznaczył, robotność?

– Ale mogłaby zejść na złą drogę. A właściwie prawie zeszła. Kiedy ją poznałem, stała bidula w samych rajstopach przy E 53. Słyszał pan o takiej drodze?

– Nie.

– Ja też nie. Biegnie podobno w Czechach koło Pilzna. A w Polsce to nieduży odcinek, wszystkiego siedem kilometrów znikąd donikąd. Lola kupczyła tam swoim runem... leśnym, ale głównie dokładała do interesu.

Bo co to za interes? Ksiądz, gajowy, wopiści, ksiądz, gajowy, wopiści. W dodatku mundurowi chcieli wszystkiego za darmo, a ksiądz jeszcze domagał się dawania na tacę.

– A nie mogła wybrać jakiejś, że tak powiem, bardziej rentownej drogi?

– Nie mogła, najbliższą przelotówkę zablokowali ekolodzy, a budowę trasy ekspresowej miejscowe chłopstwo udaremniło.

– Co pan mówi, chłopi nie chcą ekspresówki?

– Ma się rozumieć, że chcą, ale nie mają akurat czego blokować, to blokują z nudów.

– To może z tych nudów by co zasiali albo zaorali?

– Co pan? Nic się nie opłaca, kryzys, mizeria, rozpacz... A poza tym Unia dopłaca za nieuprawianie, a nie za uprawianie. Więc blokują sobie te golce!

– Wie pan, czasem wystarczy odrobina pomyślunku, a może być goło i wesoło... Tyle że w Anglii.

– W Anglii pewnie może. Choć ostatnio za dużo tam Polaków.

– I nawet na filmie to pokazali.

– Na jakim filmie? – zmarszczył się Baton.

– *Goło i wesoło* – trafiłem na swój ulubiony temat, a ponieważ kłusownik mi nie przerywał, kontynuowałem. – Rzecz się dzieje w mieście przemysłowym. Nazywa się... bodaj Syffild... bo straszny tam syf panował. Rujnacja, dekapitalizacja majątku trwałego...

– Jak u nas w Chojnówce. Tartak upadł, stację sprzedali, lokomotywownię zamknęli. Bezrobotni chcieli coś wynieść z ruin, ale nie było czego. Parowóz dziejów odjechał, a szyny za ciężkie.

– W Syffild z całego przedsiębiorstwa tylko orkiestra została. Jednak bezrobotni postanowili nie załamywać rąk, tylko zacząć się rozbierać.

– I łachy do lumpeksu?

– Nie, rozbierać przed publicznością za pieniądze.

– Do rosołu? – Baton wydawał się zdumiony.

– Jak miejscowy Kuroń dawał akurat rosół dla bezdomnych to też.

– A to świnie, tak sprzedawać swoją prywatność. I nie powie pan chyba, że ktoś chciał to zobaczyć?

– Wszystkie baby z Syffild gotowe były wydać ostatni grosz.

– Kurczę pieczone – pan Bronisław wydawał się wstrząśnięty. – Co ta nędza z ludźmi wyrabia... Inna sprawa, że pamiętam, jak sam zorganizowałem męski striptiz.

– Pan? Gdzie? Kiedy?

– Na Ziemiach Obiecanych we wczesnych latach pięćdziesiątych. Pamiętam, jak dziś. Poszedłem z moim plutonem nad rzekę na sanitarną kąpiel. Kąpiemy się, kąpiemy, ale wróg klasowy nie śpi. Wychodzimy na brzeg, a tu ktoś pod... prowadził całą naszą garderobę, w pysk. I jak tu wracać, gdy po drodze do koszar dwa PGR-y, miasteczko, żeński klasztor i obóz ZMP... Ciekawe, co by pan zrobił na moim miejscu?

– Poczekałbym aż się ściemni?

– A kolacja? A capstrzyk? To nie Baton. Przyuważył żem nad rzeką jednego malarza... W pierwszej chwili chciałem, żeby domalował żołnierzom ogólnowojskowe slipy, ale właśnie mu się przydział na farbę skończył. Skonfiskował więc kilkanaście kartonów z brystolu...

– Na listki figowe?

– Lepiej. Na napisy. Wymyśliłem sobie zrobić antyimperialistyczny pochód propagandowy. Zachód bez osłonek. Jeden grubas dostał wywieszkę „Churchill jest chudzielec", „Naga prawda o bezrobociu w USA", a pewien Kałmuk robił za alegorię pod nazwą „Soldateska Czang kai szeka". Każdy powiesił sobie napis gdzie popadło. I wracamy ze śpiewem... Ale niestety naraz dopada nas rozkrzyczana sfora...

– Zakonnic?

– Gorzej, aktywistek ZMP. Tak ich poruszyły te napisy, że postanowiły dać upust swoim antyimperialistycznym uczuciom. Mówię panu, żadna wywieszka nie została na miejscu...

– To inaczej niż na filmie. Tam w finałowej scenie, kiedy facetom zostały już tylko meloniki...

– Na głowie?

– Jakby panu to powiedzieć... Wręcz przeciwnie. Przyciskają je do siebie... Tusz orkiestry... I wszyscy ręce do góry... A żaden melonik nie spadł...

– Musieli być bardzo bezrobotni – pokiwał głową pan Bronisław. – Ale z tą inicjatywą nie zawsze się udaje. Pamiętam, kiedy Lolitka poszła tańczyć na rurze w Barze pod Lasem i jej ojciec zobaczył ją w samym meloniku. To tak się wkurzył, że aż piwo mi rozlał... W pysk!

– Zbił córeczkę?

– Też, ale epizod miał dużo gorsze następstwa, bo teraz co sobie popije, to każe im razem z matką włazić na stół i się rozbierać. Moje dobre serce nie pozwoliło jej tak zostawić. Zabrałem dziewczynę z tego moralnego bagna i wysłałem do szkółki.

– Do liceum czy od razu na uniwersytet?

– Do szkółki leśnej – rzekł z dumą. – Ma tam taką ziemiankę jak pan. Z internetem, ale bez DVD.

XI.
Wielkie operacje

Nie powiem, pojawienie się Lolity, choć nie zmieniło istoty mojej niewoli, stało się powodem nowych nadziei i obiektem nieuprawnionych tęsknot. Z jednej strony łudziłem się, że młoda dziewczyna może okazać się kluczem lub choćby wytrychem zbliżającym mnie do wolności, z drugiej jej prymitywne piękno stanowiło nie lada wyzwanie dla człowieka na coraz większym głodzie seksualnym. Znów jak w czasach młodzieńczych zacząłem marzyć, i były to marzenia graniczące z obsesją. Niestety, moja cierpliwość została wystawiona na dużą próbę. Przez kolejne dni Lolitka nie pojawiła się ani razu, mimo że zdarzało mi się zasiedzieć z panem Bronisławem do późna w nocy, daremnie też nasłuchiwałem z trzewi mej ziemianki warkotu jej motorynki. I nic.

Raz, delikatnie, zwróciłem uwagę na niepoprzątane naczynia w zlewie. „No to zakasz rękawy i do roboty, panie Jędrzejku!". I znów musiałem szukać satysfakcji w pracy. Chociaż czy było to właściwe określenie?

Nasz wywiad-rzeka to lał się szeroką strugą, to ciurkał, czy wręcz wysychał, a ja ciągle nie potrafiłem znaleźć jednoznacznej odpowiedzi, czy to, czym się zajmowałem, jest wyłącznie stekiem bzdur i konfabulacji, a mój rozmówca to współczesny żołnierz samochwał, dowolnie naciągający historię do potrzeb swojej niezwykle elastycznej biografii. Nie byłby zresztą jedynym egzemplarzem w długim szeregu takich postaci, jak „Miles gloriosus" Plauta, Matamor, kapitan Fracasse, czy choćby Pan Zagłoba. Poza wątpliwej wartości rekwizytami nie zaprezentował mi żadnych dowodów, zdjęć, dokumentów, nie mówiąc już o nagraniach.

Czy jednak pospolity blagier dorobiłby się takiej posiadłości? Oczywiście dopuszczałem myśl, że może być jedynie cieciem na usługach kogoś dużo potężniejszego, ale nie kto inny jak mój brat błysnął kiedyś kalamburem: „Cieć to móc!". W dodatku jego wpływy w miejscowej policji i co najmniej niektóre z posiadanych informacji, które wymykały się ze steku samochwalstw, wskazywały, że tak całkowicie nie należy go lekceważyć. Poza tym żadna historia nie była aż tak nieprawdopodobna jak lot barona Munchausena, siedzącego okrakiem na kuli armatniej, czy jazda na połówce konia...

I co miałem o tym myśleć?

Dlatego przeważnie nie myślałem. Koncentrowałem się na zapisywaniu tego, co mi dyktował, próbując co najwyżej wyławiać niekonsekwencje i łapać go na niedyskrecjach. Szczególnie chętnie opowiadał swoje przygody z lat sześćdziesiątych, kiedy, jak mówił, był piękny i młody, bo później już jedynie piękny. Podczas następnej dekady także zdarzały mu się opowiastki całkiem wiarygodne. I zabawne.

– Nie uwierzysz pan, panie Marciński, ale ta robota potrafi być naprawdę przyjemna. Jak w latach siedemdziesiątych prowadziliśmy inwigilację dźwiękową pewnego lidera opozycji, z zamiłowania podrywacza, to potem nagrania z tą pornofonią cały wydział sobie pożyczał, w pysk... Nie uwierzysz pan, to była jedyna robota, przy której nasz inwigilowany działał bez zająknienia... Momenty były takie, że trzeba było potem lecieć i szukać dziewek w komendzie „na dołku"... Tyle że dziś to jest „zbiór zastrzeżony". Do oglądania wyłącznie przez uprawnionych albo na zasadach komercyjnych.

– Słyszałem, nawet Wildstein nie mógł wynieść na zewnątrz.

– Najgorzej jest jak się przeceni technikę. Wiem, bo sam kiedyś uczestniczyłem w operacji „Czysty kibel".

– Co takiego?

– „Czysty kibel". Chodziło o to, żeby zbadać, kto wypisuje obsceniczne napisy w toalecie w Komitecie Centralnym. Zamontował żem kamerę w spłuczce i monitorujemy.

– Rozumiem, że efekt przeszedł wszelkie oczekiwania?

– Nawet ja tego nie oczekiwałem. I gdy zobaczyłem, jak pan premier sam pisze „Tu się wyrabia ser dla ZSRR", minister spraw zagranicznych skrobie gwiazdy Dawida, a główny ideolog i stróż socjalistycznej moralności rysuje gołe baby, co gorsza z fallusami... Odwołaliśmy operację.

– Nie może być...

– Co nie może. Nie da się spędzić całego życia na ściśniętych półdupkach. Gdzieś nawet przedstawiciel socjalistycznej elity musiał się odprężyć.

Ponieważ nadal drążyłem temat dowodów materialnych jego działalności, pewnego dnia zdecydował się zaprowadzić mnie do Prywatnej Izby Pamięci, nazywanej „PIP-ą".

– Człowiek zaczyna już wszystko zapominać, więc robię sobie takie małe muzeum z różnymi przedmiotami, które będą mi przypominać czasy minionej chwały.

W przelocie udało mi się chwycić tosta i poszedłem do nieznanej mi części domu, gdzie za żelaznymi drzwiami znalazłem pomieszczenie przypominające więzienną celę, z zakratowanymi oknami. We wspomnianej „PIP-ie" było ciepło, duszno i smrodliwie, co rekompensowała mnogość gablot, dyplomów, pucharów oraz innych trudnych do określenia przedmiotów. Kłusownik przyjął postawę i ton przewodnika z renomowanych galerii.

– To będzie izba pamięci imieniem tego no... jak mu, no od tej choroby co zapomniałem, mam na końcu języka O! Oppenheimera...

– Chyba Alzheimera – podpowiedziałem.

– Oppenheimera! Dobrze pamiętam. Wie pan, co to jest? – wskazał cebrzyk, w jakim w dawnych więzieniach zwykło się wynosić nieczystości.

– Wiadro?

– Blisko. Kubeł na ciężką wodę, który mi tatuś w Los Alamos podprowadził, w pysk. Będzie tu główną pamiątką.

Roześmiałem się w duchu.

– Pan wybaczy, panie Bronisławie, ale o ile wiem, w Los Alamos nie było ciężkiej wody, tylko pluton...

– Nie było, kurczę pieczone? Jak by pan spróbował z wiadrem po wodę do golenia przez pustynię drałować, to byś wiedział, że woda z każdym metrem była cięższa. Mimo że cały pluton pomagał tatce dźwigać.

Zajrzałem do środka. Pojemnik był pusty.

– I co z tą wodą? – zapytałem *pro forma*.

– Przeminęło z wiadrem. Po zrzuceniu atomówki na Hiroszimę Oppenheimer dostał niestety takiego pietra, że bombę wodorową musieliśmy już bez jego pomocy Amerykańcom wykraść. À propos, zna pan tę romantyczną historię pod tytułem Julia...

– I Romeo?

– Nie przerywaj mi pan, bohaterem był facet – Julius! Julius i Ethel.

– Parka gejów?

– Nie, parka naszych agentów o typowo komunistycznym nazwisku Rosenberg. To mi po nich tylko zostało – uniósł poczerniały kawałek kabla z nadtopionym wtykiem.

– To wtyczka? Tylko jedna? – zdziwiłem się. Przecież mówił pan, że mieliście w Los Alamos dwie wtyczki.

– W moich zbiorach jest jedna. Ale jaka. Kabel prowadził wprost do fotela elektrycznego, na którym mój tatuś ich uwędził...

– Pański tatuś wystąpił w roli kata męczenników sprawy światowego komunizmu?!

– Tak się niestety złożyło. Początkowo planowano odbicie więźniów i w tym celu wstawiono tatę do tego więzienia. Wszystko było gotowe, strażnicy przekupieni, dziennikarze podstawieni, senator skorumpowany, niestety egzekucja została opóźniona, bo zdecydował się przyjechać ją obejrzeć senator McCarthy, straszny pies na komunistów.

– No to mieliście więcej czasu na odbicie.

– Tak jest, wszystko było dopracowane w najdrobniejszych szczegółach. Niestety, w ostatniej chwili Beria zakazał. Przekalkulował, że się nam nie opłaca. Bo jak odbijemy Rosenbergów, to tak jakbyśmy przyznali, że to byli nasi ludzie, a jak nie odbijemy, obóz postępu zyska świętych męczenników.

– Pewna logika w tym jest. I rozumiem, że dla pańskiego ojca to musiał być szok.

– Podwójny. McCarthy upatrzył go sobie i nakazał, żeby tatuś osobiście puścił prąd do krzesełka. Daremnie tatuś tłumaczył, że nie potrafi, bo całe życie pracował na napięciu dwieście dwadzieścia, a w USA jest dwieście dziesięć. A senator: „Albo włączasz, albo zamieniacie się miejscami".

Tu westchnął i wrzucił wtyczkę do wiadra.

– Ale idźmy dalej. Pokażę panu oryginalny duplikat czarnej dziury.

– Nie może być.

– Nie może być! Tak właśnie zawołał Chruszczow Nikita Siergiejewicz, kiedy pokazali mu tę dziurę, wyprodukowaną przez naszych naukowców, obiecując, że wchłonie całą Amerykę... Niestety, prawdopodobnie z całym światem, a nawet wszechświatem – to mówiąc, sięgnął po pomalowane na czarno pudełko, uchylił na moment wieczko i natychmiast zamknął, ale i tak zdołał owionąć mnie nieprawdopodobny odór.

– Co tak śmierdzi?

– Śmierć! Było paru takich, którzy usiłowali zajrzeć do środka, to im łeb urwało. Chcesz pan zajrzeć?

– Nie, dziękuję! – cofnąłem się dwa kroki. Miałem już dosyć tego zwiedzania. – I pan to nazywa Izbą Pamięci, smród, brud... – urwałem na widok jakiegoś ogromnego insekta, który wychylił odrażający łeb ze szpary w podłodze. Uniosłem but.

– Zostaw pan, nie rozgniataj! – wrzasnął pan Bronisław, łapiąc mnie za ramię. – To przecież oryginalna mobilna pluskwa podsłuchowa, czołowe osiągnięcie radzieckiej myśli naukowo-technicznej.

– Byłem pewien, że to zwyczajny robal.

– I o to chodzi, żeby tak myślano. Po sukcesie Watergate Amerykańcy zaczęli się pilnować, to też na Reagana postanowiliśmy zastosować inny rodzaj aparatury.

– Ale chyba nie wyszło? – nie potrafiłem ukryć złośliwej satysfakcji. – Reagana nie udało się wam podsłuchać.

– Tylko przez przypadek. Nie wzięliśmy pod uwagę, że od stu pięćdziesięciu lat w Białym Domu nie było pluskiew! Ale, ale zobacz pan lepiej to cygaro hawańskie, które podrzuciliśmy dyktatorowi Haiti.

– Pewnie wybuchowe?

– A jak, niestety, nie wiedzieliśmy, że Pap Doc nie używa obcinarki do cygar, kurczę pieczone, i jak już wziął je w pysk, to odgryzł zapalnik i wypluł za okno, za którym podsłuchiwał nasz najlepszy agent, i nabił mu guza... O tu! – zaczął rozgarniać włosy.

– A co to takiego? – wskazałem na wyschnięte zwłoki spoczywające w gablocie z dodatkiem kupki nabojów i starego parasola.

– Typowy zestaw wywiadowczy. Rosyjska ruletka, francuski łącznik i bułgarski parasol.

– A ten nieszczęśnik to jakiś oryginalny dysydent?

– A tam, duplikat! – pociągnął mnie w drugi kąt pomieszczenia. – A widzi pan ten słoik?

– No widzę, widzę. Jakaś mętna woda.

– To historyczny płyn, woda z Rzeki Wschodniej. W dwa tysiące pierwszym podtapialiśmy w niej samego Bin Ladena.

Aż poskoczyłem.

– Złapaliście już wtedy Bin Ladena? Gdzie?

– W Nowym Jorku. Akurat przyjechał obejrzeć dziurę po World Trade Center. Miał paszport dyplomatyczny Kazachstanu czy Kirgistanu jako Borat. Przypadkowo przebywałem w tym samym czasie w USA jako światowy ekspert od terroryzmu. No i poznałem go, bo mam fotograficzną pamięć. Zastrzeliłem ochroniarzy, mimo że zasłaniali się kuloodpornymi immunitetami, samego Osamę złożyłem w pół, bo wielki, załadowałem do bagażnika i nad rzekę! A tam pod wodę drania. Świetnie mi szło. Niestety, zanim się przyznał, musiałem go zwolnić.

– A to dlaczego?

– Nie znając miejscowych przepisów, zapomniałem odczytać mu jego prawa. Nadjechał adwokat w asyście FBI i trzeba było ptaszka wypuścić. Na szczęście następnych ancymonów przysyłali mi już do Klewek. I tam trochę się odreagowałem.

– Myślałem, że wtedy był już pan na emeryturze?

– Nawet na dwóch emeryturach, ale od czasu do czasu, kiedy trzeba było prawdziwego eksperta, brałem prace zlecone. A zobacz pan to!

Z kolejnej szuflady mój przewodnik wyjął ostrożnie dwa eksponaty. Piłeczkę ping-pongową i krążek magnetofonowej taśmy.

– Tylko tyle mi zostało po Nixonie, ale dobre i to – skomentował i otarł wyimaginowaną łzę. – Niby to był stary łotr. Pełen żądzy władzy, kompleksów z dzieciństwa, manii prześladowczych, ale w jednym mi bliski – tu popatrzył na mnie wymownie – nienawidził pismaków. A ci go zniszczyli, w pysk!

– Jednak chyba na własną prośbę – zauważyłem – przecież jeśli idzie o te taśmy, to nie jego nagrywali, tylko on nagrywał dla potomności...

– Kto tam kogo nagrywał, to historia kiedyś wyjaśni, albo i nie. Pan, panie Marciński, nie rozumie tamtego pokolenia. Dzisiaj taki prezydent albo minister idzie do restauracji „Owl and friends" i ma nagranie w cenie ośmiorniczek i wina po tysiąc dolców. A wtedy nawet taśmę na nagranie skombinować było trudno.

– Ale jakoś się kombinowało – powiedziałem, dodając z dumą – miałem wtedy naprawdę wspaniałą taśmotekę... I Niebiesko-Czarni, i Czerwone Gitary...

– I zielone berety. Dla każdego coś miłego. No więc niech pan się nie dziwi, że i Nixon lubił nagrywać. Miał w szafie sześć albo osiem tonetek i nagrywał na okrągło wszystko, co się w Białym Domu działo. Ale jak mu Kongres chciał zabrać zabawki, to się zdenerwował, zachorował i złożył dymisję. Ze względu na zły stan zdrowia... społeczeństwa. Jednak w jego przypadku cała wina polegała na tym, że jak u każdego hobbysty przesadził ze swoją pasją nagraniową.

– Rozumiem, że nagrania domowe już mu nie wystarczały, dlatego wysłał swoich techników, by porobili nagrania w siedzibie Partii Demokratycznej przy Watergate. A technicy wpadli...

– Mnie pan to mówisz, mnie, który nagrał całą tę sprawę?

– Pan? Rozumiem, że nagrywał pan nagrywających, coś jak w filmie *Taśmy prawdy*?

– Do „Prawdy" to trafiał najwyżej jeden procent z tych taśm, a do „Izwiestii" jeszcze mniej. Reszta do naszego archiwum. I wiesz pan, jak mi było przykro zrobić tę prowokację? Ale niestety, Nixon podpadł kierownictwu Partii...

– Demokratycznej?

– Jak najbardziej demokratycznej – uśmiechnął się szeroko. – Komunistycznej Partii Związku Radzieckiego! Zbierało mu się przez wiele lat. Słyszał pan zapewne o tych odrażających polowaniach na czarownice za czasów McCarthego? Uwierzysz pan, ci służbiści szukali komunistycznych agentów nawet w kręgach intelektualistów i aktorów. Nawet myśmy nie wiedzieli, że mamy ich tam aż tylu! Na dodatek Richard wykombinował tajny plan, żeby sprzątnąć Fidela. I to bez uzgodnienia z naszym Politbiurem.

– Pan żartuje, co tu było uzgadniać?

– Jakby ładnie poprosili, wzięlibyśmy Fidela na leczenie na Krym. Miła, cicha, bezbolesna śmierć, niczym w renomowanej wiedeńskiej klinice. A tak el Comandante żyje do dziś! Jednak ostatecznie miarka się przebrała, gdy Nixon zaczął się dogadywać z Mao przy okazji gry w ping-ponga.

– Pamiętam, słynna dyplomacja pingpongowa – zawołałem. – I stąd ta piłeczka?!

– Właśnie tymi chińskimi piłeczkami podpiłował gałąź, na której wisiał. Zapadła decyzja, żeby go załatwić. No to mój człowiek w Białym Domu, ksywa „Głębokie gardło" (bo lubił wypić), wezwał tych naszych pistoletów z „Washington Post" i skontaktował ich ze mną.

– Woodwortha i Bernsteina...? – podchwyciłem inteligentnie. – A myślałem, że tylko Bernstein był nasz... Znaczy wasz!

– W mediach w Ameryce są praktycznie sami nasi. No więc pogadałem z nimi, podrzuciłem im to i owo. I poszli wedle moich wskazań. Dziennikarstwo śledcze, w pysk!

– A pan jakiś miał kryptonim, jeśli można...?

– „Ciasny przełyk"! Pokazało się chłopcom, gdzie się tli, umiejętnie rozdmuchali sprawę, a że nie ma dymu bez ognia, po paru tygodniach Nixon był kompletnie spalony, a myśmy mogli zakosić i Wietnam, i Kambodżę, i Angolę, i Mozambik... I nikt nam nie przeszkodził. Kissinger dostał od nas Nobla i poszedł wydawać szmal na panienki, a szef FBI Edgar Hoover powędrował do piachu... Tylko durny Nixon do końca życia nie wiedział, kto mu to świństwo zrobił. Durak!

* * *

Wkrótce potem, po przejrzeniu znacznej części napisanego materiału, zwróciłem się do mego nadzorcy z pytaniem, czy nie mógłbym otrzymać od niego jakichś zdjęć.

– Zapomnij pan, panie Marciński, fotografa przy tym nie było! Zresztą po co panu jakieś fotki?

Wytłumaczyłem mu, że nie muszą to być zdjęcia z samych akcji, ale dobrze żeby dostarczył mi choćby trochę numerów „National Geografic", abym mógł dodać trochę autentyzmu do opisów przyrody.

– Pisz pan z pamięci. Jakie są tropiki, każdy widział!

– Nie każdy widział. Mnie najdalej udało się dotrzeć do Tunezji.

Popatrzył na mnie z ukosa.

– Znaczy, kiepsko się starałeś, pański brat Jędras był wszędzie. I to głównie za nasze pieniądze. I powiem panu, rozliczanie się z wydatków to najsłabszy fragment jego działalności literackiej. Ale poza tym – stylista!

Trochę mnie zdenerwował.

– No to było sobie wynająć Jędrasa! – zawołałem. – Poza tym obawiam się, panie Bronisławie, że pańskie wspomnienia pozbawione kolorytu lokalnego wypadną zbyt blado.

– Pan jesteś literatem, więc kombinuj! Poza tym, jak opowiadał mi pewien Aztek wystawiający mi rachunek w knajpie, należy pisać krótko i węzełkowato.

– Obawiam się, że to musiał być Ink – zareagowałem sucho. – Inkowie posługiwali się pismem węzełkowym.

– Wiem, co mówię. Wszyscy w hotelu nazywali go „aztek", bo chodził po lokalu i niezależnie, co kto zamówił, dawał samą czarną fasolę, toteż po całej sali niosło się za nim pytanie: „A stek, a stek...?".

– A więc było to w Peru? – szybko włączyłem kolejną ścieżkę nagraniową. – Jakaś ciekawa operacja? Może kilka szczegółów?

– Nie powiem panu, bo się wstydzę.

– Pan się czegokolwiek może wstydzić!?

– Moje serce nie może znieść obrazu upokarzanych mężczyzn. Żeby pan wiedział, co ja tam przeżyłem?!

– No co?

– Horror! Wyobraź sobie pan północ, korytarzem idzie dama, taka bardziej plażowa, bo wszyscy o niej „bicz" mówili, a za nią na kolanach pełznie goły facet, widać nadziany, bo łapy całe w szmalcu. Ona wyraźnie go nie chce, mimo że gość powtarza jak nakręcony: „A kopulko? A kopulko?".

– Chyba to nie był pan?

– A gdzieżby. Pastor Adwentystów Dnia Siódmego na urlopie! Mnie tam towarzyszyła inna kobieta – Wiera Cruz (miasto na jej cześć nazwano!). Zasłużona komunistka, która pomagała jeszcze w zamachu na Trockiego. I w nagrodę dostała od partii coroczne „wakacje z agentem".

– Jak Kwaśniewski z Ałganowem?

Zmarszczył się gniewnie.

– Nie widzę podobieństwa! Chyba że ktoś nie odróżnia tenisa od penisa! Zresztą długo ten nasz urlop nie potrwał. Starucha oprócz seksu pięć razy w ciągu nocy lubiła sporty ekstremalne. I przez cały dzień kibicowała młodziakom, którzy skakali ze skał do morza. Sama też chciała pójść w ich ślady. Podsunęło mi to pewien pomysł, więc jej mówię: „Wiera, romantyczniej wypadnie, jak skoczymy razem. Nago o północy".

– I skoczyliście?

– Połowicznie – zachichotał. – Ja wziąłem rozbieg, a ona skoczyła! A że była już ślepa i głucha, nie zauważyła, że wyprowadziłem ją w góry i to, co brała za szum morza, było hałasem autostrady, samo zaś morze było jedynie mgłą zalegającą wąwóz. W każdym razie leciała pięknie. Najgorzej, że przed skokiem cisnęła w przepaść moje slipy i przed powrotem do hotelu musiałem, ze względu na poczucie przyzwoitości, czekać na większą mgłę... Ale to i tak drobiazg w porównaniu z tym, co spotkało mnie na Jukatanie.

Zanotowałem sobie, aby spytać, czy w końcu to działo się w Peru czy w Meksyku, ale nie przerywałem swobodnego toku wypowiedzi.

– W latach sześćdziesiątych prowadziłem w tamtych stronach bardzo interesującą tajną operację. Zaczęło się od tego, że któregoś dnia wezwał mnie Fidel do swego domku kempingowego na plaży Baracoa i rzekł: „Bronek...".

– Byliście po imieniu?

– Oczywiście, on zawsze mówił do mnie per „Bronek", a ja do niego „towarzyszu komendancie". Tym razem mówi tak: „Bronek, per favore, nasza rewolucja potrzebuje świętego...".

– Co?

– „Kogoś takiego, kogo relikwie można by wystawić na widok publiczny w mauzoleum, żeby wyprzeć katolickie zabobony. Pomyślicie, wystarczy zaczekać i święty sam się znajdzie, ale mnie pisane jest sto dwadzieścia lat życia, więc się nie doczekacie... A tu potrzeba kogoś od zaraz!". Ja na to: „Comandante, podajcie tylko nazwisko, a nawet męczeństwo się załatwi". Na to Fidel, że „nie trzeba daleko szukać, bo patron jest, tylko szczątki trzeba z kontynentu sprowadzić". Ja swoim uszom nie wierzę. „Jaki patron? Trocki? – pytam". „Pierwszy Maja!" – odpowiada i nawija, że amerykańscy naukowcy dłubiąc w pewnej zabytkowej studni na Jukatanie, natrafili na trupa Pierwszego Maja. Było to o tyle dziwne, że Majowie tam głównie dziewice wrzucali. Tymczasem archeolodzy na samym spodzie znaleźli faceta. Długo kombinowali, jak mogło do tego dojść. Nawet gdyby dziewic akurat zabrakło, nadliczbowy wrzutek leżałby na górze albo na dole.

– Może się poślizgnął, albo podglądał? Albo pokazywał dziewicom, jak się skacze na główkę... – sugerowałem.

– Fidel uważał, że raczej był to mord rytualny. W każdym razie jakimś cudem zamarynowane ciało Pierwszego Maja zachowało się nietknięte, brakowało tylko jednego detalu... O tutaj – gest był jednoznaczny.

– Myśli pan, że ten Maj był wykastro...?

– Castro tak się napalił myślą, że być może natrafiłem na jego przodka w prostej linii, że nakazał mi natychmiast jechać na miejsce, wykraść ciało i ciupasem do Hawany dostawić.

– I pan wykonał ten rozkaz?

Znów kocio zmrużył ślepia.

– Oj, Marciński, Marciński! Przecież pan mnie zna. Wyrobiłem trzysta procent normy! Wykradł żem tego Pierwszego Maja, a dla pewności również Trzeciego i Dziewiątego, wiozę na Kubę, żeby świętować. A tam antropolodzy radzieccy, których poproszono o zweryfikowanie mego odkrycia, z pyskiem na mnie, wrzeszcząc: „Nie lzia nam etowo gieroja!".

– Dlaczego?

– Bo się okazało, że ów Pierwszy Maja i następni to byli genetycznie rzec biorąc Kitajce... A wtedy nasze stosunki z Pekinem strasznie się popsuły! Ja chodu, oni za mną. Co będę panu mówić, dopadli mnie na równej drodze. W dodatku, jak to etnograficzni fanatycy, tak przesiąkli miejscowymi kulturami, że postanowili mnie złożyć na ofiarę.

– Bogom?

– I Komitetowi Centralnemu. Przebrali się za kapłanów azteckich, wzięli noże z obsydianu... I śpiewając znaną piosenkę, rzucili się na mnie.

– Jaką znowu piosenkę?

– *Z młodej piersi się wyrwało...*

– Chcieli panu wyrwać serce? – wyszeptałem z niedowierzaniem.

– No! Nadkroili mnie nawet – tu podciągnął podkoszulek i wskazał na jedną z licznych starych blizn, od mostka aż po pępek. Ale na szczęście pojawił się sam Fidel i zawołał: „Camarades, stop! Nie widzicie, że to prawdziwy komunista? On nie ma serca!".

W podzięce, całkiem bezinteresownie załatwiłem im tego bohatera. Akurat w Boliwii przebywał były przyjaciel i konkurent Fidela – Che Guevara, który partyzantkę tam organizował.

– Wiejską czy miejską? – zapytałem.

– Jedną i drugą. W każdym razie długo nie poorganizował. Na pamiątkę zrobiłem mu jeszcze zdjęcie w moim berecie, w którym cały jego oddział pataty nosił, a potem dałem cynk miejscowym szwadronom śmierci. I wkrótce mieli Kubańce ikonę popkultury, świętego i męczennika w jednym. Berecie!

– Nie do wiary.

– Nie ma co wierzyć! Fakty się liczą! Dzięki mnie towarzysz Che, choć martwy, jest, podobnie jak Lenin, wiecznie żywy!

* * *

Lolita pojawiła się ponownie dopiero w sierpniu, kiedy na działce przyzagrodowej Batona zaczął się czas kampanii ziemniaczanej. Nie towarzyszyły temu zdarzeniu żadne zadziwiające zjawiska. Po prostu któregoś ranka nagrywając w trakcie spaceru kolejną porcję wspomnień, zaszliśmy na działkę przyzagrodową i tam znów zobaczyłem białowieszczańską piękność. Zawzięcie grzebała w ziemi, odwrócona ku nam odwrotną stroną medalu, ukazując drogą i markową bieliznę, jakiej trudno by oczekiwać u skromnej wieśniaczki z Chojnówki.

– Co ona tu robi? – wyszeptałem, nie chcąc zmącić obrazu, który w pierwszej chwili wydał mi się sennym majakiem.

– Zbiera plony – dość energicznie ujął mnie pod ramię, odciągając od grządek. – Ktoś musi! Jak pan wiesz, nigdy nie przepadałem za romantyką okopów, więc jeśli idzie o okopowe, wolę kiedy zbiera je kto inny.

– Ale nie szkoda dziewczyny? Powinna się przecież kształcić.

– Nie szkoda. Uczy się akurat tyle, ile potrzeba, a od samej nauki we łbie mogłoby się jej przewrócić, natomiast dzięki wykorzystaniu doświadczeń towarzyszy chińskich może rozwijać się harmonijnie wedle słynnej chińskiej triady: nauka – praca – seks.

Chciałem dopytać się o więcej konkretów na temat tej triady, ale Bronisław ujął mnie pod ramię i mrucząc: „Nie bądź taki hujwejbin", pociągnął dalej w głąb ogrodu między malwy, petunie i prymule zapewne dla odwrócenia mej uwagi. Pytał, czy opowiadał mi już o tajnej operacji CIA pod kryptonimem „Prymula"?

– Chyba nie – powiedziałem, myślami będąc przy całkiem innym kwiatku... Jak mniemam, mimo szacunku do miejscowej tradycji, bardzo starannie wypielonym.

– Na pewno nie mówiłem, skoro była tajna. Ale co było, a nie jest... Dziś to już przedawnione! Otóż kierownictwo amerykańskie wymyśliło kolejny plan pod takim właśnie kryptonimem mający na celu zgładzenie Fidela Castro. Ściślej mówiąc była to „Prymula 23", bo tyle nieudanych prób podejmowali już wcześniej. Z tym że wyjątkowo ta akcja omal nie zakończyła się sukcesem. I jak pan myśli, kto te knowanie udaremnił?

– Pan...?

– Z tatusiem. W tym czasie mój stary zaszedł już wysoko w hierarchii w CIA, więc znał plan operacji z najdrobniejszymi szczegółami. Jak zresztą miał nie znać? Mocna głowa pozwalała mu przy kufelku piwa w Langley wyciągać od kolegów takie informacje za darmo, na które cały rząd sowiecki byłby za biedny. No i pewnego dnia doniósł nam, że powstał plan wyjątkowo tajnej operacji zgładzenia el Comandante. I to na wyjeździe. Do prywatnej oranżerii marszałka Tito, na jugosłowiańskiej wyspie Brioni, którą zamierzał odwiedzić Castro, miał zostać przemycony pewien krzew ozdobny.

– Prymula?

– A jak pan zgadł? Pół GRU myślało nad tym dwa tygodnie. Bo w szyfrogramie była tylko łacińska nazwa.

– Czyli?

– „Primula auricula".

– I nikt się nie domyślił?

– Domyślało się wielu, ale kombinowali, że to może dezinformacja. No więc owa prymula została lekko zmodyfikowana, tak że zawierała pewną rzadką toksynę niewykrywalną przez nikogo i w bezpośrednim kontakcie absolutnie niegroźną.

– No to jak miała zaszkodzić?

– Bo stawała się wściekle trująca po połączeniu z jadem osy.

– O skubana! – wyrwało mi się.

– Amerykański agent miał wypuścić osę w oranżerii podczas wizyty Fidela, ta wpierw poleciałaby do kwiatka, bo głodna, a po zatankowaniu trucizny prosto na kubańskiego przywódcę...

– Dlaczego akurat do niego, wytresowana była?

– Lepiej niż wytresowana! Została zaprogramowana na dym z cygara marki Montecristo, bo Fidel, choć wówczas niewierzący – dopiero na starość się papieżowi wyspowiadał – lubił takie klerykalne nazwy: cygara Montecristo, wino Lacryma Christi, chlebek świętojański... No więc nie dziwota, że sekretarz Andropow zwrócił się w tej sprawie wprost do mnie, cytuję: „Nu kak, pomożecie, tawariszcz Baton?".

– A nie prościej było ostrzec Fidela, żeby omijał oranżerię z daleka?

– Myślicie, że on tak do końca nam ufał, w pysk? Chytry Latynos. A poza tym oranżeria znajdowała się w neutralnym kraju... Ledwie udało się wtrynić mnie tam na ogrodnika, kurczę pieczone...

– I jak to chcieliście zorganizować?

– Miałem wysmarować się miodem i kurzyć identyczne cygaro w pobliżu szefa ochrony, amerykańskiego agenta, którego zadanie polegało na wypuszczeniu tej osy.

– To sporo pan ryzykował.

– Zostałem zaszczepiony. Zresztą gdy w grę wchodziła sprawa komunizmu, to ja byłem gotów zginąć i pięć razy... No więc jestem na miejscu. Fidel nadchodzi, sprzedajny ochroniarz, którego cały czas mam na oku, dłubie w nosie, jakby miał muchy...

– Co pan?

– A miał tam osę. Ta wylatuje. Bzzz... Prosto na mnie. Myślę źle, to znaczy dobrze. I naraz centymetr przed moim nosem szelma zatrzymuje się.

– Dlaczego?

– Czosnek wyczuła, którego poprzedniego dnia wbrew regulaminowi pół kilo spożyłem, w pysk. Osa bzz! Bzz! Zakręca i wprost na Fidela.

– No to koniec.

– Chwila, moment. Na szczęście przypomniało mi się, że jeszcze w Komsomole byłem mistrzem w pluciu na odległość. W portret Roosevelta trafiałem z trzynastu metrów, w pysk. Przymierzyłem się i tfu... prosto w osę. Strąciłem w locie szelmę, potem potraktowałem flekiem... Kaput.

– Brawo!

– Gorzej, że przy okazji oplułem facjatę Fidelowi. Ponieważ moja misja była tajna, prawdy o swej tożsamości wyznać nie mogłem, w efekcie przez następny rok musiałem społecznie karczować trzcinę cukrową w prowincji Matanzas, aż żem od tego cukrzycy dostał, w pysk.

Już miałem mu współczuć, ale uśmiechnął się szelmowsko:

– Ale przynajmniej dowiedziałem się, co to oznacza być prawdziwym macho.

– Macho? Dobrze wywijać maczetą?

– Pan nie wie, co pan mówi – powiedział z udawaną troską, choć jego oczy zaszły rozmarzeniem. – Naciął się tam człowiek za wszystkie czasy.

– Skoro chciał być pan przodownikiem pracy...

– Pozycja nieważna, kiedy jest się jedynym mężczyzną na sto nagrzanych tubylek, a każda wiotka jak trzcina i słodka jak burak. To była, panie Marciński, kampania cukrownicza, palce lizać...

– Ale miał pan jakieś preferencje? – dopytywałem się. – Wolał pan Kreolki, Murzynki, Mulatki może?

– W nocy wszystkie kociaki są czarne.

– No i nareszcie dowiedziałem się, że nie był pan taki święty – zawołałem.

– Nikt nie jest święty, ale wtedy na Kubie to ja byłem wyjątkowy świntuch, że po moich igraszkach to tę plażę nazwali Zatoka Świń... A po powrocie, bo wiadomości rozchodzą się szybko, miałem u kobitek z KGB ksywkę „Słodki".

– Słodki Baton?

– I nadziany.

XII.
Kontakty pozaziemskie

Wspominałem już, że obecność Lolity rozpaliła moje nadzieje, że dzięki niej uda mi się jakoś nawiązać kontakt ze światem i wysłać choćby prosty sygnał – ratunku... Tyle że nie było to wcale łatwe. Powiedzieć o dziewczynie małomówna, byłoby komplementem na wyrost. Jeśli Baton nie zadał jej pytania, milczała jak zaklęta. Ale przynajmniej nie warczała na mnie, i tym samym rokowała większe szanse na współpracę niż Piorun. Gdyby tylko pan Bronisław zostawił nas na dłużej razem...!

Nie miałem naturalnie takiego wpływu na młode kobiety jak mój znakomity brat, ale będąc przez lata pedagogiem, człowiek nauczył się tego i owego. Poza tym – pocieszałem się – byłem od Batona młodszy, nie wspominając już o inteligencji... Ale jak na razie, mimo że Lolita w związku z pracami gospodarskimi coraz częściej pojawiała się w rezydencji, którą Baton przez skromność nazywał gajówką, nie zdarzyło mi się ani na chwilę zostać z nią sam na sam. Albo pilnował jej sam pan Bronisław, albo Piorun, a najczęściej obaj.

Miało to jedną dobrą stronę. Pilnując dziewczyny, mniej uwagi poświęcali mojej skromnej osobie. A ja, nie chcąc pokładać zbytnich nadziei w urodziwej gosposi, zająłem się przymiarkami do planu B. W najgłębszej tajemnicy, w ciemnym kącie ziemianki podjąłem próbę sklejenia balonu z kawałków folii systematycznie podkradanej z kuchni. Wierzyłem, że po napełnieniu gorącym powietrzem, przy korzystnym wietrze, taki aerostat mógłby mnie unieść poza obszar jurysdykcji pana Bronisława.

Ale nawet w głębi mej nory nie opuszczała mnie wizja urokliwej dziewczyny. Zastanawiałem się, co może o mnie myśleć? O ile w ogóle myślała? Z dublowania przez nią sylab mogłoby wynikać, że jest kompletną kretynką, ale któregoś razu udało mi się zajrzeć do jej pokoiku, w którym – mam wrażenie – zdarzało się jej nocować. Na nocnej szafce zobaczyłem kilka książek – *Płeć mózgu*, *Dziennik Bridget Jones* i *Hobbita* Tolkiena, co wskazywało na dość rozległe zainteresowania...

Na wszelki wypadek zacząłem układać scenariusz rozmowy, w wypadku nawiązania kontaktu (choćby wzrokowego), ale zdybał mnie Baton, pokrzykując: „A czego pan szukasz w panieńskim buduarze!?", i zagonił mnie do roboty.

Zasiedliśmy nad basenem. Próbowałem się skupić na jakiejś zawiłej historii związanej z kradzieżą technologii, ale później chyba uznałem nagranie za bezwartościowe i skasowałem je. Za to tuż po południu pojawiła się Lolita i nie zaszczycając mnie choćby spojrzeniem, powiedziała do swego szefa, ni to pytająco, ni twierdząco:

– Kąpu-kąpu!

– Spadamy stąd, panie Jędrzejku – oznajmił Baton, wstając z leżaka.

– Dziewczynka chce popływać!

– Niech pływa, mnie to w pracy nie przeszkadza – zwlekałem.

– Ale jej przeszkadza, będzie się mianowicie kąpać nago.

Przeszliśmy do salonu, ale dochodzące z basenu pluski sprawiły, że zupełnie nie mogłem się skoncentrować na robocie. Powiedziałem więc, że rozbolała mnie głowa i muszę się położyć. Jeśli tylko wyrazi zgodę, pójdę do ziemianki, wezmę proszki, a jeśli trochę mi się polepszy, obejrzę jakiś film... Całe nagranie dokończymy wieczorem.

Myślałem, że mi odpuści i zacznie kąpać się ze swym maleństwem, a ja tymczasem przekradnę się warzywniakiem i między żywopłotami dotrę do miejsca, skąd basen miałbym jak na dłoni i przynajmniej oczy napasę. Baton najwyraźniej przejrzał mój plan.

– Chętnie pooglądam razem z panem – zaproponował. – Co pan będzie dzisiaj oglądać?

– Może jakiś katastroficzny horror – wycedziłem. Wiedziałem, że mój gospodarz nie przepada za tym gatunkiem i liczyłem, że sama zapowiedź go zniechęci. Ale o dziwo mruknął: „Świetnie" i poszedł ze mną razem z Piorunem. Wsunąłem do odtwarzacza *Ósmego pasażera Nostromo*, klasyczny film Ridleya Scotta, który mnie samego przyprawiał o ciarki.

Efekt okazał się niezawodny. Po kwadransie Piorun popuścił ze strachu i uciekł, a Baton wprawdzie jakiś czas wytrzymał z zamkniętymi oczami, ale w końcu wyrwał mi pilota i wyłączył DVD.

– Możesz pan oglądać, co chcesz, ale tego *Pasażera na gapę z Kostromy* nie ze mną!

– Ale czym się pan tak przejmuje? Że Piorun? Mogę zrozumieć, w końcu pies, ale pan wieloletni członek sił specjalnych...

– Też pies, ale wojny! – dorzucił.

– Tym bardziej. Przecież wiadomo, że to jest fikcja, charakteryzacja, plus efekty specjalne.

– A czy ja tego nie wiem?! – obruszył się. – Przecież ja się nie boję głupiego filmu. Bardziej już obawiam się tego, co on może wykrakać. Przecież wszystko, co filmowcy nakręcili, niedługo potem sprawdzało się w rzeczywistości. Lot na Księżyc, klonowanie ludzi, sztuczna inteligencja pracująca... Nie wierzy pan? A ja mam pewność! Kiedy oglądałem te ich wszystkie filmy o terrorystach, to wiedziałem, dla kogo to jest woda na młyn.

– Dla kogo?

– Dla terrorystów! Tak się tymi filmami wyszkolili, że w końcu dupnęli w Pentagon i w dwie wieże, o metrze w Madrycie nie wspominając.

– I pan sądzi, że takie filmy jak *Obcy*, albo *Faceci w czerni* ściągną nam na głowę potwory z kosmosu?

– Niewykluczone. Zresztą powiem szczerze, potwory już są wśród nas...

– Za chwilę powie pan, że wierzy w UFO? – nie ukrywałem rozbawienia.

– To nie jest kwestia wiary, tylko wiedzy, w pysk. Pracował żem w końcu w tym temacie. W Ufie!

– Słowo UFO jest nieodmienne! – zauważyłem.

– Jest takie miasto przy Uralu – Ufa! Nieodmienne, choć przez jakiś czas chcieli je nazwać Beriogradem. Od wielu lat działała tam nasza komórka zajmująca się kontaktami z kosmosem pod nazwą UFO – Ustrojstwo Fiederacyjnnoj Opasnosti...

– Trudno uwierzyć!

– Ale trzeba! Powołano ją jeszcze w latach dwudziestych, kiedy na Łubiankę dotarła wieść, że znaleziono pasażerów słynnego bolidu tunguskiego.

– Pasażerów? Twierdzi pan, że ktoś przeżył tę katastrofę, co zniszczyła kawał Syberii, jeśli dobrze pamiętam w tysiąc dziewięćset ósmym roku?

– Publicznie ujawniono tylko część prawdy. Bo były to czasy caratu i szalała cenzura. Że była katastrofa i niczego nie znaleziono. Tymczasem kilkanaście lat później miejscowi Jakuci czy inni Samojedzi wykopali z bagna kapsułę ratunkową i znaleźli w niej siedmiu doskonale zamrożonych kosmitów. Niestety, zanim czekiści z Ufy dotarli na miejsce, tubylcy odmrozili ufoludków...

– Żywych?

– Podobno żywych, ale to bez znaczenia, bo zaraz zjedli ich, w pysk! Resortowi zostały jedynie zrogowaciałe trójpalczaste kończyny i czerepy rubaszne. Poza tym żadnych śladów, żadnych świadków.

– A tubylcy?

– Samojedzi? – skrzywił się z niesmakiem. – Nabrali takiego apetytu, że sami się zjedli nawzajem, więc nie było nawet kogo przesłuchać. Gorzej, wyszło na jaw, że ósmy pasażer musiał uciec im sprzed widelca. Może zresztą wykupił się za cysternę kosmicznego spiryta, bo zbiorniki okazały się puste.

– Nie myśli pan chyba...

– Tatuś, który się tym wtedy zajmował, nie był od myślenia, tylko od działania. Tym bardziej że towarzysz Stalin był pewien, że w szeregi czerwonych wkręcił się jakiś zielony. No więc kazał szukać aż do skutku. Więc szukali. Parę milionów ludzi poszło pod stienku, w tym prawie całe kierownictwo WKP(b). Tatko twierdzi, że doszło przy okazji do błędów i wypaczeń.

– Czyżby? – pozwoliłem siebie na kpinę.

– Aż pięć procent okazało się absolutnie niewinnych kontaktów z kosmitami.

– Na jakiej podstawie tak stwierdzono?

– Bo pozostałych dziewięćdziesiąt pięć procent przyznało się. Podało kontakty, planetę, z której przybyli zieloni, wysokość żołdu i poprosiło o najwyższy wymiar kary. Niestety, ten prawdziwy kosmita ciągle się wymykał ludowej sprawiedliwości!

– Możliwe to?

– Możliwe! Mimo że zielony świetnie się maskował, pnąc się po szczeblach awansu społecznego. Podobno tak chlał, że cały czas był czerwony. Zdemaskował żem go całkiem przypadkiem w ONZ-cie, kiedy zdjął but i zaczął walić w pulpit.

Na moment stanął mi w oczach obraz pierwszego sekretarza KPZR walącego trepem w mównicę.

– Nikita Chruszczow! – wykrzyknąłem. – Nie powie pan, że to on był pasażerem bolidu?

– A jak inaczej bez pleców w kosmosie zaszedłby ten kurdupel tak wysoko? Pracowałem wtedy w jego dolnej ochronie. Znaczy się chroniłem pierwszego sekretarza od pasa w dół. I kiedy wszyscy patrzyli nad pulpit, ja pod. Trzeba trafu, Nikita miał wielką dziurę w skarpetce, toteż zobaczyłem tę trójpalczastą kończynę. I wszystkie działania pierwszego sekretarza stały się dla mnie jasne. Potępienie Stalina, sadzenie kukurydzy i szybki rozwój lotów kosmicznych... No bo chciał, wykorzystując rozwój techniki kosmicznej, wrócić jakoś do domu.

– I co pan zrobił z tą informacją?

– Przekazałem raport wyżej, dostarczyli go Breżniewowi i odsunęli szybko Nikitę. Przez pewien czas byłem nadal w jego ochronie... Żeby się z daczy nie wydostał. Po pewnym czasie z nudów się zwierzył, że numer w ONZ-cie to nie były jedyne jaja, jakie zrobił na naszej planecie. I teraz pan już rozumiesz, dlaczego boję się grubych, łysych kurdupli... À propos, podawał pan kiedyś rękę Urbanowi?

– Co pan? Nigdy!

– A trzeba było. I szybko przeliczyć palce. Jeśli ma sześć, to jest wskazówka... I te uszy jak anteny! Tak, panie Marciński, obcy są wśród nas i tylko czekają na swój moment.

Nabrałem powietrza.

– Cieszę się, że pan dopuszcza możliwość kontaktów z kosmosem.

– Znaczy się z Panem Bogiem? Nie wierzę, ale na wszelki wypadek jak skończę setkę, zacznę praktykować.

– Chodzi mi o te wszystkie tajemnicze zjawiska – kosmici w Roswell, latające spodki, koła w zbożu... Czy resort w minionych czasach traktował takie doniesienia poważnie?

– Resort wszystkie doniesienia traktował poważnie. I jak na ten przykład syn doniósł na ojca, to na wszelki wypadek zamykaliśmy matkę...

– Chodzi mi o zielonych.

– Za nielegalne posiadanie zielonych można było dostać nawet czapę.

– Ale czy w Związku Radzieckim dopuszczano istnienie życia poza ziemią?

– W okresie przejściowym, od socjalizmu do komunizmu tak.

– Ja o zupie, pan o złotym pierścionku – rzekłem lekko podirytowany.

– Wiadomo, że kosmonauci amerykańscy widzieli UFO.

– Nasza Tiereszkowa też widziała. Pamiętam, jak pewnego dnia zaczęła krzyczeć z orbity: „Ratunku! Mam w kabinie potwora", ale szybko uspokojono ją. „Spokojnie Wala, to tylko towarzysz Nikołajew, wasz przyszły mąż...". Wróćmy jednak do hipotezy o obecności kosmitów na ziemi.

– Konkretnie na której?

– W USA.

– To tam też są kosmici?

– Podobno pełno. Jeśli wierzyć takim filmom jak *Faceci w czerni*, w Nowym Jorku to co drugi. Tylko trudno ich rozpoznać, bo się kamuflują, udając spokojnych Amerykanów. A w metrze nowojorskim żyje olbrzymi, kosmiczny robak odżywiający się wagonikami.

– Wiadomo, że metro nowojorskie jest najniebezpieczniejsze na świecie! A władze nic nie robią! Nasz, panie Marciński, prezydent by je po prostu zatopił... Tylko jak oni się tam uchowali? Przecież wiadomo, że Amerykanie Murzynów biją. A kosmitom odpuszczą?

– Sęk w tym, że ich nie widzą. Kosmici stosują kamuflaż i wydają się zwykłymi ludźmi, a są wszędzie, w CIA, na poczcie.

– Nawet na poczcie?

– No! Facet w sortowni na przykład ma dziesięć rąk.

– Pewnie dzięki niemu poczta ma sukcesy we współzawodnictwie pracy... Tylko dlaczego nikt tego nie zauważa?

– Prawdę powiedziawszy był jeden agent, co by mógł, ale niestety ma skasowaną pamięć.

– Jak to? Nie pamięta przebiegu służby?

– Nawet nie pamięta, że był w służbie. Nie wie nic o kosmitach... I z trudem sobie przypomina. Dzięki facetom w czerni. Bo każdy z nich ma takie urządzenie do kasowania pamięci. Sam zakłada okulary, pstryka... a pamięć u świadka na temat kosmicznego incydentu znika.

– Niezłe, kurczę pieczone. I zawsze tak robią?

– Bohater raz postąpił nieregulaminowo. Zakochał się w Murzyneczce z Pizzy Hut, Laurze, i nie chciał, żeby go zapomniała.

– A nie mógł przynajmniej wykasować rachunku?

– Może nie chciał. W każdym razie najlepsza jest ostatnia scena. Kiedy po ostrym pościgu obaj agenci nakładają okulary, pstrykają i wymazują pamięć o incydencie z kosmitami u wszystkich trzynastu milionów mieszkańców Nowego Jorku...

– Szkoda, że myśmy nie mieli takiego ustrojstwa – westchnął Baton. Zdziwiłem się.

– Nie mieliście? Amerykanie mają, a wy...

– Wysłano najlepszego agenta, ale jak przybył na miejsce, zapomniał, po co przybył...

Przyszła mi tu do głowy pewna niewesoła refleksja, więc pokusiłem się o pytanie:

– No to niech mi pan wytłumaczy, panie Bronisławie, jak to się stało, że bez pstryknięcia straciła pamięć o niedawnej przeszłości ludność blisko czterdziestomilionowego kraju. Zapomniała upokorzenia, biedę, wyzysk, kartki na wszystko, przemoc, zbrodnie wszechwładnych kacyków, zamknięte granice, obce wojska, konferencje prasowe...

– A co się pan tak na mnie gapi? – warknął Baton. – Co ja miałem z tym wspólnego? Zapytaj pan swoich kosmitów, może to oni wykasowali pamięć społeczeństwu w ramach pracy zleconej.

Wróciliśmy nad basen. Po Lolicie pozostały już tylko suszące się ręczniki i mój narastający ból głowy.

Następne dni nie przyniosły postępów, jeśli idzie o nawiązanie kontaktu z podopieczną pana Bronisława. Raz zasadziłem się przy winnicy z parą rękawic, chcąc je podać pięknej ogrodniczce i przy okazji zamienić parę słów. Już, już nadchodziła tym swoim kołyszącym krokiem tubylek z Oceanii... ale Baton okazał się szybszy.

– Dżentelmenów nam tu nie nada! – wykrzykiwał, okładając mnie rękawicami po głowie. – Rozpaskudzi mi pan personel. Lola, do budy!

W efekcie aż do zmroku musiałem sam zrywać winne grona, zrywać, i zrywać!

Trzy dni później Baton, lekko podniecony, zaszedł do mej samotni z informacją, że musi mnie na jeden dzień zostawić.

– Z Lolitą? – zapytałem z nadzieją w głosie.

– Nie wiesz czasem, z Piorunem! Lolita będzie mi potrzebna jako asystentka na prelekcji.

– Będzie pan prowadzić prelekcję? Dla kogo?

– Dla miejscowych pożarników.

– Będzie to wykład, jak się gasi czy jak się podpala? – zapytałem.

– To potrafią i beze mnie, w pysk! Temat brzmi: „Jak się organizuje wybory", panie Marciński. Bo zeszłej jesieni tak nieudolnie fałszowali, że wyszło im w gminie Chojnówka aż osiemdziesiąt dziewięć głosów nieważnych. A przecież wiadomo, że dużo lepiej jest jak wszystkie głosy ważne i na odpowiedniego kandydata. Ja jak żem wybory gdziekolwiek przeprowadzał, to było zawsze dziewięćdziesiąt dziewięć koma dziewięć procent za.

– Ale w czerwcu osiemdziesiątego dziewiątego pan wyborów chyba nie organizował? – nie potrafiłem odmówić sobie tej drobnej złośliwości.

– Łoj nie! – gwałtownie sposępniał. – A mówiłem towarzyszowi Czarzastemu z KC jak komu dobremu: „Dajcie sprawę przeprowadzić fachowcowi!". Gdzie tam! Czarzasty tylko się martwił, żeby „Solidarność" za wyraźnie nie przegrała. No więc zamiast do pilnowania urn wysłano mnie jako obserwatora na plac Tien an Men.

– I rezultaty znamy – powiedziałem ponuro, przypominając sobie ówczesną tragedię w Pekinie.

– A co?! Chińczyki trzymają się mocno! Co rok o dziesięć procent Produktu Krajowego Brutto więcej. A ja w kraju straciłem tymczasem kontakt z władzą.

– Czyżby? Są plotki, że parę prominentnych osobistości nadal miało pana za swego oficera prowadzącego.

– Ale żaden się do tego nie przyzna, póki nie powstanie prawdziwy rząd lustracyjny.

– Chyba sąd?

– A co ja powiedziałem?

– Rząd!

Tylko ręką machnął.

– Mniejsza z tym. Rząd stanie przed sądem czy sąd przed rządem... Na razie się na to nie zanosi – chwilkę pogrzebał w stosie płyt. – Ma pan co oglądać przez czas mojej nieobecności? Może – zachichotał obleśnie – *Głębokie gardło*?

– Nie mam nastroju do roztrząsania sprawy Watergate – odparłem, udając, że nie łapię erotycznego podtekstu. – Wybrałem coś kosmicznego. *Kontakt*. Wprawdzie już raz to widziałem, ale nie zaszkodzi odświeżyć sobie pamięć.

– Kontakt? Brzmi nieźle, pamiętam, jak rozbijałem grupę opozycjonistów w Paryżu, posługujących się tym kryptonimem. Koronkowa robota! – gwizdnął przez zęby. – Napuściło się jednego na drugiego, Bronka na Mirka, Mirka na Bronka, także nawet dziś jak się widzą, to zgrzytają na swój widok zębami. A o czym jest ten konkretny film?

– Bohaterka grana przez Judy Foster leci na wezwanie kosmitów na koniec galaktyki. I spotyka tam zaginionego ojca.

– Kosmitę? Czy może Semitę? – w głosie Batona zabrzmiało nagłe zainteresowanie.

– Skąd ten pomysł?

– No wie pan, jak się córce daje na imię Judy, to o czymś to świadczy. Mój stryj nie tylko kupił sobie nazwisko Sanguszko, ale córkom dał imiona Danuta, Grażyna, Wanda, Przemysławka. I tylko jednej, nieślubnej – Rachel.

Nie pociągały mnie podobne dywagacje. Powiedziałem więc:

– Ale przynajmniej o tym filmie nie powie pan, że ukradli panu pomysł.

– A jaki to pomysł?

– Judy jest zwyczajną panią astronom...

Aż poderwał się na nogi.

– Przecież mówiłem panu o mojej pani astronom, co chciała mnie podglądać.

– Ale ta nikogo nie podgląda, tylko nasłuchuje, co piszczy w kosmosie... Beznadziejna robota.

– Mnie to pan mówisz. Mnie, który całe trzy tygodnie w sekcji zagłuszarek pracował. W dodatku była to praca niesłychanie precyzyjna. Ludziom zagłuszyć, a samemu móc słuchać. No i biuletyn z nasłuchu codziennie dostarczyć do KC...

– Rozumiem, że zagłuszał pan Wolną Europę?

– Co pan?! – obruszył się. – Tej szczekaczki to ja bym nie dotknął, ja zagłuszałem Radio Svoboda dla przyjaciół Moskali. Wie pan, ile to decybeli było potrzebne!? Musieliśmy emitować dzień w dzień warkot czterech odkurzaczy i dwóch młotów pneumatycznych.

– Ale podobno pierwotny dźwięk zawsze można odfiltrować. Na tej właśnie zasadzie bohaterka *Kontaktu* złapała sygnał z przestrzeni kosmicznej. A ściślej mówiąc, odbicie najstarszego telewizyjnego przekazu z ziemi. Sprzed ponad sześćdziesięciu lat.

– Co pan, taki nowy?! – roześmiał się Baton. – Pierwszy przekaz liczy sobie ponad sześćset lat. Już w piętnastym wieku Iwan Kineskopow, niepiśmienny chłop spod Wiaźmy, przenosił obrazy na odległość.

– Naprawdę? Jak to możliwe?

– Brał ikonę pod pachę i przenosił. Tyle że wskutek imperialistycznych knowań jego wynalazek poszedł w zapomnienie. Ale... przerwałem panu, co właściwie odbiło tej astronomce?

– Hitler – odpowiedziałem poważnie – Adolf.

– Wie pan, na Zachodzie to się często teraz Hitler odbija, wszędzie neofaszyści, antyislamiści. Widzi pan, co tam teraz się dzieje – Kabaret pod Pegidą! Z drugiej strony, jakby Führer żył, to wiedziałby, co zrobić z tymi wszystkimi muzułmanami, w pysk.

– Panie Bronisławie!

– Dobra, dobra – mruknął pojednawczo. – Chciałem powiedzieć co innego. Hitler w kosmosie to nie jest żaden dowód na obcą cywilizację. A co najwyżej na to, że tam jeszcze Żydzi nie dotarli!

– Tylko że się okazało, iż na tym odbitym obrazie kosmici nagrali dodatkowo swoją wiadomość dla Ziemian.

– Oszczędne psiajuchy. Jak my. Też nagrywaliśmy na starych nieaktualnych przemówieniach towarzyszy, którzy poszli do piachu. Pamiętam, raz miałem nagrywać na Berii. Znaczy na przemówieniu Berii do jakuckich drwali z Podkamiennej Tunguskiej, a było to już po tym, jak został pośmiertnie aresztowany. Był, jak dobrze pamiętam, rok pięćdziesiąty czwarty... Z nostalgii jeszcze przed skasowaniem postanowiłem sobie posłuchać spiczu. Słucham, a tu w tle pik, pik, puk, puk...

– Serce Ławrientija?

– Też tak z początku myślałem. Ze strachu skasował żem całe przemówienie, ale pikanie pozostało. Ponieważ sygnału nie dało się zedrzeć ani pilnikiem, ani kwasem, przyszło mi do głowy, żeby sprawdzić na miejscu nagrania. Dla niepoznaki wziąłem wczasy pracownicze i pojechał żem na Sybir, z podręczną aparaturą nasłuchującą w nogawce. Jadę, po drodze nasłuchuję. Coraz mocniejszy sygnał. Tyle że jak dojechałem do epicentrum, umilkło. Akurat bateria się wyczerpała.

– O czym pan mówi?

– Wspominałem już przecież panu o słynnym meteorze tunguskim, co jeszcze za caratu w Sybir pieprznął. Co się stało z załogą, już mówiłem, ale jakoś nikt nie zadbał, żeby wyłączyć sygnał SOS dochodzący z dysku, bo w tamtych latach jeszcze nie byli zradiofonizowani i go nie słyszeli. Ale Baton miał głowę nie od parady.

– To wiadomo.

– Dziesięć razy przeczytałem ten raport o Samojedach, co się sami zjedli, aż pojąłem, co mi w nim nie pasowało. Jeśli się nawet zjedli, to ktoś przecież musiał zostać. Można sobie zjeść ewentualnie kończyny, ale reszty nie da rady. A jeśli został, to gdzieś musi być. No i tak trafiłem do pustelnika Fomicza, który żył tam od lat. Łysy, wielkie oczy, trójpalczaste odnóża. Mówił, że to wskutek odmrożenia, ale kto takiemu uwierzy?

– Ale przecież prawdziwym kosmitą był Chruszczow! – zawołałem.

– Tego mieliśmy się dowiedzieć dopiero po dziesięciu latach. Na razie musiałem zadowolić się pustelnikiem. No więc wziąłem go w obroty...

– Podtapianie? – domyśliłem się.

– Gdzie? Kiedy dookoła wieczna zmarzlina. Trzeba było się zdać na tradycyjne elektrowstrząsy! Z początku utrzymywał, że jest zaginionym carem Aleksandrem, który porzucił tron i postanowił pokutować tu za grzechy dynastii aż do skończenia świata, ale kiedy zrobiliśmy mu przesłuchanie trzeciego stopnia, to przyznał się, że jest kosmitą, członkiem spisku trockistowsko-żydowskich szpiegów na usługach CIA, przybyłych na Ziemię, aby w zmowie z kliką Berii, kułakami, nacjonalistami i lekarzami z Kremla obalić władze Rad. Podał nazwiska rejonowych wrogów ludu: popa, nauczyciela i agronoma. Oczywiście poniósł zasłużoną karę przez rozstrzelanie na własną prośbę z okrzykiem: „Niech żyje komunizm"!

– Co pan? Kosmita przyznałby się do spisku z CIA?

– Każdy by się przyznał po tygodniu naszych przesłuchań. Choć poniewczasie już wiem, że być może działaliśmy zbyt pochopnie. W pustelni znaleźliśmy bowiem zakopane koronę, berło i jabłko, oraz kilka złotych łyżeczek z monogramami Romanowów.

– Nie szkoda panu?

– Kogo? Cara krwiopijcy?!

– Nie, możliwości wykorzystania wiedzy obcych, kosmicznej technologii. W filmie *Kontakt* kosmici przekazują Ziemi schemat...

– Kiedy mój Fomicz też przekazał nam schemat. Ogólnoświatowego spisku: Tito – Watykan – Pentagon... I to z legendą napisaną po rosyjsku.

– Jednak w filmie to jest schemat budowy statku kosmicznego, którym można dotrzeć do raju.

– A w Podkamiennej Tunguskiej myślicie, że nie było takich rzeczy? Plotki rozchodzą się szybko! Dlatego przez następne miesiące NKWD musiało wybić mieszkańców ościennych obłasti do ostatniego Jakuta.

– A to czemu? – spytałem zaskoczony.

– Bo zaczęli z puszek po tuszonce budować prom kosmiczny...

– Żeby dolecieć do raju?

– Może nie aż tak daleko. Ale na pewno, żeby z naszego raju wylecieć! – tu puścił do mnie oko. – Ale skoro jesteśmy przy majsterkowaniu, powiem panu, panie Marciński, że daremnie pan kradnie folię z mojej spiżarki.

– Ja kradnę?! – obruszyłem się. – Jak pan może mi imputować coś podobnego...?!

– A jak pan może myśleć, że Baton nie ma oka na wszystko. Myślałem nawet, żeby pozwolić panu skleić ten balon do końca i podpalić dopiero przy starcie – wolno cedził słowa, delektując się paniką konspiratora złapanego na gorącym uczynku – ale pomyślałem, że nie wypada, aby taki literat jak pan robił z siebie balona.

XIII.
Manipulacja

Rzadko bo rzadko, ale czasami zbierało się Bronisławowi na głębsze refleksje i zadawał wtedy pytania, o jakie nigdy bym go nie posądził.

– Niech pan wytłumaczy, jak to się u nas dzieje? Wybucha afera, że ktoś ukradł całą autostradę, albo sprzedał stocznię, albo podsłuchał, gdzie ośmiorniczki zimują, człowiek wciąga się w historię, czeka na kolejne nagrania, aż tu okazuje się, że ważniejsza jest matka małej Madzi albo jakiś Alfredek, który zgubił się w lesie i zresztą zaraz się znalazł.

– Przemysł przykrywkowy, panie Bronisławie! – powiedziałem, bo choć brzydziłem się takimi metodami, nie raz obserwowałem, jak brat występował w roli autorytetu moralnego i z grubsza wiedziałem, na czym to polega. Jędras w swoim krasomówstwie umiał przykrywać sprawy, na zdrowy rozum niemożliwe do przykrycia. Czerpiąc z nauk Schopenhauera, Goebbelsa i Żdanowa, potrafił w trakcie wywodu przeciwnika, który zyskiwał optyczną przewagę, powiedzieć zupełnie gołosłownie: „A pańska żona puszcza się z proboszczem". A jeśli nawet coś takiego nie skutkowało, po prostu go opluć. I nazajutrz cała Polska nie mówiła o niczym innym. Nikt już nie pamiętał tematu debaty.

– Przykrywkowy, to znaczy jaki? – dopytywał się Baton, jak się później okazało nie po to, żeby się dowiedzieć, bo sam sterował niejedną podobną akcją, ale by zorientować się, na ile potrafi rozgryzać to społeczeństwo. W mojej osobie.

– Wytłumaczę to panu na przykładzie. Oglądał pan może film *Akty i fakty*?

– Co takiego? Czyżby to znowu było o mnie, jak to przez pomyłkę zostałem dowódcą karnej kompanii w żeńskim batalionie... Opowiadałem panu o tym epizodzie?

– Mówił pan, że na Kubie podczas słodkiej kampanii...

– Nie, tym razem zdarzyło się w wersji gorzko-kwaśnej. Właśnie wkroczyliśmy do Czechosłowacji z braterską przemocą i opanowaliśmy tekstylny zakład specjalnego przeznaczenia, produkujący kalesony zimowe na Daleki Wschód, na wypadek gdyby towarzysze chińscy chcieli nam zrobić kuku od tyłu... Zostałem tam komisarzem. Wyobraź pan sobie – sam jeden na sześć tysięcy robotnic, pracowitych jak mrówki i brzydkich jak modliszki. Dopiero tam dowiedziałem się, co to znaczy białe tango. Co tu dużo mówić, uciekałem stamtąd w samych kalesonach, mimo że groził mi za to sąd polowy!

– Albo chce pan, żebym panu wytłumaczył istotę manipulacji, albo wyłączam nagrywanie! – przerwałem mu, widząc, jak oddalamy się od tematu.

– Dobra, mów pan. Więc co to za film?

– Współczesny. O tym, jak pan prezydent zmolestował w swej rezydencji jedną harcerkę.

– A ta pochwaliła się koleżankom? To głupek, nie mógł wziąć zamiast harcerki kogoś z ZMS-u, te mają dyscyplinę we krwi i nie chlapną byle komu.

– Nie mógł, bo to się w Ameryce dzieje.

– W Ameryce? Trzeba tak od razu mówić – ucieszył się i pokiwał głową. – Tam wszystko jest możliwe. Sam przeżyłem tam niesamowitą aferę. Kiedyś nasza pierwsza dama podarowała ichniejszej pierwszej damie szafę z lustrem. Biały Dom był już pełen gratów, ale nie chcąc uznać naszego daru za mebel non grata, Hillary ustawiła go w swojej sypialni w Camp David. Oczywiście nie miała pojęcia, że lustro jest weneckie, a za nim został ukryty najlepszy agent, by filować, co się dzieje po drugiej stronie lustra...

– Pan?

– Nie potwierdzam i nie zaprzeczam – rzekł, ale wyprężył się dumnie, żebym nie miał wątpliwości, o jakiego agenta chodzi.

– I długo pan tam siedział?

– Dwa tygodnie. Co za męka! Do jedzenia miałem pastylki, do picia kabelek bezpośrednio z rury. Tylko żeby sikać, musiałem dwa razy dziennie wymykać się i wykorzystywać wazę z epoki Ming... Ale moja cierpliwość została nagrodzona. Którejś nocy prezydent przytargał sobie stażystkę Monikę (opowiadałem panu, jak wcześniej poznałem ją w taksówce, choć przytyła trochę od tego czasu) i dla ostrożności zamiast u siebie w gabinecie, bawił się z nią wspomnianym już cygarem w sypialni żony, nie domyślając się, że uprawiają teatr jednego widza... Od samego oglądania tak mi się zachciało palić!

– Zmartwię pana, ale na podobny temat też powstał film, zatytułowany *Władza absolutna* z Eastwoodem i Hackmanem.

– Wiedziałem! Znowu ukradli! Złodziejskie nasienie! Niczego nie uszanują. Nawet czyjejś prywatności!

– Tyle że w tym filmie prezydent morduje swoją kochankę.

– Tu też niewiele brakowało, a Monika zadusiłaby Billa. Wie pan, ile ważył ten słodki ciężar? A paliła się do niego, jak nieprzymierzając słoma... Na szczęście Baton był na miejscu, choć za lustrem, zdzwonił żem do straży pożarnej, że sypialnia płonie. Chłopaki przybyli, zgasili... Cygaro! I oczywiście utajnili cały incydent.

– W filmie zamiecenie śmieci pod dywan nie było takie łatwe, bo skandal wybuchł na jedenaście dni przed wyborami.

– Samorządowymi?

– Prezydenckimi! Może pan sobie wyobrazić, jaka zrobiła się afera. Numer jeden we wszystkich kanałach informacyjnych. Mimo że prezydent chciałby debatować o gospodarce, o polityce, to media nic, tylko na okrągło o harcerce... I co mieli z tym zrobić jego doradcy?

– Może stan wojenny? – zaproponował „Kłusownik".

– W USA?! – żachnąłem się.

– Fakt, tam i bez tego stan zimnowojenny – skomentował mój gospodarz. – W takim razie co zrobili ci pożal się Boże doradcy?

– Coś pokrewnego. Wpadli na pomysł, żeby wywołać wojnę. Oczywiście na niby, ale w taki sposób, żeby doniesienia z frontu wyparły jak nic wszystkie inne tematy – zauważyłem błysk zrozumienia w jego oku.

– A wie pan, z kim miałaby być ta wojna?

– Niech zgadnę, z Chinami? – Pokręciłem głową. – Z Meksykiem? Z Kubą? Nie powie pan chyba że z Rosją?

– Z Albanią! – wycedziłem po dłuższej pauzie. Zaskoczyłem go.

– A to dlaczego?

– Bo najłatwiej wykonać taki numer krajowi, o którym nikt nic nie wie i który nie będzie miał dość sił, żeby ewentualnie zaprotestować.

Energicznie pokręcił głową:

– To pan nie zna mafii albańskiej, jeśli idzie o mokrą robotę. Tylko Czeczeni są od nich lepsi.

– Może. Tyle że nikt w Ameryce nie wie, gdzie leży Albania.

– A myśli pan, że wiedzą, gdzie leży Polska? Nieuki! Przedstawiają mnie kiedyś temu Dablju Buszu. „Mister Baton from Poland” – mówi szef protokołu. A on do mnie. „Zawsze podziwiałem te wasze wiatraki i tulipany. Tylko jak możecie wyżyć w takiej depresji”. Jankeski głąb pomylił Poland z Holland.

– Można wiele zarzucać Amerykanom – powiedziałem – ale rozmachu pan im nie odmówi? Mogą długo nic nie robić, nie reagować na zaczepki, pozwalać sobie grać na nosie, znosić krytyki, ale jak już się za coś wezmą...

– Coś w tym jest. Jak Czernienko dowiedział się z podsłuchu, że Reagan dla jaj zarządził atak nuklearny na ZSRR, to z wrażenia kopnął w kalendarz. I nie dowiedział się nawet, że ten hollywoodzki szmirus jedynie żartował.

– Podobnie było w tym filmie. Wojna udawana okazała się lepsza niż prawdziwa. Żeby pan zobaczył, jak montowano doskonałe ujęcia, jakich wykorzystali aktorów, blue box, efekty specjalne... W efekcie cała Ameryka się nabrała na tę produkcję.

– Wielcy mi specjaliści – pan Bronisław skrzywił się pogardliwie. – A słyszał pan o „raporcie Batona”?

– Nie. Ale kiedy został ujawniony?

– Ujawniony to nie był i nigdy nie będzie. Co nie znaczy, że go nie ma! W osiemdziesiątym drugim roku, jesienią, kiedy było jasne, że nie wygramy wyścigu zbrojeń, a „Solidarność” prędzej czy później podkopie do reszty blok sowiecki, sporządziłem taką „Doktrynę dla towarzysza Breżniewa” zawierającą koncepcję, jak można jeszcze uratować obóz pokoju i socjalizmu. Ponownie wpędzając go w izolację.

– Niby jak?

– Zaproponowałem, by w Interwizji emitowanej w krajach RWPG zainscenizować błyskawiczny wybuch trzeciej wojny światowej, a po paru godzinach powiedzieć obywatelom Wspólnoty Socjalistycznej, że świata kapitalistycznego już nie ma, granice zostały zamknięte, bo wszędzie panuje zabójcze promieniowanie. Wie pan, jaki byłby spokój...

– Tylko kto by w to uwierzył na słowo? Może w DDR albo w Czechach? U nas ludzie zrobiliby sobie na własną rękę liczniki Geigera i udowodnili, że to bzdura...

– Przewidziałem taką ewentualność, i dlatego zaproponowałem próbne wysadzenie jednej elektrowni atomowej, tak żeby radioaktywne pyły rozeszły się po całej Europie. I to jedno z mojego planu wykonano później, zresztą zupełnie przypadkiem, w Czarnobylu... Ale na ratunek komunizmu było już za późno.

– Czyli jednak „plan Batona" nie przypadł Breżniewowi do gustu?

– Wręcz przeciwnie, ale wtedy już niczego nie kumał i Biuro Polityczne bało się mu pokazać nawet koncepcję.

– A jego następca, Andropow?

– Jurij? Niestety. Nie miał serca do projektu, bo zazdrościł, że sam na niego nie wpadł. Analizował, wydziwiał, zwlekał i sprawa się rypła. Ale teraz jak mi pan to opowiada, widzę, że jakiś szpieg to wywęszył i znów oszwabił Batona i nakręcił film według jego pomysłu...

– Szpieg?

– A kto inny? Bumaga miała klauzulę tajne łamane przez poufne i jeszcze raz łamane przez tajne, to musiał być tylko jakiś złamany... łamacz kodów! Już ja im, imperialistom, pokażę... Do sądu pójdę!

– Może nie warto, film ma jednoznacznie antyamerykańską wymowę. Ośmiesza tamtejszą technikę manipulacji. A przy okazji mit i wartości amerykańskie. W dodatku to jest komedia.

– Komedia? – popatrzył na mnie spode łba.

– Wyśmienita! Są tam takie momenty, że można boki zrywać. Na przykład odbywa się z pompą pogrzeb fikcyjnego bohatera poległego w Albanii, a za trumną biegnie piesek tego rzekomego nieboszczyka... A jak ma nie biec, kiedy trumnę wyładowano wędliną... Tu pluton honorowy, a kundelek pieskiem, pieskiem...

Myślałem, że go rozśmieszę, ale Baton tylko ręką machnął.

– I mnie pan to opowiadasz, mnie, który ma groby na siedmiu różnych krańcach świata, w tym pod murem Kremla, a każdy na inne nazwisko i nad każdym skowycze jeden wierny Piorun. Tyle że wszędzie tam leżą moje przykrywki, a ja sam, jak pan widzi, w kwiecie sił.

– Czy to znaczy, że wszyscy myślą, że pan nie żyje?

– Oczywiście.

– No i na czymś podobnym polega przemysł przykrywkowy. Co się da ukryć – schować, co wielkie – zmniejszyć, co małe – zwiększyć, ludzi – ogłupić, a samemu rządzić dalej.

– Teraz rozumiem – klasnął w dłonie. – „Piorun nie szczeka, a karawan jedzie dalej!" Tylko jak jest możliwe takie dobrowolne ogłupienie ludzi? Za moich czasów wystarczyło ustawić za każdym czekistę z naganem i wszyscy wiedzieli, co mają myśleć, ale po dobroci...

– To proste, panie Bronisławie. Ludziom się wydaje, że żyją w realnej rzeczywistości. Tymczasem ta rzeczywistość jest całkowicie wirtualna. Gdyby zgasić telewizję i rozejrzeć się uważnie dookoła, okazałoby się, że nie ma tych wszystkich kolorków, i dziewczyn z reklam, tylko brak nawet ciepłej wody w kranie... Jasne?

Baton wyraźnie zaskoczył. Dłońmi w uda się uderzył i zawołał:

– Czy przypadkiem nie było już o tym filmu... Jak on się nazywał? Maastricht...?

– *Matrix*!! – poprawiłem. – Kultowy obraz braci Wachowskich.

Znów zauważyłem nagłe zwężenie jego źrenic.

– Nie powie pan chyba, że to bracia naszego Mietka Wachowskiego? – zapytał.

– Oficjalnie nikt do tego się nie przyznaje, ale...

– Na mój nos, to musi być rodzina! – stwierdził. – Ten łeb do interesów dowodzi, że coś w tym jest... Zwłaszcza że Mietek zawsze miał w sobie żyłkę...

– Rybacką, po swym szefie?

– Reżyserską! Rozmowy lubił nagrywać, filmy z ukrytej kamery kręcić, artystami się otaczać... Na ten przykład ja, o każdej porze dnia czy nocy mogłem wpaść na bezpłatną whisky z colą do Belwederu.

– Stawiał panu za darmo?

– Powiedzmy, że za garść pożytecznych informacji. Kto z kim, kiedy, za ile... Tak, teraz wszystko jasne, że to talenty rodzinne.

– Wątła to wskazówka. Musielibyśmy o tym gdzieś słyszeć.

– Niekoniecznie! Może ich rozdzielono w dzieciństwie, bo te trojaczki były syjamskie. Wie pan, jak się to robi? Rach, ciach i po rodzinnych więziach... Poza tym „Kapciowy" to człowiek nadzwyczaj skromny, nigdy zbytnio nie chwalił się swoją przeszłością. Nawet jak raz dostał ode mnie po znajomości skierowanie na obóz ubecki, to zamiast niego pojechał podchorąży Superczyński. Tyle że jak to ewentualne pokrewieństwo ma się do katastroficznej wizji braci Wachowskich?

Postanowiłem przybliżyć mu film.

– Wyobraź pan sobie, nie ma już świata. Nowy Jork w gruzach, wszystkim rządzą maszyny. Ale ludzie o tym nie wiedzą, bo żyją w świecie iluzji, z wyjątkiem garstki świrów, co chcą zdemaskować tę wirtualną rzeczywistość.

– No to po prostu piekło.

– No! Jest w tym piekle niejaki Morfeusz. Murzyn, który dowodzi partyzantką. I właśnie w objęcia tego Morfeusza wpada biały komputerowiec, co ma być Wybrańcem i uratować ludzkość, której resztki wegetują pod ziemią w mieście Syjon.

– Adekwatna nazwa dla tych hollywoodzkich *syjons fiction* – zgodził się Baton. – Ale z tego, co pan mówi, przecież gołym okiem widać w tym rękę pana Mieczysława.

– Na jakiej podstawie pan tak uważa?

– Po pierwsze, ten pomysł świata na niby. Kto stworzył Lechowi sztuczną rzeczywistość tak doskonale, że obudził się dopiero, gdy trzeba było pakować walizki, bo Olek już był pod bramą. Poza tym dobrze pamiętam, jak Miecio proponował mi, żebyśmy napisali razem książkę o tej świrtualnej rzeczywistości.

– Przygodową?

– Dokumentalną, w pysk! *Who jest naprawdę who?* albo *Resortowe śmieci*. Z takimi informacjami, że czytelnikowi oko zbieleje... – tu nagle posmutniał – tyle że trzeba by to wydać po naszej śmierci.

– Dlaczego?

– Bo i tak byśmy długo nie pożyli.

– A źródła do takiej publikacji? Ma pan dostęp do zasobów zastrzeżonych?

– Policzyliśmy kiedyś posiadane materiały. Kopia notesu „Wariata" z Wołomina... prawdziwy wykaz stu najbogatszych Polaków, lista tysiąca Żydów rządzących światem...

– I w końcu napisaliście?

– Nie, bo Mietek się wściekł, kiedy zobaczył na czele tej listy braci Wachowskich. Wrzasnął „Manipulacja" i wywalił mnie, w pysk.

– Wie pan, jedni ludzie się rodziną szczycą, inni wręcz przeciwnie.

– Wiem coś o tym, robiłem w końcu krótko w departamencie teatralnym. Pamiętam, jak z okazji święta rewolucji miał się odbyć spektakl dla prawitelstwa *Bracia Karamazow i Wujaszek Wania*. Przed południem jednak odbyło się wręczenie medali, poczęstunek. Co panu mówię, braci odwieźli do izby wytrzeźwień, a wujaszek tak waniał wódą, że żaden strażak nie wpuściłby go na scenę, w pysk, z obawy przed samozapłonem.

– No to tragedia!

– Ale wyszła komedia. Bo Baton ma łeb na karku. Aktorzy wprawdzie uchlali się, ale aktorki trzymały się jeszcze na nogach. Rada w radę poszedł spektakl *Trzy siostry* i rocznicy rewolucji stało się radość – tu tryumfalnie zatarł ręce – taka mała manipulacja!

– Jednak, kto manipulacją wojuje... – stwierdziłem filozoficznie, ale urwałem, widząc dezaprobatę na jego twarzy. – Nawiasem mówiąc, jeszcze bardziej niż w *Matrixie* metoda fałszywej rzeczywistości została zdemaskowana w innym filmie zatytułowanym *Truman Show*. To też coś absolutnie dla pana.

– Dla mnie, dlaczego?

– Bo to jest, proszę pana, film o słynnym amerykańskim śnie. Można znaleźć tam wszystkie jego składniki: sztuczny świat, fałszywe uśmiechy i namalowany horyzont... A kiedy ktoś próbuje z tym walczyć, to manipulatorzy potrafią tak go zgnoić...

– Panie Jędras, pan to jeszcze koszule non iron w zębach nosił, kiedy ja już byłem dyrektorem takiego Truman Showu. Tyle że precyzyjnie mówięc, nasz program nazywał się „Cyrk Trumanillo". Jeździliśmy po kraju z ekipą Artosu, pokazując społeczeństwu całą ohydę życia pod rządami rozmaitych Trumanów, Czang-Kai-Szeków i Titów. A jakich mieliśmy wspaniałych aktorów. Ja na ten przykład bywałem Harry Trumanem, jeden Buriat odkomenderowany z GRU grał Czang-Kai-Szeka. Miał tak wystające kości policzkowe, że całując się z nim z dubeltówki, mogłeś sobie wybić wszystkie zęby.

– Interesujące.

– Dalej był Todor, Bułgar, który grał postępowego Indianina. Mówię panu, taki był z niego Apasz kulturalny...

– A był w zespole jakiś Murzyn?

– Bezwzględnie. Szmul Rodriguez, członek Komunistycznej Partii Kuby na czasowej emigracji... Razem dawaliśmy po pięć koncertów dziennie. Przy pełnych kompletach na widowni! Do dziś brzmi mi w uszach ten aplauz. I jaki oddźwięk! Po naszym tournée chłopi masowo wstępowali do PGR-ów, dziewuchy zachodziły w ciążę, a księża patrioci zapisywali się do PAX-u.

– Tylko pogratulować.

– Pogratulowali mi dopiero na zakończenie objazdu po demoludach. W DDR-ze, kiedy cała ekipa poszła na zakupy do Berlina Zachodniego, tylko ja wróciłem do ambasady z siatką.

– A reszta siatki, znaczy „Cyrku Trumanillo"?

– Podając się za ofiary nieludzkiego reżimu, poprosiła o azyl w amerykańskim konsulacie. Choć prawdę powiedziawszy, niecała. W ostatniej chwili DDR-owcy złapali Indianina. Znaczy tego Todora, bo pomylił mu się sklep wolnocłowy z delikatesami i chciał za ruble kupować wodę ognistą. Straszne go represje spotkały. Za karę przez trzydzieści lat statystował w niemieckich filmach o Indianach. Na przykład w takich arcydziełach jak *Winnetou i Apanaczi*, gdzie występował w roli pala męczarni. Prywatnie mógł tylko tęsknym okiem spoglądać na mur.

– Ten Truman też w końcu domyślił się, że wszystko wokół niego jest manipulacją, i znalazł drzwi w murze kłamstw – wróciłem do filmu.

– I uciekł. Nie ma pan pojęcia, jak wszyscy mu kibicowali w tej walce z systemem, mimo że i dla ekipy, i dla widzów oznaczało to koniec serialu. Mocniejsze okazało się poczucie wspólnoty, w efekcie nastąpiło zbiorowe przebudzenie całego społeczeństwa.

– A po co kogoś budzić? U nas w „Trumanillo" wszyscy aktorzy od początku wiedzieli doskonale, co jest grane, podobnie jak społeczeństwo, które tylko udawało, że nas słucha. I na tym, panie Jędrzejku, polegała wyższość naszej manipulacji socjalistycznej nad waszą – kapitalistyczną.

XIV.
Cuda i dziwy

Zauważyłem, że w miarę jak lato w Budzie Polskiej wkraczało w swą kulminacyjną fazę, moje sny o Lolicie stawały się coraz gorętsze i gorętsze. Można powiedzieć, że były odwrotnie proporcjonalne do doznań w rzeczywistości. Im większa była jej obojętność w realu, tym bardziej namiętne uczucia, przeważnie tuż nad ranem, targały mną w marzeniach sennych. Koniec zresztą bywał zazwyczaj podobny. W chwili poprzedzającej spełnienie jakiś intruz brutalnie przywoływał mnie do rzeczywistości. Co ciekawe, intruzem tym bywała przeważnie moja żona, czasem kochanka („Zrobiłeś to, naprawdę mi to zrobiłeś?! – powtarzała ze łzami w oczach Beatka), nigdy jednak Baton, czy Piorun. Owe różowe zwidy, zmuszające do częstszego prania pościeli, skutkowały kolejnymi, zda się beznadziejnymi, próbami nawiązania kontaktu z tajemniczą gosposią. Powiem szczerze, chwytałem się najróżniejszych metod. Długo z osobliwie marnymi wynikami. Jak już mówiłem, zawodziły wszelkie usiłowania złapania jej spojrzenia. Nie przynosiły też efektów rzucane znienacka do niej pytania w rodzaju: „Dlaczego zupa jest niesłona?". Skutkowało to najwyżej milczącym wsypaniem całej zawartości solniczki do mojego talerza przez pana Bronisława.

Z kolei jeśli pytania dotyczyły tematów bardziej abstrakcyjnych, na przykład: „Nie myśli pani, czy się zanosi na burzę?", dziewczyna najpierw wpatrywała się w Batona, odczytywała jego negację lub akceptację, po czym mówiła, patrząc gdzieś ponad moją głową na upalne niebo.

– Zanosi, zanosi.

Przełomowy pomysł przyszedł mi do głowy, kiedy na skraju basenu, z którego piękna dziewczyna mozolnie wyławiała listeczki i zdechłe muchy, przysiadła żaba. Lolita błyskawicznie chwyciła ją w siatkę, zakręciła i posłała w przestrzeń z trzecią prędkością kosmiczną.

– Ma refleks dziewuszka! – pochwalił Baton. – A pan pewnie nawet tego płaza nie zauważył?

– Początkowo nie – przyznałem.

– I nie ma się czego wstydzić! Kobiety są po prostu bardziej spostrzegawcze od facetów – czując, że zanosi się na dłuższą wypowiedź, błyskawicznie włączyłem nagrywanie. – Miałem kiedyś w Bandungu jedną Malajkę. No może lekko przesadzam, mówiąc „miałem", „miewałem". Nazywali ją śpiąca kur... królewna. Bo mogła spać wszędzie i z każdym. Ale serce nie ordynans. Czy pan uwierzy, że nawet żenić się z nią chciałem. Całe miasto wiedziało, że mam rogi jak renifer i tylko ja nie mogłem przyłapać ją *in filigranti*.

– Doprawdy? – rzuciłem dla podtrzymania rozmowy, zastanawiając się, czy błędy językowe wypływają z niedokształcenia Batona, czy też są próbami koślawych kalamburów.

– Malajka miała taką babską intuicję, że potrafiła wyczuć mnie, kiedy znajdowałem się jeszcze trzy ulice od jej domu, i to na dzień wcześniej. Ale na wszystko jest metoda. Przebrałem się raz za znakomitego muzułmańskiego kaznodzieję i uderzam do niej teologicznie. Cytuje Koran: „Kto śpi, nie grzeszy". A ona na to: „Bronek, nie wygłupiaj się, bo wiesz, że tylko ciebie kocham".

– Po czym poznała?

– Major Smith powiedział mi, że po małym paluszku u nogi, który mi się właśnie zaczął obierać.

– Major Smith? A co on tam robił?

– Postanowił wyświadczyć mi koleżeńską przysługę. Poderwać królewnę, sfilmować jej niewierność i dać mi taki korpus delekti.

– Delicti!

– Wiem, co mówię – delekti! – powtórzył z uporem. – Major tak się delektował jej korpusem, że nie tylko filmu nie dał, ale oświadczył się Malajce. I od tej pory żyli wiele lat długo i nieszczęśliwie.

– Skąd pan wie, że nieszczęśliwie?

– A pan byłby szczęśliwy, mając na utrzymaniu dwunastu synów majora Smitha, z których każdy posiada inny kolor skóry, nie mówiąc o owłosieniu?!

Miałem zamiar dalej pociągnąć wątek majora Smitha, tajemniczej postaci, która przewijała się we wspomnieniach Batona jak duch, ale stary kłusownik urwał rozmowę, bo śpieszył się na obchód wnyków (razem z Lolą).

Tymczasem wzmianka o spostrzegawczości kobiet podsunęła mi pomysł, jak zmusić Lolitę do zainteresowania się mną, nie będąc zauważonym przez Batona. No i zaczęło się testowanie. Przyszedłem na posiłek w jednej białej skarpetce, w drugiej czarnej – zauważyła! Wsypałem soli zamiast cukru do herbaty i wypiłem z pełnym samozaparciem – w jej oczach pojawił się błysk zainteresowania. Poszedłem dalej i zacząłem pewnego razu jeść zupę widelcem.

Kiedy zaczęła się dusić ze śmiechu, nawet Baton zwrócił mi uwagę na niestosowność mego zachowania. I dorzucił złotą myśl: „Literaci są tak roztargnieni, że gdyby nie ich agenci, to by zmarli w zapomnieniu".

– Co pan mówi?

– Wiem, co mówię, weźmy taki Dante. Całe życie myślał, że pisze Komedię. W dodatku Boską, a wyszła, jak wiadomo, tragedia. Albo Szekspir. Pisał chłop na potęgę, ale nie zostawił żadnego copyrighta czy innego dowodu swego istnienia. Co powodowało szalony bałagan w aktach, czego nie może tolerować żadna instytucja. Toteż sekcja literacka KGB wysłała kiedyś mego tatkę do Stratfordu, żeby znalazł niezbite dowody, że wszystkie sztuki Szekspira wymyślił sto lat przed nim niejaki Wania Szekspirow, niepiśmienny chłop z guberni kostromskiej.

– I szanowny ojciec coś znalazł?

– Pewnie, ale wyłącznie w ustnej tradycji, ponieważ Wania jako niepiśmienny nie zostawił autografów.

Tymczasem moja akcja nabrała rozpędu. Zdobywszy potwierdzenie, że Lolita zwraca jednak na mnie uwagę, tylko udaje, że nie zwraca, postanowiłem pójść oczko dalej. Wymusić kontakt. Desperacka metoda miała się okazać bolesna, ale skuteczna.

Kolejnego popołudnia, kiedy Baton czytał stare gazety sprzed roku, bo nowe, jak twierdził, za bardzo go denerwowały, a Lolita odkurzała bibeloty, postanowiłem podrażnić Pioruna. Psychologicznie! Zauważyłem, że cerber był niezwykle czuły na punkcie swojego samczego ego. Zwykłe obraźliwe słowa typu kretyn, dureń, spaślak, czy przydupas jeszcze znosił, ale kiedy zacząłem poddawać w wątpliwość jego jurność, zawarczał gniewnie. A gdy na koniec pokazałem mu w obraźliwym geście palec, rzucił się na mnie. Chroniąc swe klejnoty, które, liczyłem, mogły mi się jeszcze przydać, zasłoniłem się nogami, i właśnie w nie wbił zębiska.

– Piorun do nogi! – wrzasnął Baton, widząc, co się święci.

Pies zareagował posłusznie, ale krew i tak sikała jak z hydrantu.

– Ratunku! – krzyknąłem, osuwając się na ziemię.

– Lolita, pierwsza pomoc! – zakomenderował kłusownik, nieświadomie realizując mój plan. Wiedziałem wcześniej, że dziewczyna została przyuczona do udzielania pierwszej pomocy i pan Bronisław z pewnością się nią wyręczy. Faktycznie, twierdząc, że krwią się brzydzi (chyba że sam ją rozleje), wycofał się z pokoju, pozostawiając mnie w jej pięknych, śniadych, precyzyjnych rączkach. Te chwile, kiedy dezynfekowała mnie, szyła i opatrywała, mimo bólu były najcudowniejszymi minutami od chwili mego przybycia do rezydencji.

Patrzyliśmy sobie w oczy, nic nie mówiąc. Ale choć nie padło żadne słowo, w mym spojrzeniu przekazałem jej całą znaną mi lirykę własną i cudzą, od *Pieśni nad Pieśniami* po *Sonet do vaginy*, którym mój brat wygrał Turniej Jednego Wiersza, rozgrywany w Łapach, Ząbkach czy innych Mordach. Jej języczek fluternie prześlizgnął się po olśniewających ząbkach. To wystarczyło, żeby część mego ciała nieuszkodzona przez Pioruna wyrwała się spod kontroli, zagrażając integralności szortów. Lolita wymierzyła w to miejsce prztyczka i powiedziała jedno tylko słowo, którego sens analizowałem potem przez sto i jedną noc: „Ostrożnie!".

Niestety, zaraz wrócił Baton. Okazało się, że w międzyczasie kazał wypić Piorunowi pięć litrów wody z basenu.

– Taka kara?

– Nie! Musiałem sprawdzić, czy nie jest wściekły. A skoro wypił, nie jest! I w związku z tym nie grozi panu seria bolesnych zastrzyków.

– Profilaktycznie jednak bym coś wziął – powiedziałem, nie tyle myśląc o zastrzykach, co o mogącej je zrobić pielęgniarce.

– Nie wiem, co pan mu zrobił? – kontynuował Baton. – Ale jestem przekonany, że ugryzł pana w samoobronie. Może uznał pańskie zachowanie za prowokację?

– Może – zgodziłem się dla świętego spokoju – chociaż, przysięgam, nie dałem mu żadnych powodów...

– Nie szkodzi, Piorun został zaprogramowany, żeby nie ufać takim inteligenciakom jak pan. On to wyssał z mlekiem matki suki i ojca zomowca.

– No to jak ja mam z nim postępować? – jęknąłem. – Nawet szyneczki ode mnie nie bierze.

– Bo trzeba mu dawać zwyczajną kiełbasę i gadać jak swój chłop.

– To znaczy? – pies czując, że się o nim mówi, zbliżył się ku nam. Przerażony szepnąłem boleśnie: – Piorun, proszę, nie...

– Zła komenda – mruknął Bronek i rzucił do psa: – Leżeć mi, chrzaniona sobako, w pysk!

Chwilę później powtórzyłem tę frazę z identyczną intonacją:

– Leżeć mi, chrzaniona sobako, w pysk.

Wykonał!

– Brawo! – pochwalił Baton i dorzucił – ale niech pan się nie cieszy, Jędrzejku. Powyższa komenda ma jeden mankament. Nie działa, kiedy mnie nie ma w pobliżu.

Tymczasem moje poświęcenie nie przyniosło oczekiwanych skutków. Baton uznał zastrzyki za zbędne. Co gorsza sama Lolita jak znikła, to przez następne dwa tygodnie się nie pojawiła. Toteż moje unieruchomienie miało tylko ten skutek, że przez okres rekonwalescencji nagrywaliśmy non stop. Trudno. Z marzeniami sennymi splatały się ponure zwidy dzienne, choć, nie przeczę, niekiedy ciekawe.

Któregoś wieczora Baton, który umiał poruszać się jak duch, zdybał mnie na oglądaniu *Władcy pierścieni*. Dobry kwadrans śledził film spoza moich pleców, i gdyby nie zakaszlał, nie zauważyłbym jego obecności.

– Jak pan może oglądać takie głupoty? – zapytał. – Bzdura na bzdurze. Gdzie oni taką bandę karakanów znaleźli?

– Nie karakanów, tylko baśniowych stworów pochodzących wprost z tolkienowskiej fantazji, krasnoludów, elfów... – oburzyłem się, słysząc tę czystą profanację.

– Na krasnoludki to one były za duże – zauważył kłusownik – choć jeden do złudzenia przypominał mi Władysława Łokietka. A znów te elfy... też jakieś niedorobione. Choćby ten śliczny blondynek z łukiem. W jednej celi bym z nim nie zamieszkał, bo jak pomyślę o tej stale napiętej cięciwie... A kim są te wszystkie kurduple?

– Hobbity?

– Tak to się tylko mówi. Jak w stanie wojennym nakryłem grupę drukarzy na daczy jednego aktorusa, to oni też mówili, że robią to dla hobby. Hobbity jedne! Ale weź pan ten ich główny bohater, z przerażonymi oczami, jak wypisz wymaluj u tej naszej Izabeli Skorupki... Czy to jakaś rodzina tego księdza z Radzymina?

– Nie mam pojęcia, ale gdyby pan dostał taką misję jak Frodo, to też miałby pan przerażone oczy.

– Podczas misji to ja mam kamienną twarz, w pysk – stwierdził zdecydowanie. – A skoro o misjach mówimy, może mi pan powiedzieć, o co w tej bzdurze w ogóle chodzi?

– O pierścień, który czynił zło.

– Słyszałem o takich gadżetach, trzymasz go w kieszonce, spoko, nawet EKG ci nie podskoczy, a bierzesz do ręki, cuda się dzieją! Na przykład towarzysz Breżniew miał w czarnej teczce takiego pilota i lubił czasami bawić się nim, aż całe Biuro Polityczne dygotało ze strachu, czy przypadkiem nie skasuje przyciskiem Australii albo Kanady. Wyobraża pan sobie?

– Aby zapobiec analogicznej sytuacji Frodo i jego drużyna zostali wytypowani, żeby zniszczyć wredny pierścień, tak aby nigdy nie odrodziło się imperium zła. A można tego było dokonać jedynie w miejscu, gdzie się narodziło...

– To jak z naszym byłym ustrojem. Narodził się w Rosji i szlag go trafił też w Rosji. Pamiętam, jak ścigaliśmy jednego księdza z Czechosłowacji, który uwziął się, że odprawi mszę na Kremlu, bo tylko w ten sposób mógł zapoczątkować upadek imperium.

– Chciał odprawić mszę za pomocą telebimu na Krasnoj Płoszczadi?

– Co pan, to dawno temu było. Telebajmy nie były jeszcze znane, a w Rosji dodatkowo jeszcze zakazane. W grę wchodziły wyłącznie środki konwencjonalne. Klecha poświęcił na to zadanie lata, został tajnie wyświęcony, potem wstąpił do partii, podpisał zobowiązanie do współpracy z organami, zrobił uprawnienia przewodnika zagranicznego, wreszcie dotarł na Kreml i niby to prowadząc wycieczkę, szybciutko pod nosem odprawił nabożeństwo. Dorwaliśmy go akurat, gdy mówił: „Odejdź, ofiaro skończona". Oczywiście katabas gotów był wszystko odwołać, ale tam na górze chyba nie uznali anulowania. No i cały ZSRR poszedł w kibini matier.

– Czyli jednak miał miejsce cud?

– Raczej wyjątkowy zbieg okoliczności – jeszcze raz łypnął na ekran – w każdym razie, gdyby mnie zapytali, to miałbym lepszy pomysł na film o pierścieniu.

– Chętnie go zanotuję. W której części pańskich wspomnień byśmy ten epizod umieścili?

– W czterdziestym piątym roku! Stażując przez dwa tygodnie jako syn pułku piechoty, doszedłem właśnie na przedpola Szczecina, konkretnie nad jezioro Dąbie. Akurat politruk Wasyl wygłosił pogadankę o zaślubinach z morzem, na znak powrotu do macierzy. No i nasz dowódca pomyślał, że warto byłoby też zrobić takie zaślubiny z jeziorem. I pyta: „Małdcy, u kawo jest kalco?". Ale akurat nikt nie miał pierścionka.

– Nawet żonaci nie mieli obrączek?

– Jak kto miał, to dawno wymienił na samogon. Ale patrzę, a coś na ręku politruka błyska, kurczę pieczone, brylant. No i wszyscy do Wasyla: „Dawaj!". On, że pierścień trofiejny, jeszcze podczas rewolucji z jakiejś grafini go ściągnął. No to my też chcemy mu ściągnąć. Nie idzie. Wrosło. W pysk.

– Można było spróbować mydłem.

– Co pan? Jędras? A skąd mydło w naszej kompanii? Rada w radę, postanowiono wrzucić pierścień razem z politrukiem. Na znak, że to jezioro na zawsze będzie połączone z macierzą. Sztab się zgodził, pop pobłogosławił.

– Mieliście w brygadzie księdza?

– POP, czyli podstawowa organizacja partyjna, w pysk. Wrzuciliśmy. Chlupnęło, zagulgotało. Charaszo! Niestety, po wielu latach znalazłem się w okolicy na kombatanckim zjeździe, wcinam z kolegami węgorzyka, a tu zgrzyt. Czternastka! W pysk!

– Ma pan ząb czternastkę...? – zdumiałem się. – Tyle to nawet piosenkarka Sośnicka nie ma.

– Złoto czternastka i brylant pięć karatów... Trofeum po grafini! Jak w tej legendzie *Pierścień Politrukesa*! I od tej pory tak sobie myślę, czy teraz te zaślubiny z jeziorem Dąbie są ważne? Czy my nie jesteśmy przypadkiem rozwiedzeni?... I co na to zjednoczeni rewizjoniści wschodnio- i zachodnioniemieccy?

– Fascynujące, ale w ten sposób sam pan dowiódł, ze istnieją zjawiska nadprzyrodzone.

Skrzywił się, jakby rozgryzł osę.

– Przypadek i tyle.

– No to powiem panu, że w jednym filmie widziałem dziewczynę obdarzoną niezwykłymi zdolnościami ponadnormalnymi. Proszę sobie wyobrazić, wzięła raz w ręce zdechłego ptaszka i ptaszek ożył.

– Żebym panu opowiedział, ile razy widziałem ten numer, jak pozornie zdechły ptaszek ożywał w rękach pięknych dziewczyn. I to ateistek.

– Są inne cuda – nie dawałem za wygraną – na przykład zapalenie wzrokiem świeczek.

– Żadna sztuka! Jak raz przydzwoniłem głową w wagon metra, to też mi świeczki w oczach stanęły...

– A zginanie łyżeczek na odległość? A przesuwanie mebli?

– Zginanie łyżeczek, zwłaszcza srebrnych, jest w towarzystwie zakazane. Co do mebli...? Różnie bywało. Tatko opowiadał mi, jak zajmowali Trzecią Rzeszę. Nazywał tę operacje „fryc-krieg". „Bywało – mówił – zasypiał człowiek w umeblowanym pałacu jakiegoś fryca, a budził się w gołych ścianach, bo eszelony z łupami odjechały". Ale jak koniecznie chcesz pan pisać o cudach, opowiem panu taki cud, co prawda marksistowski, ale taki, że ucho panu zbieleje.

– Bardzo jestem ciekaw.

– Podczas wojny w Korei szrapnel rozwalił naszą radiotelegrafistkę Marusię w drebiezgi. Dla ewidencji kazałem pozbierać szczątki, a że nie było na czym ich składować, zamiast noszy użyto wielkiego portretu z Kim...

– Basinger?

– ...z Kim Ir Senem. Umiłowanym Przywódcą. Skądinąd też przy kości. A w dodatku oficjalnym świeckim świętym koreańskiego narodu. I dasz pan wiarę, panie Marciński, szczątki dziewczyny po zetknięciu z obliczem Wodza w cudowny sposób zrosły się, a sama Marusia ożyła.

– Co pan mówi?

– Na krótko wprawdzie. Bo za znieważenie oblicza Przywódcy skazali ją na likwidację, razem ze świadkami całego incydentu. Ja z moim Piorunem numer pięć uratowałem się, rzucając się w Morze Żółte, po którym suchą nogą przeszedłem do Hong Kongu.

– Nie do wiary! Rozstąpiło się? Jak u Mojżesza?

– Co pan? Akurat zamarzło! Czyli żaden cud, a normalne zjawisko meteorologiczne. Rzadkie co prawda w tych stronach, ale możliwe.

Męczył mnie ten słowny ping-pong, jednak nie ustępowałem.

– A co powie pan na czytanie w myślach...?

– Tym zajmował się nasz resort – odbił.

– Dobrze, a przewidywanie przyszłości?

– Gosplan i Biuro Polityczne.

Wyglądało, że na każde moje zdanie ma wytrenowaną odpowiedź ateisty i wolnomyśliciela. Mimo to grałem dalej.

– Mimo wszystko zdarzają się incydenty paranormalne. Mógłbym wyliczyć dziesiątki przypadków i świadectwa ludzi...

– Panie Jędrzejku, to są wszyscy hochsztaplerzy i symulanci. Znałem takiego jednego gościa, zupełnie normalnego, który przez pięćdziesiąt lat udawał wariata, od wielkiej czystki w latach trzydziestych aż do pieriestrojki. Ale przeżył. Tylko że jak go w dziewięćdziesiątym pierwszym roku wypuścili, to niestety...

– Umarł?

– Zwariował, w pysk! Mnie też niewiele brakowało, jak dowiedziałem się, że nie ma już Związku Radzieckiego.

Mimo jego nieugiętego stanowiska nie rezygnowałem.

– A szamani indiańscy? A filipińscy bezkrwawi chirurdzy, panie Broni-sławie? Zdarzają się nawet jasnowidzące Murzynki.

– Co pan? Gdzie?! Raz w Kinszasie trafiłem na niewidomą wróżkę pra-cującą na czarno, na naszym niejawnym etacie. Ale nie wróżyła z fusów, tylko z kradzionych danych.

– No to nie widział pan Whoopi Goldberg w filmie *Uwierz w ducha*.

– UOP-i Goldberg. Może to też ktoś z naszych?

– Z naszych?

– Goldbergów, ma się rozumieć resortowych, musiał pan o nich sły-szeć. Jeden zmienił nazwisko na Różański, drugi na Borejsza... – wspomina-jąc stare czasy, pan Bronisław jakby lekko złagodniał. – Wie pan, w każdej bzdurze może być jakieś źdźbło prawdy. Weźmy tę historię co to hitlerow-cy chcą zdobyć święty kieliszek zapewniający użytkownikowi nieśmiertel-ność.

– Chodzi panu o ostatnią krucjatę Indiany Jonesa? – ucieszyłem się. – Świętego Graala?

– Dla mnie każdy kieliszek jest święty, zwłaszcza jak wódka się kończy. Czy pan wie, jak naprawdę skończyła się ta historia?

– Kielich i żyjący siedemset lat krzyżowiec pozostali we wnętrzu góry, a Indiana Jones z ojcem powrócili do domu... – odparłem krótko.

– To w filmie. A w życiu było zupełnie inaczej. Kiedy kierownictwo Zjednoczonej Republiki Arabskiej dało wolną rękę naszym archeologom na Bliskim Wschodzie, tośmy ruszyli na poszukiwania...

– Był pan archeologiem? – zdumiałem się.

– Jedynie *honoris causa*. Zastępcą szefa ekspedycji do spraw politycz-nych. W sumie nie jest to zajęcie trudne. Jak się człowiek nakopał w życiu tyle grobów, to odkopać jedne, czy dwa, łatwizna!

– No więc co wykopaliście?

– Po pierwsze, krzyżowca na etacie strażnika, po drugie całą zastawę razem z kielichem i pięcioma butelkami z napisem made in Kana Galilejska. Melduję gdzie trzeba. I bardzo szybko przychodzi rozkaz. Natychmiast do-starczyć znalezisko na Kreml. Nikita Chruszczow koniecznie chciał zostać nieśmiertelnym. Oczywiście najpierw postanowił wypróbować, jak kielich działa, i kapnąć odrobinę cieczy na mumię Lenina... Jak usłyszał o tym Breżniew i inni, panika. Przecież jeśli Lenin zmartwychwstanie i zobaczy ten bajzel, który narobili... No więc kazali mi podmienić tego Graala na inny puchar z czeskiego kryształu, który przemyciłem z ostatniej wizyty u przyjaciół. Oczywiście ustrojstwo nie działało i tylko garnitur Ulianowa się pobrudził.

– A sam oryginalny kielich? Wziął go sobie Breżniew?

– Tak mu się wydawało. I tylko rozpił się przez to. Chlał od rana do wieczora, żeby powrócić do przeszłości, ale nie młodniał. Oryginał jest u mnie, w kredensie.

– Nie wierzę!

– A niby jak po osiemdziesiątce bym się tak świetnie trzymał, kurczę pieczone?

To mówiąc, zeskoczył z mego łoża boleści i zademonstrował mi pięć przysiadów na jednej nodze, po czym wykonał jeszcze salto w tył. Patrzyłem jak urzeczony.

– Mam nadzieję, że da pan spróbować kropelkę i swojemu biografowi? – rzekłem. – Pogryzienie będzie się szybciej goiło.

Rozłożył ręce.

– Niestety, nie miał żem instrukcji obsługi. Można było do niego lać tylko wino przywiezione z wyprawy... A jak skończyły mi się zapasy i raz nalałem samogonu, to się dziura wypaliła, nóżka odpadła. I po kielichu... Toteż jak pan chce coś na zdrowie, to możemy się napić, ale najwyżej z musztardówek.

XV.

Wielcy tego świata

Udostępniane mi filmy, mimo że, jak wspomniałem, gust mojego „naczelnika więzienia" był raczej tendencyjny, stanowiły wielokrotnie niezły punkt wyjścia dla kolejnych odcinków mego wywiadu, a jednocześnie pozwalały wejść na obszary z jakiegoś powodu wspominane przez Batona niechętnie. Zdenerwowany tracił kontrolę nad językiem. I wtedy udawało mi się uzyskać jakąś cenną informację, lub przynajmniej życiową refleksję.

– Osobiście z dwojga złego wolę już filmy akcji niż mielone dramaty – powiedział mi pewnego popołudnia.

– Melodramaty! – poprawiłem, jakbym nie wiedział, że moje uwagi językowe to groch rzucany o ścianę. – Też za nimi nie przepadam, ale mnóstwo ludzi potrafi się nimi wzruszać...

– Wiem coś na ten temat – nieoczekiwanie zgodził się ze mną. – Raz przypadkiem, bo na ulicy akurat strasznie padało, wlazłem do kina na *Czułe słówka* i wie pan, co się stało? Siedzący obok mnie kot do kieszeni mi napłakał.

– Kot napłakał? W kinie? Coś pan polewa...

– Ja polewam?! To było w garnizonowym kinie, a „kot" to był młody żołnierz, sfrustrowany wskutek fali przemian. Zresztą kino też akurat przemianowali. Jak żem do niego wchodził, nazywało się jeszcze „Pabieda", a jak wychodziłem po burzy, to już „Victoria". Więc jak nie płakać? Ulica też się zmieniła z generała Jankowskiego na prałata Jankowskiego. A czołgowi stojącemu na skwerku najwyraźniej rura zmiękła. Jeszcze rano była skierowana na zachód, a teraz mierzyła na wschód. Kto by pomyślał, że będziemy kiedykolwiek napinać Łuk Kurski w przeciwnym kierunku... Ale tak bywa, panie Jędrzejku, bo wszystko na tym świecie musi być parzyste. Ja i Piorun, akcja i reakcja, dwa Łuki Kurskie, dwóch braci Kurskich, dwóch Karnowskich.

– To przynajmniej w wypadku naszej przemiany dziejowej wydarzył się dziejowy happy end.

– Proszę?

– Dobry koniec! Chyba lubi pan, jak się filmy dobrze kończą?

– Nie wiem, bo nigdy nie udało mi się dosiedzieć do końca. Albo się wnerwiłem, albo dostawałem nagłe wezwanie... Na dodatek znam za dobrze całą tę filmową bandę.

– U nas?

– U nas to tylko raz byłem na planie filmowym, jak Szarik zdechł i trzeba było pancernym pożyczyć Pioruna. Myślałem, że przy okazji pogadam jak frontowiec z frontowcami. Ale się szybko zdegustowałem. Bo ani Grigorij nie umiał gadać po gruzińsku, ani Gustlik po śląsku, a Marusia, którą dorwałem pod prysznicem, też nie taki Agniok! W Ameryce to zupełnie coś innego...

– Zamieniam się w słuch.

– Parę lat temu wysłali mnie z delegacją Zakładu Karnego w Białołęce do Ameryki. Chodziło o to, że mieliśmy montować nowe judasze zbiorcze i pojechaliśmy wymienić doświadczenia do więzienia San Quentin. Ale samolot się spóźnił. Ja wysiadam, a tu nie widać delegacji powitalnej, ani nikogo z ambasady, więc wołam: „Quentin, Quentin...". Aż tu podbiega do mnie facet, na szyję mi się rzuca, mówi coś o życiowej roli. Ja: „Yes, yes". Na to on mnie do swojej gabloty. Dla upewnienia się, że nie zaszła pomyłka, jeszcze raz pytam: „Quentin?". A on: „Si, si, Tarantino".

– Nie powie pan, że to był ten słynny reżyser Quentin Tarantino?

– Słynny? Raczej pracowity, cztery filmy na raz kręcił, a potem montował bez ładu i składu w jedną pulpę. A każdy obraz taki, jakbym gdzieś już go widział. Chociaż niektóre kawałki, nie powiem, fajne. Zresztą wtedy na lotnisku to nie ja od niego, a on ode mnie autografy brał...

– Słyszał o panu?

– A jak mógł słyszeć, kiedy ja zawsze byłem top sekret serwis. Po prostu dobrze mu się przedstawiłem. Podałem się za... Zresztą sam zgadnij pan, za jakiego polskiego reżysera mogłem się podać?

– No to chyba dość proste – uruchomiłem całą swoją wyobraźnię, usiłując zgadnąć, jakiego z polskich reżyserów mógł znać ze słyszenia amerykański celebryta. – Wystąpił pan jako Polański...? Nie? Wajda może? Wiem – jako Zanussi...? No chyba nie powie pan, że jako Kieślowski...?

Z każdą kandydaturą Baton kręcił głową i wyglądał na bardziej rozbawionego.

– Nie zgadniesz pan i do końca świata! – zlitował się w końcu. – Przedstawiłem się jako Agnieszka Holland.

– Naprawdę?

– Jak mówię naprawdę, to naprawdę. Quentin nawet mnie pocałował.

– W pysk? – domyśliłem się.

– Na początek w rękę. I zaraz pyta, czy nie byłem przypadkiem żoną prezydenta Hollanda. Przez skromność nie zaprzeczyłem. Na szczęście nie pytał już którą!

– Miał pan więcej takich znajomości w świecie filmowym? – zapytałem.

– Ho, ho, ho! – ucieszył się pan Bronisław. – Życia by nie starczyło, żeby wyliczyć wszystkich moich znajomych ze świecznika. Chociaż tatko miał więcej szczęścia niż ja. Bo zaprzyjaźnił się z samym Karolem...

– Darwinem?

– Nie, Chaplinem.

– Nie może być!

– Dostał nawet na niego zlecenie. Od towarzysza Stalina – tu dramatycznie zawiesił głos.

– Co takiego? Miał zabić Chaplina?

– Od razu zabić? Zneutralizować. Generalissimus Stalin długie lata bardzo lubił tego komika, bo mu towarzysza Mikojana przypominał. Czasami nawet żartował na Biurze Politycznym: „Anastas, jak mi dostaniesz gorączki złota, to cię wyślę do Magadanu, brzdącu jeden!". A potem kazał Chruszczowowi tańczyć na stole trepaka... Sam natomiast kręcił patefonem.

– No to czym mu tak Chaplin podpadł?

– *Dyktatorem*. Nakręcił film, w którym parodiował Hitlera i w dodatku zrobił z niego Żyda, a nasz Soso uważał, że nawet mordercom, bandziorom i faszystom, jeśli są przy władzy, należy się szacunek... W dodatku obawiał się, że zachęcony powodzeniem, Chaplin może nakręcić filmy o innych dyktatorach. Na szczęście w przypadku Karolka wystarczyła jedna rozmowa wychowawcza...

– Z pańskim ojcem? – Kiwnął głową. – Tylko czy ma pan na to jakieś dowody...?

– A po co dowody? Poszlaki nie wystarczą? Niech pan mi powie, czy po *Dyktatorze* nakręcił Chaplin jeszcze jakiś film polityczny? No! I dlatego żył potem długo i szczęśliwie. W Szwajcarii. W dodatku żył z coraz młodszymi kobitami – tu uśmiechnął się błogo. – Prawdę powiedziawszy, dopadłem go dopiero po śmierci.

– Co pan mówi?

Chwilę delektował się moim zaskoczeniem, po czym przystąpił do rzeczy:

– Gdzieś za późnego Breżniewa w KGB znalazł się upierdliwy księgowy, który kazał mi zwracać zaliczkę, jaką kiedyś ojciec pobrał *a conto* zadania, którego w przypadku Chaplina nie wykonał. Kwota z zaległymi odsetkami – astronomiczna! Ma pan pojęcie, jak to podziałało na moją ambicję?! Do spółki z jednym Bułgarem pojechaliśmy na cmentarz w Szwajcarii, wykopaliśmy trupa „Trampa" i przywieźliśmy truchło do radzieckiej ambasady w Bernie na okazanie. A następnie trzeba było jeszcze z powrotem odwieźć na cmentarzyk, rozpowszechniając plotkę, że działaliśmy dla okupu. Na pamiątkę zostawiłem sobie jedynie zegarek mistrza. Szwajcarski! Niech pan popatrzy, nawet Sławomir Nowak takiego nie posiada.

Widząc, że się mój gospodarz rozkręca, postanowiłem kontynuować wypytywanie na temat znanych osób ze świata filmu, które mógł jeszcze poznać.

– Poznałem Albo-do-gara! – wycedził bez namysłu.

– Kogo? – dopiero po dłuższej chwili zorientowałem się, że chodzi mu o słynnego hiszpańskiego reżysera Almodóvara.

– Musiałem być w jego typie, bo od pierwszego wejrzenia przypadłem facetowi do gustu. Chciał ze mną jechać na Majorkę, a może Minorkę, ale ponieważ za chłopakami nie przepadam, skończyło się na jednej Ibizie... eee... rozmowie. Nie wiem dlaczego chciał wszystko wiedzieć o mojej matce...

– Anastazji? – podrzuciłem, mając nadzieję, że tym razem dowiem się czegoś o zaginionej córce cara Mikołaja.

– Nieistotne, i tak ledwo zacząłem mu mówić, jak to mój tatuś udał się do Hiszpanii mamusi szukać, a przy okazji bronić republiki przed generałem...

– Franco?

– Nie, innym dyktatorem, wcześniejszym i łagodniejszym. Zresztą klimat polityczny ogólnie był tam wtedy cieplejszy. Jak się ten dyktator wabił?... Nie Złote Piaski, nie Balaton. Mam, Riwiera!

– Primo de Rivera. Generał.

– No!... Więc nim zdołałem cokolwiek powiedzieć, reżyser sam zaczął mi bez ładu i składu opowiadać historię jakiegoś małolata, krótką zresztą, bo już w drugiej scenie biegnąc za jedną artystką, wpadł pod taksówkę...

Znałem film, ale taktycznie postanowiłem nie przerywać jego refleksji.

– Tak! Niejednego artystki zgubiły. I nie dwóch! – kontynuował Baton. – Jak byłem młody, zapoznałem pewną zasłużoną ludową artystkę cyrku radzieckiego. Nina jej było. Akrobatka. Mówili o niej „kobieta guma". Jakbym panu opowiedział, jak ona potrafiła się wyginać, to by panu ucho zbielało... ale sza, dyskrecja... W końcu niewiele brakowało, bym się z nią ożenił.

– I cóż stanęło na przeszkodzie?

– Różnica charakterów. Jeszcze wtedy chciałem mieć dzieci. A ona, jak wspomniałem, tylko guma i guma... Więc ze złości wyrzuciłem ją z okna z dwudziestego piętra.

– Jezus Maria! – jęknąłem.

– Niech pan nie tragizuje. Odbiła się ze dwadzieścia razy zwinnie, bez najmniejszych obrażeń i tylko przez przypadek pod samochód wpadła. Jak ten bohater scenariusza!

Przez następne kilkanaście minut opowiadał mi historię zasłyszaną od reżysera, jak to serce chłopaka przewiezione w plecaku dostaje ktoś inny. Tu naturalnie zanucił: „Tę piosenkę po libacji śpiewa się dla transplantacji...", a całość zakończył zdaniem:

– No i matka się zakochuje w tym dodatku do serca, po czym udaje się odszukać ojca chłopaka, żeby mu powiedzieć, że ma syna.

– Chyba że już nie ma! – wtrąciłem.

– Kiedy ten ojciec nie wiedział nawet, że go miał. Bo matka przed siedemnastu laty tak się przestraszyła swoją niechcianą ciążą, że nic nikomu nie mówiąc, uciekła z Barcelony. A facet został w katalońskim grodzie i nawet zmienił nazwisko na Ciudada – po naszemu Grodzka.

– Chyba Grodzki?

Pokręcił energicznie głową.

– W międzyczasie ten facet zmienił się w kobietę. Ale nie operacyjnie, bo bał się noża, tylko się przebierał, pudrował... Został taką transwestalką. Ale poza tym był w tych sprawach normalny. I nawet jednej zakonnicy, która się nim zajmowała charytatywnie, dziecko zrobił – tu westchnął głęboko. – Straszne rzeczy teraz się w tej Hiszpanii dzieją. Zgnilizna i permiwisizm!

– Nic dziwnego, że pański ojciec zabrał stamtąd matkę – próbowałem wrócić do tematu, ale pan Bronisław był myślami gdzie indziej.

– Pamiętam, zaniosło mnie do tej Hiszpanii jeszcze raz, w tysiąc dziewięćset siedemdziesiątym piątym roku.

– Na wakacje?

– Ja i wakacje – obruszył się. – Z tajną misją, w pysk. Akurat Franco kopnął w kalendarz i pojechałem robić tam wielką rewolucję proletariacką. Jakby się udało, mielibyśmy Hiszpanię w RWPG i niezamarzające porty.

– Sądzi pan, że to się nie mogło udać!?

– Mogło, mogło. Tym bardziej że przebrałem się za legendarną La Pasmanterię. Oryginał siedział w Moskwie, bo miał już osiemdziesiąt lat i nie można było ryzykować i wypuszczać Dolores na barykady. Bo nigdy nie wiadomo, na którą stronę by spadła.

W ramach przygotowań do przewrotu postanowiłem zorganizować tam ruch feministyczny. Zgromadziłem ze sto bab, głównie młodszych i ładniejszych. I zacząłem szkolenie: teoretyczne, praktyczne. Ale pan wie, jakie ogniste są Hiszpanki, jak jedna zorientowała się, że nie jestem baba, to dawaj mnie szantażować i zmuszać, żebym był jej torreadorem. A jak jednej uległem, to zaraz pojawiła się druga chętna... Ole i ole!

– Żyć nie umierać.

– Panie Marciński, ja byłem wtedy istny byk. Ale odbywać po dziesięć corrid dziennie? Tego żaden byk nie wytrzyma. Ole! Ole! Musiałem więc uciekać, argumentując, że organizację opanowali trockiści. W efekcie hiszpański feminizm szlag trafił, bo te wszystkie głupie baby wstąpiły do Akcji Katolickiej z dzieckiem rozpoczętym na ręku... A ja nawet do centrali przez dłuższy czas wrócić nie mogłem.

– To chyba dobrze?

– Pan jesteś młody i pan nie wiesz, co dla mojego pokolenia oznaczały takie pojęcia jak matka, ojciec. Matka to była partia, ojciec – Związek Radziecki... I trzeba było czekać ponad pół wieku, żeby nareszcie zostać sierotą...

– Ale jak pański ojciec odnalazł pańską matkę, Anastazję? – zapytałem w końcu, próbując wrócić do lat dwudziestych.

– Cóż, łatwo nie było – westchnął. – Bo też się przebrała.

– Za mężczyznę?

– Gorzej, za zakonnicę. I poprosiła o azyl w klasztorze. Męskim. Ale tatuś wyczuł sprawę i załatwił rzecz po bolszewicku. Zbuntował miejscowe chłopstwo, klasztor podpalił, Anastazję zdobył i na pierwszym popasie, nie czekając nawet aż mamusia duchowny kostium zdejmie, mnie spłodził. I dlatego mam na plecach odcisk różańca. Pokazać panu?

– Wierzę na słowo.

Tu zamilkł i za nic nie chciał podjąć tematu ani swej rodzicielki, ani tego, jak znaleźli się ponownie w Leningradzie.

Po przerwie na lunch, w roli którego wystąpiły dwie konserwy turystyczne z towarzyszeniem kalarepy, zaczęliśmy mówić o rozmaitych słynnych ludziach, o których otarł się mój szef. Nie mogłem nie zapytać, czy nie spotkał kiedyś słynnego Carlosa? Baton tylko zrobił zdziwioną minę.

– Kogo?

– No „Szakala". Carlosa Iljicza Ramireza.

– Nie! – kategorycznie pokręcił głową.

Zdziwiłem się bardzo, pytając, jak to możliwe, żeby tacy dwaj wybitni fachowcy z jednej branży nigdy się nie spotkali.

– Nie mogliśmy się spotkać, panie Marciński, bo prawdę powiedziawszy Carlos to ja.

Na moment mnie zamurowało.

– Naprawdę? – wykrztusiłem. – Ten nieudany zamach na de Gaulle'a to pana dzieło?!

– Jaki zamach, o czym pan gada?

– O zamachu na prezydenta Francji inspirowanym przez działaczy skrajnej prawicy. Wtedy we Francji był wielki problem z OAS.

Przerwał mi:

– U nas w PRL-u też był wtedy wielki problem oaz. Jeśli nie większy niż we Francji.

– Co pan mówi?

– Księża na tych oazach młodzież przeciwko partii buntowali... Doskonale znam sprawę, bo pracowałem wówczas w departamencie do walki z Kościołem. Ech, nagan sam się człowiekowi w kieszeni otwierał. W porównaniu z tym bajzlem u nas ówczesna sytuacja we Francji była całkowicie pod naszą kontrolą.

– Nie rozumiem.

– Bo pan nie kapuje przemądrej polityki przywódców Związku Radzieckiego, a zresztą Rosji także. Musieliśmy wspierać na całym świecie skrajną lewicę jawnie, a skrajną prawicę tajnie... Jak pan myśli, dla kogo pracował ten cały OAS? I kto pod pseudonim „Szakal" mierzył do tego drągala...

– Pan? – wykrzyknąłem. Baton z ukontentowaniem zatarł ręce. Postanowiłem zepsuć mu humor, mówiąc: – Ale spudłował pan?

– W ostatniej chwili zrobiło mi się żal staruszka. Zresztą nasi agitatorzy studenccy niedługo później obalili go całkiem skutecznie.

– No dobrze, a inne akcje przypisywane „Szakalowi", na przykład napad na obrady OPEC w Wiedniu?

– Wielki mi napad? Wkurzyły mnie po prostu galopujące ceny benzyny!

Wyznam, że zirytował mnie ten popis niebywałego samochwalstwa.

– A kto w takim razie odsiaduje dożywocie we francuskim więzieniu? Też pan?!

– Figurant. Choć niestety mój uczeń. Miły Latynos, który z dwóch metrów nie trafiłby nie tylko w de Gaulle'a, ale nawet w Katedrę Notre Dame. Na nic tajne kursy, na które go wysyłaliśmy w Libii, Libanie i Liberii... Chociaż gdybym to ja go uczył strzelać...

– To czego pan go uczył?

– Ekonomii politycznej kapitalizmu, w tym matematyki. Też był w tym tępy jak obuch siekiery. Ile razy człowiek musiał mu wbijać w głowę. „Kombinuj i licz, kombinuj i licz". Tak mu się spodobało to powiedzonko, że na bierzmowaniu na trzecie imię Ilicz sobie wziął. A przecież, choć beztalencie, powiodło mu się w życiu.

– Co mu się powiodło? Siedział, siedzi i będzie siedzieć.

– Ale jaką ma piękną legendę. A co mają nasze prawdziwe asy? Jak pan o mnie nie napisze, to nikt nie napisze. Onegdaj spotykam bardzo starego towarzysza – kombatanta co mu emeryturę mundurową zabrali. I słucham jak się żali: „Pogrom kielecki – mówi – tymi rękami, trzech księży – tymi rękami, Jaroszewiczów tymi rękami, a całą zasługę przypisują jakimś nieznanym sprawcom. I gdzie tu sprawiedliwość? Ja się pytam gdzie?!".

Do tematu słynnych osobistości wróciliśmy jeszcze, gdy spróbowałem go przetestować na temat innych znanych aktorów: Seana O'Connery, Rogera Moore'a, czy Daniela Craiga.

– A co mnie pan o jakieś podróby pytasz, kiedy znałem oryginał.

– O kim pan mówi?

– O tym gagatku „007 zgłoś się"... Nazwiskiem Dżejms Blond.

– Bond nie Blond! – poprawiłem. – W dodatku słyszałem, że to był brunet. Poznał pan osobiście tego agenta z licencją na zabijanie?

– Wielki mi agent – parsknął. – Teraz licencję na zabijanie ma od wuja Sama byle patafian z CIA. Prawdziwy zawodowy agent do tych rzeczy nie potrzebuje licencji. Weź pan mnie! Pamiętam, jak byłem na praktyce w SMERSZ-u i wysłali nas na obóz kondycyjny do Korei Północnej, w pysk.

– I rzeczywiście nabrał pan tam kondycji?

– No! Dwadzieścia kilo schudłem w miesiąc. W porównaniu z dietą Kim Ir Sena dieta Kwaśniewskiego to małe piwo. Ma pan pojęcie, co to była za szkoła przetrwania?! Przetrwać cztery tygodnie na samych korzonkach i wodzie. Tylko na święta państwowe żeń-szenia dawali.

– No to lekceważony przez pana James Bond spędził tam w więzieniu trzy lata. Każdego dnia przekonany, że śmierć nadejdzie jutro.

– Śmierć nadejdzie jutro – to dobre na tytuł.

– No bo to właśnie jest tytuł filmu. Świetny.

– Co tam świetnego? Z tego, co pan mówi, wynika, jak ten Bond skapcaniał. Dać się złapać żółtkom. A jak w ogóle tam się dostał?

– Za pomocą surfingu, wykorzystując prądy...

– A to głupek. Nie wie, że w Korei surfowanie jest zakazane, nawet w internecie, jak akurat raz w miesiącu włączą prąd.

– Gorzej, że gdy go już wymieniono, jego brytyjscy szefowie byli przekonani, że się załamał. I zdradził.

– No bo faktycznie mało kto by przetrzymał te wszystkie azjatyckie męczarnie, szczur w jelitach, tygrysia klatka...

– Przeżył pan je może?

– Tylko na kursie przerabiałem te procedury, na wrogach ludu. I to wielokrotnie.

– Tyle ich jeszcze w Korei zostało?

– Był stały dopływ, ale jak akurat zabrakło, nasi żółci towarzysze porywali materiał do szkoleń z Japonii albo Tajwanu... To były czasy! Jak po kursie człowiek już stamtąd wrócił, to nawet w Bułgarii gotów był ziemię całować... Ale, czekaj pan. Czy to przepadkiem nie był ten film, po którym Korea obraziła się na Zachód, kazała Amerykańcom spalić wszystkie kopie filmu, przeprosić, a sama za karę wróciła do budowy bomby atomowej?

– Nie mam pojęcia. Z tego co wiem, Koreańczycy są bardzo obraźliwi. Ostatnio wściekli się na komedię o swym ukochanym przywódcy i jego rodzinnych perypetiach.

– Ale dlaczego?

– Bo tam w rodzinie tragedia. Żony znikają, stryja zgładzono, zresztą na własną prośbę...

– A w tym filmie o co oskarżają tę demokrację ludową?

– Że zamierza podbić świat.

– Korea Północna, kurczę pieczone? Niby jak? Pałeczkami?

– Za pomocą sztucznego słońca o nazwie Ikar...

– Rozumiem, wystrzeliwują Ukochanego Przywódcę w kosmos, a jego oblicze działa jak bazyliszek... Tylko ciekawe, jakby mieli go wystrzelić? Z procy?

Chciałem odpowiedzieć, ale wyraźnie temat zirytował kłusownika.

– Daj mi pan spokój z tym Bondem. Co to za agent. Tylko dziwki i wóda wstrząśnięta niezmieszana. Gdzie kamuflaż, kiedy nawet swoim wrogom przedstawia się w pierwszej scenie: Nazywam się Bond, James Bond... Czym byłby bez tych swoich gadżetów? A i z gadżetami okazał się niczym, kiedy trafił na mnie.

– Zmierzyliście się ze sobą w walce?

– Można powiedzieć, że jechaliśmy na jednym wózku.

– Naprawdę?

– Wracaliśmy obaj z międzynarodowej konferencji na temat terroryzmu w Bostonie. Główną prezentowaną tam tezą było, że został już zwalczony i nie stanowi większego zagrożenia. Piękna słoneczna pogoda, chociaż wrzesień...

– Nie powie pan, że leciał pan jedenastego września?

– Powiem więcej! To był Boeing 737 z ponad setką pasażerów...

– Ale przecież wtedy wszyscy zginęli.

– Jak się okazuje nie wszyscy. Choć nie taję, było ciężko. Bonda rozbroili już na wstępie. Stewardesa pożyczyła od niego długopis z trucizną, szef terrorystów poprosił o ogień i połknął zapalniczkę z gazem paraliżującym, a buty z karbonem maszynowym w podeszwie James zdjął sam, jak to w samolocie. Więc kiedy terroryści przejęli maszynę, był bezbronny jak dziecko.

– A pan?

– Wysiliłem całą inteligencję i poznałem, że jeden z terrorystów był u mnie na kursie w Libii, albo Libanie. On mnie też na szczęście poznał. Więc mówię do niego: „Mustafa, pogadajmy jak starzy kumple, napijmy się". On na to, że nie pije, bo do raju musi trafić trzeźwy. „Oj, niedobrze", myślę i pytam go, jaki jest cel porwania. Ten rozejrzał się dookoła i mówi: „Tobie, ibn Baton, mogę powiedzieć – Biały Dom!". Pochwaliłem go, mówiąc, że chętnie bym w tym uczestniczył, ale mam zlecenie od samego Mahometa i planuję zginąć innym razem. On na to: „Gdzie"? Ja, że w Watykanie, przyszłej siedzibie światowego kalifatu.

– I co?

– Wykazał daleko posunięte zrozumienie. Ponieważ akurat lecieliśmy nad Pensylwanią, zniżyliśmy się nad jakimś akwenem, otworzył drzwi, umożliwiając, byśmy wyskoczyli razem z Bondem...

– Anglika też puścili?

– Powiedziałem im, że zamierza rozerwać się na Kremlu, w pysk.

– Bardzo to szlachetne z pana strony.

– A co będę z 007 męczennika robił?!

– Rozumiem, że samolotu nie udało się uratować?

– Niestety! Pasażerowie chcieli, wykorzystując zamieszanie, przejąć nad nim kontrolę, ale niestety zarył w glebę. Na szczęście, dzięki nam, Biały Dom ocalał!

– A wy przeżyliście uderzenie w wodę z taką szybkością?

– Skakaliśmy ledwie z pięćdziesięciu metrów, a szybkość była najwyżej trzysta na godzinę. No cóż, ja to przeżyłem, ale Bondowi musiałem sztuczne oddychanie robić. Usta, usta. Obrzydliwość!

– Naprawdę?

– Najgorsze, że od tego czasu zasypuje mnie mailami, czemu nie dzwonię, nie wpadnę? A nawet małżeństwo, tfu... związek partnerski mi proponował, w pysk, bo podobno żadna z tysiąca bab, które uwiódł, nie potrafiła tak całować jak ja...

XVI.
Przypadkowi bohaterowie

Dni płynęły upalne, bezdeszczowe. Lolita nie wracała i nic nie wskazywało, żeby miała kiedykolwiek wrócić. A na moje ostrożne, rzucone jakby mimochodem pytanie: „A gdzie się podziewa panna Lolita", pan Bronisław odburknął jedynie: „Jaka Lolita?".

Nic dziwnego, że znów dopadły mnie obsesyjne myśli nad sposobami wydostania się z tej przeklętej posiadłości. Tyle że przeważały w nich głęboki namysł i ostrożność. Rozważałem puszczenie wiadomości do życzliwego znalazcy latawcem, ale musiałem czekać na korzystny wiatr (bo tylko brakowało mi do szczęścia, żeby mój apel o ratunek trafił na Białoruś) i na jakiś dłuższy wyjazd pana Bronisława. Inna sprawa, że jako dziecko wychowane w mieście nigdy dotąd nie skonstruowałem żadnego latawca...

Z podobnych powodów zrezygnowałem z pomysłu katapulty, za pomocą której wystrzeliłbym w stronę drogi list w butelce, informujący o moim rozpaczliwym położeniu. Przecież – myślałem – skąd pewność, że moje wezwania nie trafiłyby w ręce ludzi pozostających na usługach Batona? W rezultacie pozostawały mi jedynie działania przygotowawcze, na wszelki wypadek, gdyby pojawiła się nagła szansa... Dlatego, kiedy zagoiły się ugryzienia, zacząłem pracować nad swoją tężyzną fizyczną. W każdej wolnej chwili ćwiczyłem pompki, przysiady... Oszukiwałem sam siebie, spekulując, że będąc od Batona ćwierć wieku młodszy, miałbym z nim jakiekolwiek szanse, gdyby doszło do walki wręcz... Rozsądek jednak ripostował nieubłaganie, że jeśli nawet dziewięćdziesiąt procent jego opowieści było fikcją, to i tak pozostawał wyszkolonym zabójcą, zdolnym do unieszkodliwienia przeciwnika nawet długopisem czy kartą kredytową...

Mimo to nie traciłem nadziei, że kiedyś wykorzystam jakąś chwilę jego nieuwagi. Niestety, na razie był nadzwyczaj ostrożny. Często w stopniu niezrozumiałym. Bywało, że pozwalał mi oglądać telewizję, ale częściej w porze dziennika jego plazma była wyłączona na głucho. Jak wspominałem, o internecie mogłem zapomnieć. Na próżno prosiłem go o skorzystanie choćby z Wikipedii.

– Nie ośmieszaj się pan, panie Marciński – odpowiadał. – Człowiek z pańską inteligencją nie powinien korzystać z tego badziewia.

– Ale kiedy muszę coś sprawdzić, jakieś przytoczone przez pana nazwisko...

– To ma pan na półce Małą Encyklopedię PWN i Bolszą Radziecką. Zresztą co pan chce oglądać? Jak pańscy ideowi przyjaciele przerzynają kolejne wybory?

– Zaraz, zaraz! Europejskie prawie wygrali – przypomniałem.

– Od prawie do wygrali daleka droga! Nie bez powodu członkowie Państwowej Komisji Wyborczej jeżdżą na szkolenia do Moskwy. Chociaż Baton uczył, by na miejscu liczyć – lepiej, szybciej i taniej! Liczydła starczą. I na co komu internet?

– Myślałem o internecie wyłącznie jako źródle informacji. Przyzna pan, że nasza telewizja jest na tyle, na ile mogę ją oglądać, delikatnie mówiąc jednostronna.

– A jaka ma być? Po drugiej stronie są kineskop i wtyczki. Ale powiem panu, ja gdybym mógł, to bym nawet telewizji nie oglądał. Dość się w życiu nadenerwowałem...

– No ale jako patriota powinien się pan orientować, czym żyje kraj.

– Mnie nie interesuje nawet, z kim żyje sołtys. Za to kraj mi tak leży na sercu, że gdybym oglądał codziennie, co się w nim naprawdę dzieje, to jako patriota dostałbym ataku szału. Tyle lat walczymy o postęp, a ciemnogród tylko się rozrasta.

– Czasem wysilone działania przynoszą odwrotne skutki.

– Na szczęście! I niech tak zostanie. Czy tak zwani patrioci podczas niemieckiej okupacji wiedzieli, że walczą o PRL? Albo pańscy solidarnościowcy? Zdrowo musieli się napracować, żeby Kwaśniewski został prezydentem, Urban burżujem, a Siwiec Europejczykiem!

– Na tej zasadzie można przypuszczać, że dzisiaj pańscy resortowi kumple i ich dzieci, im bardziej pracują nad umocnieniem Trzeciej RP, tym bardziej przyczyniają się do powstania Czwartej.

– Czyli jednak są to prawdziwi patrioci! À propos, czy ja mówiłem panu o mych najważniejszych przygodach z patriotami?

– Nie raz. Umiem to na pamięć: „Tymi rękami, za łeb i do suki”.

– Ja nie mówię teraz o rzekomych patriotach, działających za judaszowe srebrniki na rzecz imperialistów, tylko o prawdziwej amerykańskiej rakiecie „Patriot”. Swego czasu otrzymałem zadanie wykradzenia jej planów, ku chwale naszej ludowej ojczyzny!

– Sam miał pan tego dokonać?

– Prawie sam. Dokładnie we dwójkę, razem z jednym majorem. Zacharski mu było. Marian!

– Coś o tym słyszałem. Tylko nie pamiętam, czy to się powiodło?

– Udało nam się doskonale, Amerykanie sami przynieśli nam wszystkie potrzebne dokumenty w zębach. I w dodatku za symboliczne pieniądze... A wie pan, jak to przemyciliśmy?

– Nie mam pojęcia.

– W poczcie dyplomatycznej. Skradzionymi planami owinięto partię markowych rakiet tenisowych. Toteż nawet gdyby wzięli naszego kuriera na wykrywacz prawdy, mógłby spokojnie zeznawać, że w bagażu są rakiety i żaden czujnik by nie drgnął.

– Pogratulować sukcesu.

– Nie tak szybko! Bo wtedy z radości wzięliśmy się za opijanie sukcesu i po trzecim wówczas półlitrze Marianek wygadał się, że tak naprawdę to my te plany wykradamy dla Ruskich.

– Rozumiem, że się pan musiał oburzyć.

– Jeszcze nie wtedy. Ale jak z kolejnej niedyskrecji się dowiedziałem, że honorarium za akcję wypłacą nam w bonach peweksowskich, w proporcji dziewięćdziesiąt procent dla Mariana, a dziesięć dla mnie, nie zdzierżyłem.

Na kacu postanowiłem się zemścić. Sypnąłem całą siatkę, osobiście wydałem Mariana FBI, po czym zmieniłem mocodawców i zostałem członkiem „Solidarności".

– Piękne. I niesłychanie patriotyczne! – stwierdziłem z przekąsem.

– Tylko kto to doceni? Ledwie chłopaki z podziemia wzięli władzę, zweryfikowali mnie ujemnie... A Zacharski dzięki tym bonom, które otrzymał, mógł zostać dyrektorem Pewexu. Jedyna pociecha, że cała nasza elita mogła sobie przerzuconymi przeze mnie rakietami w tenisa pograć z Ałganowem.

– A więc wyszedł pan na swoje?

– Przez przypadek. Chociaż u nas w resorcie mawiało się, że przypadków nie ma, są najwyżej nieprzewidziane zbiegi okoliczności. Czy pan wie, jak przez przypadek podczas tsunami córka majora Smitha uratowała cały hotel w Tajlandii?

– Coś słyszałem o podobnych przypadkach. Jeśli była dobra z geografii, to zauważyła, że morze cofnęło się o kilometr...

– To jest oficjalna wersja. Naprawdę Smith, który prowadził doświadczenia z bronią tektoniczną, zatelefonował do córki przebywającej na wczasach, że eksperyment udał się aż za dobrze i w związku z tym niech natychmiast ucieka na dach hotelu...

Wzmianka o przypadkowym bohaterstwie od razu skojarzyła mi się z filmem mówiącym o tym, jak pewien nieudacznik uratował pasażerów samolotu, który zarył się w podmokłym gruncie z dala od pasa startowego. Napomknąłem o tym Batonowi.

– To było kogoś ratować? – zdziwił się. – Po katastrofie lotniczej?

– Przecież mówię, grunt grząski, podmokły, prawie wszyscy ocaleli...

– W Związku Radzieckim to nie do pomyślenia. Jak się ustali, że samolot ma spaść, to nikt nie ma prawa się uratować. A jak nawet się uratuje, to wysyłamy odpowiednią „ekipę ratowników"...

– Ale to się w Ameryce dzieje. I jedyne zagrożenie dla leżącego na ziemi wraka to pożar albo wybuch.

– Tylko pożar! – przerwał mi impulsywnie. – Wybuchy się nie zdarzają!

– Ale przypadkowy bohater nic o tym nie wie. I na widok katastrofy działa jak w transie.

– Nazwisko bohatera, przydział służbowy!?

– Hoffman...

– Który Hoffman? Ten, który z kolegami i żonami poleciał służbowym autem do Madrytu? Czy może filmowiec od tych historycznych kobył?

– Nie, Dustin Hoffman. Ten co się za kobietę przebierał w filmie *Tootsie*...

– Znałem gościa, kiedy jeszcze nie był „Absolwentem" i obserwowałem jego studenckie wybryki. Faktycznie później też lubił się przebierać, a to za stracha na wróble, za automobilistę...

– Chyba za autystę?! – poprawiłem, przypominając sobie *Rain Mana*.

– A jaka to różnica?!

Zignorowałem pytanie, kontynuując wątek:

– Wspomniany Hoffman, kiedy widzi dymiący samolot, w porywie serca zdejmuje buty, włazi do środka, wyprowadza pasażerów, a na koniec wynosi nieprzytomną dziennikarkę...

– Nazwisko?

– Nie pamiętam.

– No i gdzie ta dbałość o szczegóły? Bo wyobraź sobie taką sytuację, że są dwie dziennikarskie gwiazdy, dla na przykładu Lis i Olejnik. Kogo pan ratuje w pierwszej kolejności?

– Hoffman na szczęście nie miał takiego dylematu. Ratuje kobietę i nie czekając na jej podziękowania, bez jednego buta znika we mgle.

– Tajemniczy brunet w jednym bucie? No i znów jakbym swoje życie słyszał.

– Przeżył pan podobną katastrofę?

– I to jaką? Niech pan sobie wyobrazi taką sytuację: jednym samolotem leci Amerykanin, Rusek i Polak.

– Znam. I Żyd mówi...

– To nie jest żaden kawał! A jeśli już to kawał historii. Konkretnie było to, żeby nie skłamać, w tysiąc dziewięćset pięćdziesiątym dziewiątym albo sześćdziesiątym roku. Pierwszy Sekretarz Nikita Chruszczow wizytował prezydenta Eisenhowera w Stanach. Tymczasem grupa spiskowców w Politbiurze postanowiła pozbyć się Nikity. Przewodził niejaki Szelepin czy Szalapin. Pięknie śpiewał, jak go później dorwałem. I to on właśnie kazał mi podłożyć bombę pod One Force One, którym Nikita z Ikem mieli lecieć na środkowy Zachód.

– A pan odmówił wykonania zadania?

– Co pan?! Zrobiłem swoje, podłożyłem bombę ciśnieniową, która miała eksplodować, jak samolot lądując, zniży się poniżej wysokości trzech tysięcy metrów.

– Niesamowite.

– Poszło jak z płatka, aż do momentu odlotu. Wyobraź pan sobie, stoję na lotnisku w otoczeniu delegacji ambasady, lekko łzę roniąc, kiedy naraz prezydent Eisenhower woła do mnie: „Baton, to ty, draniu?". A Chruszczowowi tłumaczy: „Ten zuch podczas konferencji w Poczdamie papierośnicę mi podgrandził". Nie prostuję, mimo że pomylił mnie z moim ojcem, który faktycznie był klepkomanem, i czuję, że zaraz da mi popalić. Ale okazuje się, prezydent niepamiętliwy. A przeciwnie, do samolotu mnie zaprasza: „Niech leci z nami kukurydzę oglądać". Ja się wykręcam, mówię, że robota czeka. Ale Nikita go wsparł i tak znalazłem się w...

– Air Force One. – I w strachu! Bo nijak nie mogłem dostać się do ładowni, w której schował żem ładunek, który już uzbrojony tylko czekał, jak zaczniemy się zniżać. A zameldować o tej bombie ochronie? Nie idzie! Przecież nikt by nie uwierzył. A jak by uwierzył, to też miałbym się z pyszna.

– No i co pan zrobił?

– Co zrobiłem? Tymi rękami rozbroiłem ochroniarzy. Związałem pana prezydenta i towarzysza sekretarza. Sterroryzowałem załogę i skierowałem samolot na lotnisko w Mexico City, które znajduje się, jak wiadomo, cztery tysiące metrów ponad poziomem morza. A po wylądowaniu pokazałem miejscowym tykający ładunek.

– Genialne.

– I myślicie, że mi ktoś podziękował? Trzy miesiące maglowali mnie, skąd wiedziałem o bombie? Na szczęście miałem zaświadczenie z kursu dla psów nierasowych, szkolonych na okoliczność wykrywania bomb i narkotyków.

– I uwierzyli?

– Te durnie we wszystko uwierzą! Eisenhower chciał mnie nawet wziąć na eksperta do CIA, niestety wybory wygrali Demokraci, a w Rosji

Nikitę i tak zdjęto. I tak nikt nie dowiedział się, kto był największym bohaterem naszych czasów.

Wstał i podszedł do lustra, obciągając swą kurtkę, ni to myśliwską, ni to mundurową, być może oczyma wyobraźni widząc rzędy orderów, których nigdy nie otrzymał i zapewne już nie otrzyma. Postanowiłem wykorzystać tę chwilę rozmarzenia.

– Panie Bronisławie, a czy jest możliwe...

– Wszystko jest możliwe, jak się chce!

Zabrzmiało zachęcająco.

– No właśnie, od paru miesięcy usiłuję ustalić jedno. Jak z grubsza wyglądał przebieg pańskiej służby. Na razie ustaliliśmy, że do czterdziestego piątego roku był pan w sierocińcu. Potem rok z Sierowem, dalej u Światły, potem znowu w Sajuzie na studiach... Ale potem? Jaki miał pan konkretny przydział? Kiedy dokładnie przebywał pan w Polsce? Kiedy w ZSRR?

Uśmiechnął się z politowaniem.

– Pan to chciałby mieć wszystko gotowe, jak Cygan na patelni. A ja i tak spowiadam się panu jak na spowiedzi świętej. Więcej powiem, jak na przesłuchaniu na Łubiance. Mówisz pan „przydział"? Przecież wykonywałem często tyle misji na raz, że trudno jedną od drugiej rozdzielić. Ja nawet nie wiedziałem, czy dana akcja odbywała się pod szyldem KGB, GRU czy SMERSZ-u, bo szyld był tajny, a operacji w ogóle nie było. Służba nie drużba, a czekista żadnej pracy wstydzić się nie może. Ot, rzucało mnie to tu, to tam. Opowiadałem panu, jak byłem osobistym ochroniarzem towarzysza Breżniewa?

– Nie. A był pan?

– Gdzieś od początku lat siedemdziesiątych Lońka ubzdurał sobie, że chcą go sprzątnąć. Jego? Przecież jeśli nie my, to kto? Ale gensek się uparł, żebym go chronił osobiście, bo tylko do mnie miał zaufanie. Bo gdyby nie ja, to wtedy na Krymie w tysiąc dziewięćset sześćdziesiątym trzecim, kiedy poszliśmy z ekipą KGB oznajmić Chruszczowowi, że ze względu na zły stan zdrowia musi zrezygnować, to niewiele brakowało, aby role uległy zamianie. Nikita wyrwał się trzem naszym przebranym za lekarzy. Dwóch mało nie zabił.

– Miał broń?

– Broni palnej nie miał. Ale zdjął but, a w jego ręku była to broń straszliwa. Przywalił dwóm funkcjonariuszom, trzeci od samego smrodu zemdlał. Potem wystrzelił z gaśnicy do pielęgniarek i rycząc jak ranny łoś, pognał do helikoptera, chcąc dotrzeć do Moskwy i powiedzieć towarzyszowi Breżniewowi, że to jemu właśnie się zdrowie pogorszyło. Powiem panu, gdyby nie Baton, który podstawił Nikicie nogę, tak że padł na pysk, dzieje ZSRR potoczyłyby się zupełnie inaczej – tu westchnął, nie wiem z satysfakcji czy z żalu. – No i jakiś czas potem, z woli Leonida dostałem się na Kreml jako ochroniarz numer 001. A wiesz pan, jakie to było trudne zajęcie?

– Mało o tym wiem. Tyle co z filmów.

– Z jakich filmów? – nagle znowu zrobił się czujny.

– Na przykład *Na linii ognia*.

– Czy to ten dramat o Machejku, który po linii UB gonił bandę Ognia... – chciałem wtrącić i zaprzeczyć, ale sam się poprawił – co ja mówię „bandę", dzielny oddział AK, chociaż na straconych pozycjach. Jak to na Podhalu. Stąd zresztą tytuł *Podhale w ogniu*.

Wyprowadziłem go z błędu, wyjaśniając, że mam na myśli amerykański film o ochroniarzu, który nie upilnował Kennedy'ego.

– A jego kto by upilnował?! Wiecznie urywał się ochroniarzom, a nawet własnej żonie. Te wszystkie aktorki, dziennikarki, stażystki...

– Ochroniarz nie upilnował prezydenta w Dallas. Nie zasłonił własną piersią. I całe życie go to męczyło. Ciągle Dallas wspominał, że był piękny dzień, rano padało...

– Ale potem się przejaśniło.

Chciałem zapytać, skąd wie, ale przypomniało mi się, że wcześniej opowiadał mi o udziale swoim i ojca w operacji „Oswald". Odpowiedziałem więc, że *Na linii ognia* jest to film dziejący się w nowszych czasach, o psychopacie, który postanowił zabić prezydenta.

– Obamę? – zainteresował się. – Jest takie zlecenie? Za ile? Bo chociaż jestem na emeryturze, mógłbym to wziąć, „na czarno".

– Nie, ten prezydent był biały i wyglądał jak Bush skrzyżowany z Clintonem.

– A ochroniarz jak wyglądał?

– Powiem panu, że dość kiepsko, mimo że to słynny Clint Eastwood...

– Taki stary ochroniarz. I daje radę?

– W tym sęk, że nie daje. Ledwie przeleciał się obok limuzyny wzdłuż Pennsylvania Avenue, już go musieli do szpitala wziąć. Na szczęście jego była narzeczona została wytypowana, by wypełniać jego obowiązki przy prezydencie.

– W kwestii stołu i łoża? – zachichotał obleśnie.

– Obowiązki ochroniarza. Miała zasłaniać szefa własną piersią. I faktycznie, o tę pierś była lepsza od Clinta.

– Coś wiem na ten temat. Towarzysz Leonid Breżniew miał cały batalion takich ochroniarek całodobowych. Mówiliśmy o nich „strzykawki".

– Strzykawki?

– Bo wszystkie były jednorazowe. Jedna doba na Kremlu i na całe życie do zielonego garnizonu. No chyba że parę następnych dób zajmowała się nimi męska część ochrony. W końcu po genseku nikt z nas się nie brzydził... Niech pan się nie krzywi, to była powszechna praktyka.

– Co pan mówi?!

– Jak świat długi i dłuższy! Miał takie ochroniarki i Mao, i Kadafi, a w Korei u Kimów to przechodziły nawet z ojca na syna.

– Nie ubliżając, pański fach też przeszedł z ojca na syna.

– To prawda, ale wie pan, co w tym zawodzie ochroniarskim jest najtrudniejsze?

– Nie mam pojęcia.

– Nieprzewidywalność ochranianego obiektu. A w wypadku Breżniewa była to nieprzewidywalność do kwadratu. Na przykład podstawiają mu samochód, wszystko sprawdzone, drzwi, okna, a ten pakuje się przez bagażnik, którego przypadkiem nie zabezpieczyliśmy... Pamiętam, jak w Warszawie na placu Na Rozdrożu wlazł na motocykl policjanta, bo powiedział, że marzył o czymś takim od dzieciństwa. Ech, Lońka...! Żebym go wtedy za brwi nie złapał, to wykonałby takie autorodeo, przelatując ponad barierką Trasy Łazienkowskiej...

– Rozumiem, że to był pański ostatni dzień jako ochroniarza?

– Faktycznie... Chociaż nie! Na krótko wrócił żem do służby. Stary znajomy jeszcze z DDR-u poprosił mnie, żebym zajął się Jelcynem.

– Miał pan sprzątnąć Borysa Jelcyna?

– Nie te czasy, panie Jędrzejku. Dawniej by się mu podłożyło bombę albo wypchnęło z okna, a teraz finezja-Rodezja. Najpierw dokonałem rozpoznania. I po paru dniach znałem już słaby punkt rosyjskiego prezydenta. A nawet dwa. Alkohol i pieniądze. Kiedyś wykorzystał to Wałęsa z Mietkiem Wachowskim. Tak Borysa spili, że zgodził się na wejście Polski do NATO, Unii Europejskiej, a nawet wycofanie bratnich wojsk z Legnicy. I gdyby tylko nie przesadzili z dolewaniem...

– Przesadzili?

– Niestety! Spadł pod stół w momencie, kiedy chciał dodatkowo, po dobroci serca podarować nam Wilno, Lwów, Krym i Obwód Kaliningradzki. Ja spiłem Borysa parę lat później – wolniej, ale skuteczniej. Najpierw podpisywał czeki dla siebie i dla rodziny, potem kolejne awanse dla mojego szefa Wołodii, potem testament... A rano, jak się obudził, był już wolnym, prywatnym, bogatym człowiekiem. A ja musiałem szybko uciekać.

– Dlaczego? Po takich usługach?

– Właśnie dlatego. Słyszał pan o długim życiu ludzi, którzy wiedzą za dużo? Ja chyba jestem jedyny taki przypadek na świecie!

XVII.
Życie pozagrobowe

W połowie sierpnia, nie mogąc doczekać się powrotu Lolity, wpadłem na jeden z tych pomysłów, które początkowo wydają się świetne, a ich głupota ujawnia się dopiero w trakcie realizacji.

Postanowiłem symulować ból zęba. Spodziewałem się, że pan Bronisław zawiezie mnie do dentysty, albo przynajmniej przywiezie specjalistę do nas, a ja opracowałem już kilka sposobów zaapelowania o pomoc, z których najprostszym miała być wsunięta do kieszeni stomatologa karteczka z opisem mojej sytuacji i obietnicą sowitej nagrody za pomoc w uwolnieniu.

Niestety, Baton najpierw lekceważył moje narzekania, potem dał mi jakieś proszki, a kiedy twierdziłem, że one nie pomogły, zajął się sprawą osobiście. Zanim zdołałem zorientować się, o co chodzi, cisnął mnie na solidny fotel w jego gabinecie, przykuł kajdankami ręce i nogi do oparcia. Znienacka w jego rękach pojawiły się zardzewiałe cążki...

– Który to ząb? – zapytał.

– Ale już mi przeszło... – tłumaczyłem.

– Który?! – powtórzył groźnie. – Gadać mi, bo wszystkie powyrywam!

Poświęciłem dolną czwórkę, ząb podobno od dawna martwy, co nie znaczy, że gotów do ekstrakcji. Pan Bronisław miotał mną z dobry kwadrans, zanim wyrwał nieboraka, bez znieczulenia. Potem podał mi szklankę spirytusu.

– Wypłukać i popić! – powiedział tonem nieznoszącym sprzeciwu.

– Trzeba nie mieć Boga w sercu, by mnie tak skatować – wyjąkałem, kiedy minął pierwszy szok.

– A co się pan tak dziwi? – skomentował. – Serca nigdy nie posiadałem, a Boga jak wiadomo nie ma!

To sformułowanie zwróciło wreszcie uwagę nie na to, co było w wynurzeniach Batona obecne w nadmiarze, ale na to, czego brak w pierwszej chwili nie rzucał się w oczy. Przejrzałem dotychczasowe notatki i oczywista stała się nieobecność jakichkolwiek odniesień do Absolutu. Także do śmierci, w kategoriach egzystencjalnych.

– Wie pan, jak mawiał Nasz Wielki Językoznawca – tłumaczył stary czekista – „śmierć jednego człowieka, zwłaszcza własna, to tragedia, miliony takich przypadków, jedynie statystyka".

– I nigdy się panu nie śnią ludzie, których... no wie pan... którym pomógł pan opuścić ten padół łez?

– Ani mi się śni... śnić. Chociaż wyznam, że w takim życiu jak moje bywały sytuacje niekomfortowe. Na przykład raz w Meksyku, no dwa, góra trzy razy wieszamy burżuja (znaczy tatko wiesza, ale widzę to, jakbym sam przy tym był), a ten się gapi. „Nie możesz zamknąć oczu, kanalio?" – woła tatko. – „Bo mi się ręce trzęsą". „Nie mogę – odpowiada delikwent. – Koń pode mną wierci". Bo była to tak zwana „egzekucja na jeźdźca". Tak owa determinacja zaimponowała memu tatce, że maczetę chwycił, by skazańca odciąć. Tak nieszczęśliwie zamachnął się, że zamiast w sznur trafił w szyję. Koń poniósł jeźdźca, a tatce tylko głowa została. I kłopot – jak to ująć w sprawozdawczości! Robota wykonana w dwudziestu procentach. I po premii.

– A co stało się z resztą skazańca?

– Nigdy jej nie odnaleziono. Miejscowi powiadają, że przeszedł do legendy. I to w obu Amerykach.

– Ciekawe! Tyle że legenda o jeźdźcu bez głowy jest dużo starsza od pańskiej historii. Ma ponad dwieście lat.

– Nie może być!

– Jeszcze niedawno na amerykańskiej prowincji straszono niegrzeczne dzieci, że jeździec bez głowy nie może wytrzymać w grobie i zabija wszystkich, których podejrzewa, że posiadają jego czachę...

– Też mu do łba strzeliło? – Baton rzucił okiem w kierunku swojej kolekcji główek po papuasku.

– Właśnie, że nie strzeliło, bo po pierwsze, łba, jak mówiłem, już nie ma, a po drugie, kule się go nie imają.

– No to mają z tym problem. U nas też jeden był przed laty... Nazywał się... jak ten szef telewizji.

– Braun, Solorz, Walter?

– A skąd pan wie? Właśnie, Walter! Generał! Kulom się nie kłaniał. Pod Baligrodem wystawiliśmy go na polecenie moskiewskiej centrali, z którą zadarł, całej bandzie banderowców, a on stoi i jak powiedziałem, kulom się nie kłania, a one go omijają, w pysk! I gdyby ogniomistrz Kaleń nie wyjął gnata i go nie kropnął, do dziś byśmy tam siedzieli. Potem nawet własną aleję w Warszawie miał pod nazwą W–Z.

– W–Z, czyli?

– No! Waltera Zajebistego. Tylko że w Trzeciej RP na cześć wszystkich, którzy solidarnie go sprzątnęli, przemianowano trakt na aleję Solidarności. I mówisz pan, że ten jeździec to taka stara sprawa?

– W filmie, który na ten temat nakręcono, rzecz dzieje się na przełomie osiemnastego i dziewiętnastego wieku.

– Czyli kompletna ramota?

– Za to Nowy Jork wygląda całkiem jak nowy. Parterowa Wall Street, źródełko na Times Square... Nie uwierzy pan, wtedy na giełdzie notowali zaledwie pięć spółek. A ludzie jeszcze wierzyli w Boga i w diabła.

– W Boga to ja w życiu nie uwierzę, ale w diabła czemu nie? Całe życie mam z nim znakomitą komitywę. Weź pan Błochina.

– Tego słynnego sowieckiego bramkarza?

– Nie, tego kata. Potrafił dziennie rozwalić pięciuset wrogów ludu, zużywając dziesięć naganów, a po pracy muchy by nie skrzywdził. Wiadomo, nie taki diabeł straszny, jak go umalują. Zresztą po co daleko szukać. Weź pan mnie. Kiedy ja werbował żem tych wszystkich dzisiejszych TW, to myśli pan, że oni wiedzieli, w co się pakują? Sądzili, że to przelewki? A wtedy nikomu się nie przelewało. Ja zaś a to za kawę za takiego zapłaciłem, a to koniaku polałem. Tu paszporcik ułatwiłem, tam utratę prawa jazdy anulowałem, zaliczkę przyniosłem, toteż klient nawet nie wiedział, kiedy tracił głowę i podpisywał co trzeba. I najzabawniejsze, lubił szybko zapominać o tym fakcie! I czasami uchodziło mu to na sucho, bo nie był nam do niczego potrzebny. Dopiero jak zaczęła się dzika lustracja... Niejeden na serce schodził, inni w mgnieniu oka siwieli, albo łysieli...

– Może podać pan nazwiska?

– Nie mogę, ale niech pan sobie obejrzy zdjęcia naszych koryfeuszy. Sprzed i po transformacji i wszystko będzie jasne. Czasem było to naprawdę zabawne. Pamiętam, jak lustrowaliśmy TW Magistra, i rzecznik interesu publicznego powołał mnie, jego oficera prowadzącego, na świadka, to lustrowany zbladł jak ściana Białego Domu. Jakby zobaczył ducha, choć był ateistą z cenzusem.

– Czyli jednak dopuszcza pan istnienie duchów?

– Ale tylko jako przejściowego stanu między materią a energią. Z drugiej strony, jakby pan przepracował na Łubiance tyle czasu co ja, to by pan wiedział, że nie było nocy, żeby się nie odezwał tam duch Dzierżyńskiego. A starzy funkcjonariusze zeznawali nawet, że raz w tygodniu nawet zepsute rewolwery same wypalały trzymane niewidzialną ręką Feliksa... Podobnie jest z kwitami, podpiszesz kiedyś bumażkę, niewiele z tego wynika, lata mijają, ty zapomniałeś, aż tu naraz... No i krzyk, że się im teczki wyciąga. Zawsze mnie, panie Marciński, wzrusza ludzka naiwność. Siedzi taki jak zając w bróździe i myśli, że jemu jednemu się upiecze. Niby akta spalone... dowody zaginęły...

Uznałem, że nadeszła doskonała okazja, żeby zapytać o uwikłanie mego brata.

– A właściwie jak zmusiliście do współpracy mego brata?

– Zmusiliśmy? – Baton aż się zaśmiał. – Nie musieliśmy! Marcin Jędras sam się zgłosił. I to parę razy, bo mieliśmy lepszych literatów na pęczki. Ale w końcu go doceniono. Łgał jak z nut, tak że nawet wariograf mu wierzył, a w dodatku nie miał tendencji do łysienia.

– A jakie to ma znaczenie?

– Statystycznie rzecz biorąc, agenci łysieją szybciej. Weź pan z waszej półki Szczypiorski, Drawicz... Poza tym łysemu zawsze trudniej się schować. Gdzie by się nie ukrył, w klubie SLD czy w rządowych resortach, zawsze czerep blikuje jak lusterko. Pamiętam, jak raz na szkoleniu bojowym w Ubeckiej SSR opowiadali mi o Tamerlanie.

– Słyszałem: Tamerlan – Timur Kulawy!

– Bo tam też lustracja kulała. Ale do rzeczy, Timur i jego drużyna mieli przejść chyłkiem przez pustynię, tak żeby wróg nie widział. Ale w tej drużynie było sporo łysych. No to dowódca mówi: „Łysi, wystąp". I wszystkich osobiście ściął.

– No to teraz musi tam straszyć cała armia jeźdźców bez głowy.

– Jak jest teraz, nie wiem. Ale za moich czasów w Ubekistanie nieupoważnione straszenie było zabronione.

– Czyli wierzy pan w życie pozagrobowe?

– W pozagrobowe nie. W pozagrobelne natomiast na moment uwierzyłem... Czy pan wie, że Baton, stary wyjadacz, w bezpiecznej kasie Grobelnego ulokował wszystkie swoje pieniądze?

– I co?

– I nic. Ani grosza już więcej nie zobaczyłem. Dobrze, że chociaż „seryjny samobójca" podjął się wyrównać nasze rachunki gratis!

* * *

Do tematu wróciliśmy parę dni później. Oglądałem sobie właśnie film *Mumia*, kiedy Baton wpadł na mnie z gębą, że tracę czas na jakieś hollywoodzkie szmiry, a robota stygnie.

– Jeśli pan chwilę poczeka, obejrzę do końca – poprosiłem grzecznie. – Mumia właśnie się budzi.

– A długo spała?

– Podejrzewam, że z jakieś trzy tysiące lat.

– No to jeden dzień drzemki dłużej nie zrobi jej różnicy. – Szarpnął mnie za ramię. – Idziemy!

– Niech pan popatrzy na to od jej strony, nie dość, że została pogrzebana żywcem, to jeszcze wpuszczono jej do sarkofagu pół tony tych świętych żuków...

– Znam, szkrabeuszy. Ale co to przeszkadza komuś nieżyjącemu?

– Właśnie o to chodzi, że nie do końca martwemu. Te skarabeusze zjadały ją żywcem, a ona z kolei je zjadała i tak żywili się sobą przez trzy tysiące lat.

Kątem oka dostrzegłem nerwowy podskok grdyki.

– Daj spokój, panie Jędrzejku, bo jestem obrzydliwy. Poza tym jakby pan znał moją przygodę z mumią, to by sobie tak głupio nie żartował.

– Przecież mówił pan, że nigdy nie był w Egipcie.

– Ale to w Moskwie było. Na placu Czerwonym.

– Czyżby Włodzimierz Ilicz zmartwychwstał?

– Gorzej. W tym czasie, pod koniec lat pięćdziesiątych, w mauzoleum spoczywały obok siebie jeszcze dwie mumie.

– Słyszałem – uśmiechnąłem się z przekąsem. – Zwłoki starego Lenina i mniejsze zwłoki Lenina w wieku lat dziesięciu.

– Więcej szacunku, Jędrzejku – zgromił mnie pan Bronisław. – Towarzysz Stalin tam leżał. Tyle że z przerwami.

– Jak to z przerwami? Jak go raz usunięto, to już nie wrócił. Chyba że Putin ostatnio coś wykombinował.

– Nie w tym rzecz. Miejscowi specjaliści od balsamowania spartaczyli zabiegi, toteż co jakiś czas, kiedy smród robił się za wielki, trzeba było mumie konserwować. A to w formalince wykąpać, a to kulkami na skarabeusze... znaczy na mole potraktować. A przecież mauzoleum to zakład o ruchu ciągłym, zamknąć nie można, ciągle wycieczki, pielgrzymki, sprzedaż odpustów...

– Co pan mówi?

– Nie mówię, że można było uzyskać odpust zupełny, ale jak jakiemuś nieszczęśnikowi zagrożonemu karą główną udało się tam dotrzeć, z automatu dostawał dziesięć lat łagru.

– Zamiast rozwałki.

– Co pan? Oprócz! Musiał odsiedzieć przepisową dychę, a dopiero potem wędrował pod stienku.

– Ale co z tą konserwacją? Bo chyba o tym chciał pan opowiadać.

– Na czas renowacji angażowano sobowtóra. Lenina grał przeważnie taki jeden aktor co to wcześniej występował w filmach *Lenin w Poroninie*, *Lenin w październiku*...

– A koty w marcu.

– Tego odcinka akurat nie widział żem. A jak gwiazdor był niedysponowany, miał katar, lub świerzb i nie mógł się opanować przed drapaniem, w pysk, to zaczynał się problem... Pamiętam, jak akurat prezydent Carter był z wizytą w Moskwie i chciał koniecznie zobaczyć Lenina. Niestety, akurat było lato i mimo szklanego wieka wartownicy ze smrodu padali jak muchy i trzeba było ich co godzinę wymieniać. Co więc robić? Po naradzie Politbiura Breżniew zadzwonił do Gierka, a ten choć sam raczej do teatru nie chodził, przypomniał sobie, że jest w warszawskim Teatrze Anteneum aktor osobliwie do wodza rewolucji podobny....

– I zgodził się na taki angaż? – zapytałem, przypominając sobie charakterystyczną postać artysty Ignacego Machowskiego. – Pan może prowadził negocjacje?

– Postanowiono nie ryzykować negocjacji. Aktor mógł odmówić, albo zażądać gaży jak za dzień zdjęciowy w Hollywoodzie, toteż załatwiliśmy to po swojemu.

– To znaczy?

– Uśpiłem go jak wychodził z garderoby, za łeb do bagażnika, na lotnisko... Staruszek przekimał parę godzin w mauzoleum. Jimmy Carter zmówił nad nim paciorek i z powrotem. Nawet nie widział, że najlepszą swoją rolę zagrał przez sen.

– Sprawna akcja – powiedziałem.

– Tak myślałem, ale w Warszawie, zaraz za lotniskiem siadła mi guma, a że worek był trochę otwarty, patrzę, a tam... niech pan sobie wyobrazi? Baba.

– Krupska?

– Rysy bardziej mongolskie. Zresztą pijana w sztok.

– No to kto to był?

– Córka Breżniewa, którą tatuś kazał na odwyk wysłać. Gdzieś na Kremlu ją nadali, ale przesyłki się pomyliły.

– I co? – zapytałem.

Baton się zaczerwienił.

– I co, i co... Żenić się potem ze mną chciała. Ale jak pomyślałem, kogo będę miał za teścia, postanowiłem uciec. Niestety, niełatwo było uwolnić się od tej roli.

– Roli narzeczonego?

– Nie. W teatrze. No bo póki aktora nie wydobyliśmy z psychuszki w Gorkach pod Moskwą, to przez pół sezonu musiałem w Anteneum za niego we wszystkich sztukach grać, żeby się nie wydało.

– No to wspaniała aktorska przygoda!

– A idź pan – żachnął się. – Stołeczna scena, a jaki paskudny repertuar. *Na dnie, Biesy, Kremlowskie kuranty* i *Herbatka u Stalina*. Niestety, z mumią Stalina było zdecydowanie trudniej.

– Dlaczego?

– Generalissimus nie tolerował sobotworów. Bał się, żeby przypadkiem ktoś go nie podmienił. Oczywiście używanie takich dublerów było nieuniknione, ale obowiązywała zasada, że na czas służby golono zastępcy głowę i wąsy, nakładano perukę, aby w miarę potrzeby natychmiast zdemaskować. A po roku zmiennik jak za bardzo się przyzwyczaił do roli, no to szedł na wiekuistą emeryturę. Tak więc gdy generalissimus umarł, w całym ZSRR tylko mój tatuś dzięki swym umiejętnościom naśladowczym mógł go z biedą przypominać... Toteż raz w roku brał zwolnienie lekarskie i lek na zesztywnienie...

– A zatem pański ojciec odgrywał rolę mumii w mauzoleum?!! Niebywałe!

– Wielka mi rola dla zawodowego rewolucjonisty leżeć z wytrzeszczonymi oczami i ani drgnąć, mimo że ludzie, zresztą głównie z Polszy, potrafili miny robić, rozśmieszać... aż ręka swędziała. Ale od czego żelazne nerwy i stalowy charakter! Znosił wszystko. Aż tu pewnego dnia Chruszczow wydał rozkaz: „Wybrosić Stalina z mauzoleja". Akurat ja tam leżałem, w zastępstwie tatki, bo nie zdążył z Ameryki przylecieć.

– I co?

– Tragedia. Wzięli mnie za ręce, nogi, niosą, ja regulaminowo sztywny! Pop pokropił – ani drgnę. Delegacje okadziły – Baton jak beton. Ale jak zaczęli mnie zakopywać pod murem Kremla, nie zdzierżyłem i dałem chodu.

– I co? Strzelali?

– Do Stalina? Nie było takiej możliwości. Ludzie na mój widok padali na twarz, a milicjanci wykonywali każdy mój rozkaz. Jakbym chciał, mógłbym zająć Kreml i zlikwidować Komitet Centralny.

– Ale nie chciał pan?

– Rozważałem taki wariant. Ale akurat deszcz zaczął padać, makijaż mi zmyło, wąsy się odkleiły, garnitur jednorazowy rozpuścił... I tylko w prostym ludzie do dziś dnia krąży legenda, że Stalin waskries.

XVIII.
„Pamięć absolutna"

Gdzieś pod koniec wakacji straciłem resztki złudzeń, że mój pobyt u Batona może skończyć się w przewidywalnym terminie. Zaczęło docierać do mnie, że być może będę musiał na długo pożegnać się z wolnością. Kto wie, czy nie na zawsze? Oczywiście tej myśli za wszelką cenę usiłowałem do siebie nie dopuścić. Wprawdzie świat, w którym żyłem, z perspektywy Puszczy Białowieszczańskiej wydawał się jakąś odległą, coraz mniej realną krainą, z drugiej jednak strony wydawało mi się wręcz nieprawdopodobne, że kompletnie tam o mnie zapomniano. Wprawdzie tylko sporadycznie oglądałem telewizję, ale jakoś nie zauważyłem, żeby przez dwa miesiące ktoś podniósł alarm z powodu zaginięcia pisarza w kwiecie wieku. Wyglądało, że nikt mnie nie szuka, nikt mnie nie potrzebuje. Nawet Beata. W końcu wedle jej zapewnień, byłem całym jej światem. I zero reakcji?

W ostatnich latach miałem kilka romansów, ten jednak okazał się stosunkowo najtrwalszy. Beata, prowincjonalna dziennikarka z Wrocławia, była parę dekad ode mnie młodsza i miała mnóstwo kobiecego ciepła. Poznałem ją na jakiejś sesji w SDP-ie. Sesję kontynuowaliśmy potem w hotelu „Gromada" na Okęciu i wydaje mi się, że przyniosła ona wiele satysfakcji obu stronom. Był to klasyczny barter. Dojrzały publicysta i „trzydziestka" po pięciu latach toksycznego związku zakończonego rozwodem. Wielkie intelektualne powiernictwa dusz ze znaczącym udziałem hormonów!

Dość nieoczekiwanie sympatyczny epizod bez zobowiązań przemienił się w serial. Raz w miesiącu Beata brała delegację do Warszawy – powodem mogły być kurs, szkolenie, konferencja – i przez parę dni (zwykle zahaczając o weekend) oddawaliśmy się doskonaleniu zawodowemu. Teoretycznie oboje wolni ludzie, choć ja oficjalnie nie miałem rozwodu, a ona rok po, jednak uwikłana w seksualną zależność od swojego szefa, kieszonkowego dyktatorka, ot na miarę terenowej mutacji ogólnokrajowego dziennika. Jak utrzymywała, był to czysty mobbing, ograniczony wyłącznie do pettingu.

Ponieważ nie wierzyłem, wyznała mi, tonąc we łzach, że uległa naczelnemu tylko raz, no może dwa, podczas wyjazdu integracyjnego. Udawałem, że jej wierzę, podobnie jak symulowałem zazdrość. Nie miałem zamiaru wchodzić w żaden oficjalny związek. Zwłaszcza że gdyby zechciała przeprowadzić się do Warszawy, z pewnością wzięłaby ze sobą swego sparaliżowanego ojca, a na to nigdy bym się nie zgodził. W dodatku odpowiadał mi ten luźny układ i przywykłem do tych naszych randkowych miesięcznic, nieomal jak bywalcy Krakowskiego Przedmieścia. Z obecnej perspektywy myślę jednak, że popełniłem błąd.

Tak czy owak w głowie nie mieściło mi się, żeby Beata o mnie zapomniała. Szefostwo gazety, koledzy z klubu, sąsiedzi, była żona, z łatwością mogli mnie wymazać ze swojej bazy danych. Ale na Boga, nie ona! Zawsze troskliwa i czuła. W zimie przypominająca o szaliku, latem o płynach chłodzących (fanatyczka wody niegazowanej, uważała, że jest to panaceum na wszystko, od bólu głowy, po hemoroidy!). A jak przeżywała nasze turystyczne eskapady. Gdy pływałem, krążyła po plaży niczym kwoka, która wysiedziała kaczęta, a wspinaczkę wysokogórską wyperswadowała mi, grożąc samobójstwem. Jak ktoś taki pogodziłby się z moim zniknięciem? Wyobrażam sobie, jak porusza niebo i ziemię, sprawdza kostnice i szpitale, nachodzi policję i ABW. Wynajmuje prywatnego detektywa! A tu cisza.

Czułem w tym wszystkim rękę Batona, ale żeby zapytać, jak doprowadził do powszechnego zaniku pamięci na mój temat, nie miałem dość odwagi. Choć okazje ku temu się zdarzały.

Któregoś razu, kiedy oglądałem film zatytułowany *Pamięć absolutna*, kłusownik zajrzał do mej ziemianki, rzekomo tylko, żeby zapytać, jak sprawuje się moja pogryziona noga. (Dziękuję, źle!) I natychmiast zaczął się ze mnie naśmiewać!

– Pamięć absolutna to najgorsza cecha, jaka może się człowiekowi przydarzyć! Rozumiem słuch absolutny, władza absolutna, to wszystko jest do wytrzymania. Ale pamięć? Przecież gdyby człowiek pamiętał wszystko, co mu się kiedykolwiek przytrafiło, po prostu nie mógłby żyć.

– Niech pan nie przesadza, panie Bronisławie. Pan przecież pamięta wszystko, co przydarzyło się panu i pańskiemu ojcu!

– Bo jestem wyjątkiem, ale inni... Pan jest za młody, ale ja pamiętam, jak w ciągu jednego dnia naród zapominał jednego ukochanego przywódcę i zakochiwał się w drugim. W trybie ekspresowym zmieniano całą przeszłość, toteż kiedy okazywało się, że to Stalin zrobił rewolucję, a Trockiego nigdy przy jej narodzinach nie było, to wszyscy w to wierzyli bez potrzeby lobotomii. No, z małymi wyjątkami.

– Wierzyli tylko do czasu. Aż cały system pękł jak balonik...

– Pękł? Też niekiedy myślałem, że nikt nie wierzył w ten kit, który żeśmy narodowi wciskali, ale spójrz pan na sondaże. Jaruzelski ciągle bohater! Nawet za komuny było lepiej z oceną rzeczywistości: „Czy się stoi, czy się leży, wszystkiemu winni Żydzi!". O takiej pamięci absolutnej pan marzy, Jędrzejku?

– Wierzę, że od każdego człowieka zależy, co chce pamiętać albo nie. Chyba że cierpi na określony defekt.

– Określony, czyli jaki?

– Jak by to panu wytłumaczyć... – zastawiałem się dłuższą chwilę. – Widział pan film *Memento*?

– A momenty były?

– Nie momento, a memento – poprawiłem. – A jeśli były nawet jakieś sytuacje erotyczne, to bohater błyskawicznie o nich zapominał, więc tak jakby ich nie było.

– Co pan?! Ja pamiętam nawet, jak mając pięć lat, podglądałem, jak się nasza sublokatorka kąpie... Dwa razy do roku, kiedy wodę włączali.

– Ja z dzieciństwa pamiętam jedynie, jak mój pies chciał zgwałcić żółwia. Ale nie o nas tu chodzi. Film mówi o rzadkim przypadku schorzenia, polegającym na braku pamięci krótkoterminowej.

– Jak to się mniej więcej przejawia? Bo mnie się czasami zdarzało zapominać o krótkoterminowej pożyczce.

– Na ekranie wygląda to tak, jakby puścili taśmę od końca. Najpierw bohater zabija jakiegoś faceta, a potem widać, że delikwent jeszcze żyje. Albo gość budzi się w pościeli z niewiastą, a dopiero w kolejnej scenie widać, jak idzie z nią do wyra...

– A jakiegoś ripleya nie można z tego puszczać po Bożemu?

– Można by, gdyby bohater pamiętał o ripleyu, ale nie pamięta.

– Chora sprawa! Nigdy z czymś takim się nie spotkałem.

– No właśnie, bohater był chory. Rzeczy dawne pamiętał doskonale, natomiast to, co działo się przed chwilą, nic. Opowiem panu zabawną scenkę. Rozgrywa się to w knajpie, towarzystwo rozgrzane i wszyscy plują do kufla. Bohater też pluje. Potem barmanka, Nicole jej było, idzie rozcieńczyć plwocinę piwem. A jak przynosi, to bohater już niczego nie pamięta, tylko rzuca się chłeptać browar.

– Kurczę pieczone! – Baton wyraźnie był wstrząśnięty. – I da się z tym żyć?

– Bohater zdawał sobie sprawę, że jest z nim kiepsko, więc żeby jakoś egzystować, wszystko zapisywał na karteczkach, a ważniejsze fakty tatuował sobie na własnym ciele.

– No nie! To jest kompletna bzdura. Takiej pamięci krótkoterminowej w ogóle nie ma. I mówi to panu fachowiec. Praktyk. Wie pan, ilu moich „podopiecznych", których przesłuchiwał żem w dawnych latach, zasłaniało się lukami w pamięci? Ale wystarczały drobne elektrowstrząsy, tatuaż za pomocą gwoździ, albo czasem sama perswazja, żeby śpiewali nawet o rzeczach, których faktycznie nie mogli pamiętać.

– Bohater też nie miał o schorzeniu pojęcia. Do czasu, kiedy sam nie stał się takim przypadkiem. Jeszcze będąc zdrowy, pracował jako śledczy w ubezpieczeniach...

– Jest taki zawód? – Baton wyraźnie się zdziwił.

– W Ameryce wszystko jest. Odpowiedni urzędnik sprawdza, czy ktoś nie kantuje tamtejszego PZU.

– Ciekawy kraj. Bo u nas zamiast szukać nieuczciwych, to uczciwym winduje się stawki, wali domiar i po kłopocie.

– No i nasz śledczy trafił na faceta z krótkoterminową pamięcią. Nie uwierzył mu. Uznał go za symulanta. Gorzej, nie wierzyła mu własna żona.

– Żony nigdy nie wierzą. Nawet słodkie idiotki.

– Ta była wyjątkowo słodka. Chorowała na cukrzycę. I mąż robił jej o określonej porze zastrzyk. Któregoś razu, chcąc przekonać się, czy facet nie symuluje swych zaników pamięci, po iniekcji odczekała pięć minut i kazała mu robić jeszcze raz, potem jeszcze raz...

– A on?

– Nie pamiętał, że przed chwilą wstrzykiwał, więc robił kolejny zastrzyk, bo jako kochający mąż zawsze spełniał życzenia żony. No i kobieta zeszła z błogą świadomością, że miała prawdomównego męża.

– Wzruszające, w pysk! Ale powiedz mi, panie Jędrzejku, czy istnieje odwrotne schorzenie?

– Odwrotne? Co pan ma na myśli?

– Totalny zanik pamięci długoterminowej.

– Osobiście się nie zetknąłem. Zna pan może jakieś przypadki?

– Mnóstwo, zresztą wspominałem już o nich. Mówiąc obrazowo, przez ponad czterdzieści lat ktoś pluł ludziom do piwa. A oni o tym zapomnieli.

– To niemożliwe.

– Pluł do piwa, sikał do mleka, drenował kieszeń, traktował wszystkich jak półgłówków, a potem troszkę odczekał i obecnie jest kochany, szanowany, wybierany...

– Medycyna nie zna takich przypadków.

– Można zazdrościć takiej medycyny. A jak powiem panu, że na tę chorobę zapadła u nas prawie połowa społeczeństwa? A druga połowa zastanawia się, czy nie zapaść? I warto by o tym nakręcić nasze *Momento*, kurczę pieczone w pysk. Dosyć tego Wersalu w białych rękawiczkach. Dosyć rozkradania kraju przez dwadzieścia pięć lat!!!

Patrzyłem ze zdumieniem na zupełnie inną twarz pana Bronisława, w którym najwyraźniej obudził się duch populisty.

– Muszę to sobie wytatuować, dla pamięci! – wołał. – Gdzie moje igły?

– Nie uważa pan, że do takich rzeczy potrzeba specjalisty. Gdyby dał mi pan swój telefon, mógłbym zadzwonić...

– Zadzwonić? Nie ma takiej potrzeby. Zresztą zapomniałem już, co miałem sobie zapisać... Ale, à propos, pan wie, że kiedyś do podobnych celów służył na Kremlu specjalny funkcjonariusz Kola-Notatnik, na którym się

tatuowało najważniejsze momenty ruchu robotniczego. Zaczęło się podczas ewakuacji w tysiąc dziewięćset czterdziestym pierwszym roku, kiedy
nie można było wywieźć przed Niemcami wszystkich archiwów, toteż powstała specjalna grupa, która miała wywieźć najważniejsze dane wypisane
na własnych plecach.

– I ewakuowali ich?

– Nie było takiej potrzeby. Kiedy hitlerowcy zostali zatrzymani, Stalin
kazał rozstrzelać wszystkich tatuowanych za zdradę tajemnicy państwowej, zachowując przy życiu jedynie Kolę, na którym zanotowano cały Krótki Kurs WKP(b).

– To chyba było nieostrożne?

– Dlatego Kola był pilnowany lepiej niż fajka towarzysza Stalina.

– Ale przecież Krótki Kurs co jakiś czas się zmieniał?

– Toteż na każdym zakręcie historii obdzierało się Kolę ze skóry, a na następnym Koli z kolei tatuowało się prawidłową wersję. Stalina zastąpił Beria,
Berię – Malenkow, Malenkowa – Chruszczow i tak dalej aż do Andropowa...
Ale system złagodniał. Zamiast eliminować kolejne Kolo-Notatniki, zaczęto
wybierać ich do KC, potem nawet do Biura Politycznego. Ostatni z nich, Mi-
sza, jak się zorientował, że go w nocy tatuują, rysując na czaszce obraz ZSRR
po trzeciej wojnie światowej, tak się przestraszył, że wprowadził pieriestroj-
kę i głasnost i w rezultacie rozpirzył cały system. A ludzie i tak błyskawicznie o nim zapomnieli i – tu rozmarzył się na chwilę – tęsknią za Stalinem.

– W takim razie ja pochodzę chyba od innej małpy – powiedziałem.
– Zupełnie nie tęsknię za minionym systemem, ale może jestem nienor-
malny?

Stary ubek uśmiechnął się pobłażliwie:

– Powiadają, że od genialności krok tylko do wariactwa.

– Całkowita zgoda, panie Bronisławie. Mam nadzieję, że oglądał pan
Piękny umysł? – zobaczyłem, że skrzywił się, ale nie przerywał. – Niezły
film o genialnym amerykańskim matematyku.

– Matematyku? A jak nazwisko?

– Nash.

– Nie pytam o pochodzenie etniczne. Jak genialny amerykański naukowiec, to wiadomo, że musi być „nasz"!

– Nie, nie! – sprostowałem. – Nazwisko ma takie – John Nash. Gra go Russell Crowe, no ten Gladiator z Colosseum.

– Aha, znaczy się chrześcijanin. Coś jak ten nasz siłacz Kubacki. Widziałem pod Ursusem jego walkę byka z parowo... traktorem.

– Tyle że Crowe to aktor zawodowy – zagra wszystko, od muskularnego antycznego mięśniaka do, jak w przypadku tego filmu, rachitycznego, niezwykle wybitnego profesora, niestety chorego na schizofrenię. Ale podobno takie są koszty geniuszu...

– Nie przesadzaj pan, panie Jędrzejku. Znałem całkiem zwyczajnych profesorów nadzwyczajnych, których się do psychuszek ładowało. I to mimo że doskonale symulowali swoją normalność, w pysk.

– Nash niczego nie symulował, tylko uważał się za absolutnie normalnego.

– Każdy tak mówi, póki się mu elektrod gdzie trzeba nie podłączy, a potem już widzi rzeczy, o jakich mu się wcześniej nie śniło...

– Na tym właśnie polegała choroba Nasha. Widział rzeczy, których w ogóle nie było.

– Rozumiem, jak to jajogłowiec. Te wszystkie atomy, priony i skwarki?

– Gorzej! Na przykład przez całe lata studiów widział w akademiku w swoim pokoju kolegę, który z nim nigdy nie mieszkał. Co więcej, ten nieistniejący kolega, George, częstował go wódeczką z gwinta, wyciągał na dziewczyny, a nawet pomógł mu wyrzucić biurko przez okno.

– Biurko przez okno, ciekawe... Pracując w resorcie, zdarzało mi się przez okno ludzi, że się tak wyrażę, defenestrować... Ale żeby wyrzucać biurko z numerem inwentarzowym, nigdy!

– Potem Nash uroił sobie, że pracuje dla Pentagonu. Szukał więc w gazetach szyfrów, jakimi mogliby posługiwać się ze sobą agenci KGB, którzy rzekomo przemycili do USA walizkową bombę atomową. A po rozkodowaniu tych szyfrów woził je do skrzynki pocztowej przed opuszczonym budynkiem.

– Taki pałacyk w stylu klasycystycznym, kuta brama? – odezwał się znienacka Baton. Zdumiało mnie. Widział film i dopiero teraz o tym mówi? Pan Bronisław tymczasem kontynuował. – Miesiącami nic się nie działo, aż pewnego dnia nadjechało auto z radzieckimi agentami. I dobra Nasha.

Otworzyli ogień... I gdyby nie pojawił się amerykański ubek, który zaraz utopił ich w rzece, to porwaliby profesorka do Dubnej jak nic... Tak było?

– No tak, tylko skąd pan wie?

– A potem ten nasz Nash trafił do czubków, a jego żonie powiedzieli, że sobie wszystko ubzdurał. W pokoju mieszkał sam. Raportów ze skrzynki nikt nie wyjmował, żadnego ubeka nie było, ani adoptowanej małej dziewczynki, która nie rosła? – zaśmiał się na widok moich rozdziawionych ust.

– I pan uwierzył, że to były urojenia? Oj Jędrzejku, Jędrzejku!

– Przecież nawet Nash w to uwierzył – tłumaczyłem. – Uwierzył, ogromnym wysiłkiem woli przezwyciężył chorobę, stał się normalny.

– Normalny? Zawsze był normalny. Tylko myśmy mu tę chorobę wmówili. A cała reszta to było normalne zacieranie śladów, kolega z pokoju, nasz dobry towarzysz Gieorgij, oczywiście mieszkał z Nashem przez cały czas, ale nasz wywiad wyczyścił uczelniane archiwa. Równocześnie umiejętnie wystraszono rektorat, podobnie było z tajną sekcją Pentagonu...

– I nikt niczego nie zauważył?

– W postępowej Ameryce? Gdyby zaczęto coś podejrzewać, uznano by, że to jakaś zimnowojenna psychoza!

– Nie chce mi się wierzyć – powiedziałem bez większego przekonania, ale Baton nie ustępował.

– A powiedz pan, czy ten Nash nie pisał wszystkich swych wyliczeń na szybie w oknie. Nawet najtajniejsze wzory...

– Rzeczywiście. Zastanawiałem się po co.

– Po to, że nawet taki początkujący fotoamator jak ja z aparatem „smiena tri" mógł z drugiej strony ulicy sfotografować te wszystkie emcekwadraty? A za to, że Nash pogodził się z myślą, iż to wszystko były urojenia, w nagrodę Nobla dostał. Nieprawdaż? – Tu widząc moją głupią minę, zapytał *pro forma*. – Pokazują wręczenie na filmie?

– Pokazują. Całą uroczystość.

– A obecnych gości też?

– Oczywiście.

– No! A jest wśród nich konfident George, ubek i karlica udająca dziewczynkę?

– Tak, ale skąd pan o tym wie?

– A co się będę chwalić. Umiejąc dowolnie się kurczyć, zawsze świetnie grałem kurdupli płci obojga.

– No to właściwie powinni panu dać Oscara za najlepszą rolę drugoplanową. Tym sposobem film *Piękny umysł* zgarnąłby aż pięć statuetek.

– Ale na pewno nie za tytuł. Bo z tym to jest nadużycie.

– Nie rozumiem.

– Taki tytuł mógł wymyślić ktoś, kto nigdy naprawę pięknego umysłu nie widział!

– Nadal nie rozumiem.

– To może pan też ma coś z mózgiem. Ale dobra, opowiem po kolei. Jakiś czas temu dorabiałem do emerytury jako strażnik w Muzeum Umysłu w Moskwie. Dorabiałem sobie, dorabiałem, aż pewnego dnia starsi strażnicy się wygadali, że w słoju z mózgiem Lenina zamiast formaliny jest czysty spirytus. Jak pan myśli, co ja na to?

Nie powiedziałem ani słowa, tylko podetkałem mu bliżej dyktafon.

– No to pijemy, w pysk! Dno coraz niżej, słój coraz wyżej. Nastrój zrobił się podniosły naraz, przy kolejnym nalewaniu naczynie mi się wymsknęło z rąk, na ziemię plask i mózg Wołodii się cały rozchlapał po leninoleum.

– To tragedia.

– Ale optymistyczna. Bo na całe szczęście w słoju obok przechowywano mózg szympansa. No to rada w radę zamieniliśmy etykiety. I teraz co przyjedzie wycieczka postępowej ludzkości, i ogląda słój z czerwoną kartką, to taka mała jedna z drugą woła w zachwycie: „Oh, my God! Jaki piękny umysł".

XIX.
Pomysł na serial

Ostatnim miejscem, gdzie mogłem sobie pozwolić na marzenia o wolności, były sny. Chociaż i tu nie dysponowałem możliwością wyboru, ich repertuarem zajmowała się moja podświadomość. W miarę jak rojenia o Lolicie stawały się coraz rzadsze, śniło mi się moje warszawskie mieszkanie, gorączkowa poranna krzątanina: kibel – kuchnia – komputer, żeby zdążyć na redakcyjne kolegium, zakończona rozpaczliwym szukaniem butów, obdarzonych rzadką umiejętnością ukrywania się w najmniej przewidywalnych miejscach, i biegiem przez miasto. Sen urywał się, kiedy gdzieś w połowie drogi uświadamiałem sobie, że jestem bez spodni, albo co gorsza, że ze względu na czystki stanu wojennego nie mam gdzie biec. Do innych powtarzalnych motywów należała pogoń za Beatą po jakichś gigantycznych wydmach... Ciekawe, skąd brały się te wydmy? Nigdy razem nie byliśmy nad morzem, a wizyta w Łebie należała do najwcześniejszych wspomnień mego dzieciństwa. Zresztą za każdym razem, kiedy już dobiegałem do pani redaktor, odwracała się i widziałem twarz Lolity. Co gorsza zauważałem w jej ręku nóż... Były też sny jeszcze bardziej makabryczne, w których na różne sposoby zabijałem Batona. Rozwalałem mu głowę kamieniem, topiłem w bagnie, zadzierzgiwałem pętlę, a on zamiast się bronić, rechotał tylko... I zawsze nim moja zbrodnia się dokonała, pojawiał się Piorun. A właściwie stwór do niego podobny, wyglądający jak pitbull do kwadratu, który bezgłośnie rzucał się na mnie. Wtedy się budziłem! Zlany potem. Na łóżku, albo obok łóżka. A raz nawet na półce między płytami DVD.

Na jawie metodę ostateczną, czyli zabójstwo mego naczelnika więzienia, z góry odrzucałem. Nie byłbym zdolny tego uczynić. A przynajmniej tak wówczas sądziłem. Po starannym rozważeniu zrezygnowałem też z pomysłu poważnego samookaleczenia lub symulowania choroby. Znając sposoby kłusownika, najpierw wypróbowałby na mnie swoje metody medycyny naturalnej – pijawki, lewatywa – a w ostateczności wezwał do swej rezydencji resortowych specjalistów. Skądinąd w szpitalu w Chojnówce też pewnie miał swoich ludzi.

Ale tyle nadziei, ile życia. Bywały dni czarnej melancholii, to znów po burzy pojawiał się ożywczy zapał, że może by jednak coś zrobić. Pierwszym razem zlekceważyłem oczywistą okazję, kiedy po uderzeniu pioruna w trakcję elektryczną na parę godzin zbrakło światła, oślepły kamery, ogrodzenie przestało być pod napięciem, nawet elektroniczny zamek w mojej ziemiance przestał działać. Niestety, chytry Baton zdecydował się trzymać mnie krótko przy nodze i namówił na wspólny objazd terenu w poszukiwaniu wiatrołomów. Co ciekawe, szkody były niewielkie i dopiero za płotem zobaczyłem powalone drzewa, po przejściu jakiejś trąby powietrznej, która najwyraźniej uszanowała autonomię. A gdybym wówczas odmówił i poszedł spać? A potem dał nogę...

Postanowiłem tak zrobić przy następnej okazji. Niestety, sezon burz i awarii się skończył. Nadal jednak, z pomysłowością zawodowego w końcu pisarza, rozpatrywałem dziesiątki scenariuszy. Od wyrzucania za płot listu w butelce (choć wiadomo „butelka + las = pożar"), po zaprószenie ognia w najbardziej wysuszonej części lasu, co mogłoby skutkować wezwaniem straży pożarnej i stworzyć szansę ucieczki w powstałym bałaganie. Sęk w tym, że pan Bronisław głupi nie był. Zadbał, aby w moje ręce nie wpadły żadne zapałki czy zapalniczka... (Miał jedną osobistą, ale na łańcuszku jak zegarek.) Zaś rozpalanie ognia za pomocą drewienek, kamieni czy okularów w żaden sposób mi nie wychodziło. Pozostawało zatem czekanie na okazję i wzmacnianie mojej kondycji! Rezultaty były nienajgorsze. Pod koniec sierpnia byłem w stanie robić pompki na jednej ręce i przysiady na zdrowej nodze.

Oczywiście nie zaniedbywałem się w pracy. Chyba najprzykrzejszym jej „elementem stałym" było głośne odczytywanie fragmentów spisanych wspomnień. Baton przeważnie wysłuchiwał łaskawie tekstu, co najwyżej proponując dorzucenie kilku przymiotników pod swoim adresem w rodzaju śmigły, przewidujący, twórczy, genialny lub po prostu „jedyny w swoim rodzaju". Czasami nawet rzucił pod moim adresem jakąś pochwałę.

– Kurczę pieczone, Marciński, jesteś wart co najmniej tyle, ile papier, na którym piszesz, pod warunkiem, że wydrukowano by na nim franki szwajcarskie – powiedział któregoś ranka. – Wziąłeś pan może kredycik w tej walucie?

– Mam zasadę, że nigdy nie biorę kredytów – odparłem z godnością. – A zresztą, kto by mi ich udzielił? Inna sprawa, że w lokaty też nie wierzę. Gdybym miał jakieś zasoby, to wolałbym lokować je w czymś pewniejszym. Choćby w złocie.

– A czy złoto to teraz dobry materiał do lokowania? – skrzywił się pan Bronisław. – Najpewniejsze są platyna, Jędrzejku, diamenty, albo patriotycznie bursztyn.

– Bursztyn? – zdziwiłem się.

– Z tym bursztynem to miałem ciekawy przypadek! – ożywił się nagle, a ja czując, że się rozkręca, natychmiast włączyłem nagrywanie. – Kilkanaście lat temu przesłuchiwał żem dwa tygodnie jednego Niemca, udającego turystę złapanego pod Gdańskiem. Mieliśmy cynk od emerytów ze STASI, że ten wiekowy Szkop to były adiutant samego gauleitera Kocha, który jako jedyny mógł coś wiedzieć na temat miejsca, gdzie zakopano Bursztynową Komnatę.

– A nie prościej było wydobyć informacje od samego Kocha? – zapytałem. – Siedział w końcu pod waszą kontrolą w Barczewie?

– Niby siedział, ale gadać nie chciał... Nie opłacało mu się! Od dawna miał „czapę", ale odraczali mu wykonanie wyroku w nadziei, że sypnie, gdzie znajduje się ten bezcenny skarb z Carskiego Sioła. A on szedł w zaparte. Nawet kiedy namówiliśmy jednego opozycjonistę, który tam siedział, żeby się z nim zaprzyjaźnił.

– I co?

– Zaprzyjaźnić to się zaprzyjaźnili. Gauleiter popierał wizję zjednoczonej Europy, nawrócił się na filosemityzm, gotów był zapisać się do „Solidarności", ale finansowo walki z komuną wspierać nie chciał.

– A co to był za opozycjonista? – zainteresowałem się.

– Nasz człowiek. Ale co będę pamięć waszych świętych kalać, zwłaszcza gdy jeszcze nie kanonizowani!... Za to złapanie tego adiutanta (Klempke się nazywał) uznaliśmy za zrządzenie losu, tym bardziej że złapaliśmy go na gorącym uczynku. Miał bowiem przy sobie fałszywy holenderski paszport, łopatę i mapę. Ale nim ostatecznie go dopadliśmy, zdążył ją zjeść i co gorsza strawić.

– A zatem nie poradziliście sobie?

– Niestety – westchnął – po trzech dobach przesłuchań ostały mu się ledwo dwa paznokcie i może ze trzy zęby, a on dalej strugał wariata, powtarzał swoje „nicht fersztejen" i że jest „sentymental turyst", były junkier... Wreszcie po paru nocach w celi pełnej „git ludzi" wyglądało, że się łamie. Postanowił wskazać nam miejsce na gdańskiej starówce, gdzie zakopał dokumenty ze wskazówkami. Zaufaliśmy sukinkotowi, a on prysnął nam do pobliskiego kościoła i tam poprosił o azyl.

– I pan go nie potrafił stamtąd wyciągnąć?

– Akurat system się zmieniał, a ksiądz proboszcz miał wysoko postawionych przyjaciół. Pomyślałem, przeczekam. Klecha awansuje na biskupa, może do Watykanu pojedzie, i z następcą łatwo dojdę do porozumienia... Ale nie awansował, a co gorsza, jakiś czas potem dowiedziałem się, że ołtarz z bursztynu buduje. I zrozumiałem. Odkrył komnatę pierwszy. Z rozpaczy poszedłem się do niego wyspowiadać... Wciągnąłem go swymi seksualnymi sukcesami, ale gdy już miałem zamiar postawić mu ultimatum, że albo dzielimy się pół na pół, albo informuję OMON w Kaliningradzie, skąd ten bursztyn się wziął, zobaczyłem lampasy...

– Jak to? U księdza?

– Na spodniach pod sutanną miał lampasy. Aha – myślę sobie – wyższy stopniem ode mnie, nie mogę zadzierać. Na odchodne rąbnąłem mu tylko z zakrystii jedne małe bursztynowe drzwiczki na pamiątkę – wskazał na artefakt na ścianie. – I tyle mam z tej komnaty. Zapisał pan to wszystko?

– Ma się rozumieć.

– To i dobrze. Rzeczy o księżach świetnie idą! Gdyby jeszcze napisać, że mnie molestował.

– Molestował? Panie Bronku!

– Kiedy już chciałem odejść, dwuznacznie zastukał. Ale dajmy temu spokój. I tak wierzę, że z naszej wspólnej pracy wyrośnie ten... jak to mawiają Anglicy... „najlepsza brukiew", „wyjątkowy por"?

– Best-seler, panie Bronisławie, bestseller.

– Wiedziałem, że jakaś jarzyna!

Ośmielony pozytywną oceną uznałem, że najwyższa pora przystąpić do realizacji pomysłu, który wykoncypowałem nocami sam wśród płyt DVD. Popatrzyłem mu w oczy i nadałem memu głosowi głębsze brzmienie.

– Książka, panie Bronisławie, niewątpliwie odniesie sukces, ale od pewnego czasu zastanawiam się, czy w dobie, w której świat pisma zmienia się coraz bardziej w cywilizację obrazkową, nie powinno się już teraz pomyśleć o serialu z pańskimi przygodami... Narzeka pan ciągle, że inni bogacą się na nich. Może najwyższa pora zrobić coś samemu.

– Serial pan mówi? – oczy mu się zaśmiały.

– Tak, to dziś jedyny sposób, aby pańska historia trafiła pod strzechy...

– I pod eternit?

– Dachówkę też!

Zauważyłem przemianę w jego zachowaniu, pokraśniał cały na gębie i słuchał mnie pilnie, co zdarzało mu się dość rzadko. Ale jak wytrawny wędkarz nie uruchamiałem jeszcze kołowrotka, czekając, aż głębiej połknie haczyk.

– Czym byłaby historia Franka Dolasa, kapitana Klossa czy pułkownika Stirlitza, gdyby nie zaistnieli w mediach? – pytałem dalej.

– Niczym! – zgodził się nader gładko, wobec czego mogłem przystąpić do kolejnej fazy.

– Ma pan jakichś swoich ludzi w telewizji? – zapytałem.

Roześmiał się.

– Teraz tam są już wyłącznie moi ludzie... Jeden ruch moim paluszkiem i mamy ich wszystkich do usług.

– Nie będą wybrzydzać na ewentualne mielizny scenariusza?

– Niechby spróbowali, a prezes Braun skończy jak jego ciotka Eva Braun! W pysk!

– Zatem pozostaje tylko znaleźć producenta, reżysera, zrobić casting na aktorów i kręcić – kusiłem, patrząc jak Baton kołysze się w takt mych słów niczym spławik na fali. Rzecz jasna moje propozycje miały drugie dno, byłem przekonany, że jeśli już znajdę się wśród ludzi, nawet JEGO ludzi, moja sytuacja ulegnie radykalnej zmianie. I nie będzie powrotu do ziemianki.

– Serial… – mruczał tymczasem Baton – coś jak *Archiwum XYZ* albo *Stawka większa niż brawka*?

– Ja proponowałbym tytuł *Baton Zawodowiec*, albo wzorem filmów Hitchcocka *Beton-Baton przedstawia*. Każdy odcinek poświęcony byłby jednej akcji. Pan w czołówce osobiście by zapowiadał. Dookoła piękne kobiety, egzotyczne plenery… Pan jako główny konsultant, ja scenarzysta…

– Konsultant pan mówi? – podrapał się po głowie i lekko się zasępił. Być może sądził, że będzie grał samego siebie. – Mało się na tym znam. Ostatni serial, który oglądałem, to była ta… no… *Niewolnica i żarła*.

– Niemożliwe, żeby nie oglądał pan *Klanu*, *Kiepskich*, *Rancza*?

– Nie. W odpowiednim czasie nie przywykł żem i się nie wciągnąłem. Teraz to już za późno. Wszystkiemu winna ta cholerna zawodowa specyfika.

– Nie bardzo rozumiem.

– No, przecież zasadą serialu jest, że kolejne odcinki idą w konkretny dzień tygodnia. Jak *Kobra* to czwartek. A ja tymczasem przebywałem w stałym ruchu – we wtorek w Berlinie, w środę w Paryżu, a w piątek w centrali w Moskwie. Nienormowany czas pracy! Więc jak i gdzie się miałem uzależnić?

– Wydaje mi się, że popełnia pan błąd w założeniu, współczesne seriale są tak tworzone, że który odcinek obejrzysz i w jakiej kolejności, to i tak zawsze zobaczysz to samo. Natomiast to, co ja panu bym proponował, nawiązuje do starych, dobrych wzorów, kiedy każdy odcinek był zamkniętą całostką… Zresztą jeśli nie chce pan pełnej fabularyzacji, moglibyśmy zrobić paradokument.

– To znaczy?

– Wywiad-rzekę. Opowiadałby pan swoje historie jak Wołoszański, albo Cejrowski…

– Wolę Wołoszczańskiego, bo to nasz człowiek.

– …a my byśmy ją zilustrowali scenkami granymi przez aktorów. Plenery zależne od potrzeb akcji – Acapulco, Dallas, Kamczatka.

– Ciekawe. Mówicie paradokument? Dokument rozumiem. A gdzie ta para?

Tum go miał.

– Gwoli uatrakcyjnienia dodałoby się panu asystentkę do podawania rekwizytów i dokumentów. Rola niema, ale sądzę, że panna Lolita byłaby w niej doskonała.

– I myśli pan, że ludzie chcieliby to oglądać?

– Naturalnie, zwłaszcza gdyby pańskie wspominania nasycić w odpowiednim stopniu wątkami erotycznymi. Tymi Malajkami, Kubankami, Mulatkami...

Posiniał na twarzy i jak nie wrzaśnie:

– A co to ja bocian jestem, żeby kłapać na obkoło o takich rzeczach, kurczę pieczone... w dziób!

– Wszelako masowy widz to lubi. Zwłaszcza kiedy wspominałby taki ktoś jak pan. Zamiast „historii różowego pantofelka", „tajemnice barchanowych gaci"...

Nie dał mi dokończyć.

– Ja rozumiem jawność i ja nawet mogę opowiedzieć przez telewizję, jak zrywał żem komuś klapki z oczu, albo jak parcelowałem obszarnika za pomocą piły tarczowej, ale ja to przecież robiłem służbowo, dla sprawy. Ale opowiadać, co się robiło dla przyjemności, jak jacyś zboczeńcy w tych talk-szajsach? Wstyd i za przeproszeniem srom...

– Ma pan rację – zgodziłem się pośpiesznie. – Kultura magla! Czyli co, jednak decydujemy się na serial dokumentalny?

– Na nic się nie decydujemy – uciął i już myślałem, że wszytko na nic, ale po chwili zastanowił się. – Ewentualnie możemy na spokojnie rozważyć sprawę. Ale pod moim tytułem.

– Mianowicie?

– *Ściągany*.

– Chyba *Ścigany*?

– Wiem, co mówię. *Ściągany*, bo prawie wszystko, co dotąd nakręcono na ten temat, zostało ściągnięte z moich przygód. Za darmo.

– Tylko że tytuł za bardzo nawiązuje do *Ściganego*, a nie sądzę, żeby w tym filmie cokolwiek zostało ściągnięte z pańskich przeżyć.

– To się panu tylko wydaje. O czym był ten wspomniany przez pana film?

– O tym jak bohater, zbiegły z konwoju skazaniec, poszukuje jednorękiego bandyty! Bo jest on jedyną szansą udowodnienia własnej niewinności.

– A nie mówiłem! – Baton walnął pięścią w stół, aż podskoczyłem.

– Mój pomysł. Nie mogę panu ujawnić mojej roli w niedawnej aferze hazardowej, ale tam chodziło o całe stado jednorękich bandytów.

Przemknęły mi przed oczyma sceny tajnych spotkań na cmentarzu, potem zadyma w rządzie...

– W takim razie nie zaczynałbym od tego wątku – powiedziałem – bo wątpię w dotację PISF-u na obraz demaskujący aktualną władzę. Choć sama formuła pościgu nie jest najgorsza. A niedawno był nawet kinowy rimejk tego serialu.

– Nie widziałem. I jak to szło?

– Bohaterem filmu jest niesłusznie oskarżony lekarz.

– Doktor G.? Z mojego resortowego szpitala?! – rozpromienił się. – Znam cwaniaka jak zły grosz! Mówiliśmy o nim „Pewexik", bo zawsze można było pożyczyć od niego dowolną ilość trunków.

– Nie, nie. Żaden doktor G.! To jest akurat doktor K. K jak Kimble. Gra go Harrison Ford.

– Jesteś pan pewien, że Kimble? – kłusownik wyciągnął notes i kartkował go dłuższą chwilę. – Co ja tu mam: doktor Mengele, doktor Crippen, doktor Goebbels, doktor Kulczyk, a nawet kilku spin doktorów. Kibla nie ma!

– Bo mówię panu, że to kinowa fikcja. Choć fabuła jest analogiczna jak w starym serialu. Niewinny lekarz wrobiony w morderstwo ukochanej żony.

– To rzeczywiście różnica z rzeczywistością, podobno doktor G. swoją małżonkę jedynie prał, a uśmiercał co najwyżej pacjentów... Ale żeby od razu uznawać, że niewinny? Nieraz już panu mówiłem, panie Marciński, tak zupełnie niewinnych nie ma, są najwyżej źle przesłuchiwani.

– Ale to się w Ameryce dzieje?

– Nie szkodzi. Ten Kibel przyznał się?

– Nie! Tylko niestety wszystkie zgromadzone dowody świadczyły przeciwko niemu. Nie było żadnych świadków, jego odciski palców znajdowały się na miejscu zbrodni, no i dziedziczył po zamordowanej żonie cały majątek.

– Niedobrze!

– Bardzo niedobrze! Na dodatek po przesłuchaniu sekretarki okazało się, że żona na pytanie policji o mordercę wymówiła imię męża.

– To jednak była tam sekretarka! Ładna chociaż?

– Automatyczna! Tymczasem naprawdę wszystko wyglądało inaczej. Kimble wraca po ostrym dyżurze do domu, a tam jednoręki bandyta z jego żoną...

– Cóż, do pewnych rzeczy nie potrzeba dwóch rąk.

– Tyle że ten jednoręki właśnie kończył ją mordować...

– Prawdziwego mężczyznę zawsze najłatwiej poznać, jak kończy, wierz pan staremu wyborcy lewicy.

– Ale Kimblowi nie uwierzyli i skazali go na karę śmierci.

– Przecież nie ma już kary śmierci.

– W Ameryce ciągle jest. Chociaż w niektórych stanach wykonują, w innych nie...

– Wiem, dziki kraj! Tylko czy morderca nie może wybrać sobie odpowiedniego stanu? Jak likwidowaliśmy kogoś w Texasie, to ciało na wszelki wypadek przerzucaliśmy do Nebraski, gdzie co najwyżej można dostać dożywocie.

– Czasami człowiek jest w takim stanie, że nie ma możliwości wyboru. Zresztą nawet jeśli udałoby się coś zdziałać z apelacjami, odwołaniami, to by się ciągnęło latami, a Kimble nie chciał czekać w celi śmierci, kiedy morderca jego żony biegał po wolności. Więc gdy przewozili go więźniarką pełną skazańców przeznaczonych na egzekucję, wykorzystał okoliczności i uciekł.

– Brawo!

– I od tego momentu zaczął się wielki pościg. Prowadził go szeryf federalny, bezlitosny stróż prawa.

– Taki mniej więcej Mariusz Kamiński?

– Z grubsza. W każdym razie typowe kino akcji – pościgi, ucieczki... A Kimble cały czas szuka jednorękiego bandyty.

– Dobra! – pan Bronisław przestał mnie słuchać i kiedy próbowałem opowiadać dalej, tylko machnął ręką. – Przemyślimy to. Tyle że jeśli mamy robić rimejki, to z naszych krajowych seriali *Kapitan Sowa na trupie*, albo *Czterej pancerni i kot*...

– Chyba pies?! – próbowałem interweniować.

– Zgodnie z nowymi obowiązującymi zalecaniami byłaby to załoga od generała Maczka – Amerykanin, Polak, Cygan i Żyd, którzy podczas lądowania w Normandii znajdują bezdomnego kota...

– I co dalej?

– Co dalej, pan jako literat wymyśli. Tyle że czołg nie powinien nazywać się Rudy, bo rudzi są fałszywi... Tylko Biało-czerwony, Błękitny, a najlepiej Tęczowy, bo chłopaków są dwie pary. No to pisz pan, a ja – tu wygrzebał z kieszeni paczkę papierosów – idę się utlenić.

Nie było go dobrą godzinę. Przez ten czas serce waliło mi jak młotem. Może mniej z powodu natłoku pomysłów, te jakoś nie pchały mi się do głowy, ile z przypływu nadziei. Wiedziałem, że jeśli raz rozluźnię więzy, jeśli otworzę klosz, w którym się znalazłem, Baton nie będzie mógł mnie skutecznie kontrolować. Muszę jedynie udawać, że nic bardziej nie zaprząta mej wyobraźni, jak tworzenie filmów o nim.

– No i coś pan wykombinował? – rzucił od progu.

– Po głębokim namyśle doszedłem do wniosku, że powinniśmy zacząć z pewną ostrożnością.

– To znaczy?

– Od sequela.

Stanął jak wryty.

– O co to to nie, Marciński, na żadne świństwa mnie pan nie namówisz!

– Ależ sequel, panie Bronisławie, to tyle co kontynuacja, dalszy ciąg dawnego sprawdzonego pomysłu. Kiedy w branży filmowej coś odnosi sukces, to ciągnie się rzecz dalej, a nie ryzykuje z nieznanym.

– Ciekawe – kłusownik uspokoił się z lekka. – A co by pan proponował?

– Jest parę sprawdzonych filmów, które można kontynuować. Na przykład były dwa *Vabanki*, czemu nie miałby powstać trzeci?

– A wolno to tak?

– Wie pan, akurat ich twórca szczególnie się tym nie przejmował, to pożyczył sobie garść pomysłów z amerykańskiego *Żądła*, to z Wolskiego *Matriarchatu*...

– A to w porządku. Już Lenin mawiał „grab zagrabione". Tylko o czym były te vabanki?

– Generalnie o uczciwym kasiarzu i nieuczciwym dyrektorze banku.

– A są jacyś uczciwi bankierzy? Sami krwiopijcy. Pijawki! Brał pan może kiedyś kredyt we frankach szwajcarskich?

– Ja nie, a pan?

– Też nie! Ale ponarzekać można.

– Zaczyna się, że dyrektor banku, niejaki Kramer, kolejny raz nie dostaje zwolnienia warunkowego.

– A on co przeskrobał? Z Amber Goldem kręcił?

– Gorzej! Okradł własny bank. Słynna bezprecedensowa sprawa „Kramer kontra Kramer".

– Jak najbardziej precedensowa – poprawił mnie. – Teraz co drugi dyrektor okrada własny bank. I to jeszcze należący do zagranicznego właściciela.

– Ale to przed wojną było. Wtedy zdarzali się nawet uczciwi złodzieje...

– Dobra! – Baton jakoś nie chciał słuchać mojej opowieści, w której pragnąłem wyłożyć wszelkie zawiłości fabuły. – I dalej miałoby się to dziać przed wojną...?

– Niekoniecznie, brakuje nam dobrych komedii wojennych, więc ciąg dalszy mógłby się toczyć podczas okupacji.

– Świetny pomysł na komedię. Pański Kramer z pewnością załapałby się jako folksdojcz, kasiarz jako szmalcownik, a ja dziecko ulicy... Jednym słowem – źli Polacy, dobrzy Niemcy, a biedni Żydzi. Pomysł na Oscara! Ale beze mnie, patrioty!

– Sądzę, że z powodzeniem można by przenieść akcję na po wojnie – błyskawicznie zmieniłem swoją koncepcję.

– Trochę lepiej, tyle że krótkometrażówka nam wyjdzie. Już w pierwszej scenie bankier dostałby czapę za handel walutą, a kasiarz podjął pracę w departamencie techniki Urzędu Bezpieczeństwa. W pysk.

Zrozumiałem, że i ten pomysł mamy z głowy. Toteż chwyciłem się innego.

– A zna pan *Karierę Nikodema Dyzmy*? – rzuciłem.

– Dyzmy, Dyzmy? – chwilę skrobał się po głowie. – Znałem Dyzmę Gałaja. Ale ten był marszałkiem z ramienia ZSL, więc co to za kariera?

– W tej opowieści Nikodem Dyzma był kandydatem na premiera.

– Tylko kandydatem? A co, ruskie się nie zgodzili na jego nominację?

– Nie, sam nie chciał. Zresztą to się przed wojną dzieje i Ruscy nie mieli u nas nic do gadania.

– W takim razie dlaczego nie chciał?

– Bo czuł, że przekracza granice swej niekompetencji. Języków nie znał. Haki w życiorysie miał. W Oxfordzie nie studiował.

– Gdyby dzisiaj ludzie mieli takie skrupuły, to pewna lekarka ze Świętokrzyskiego nie zostałaby nawet szefową ZOZ-u...

– I właśnie przypadkiem zbliżył się pan do mego pomysłu. Mój Dyzma Numer Cztery.

– Dlaczego Cztery?

– No bo dotąd były trzy wersje. Stary film z Dymszą, serial z Romanem Wilhelmim, no i film o Nikosiu z Pazurą.

– O Nikosiu? Tym słynnym gangsterze z Trójmiasta, którego musiano stuknąć, bo za bardzo się z artystami bratał i sam w filmach grywał?

– Nie, bohater filmu akurat jest grabarzem. Ale z klasą. Na przykład potrafił nad mogiłą przemawiać z Nietzschego.

– Z głowy?

– Cytując z Nietzschego, tego filozofa, że „Bóg umarł" albo coś w tym stylu. Tylko raz przy eksportacji bodajże ministra sam nie zmieścił się w karawanie. Nieboszczyk był wyjątkowo wielki człowiek.

– Znam takich – plecy w Moskwie, a nogi w Brukseli.

– No i kiedy Nikoś ostatni wychodził z willi, listonosz mu wręczył zaproszenie na raut. Co miał robić – poszedł! I tam potrącił go wicepremier od spraw prywatyzacji. Gruby lew salonowy. Grał go sam Lew Rywin. Żeby pan widział, jak go Nikoś obsobaczył, wołając: „Wpuścić chamstwo na salony!". Zaraz obskoczyli go inni ministrowie, przeciwnicy wicepremiera, i dawaj mu wizytówki wciskać, pięćdziesiątkami przepijać, że sałatki nawet nie dokończył.

– Moja szkoła, nie cykorzyć, tylko z góry na każdego, to pomyślą, że jesteś Bóg wie kim.

– Tymczasem podchodzi do niego producent zagęszczaczy do legumin, grał go Ferdynand Kiepski, i pyta: „Czy my się przypadkiem nie znamy z Trzynastego Posterunku?" – urwałem, bo zauważyłem, że Baton odpływa gdzieś myślami.

– Słucha mnie pan? – zapytałem.

– Już nie. Myślem.

– O czym?

– Jakby miał wyglądać ten czwarty sekstet.

– Sequel! Słucham pana?

– Można by ewentualnie zostawić głównego bohatera. Czarek ma Pazura do tej roli... Ale gdyby jeszcze przebrać go za babę.

– Jest taka tradycja, *Poszukiwany, poszukiwana*.

– No i zawód trzeba mu zmienić, przenieść z cmentarza powiedzmy do szpitala.

– A to czemu?

– Nie może dalej pracować jako kopacz, bo ludzie powiedzą, że robimy sobie jaja z nazwisk. A w ogóle, czy to musi dziać się w naszym kraju? Nie lepiej umiejscowić wszystko w jakimś raju podatkowym.

– Na przykład w Lichtensteinie? – zaproponowałem.

– Jeszcze lepiej na Karanibach. Sam pan opowiadał, że było już co najmniej pięć filmów z serii *Piraci z Karanibów*. Szósty też może być!

– No tak, ale myślałem o możliwościach powiązania tego z pana biografią.

– A myśli pan, ze *Piraci* się z nią nie wiążą?! Nie mówiłem panu, jak ścigał żem ich na rogu Afryki?

– Nie! W ogóle nie miałem pojęcia, że pan walczył z piratami.

– A kto panu powiedział żem walczył? Ciemny pan jak tabaka w tym rogu. Miałem pomysł, jak ich wykorzystać. Skaperować... Dla sprawy pabiedy socjalizmu czy już może putinizma?

– Nie rozumiem.

– Po prostu sprawić, żeby Somalisy napadali wyłącznie na te statki, które im wskażemy.

– Czyli jakie?

Westchnął tylko nad moją naiwnością i kontynuował:

– Frachtowce z ładunkiem nowoczesnej technologii. Wycieczkowce z wrogami proletariatu na pokładzie. Jachty, na których pływali wybitni naukowcy od najwyższej technologii.

– Jednym słowem postanowił pan z tych piratów uczynić kaprów?

– Przecież mówię, że chciałem ich skaperować. Niestety durne Somalisy dorwały raz ładunek z bronią biologiczną z Korei dla Iraku i mimo ostrzegawczych znaków pootwierali pojemniki. Czaszkę i skrzyżowane piszczele zrozumieli opacznie, że to oznacza souvenir dla nich. Po kilku dniach dopływamy do ich łajby, a tam same trupy... Szkielet kapitana przy sterze, dziurawe majtki na maszcie...

– No to rzeczywiście da się zauważyć podobieństwo z istniejącymi filmami, bo w amerykańskim filmie statek piracki o nazwie „Czarna Perła", w nocy, przy blasku księżyca, też zmieniał się w okręt widmo. Pełen żywych trupów.

– Bzdura! Trupy przeważnie są nieżywe.

– Te akurat należały do wyjątków. Okręt niby widmo, żagle w strzępach, burty zmurszałe, a zasuwa jak mały samochodzik.

– Normalka! Myśmy na Morzu Popołudniowym też mieli taki okręt udający dryfujący wrak – kikuty masztów, przechył na bakburtę... Ale jak tylko pojawiali się piraci, włączały się potężne silniki, kurczę pieczone, i nasza przystępowała do akcji, w pysk. Inna sprawa, że nigdy w życiu nie nazwałbym łajby „Czarna Perła". Bo jest to nazwa zastrzeżona dla pewnej podróby proszku do piecz... do prania!

– „W Perle prać"?

– No! Czy pan wie, co mi się przydarzyło z tym proszkiem? Pewnego razu uprałżem w tej czarnej perle całą moją bieliznę, wyciągam i rzeczywiście wszystko czarne – kalesony, podkoszulki...

– Zafarbowało? No to faktycznie tragedia!

– Przeciwnie. Dzięki temu do końca życia nie muszę już prać bielizny. W rewanżu wymyśliłem nawet slogan reklamowy dla tej czarnej perły. „W perle piraci piorą swe gaci". *Piraci 8 i pół*. Zrób pan z tego scenariusz, a zarobimy podwójnie!

XX.
Niezniszczalni

Od tego dnia, jak za dotknięciem magicznego paralizatora, moje sny uległy radykalnej odmianie. Oto w miejsce gonitw po wydmach czy błądzenia po bezdrożach pojawiły się w nich znajome korytarze na Woronicza (sprzed rozbiórki), czy zakamarki gmaszyska przy placu Powstańców Warszawy. Był to mój teren, znałem tam wszystkie przejścia, wyjścia, więc bez większego trudu zrywałem się z narady, trafiałem na próby czy casting.

Niestety. Sny nadal nie kończyły się happy endami. Przeciwnie, zawsze w którymś momencie mej ucieczki natrafiałem na napis: „Przejścia nie ma", lub na zamknięte na głucho wyjście ewakuacyjne. Raz nawet dotarłem do parkingu, ale czekało tam na mnie dwóch smutnych panów. „Obywatel pozwoli z nami!".

W dodatku w realu przez klika dni Baton nie wyrażał ochoty powrotu do tematu scenariuszy. Przeciwnie, kiedy usiłowałem nieśmiało coś napomknąć na ten temat, warczał gniewnie: „Nie przyspieszać mnie, kiedy myślę!".

Czy rzeczywiście o tym myślał? Czy też jakiś siódmy zmysł ubecki pozwolił mu przewiedzieć moje kalkulacje? W każdym razie postanowiłem nie naciskać, podporządkowując się jego woli, i zaczekać na dobry humor kłusownika.

Jednym z codziennych rytuałów pana Bronisława był poranny dogging, czyli jogging z psem. Jeśli nie kłamał, to wedle jego słów dzień w dzień o wschodzie słońca przemierzał dwadzieścia pięć kilometrów z szybkością sześćdziesięciu minut na godzinę. Jak na osiemdziesięciolatka był to znakomity wynik. Co ciekawe, kiedy po skończonej rundzie otwierał drzwi mojej ziemianki, wydawał się wypoczęty jakby dopiero wstał z łóżka. Piorun przeciwnie – zziajany, zabłocony jak nieboskie stworzenie.

– Bo ja biegnę ścieżką, a on na skróty – wytłumaczył mi kłusownik.

– Zapasiona sierota, zupełnie kondycji nie ma. Co mnie podkusiło, żeby się przerzucać z owczarków alzackich na pitbulle? Major Smith zawsze mawiał: „Nie zmienia się psów w czasie przeprawy przez rzekę".

– No więc co pana podkusiło?

– Chytrość. Jakiś czas temu wprowadzili właśnie nowy podatek od psów. A ja sobie pomyślałem, że jak piesek nazywa się pitbull to przy wypełnianiu PIT-u bez bólu wytarguję dla niego ulgę.

– I wytargował pan?

– A jak pan myśli?! Kiedy urzędnik go zobaczył, przyznał mi wszystkie możliwe zwolnienia, tak że teraz mam praktycznie drugą emeryturę od izby skarbowej. Ale owczarków mi żal.

To mówiąc, zaprowadził mnie w nieznany dotąd zakątek posiadłości, gdzie leżały okazałe kamienie z małymi czerwonymi gwiazdkami.

– To mój „smentarz dla zwierzaków" – powiedział nabożnym półgłosem. – To protoplasta wszystkich Piorunów – Grzmot – pochylił się nad omszałym głazem. – Za sanacji służył w granatowej policji, ale podpisał volkslistę i jako volksterrier skończył na Pawiaku, kiedy się wieżyczka na niego zawaliła. A to jego syn Piorun Pierwszy. We właściwym momencie przeszedł na stronę powstańców. Cwana psina! Zawsze czuł, z której strony wiatr wieje. Po kapitulacji przekradł się do Lublina i tam NKWD już go tak ułożyło, że został internacjonalistą i filosemitą. A tu jego partnerka życiowa, suka Marusia, którą odbił niejakiemu Szarikowi od berlingowców... Obie sztuki należały zresztą do podkomendnego Światły towarzysza Szczuki (Świeć, Panie, nad jego duszą.), którego zastrzelił na drodze, jak psa, niejaki Maciej Chełmicki). Miały one szczeniaka Pioruna numer dwa. Ten kundel był pierwszym psem, którego, tymi rękami, układałem do walki z kontrrewolucją. I tak mi zostało!

– Tresura psów – piękny sport.

– Sport? – zjeżył się cały. – Fizkultura i sport to nie mój departament. Ja się zajmował żem głównie opozycją i Kościołem. Chyba że ma pan na myśli zawody rozgrywane przez kleryków? Wyścigi w workach na głowie... A jeśli idzie o sport, to pamiętam, co w Jałcie Winston Churchill powiedział memu tatce, przebranemu akurat za lekarza. „Chcesz pan długo żyć. To żyj jak ja – wino, whisky, dziwki i żadnych sportów".

– Czy ojciec nosił wtedy jakieś nazwisko? – zapytałem, przypominając sobie o roli dziejopisa.

– Jeśli nawet miał, to nie podał. W każdym razie Stalin, który przedstawiając Rooseveltowi Berię, powiedział: „To mój Himmler", a o tatusiu wspomniał: „A to mój Otto Skorzeny".

Na to dictum przeszedł mnie nagły chłód, więc zapytałem dla rozgrzewki:

– Naprawdę nie uprawiał pan żadnej dyscypliny sportowej?

– Łowiectwo!

– Myślę o dyscyplinach olimpijskich.

– Każdy dobry agent zna się na wszystkich dziedzinach, a już szczególnie na takich jak bieg na dochodzenie, szermierka słowna, strzelanie do wyrzutków, zapasy na zimę... A dla relaksu? To chyba jedynie brydż sportowy i szachy.

– I nie ma pan żadnych wspomnień na ten temat? – drążyłem dalej.

– Po tym jak Spasski przegrał z Fischerem, nie wziąłbym więcej konia do ręki! Czy pan wie, że byłem wtedy osobiście odpowiedzialny za grupę kibiców hipnotyzerów mających wywołać u Bobby'ego rozstrój nerwowy?

– I co, nie udało się?

– Udało się. Niestety, efekty pojawiły się dopiero po meczu. Championowi odbiła szajba, ale co z tego, gdy mnie karnie wysłali na pół roku na Nową Ziemię trenować bojery na lodzie. Jedyna pociecha, że hipnotyzerzy niedojdy mieli gorzej.

– Mianowicie?

– Poszli trenować w tym samym miejscu, ale pod lodem. Nie ma lekko.

– A lekka atletyka? – kontynuowałem. – Nigdy pan jej nie uprawiał?

– Co nie uprawiał? Jako zasłużony działacz sportowy opiekowałem się naszą ekipą olimpijską w Moskwie. Tam dostałem swoją wielką szansę. Jak pan wie, odbywało się to na krótko przed wydarzeniami sierpniowymi i upadkiem Gierka. Część światło myślących towarzyszy zastanawiała się, jak poinformować pierwszego sekretarza o rzeczywistej sytuacji w kraju.

– To on nie wiedział?

– A skąd niby miał wiedzieć? Media były cenzurowane, raporty fałszowane, nawet nasłuchy Wolnej Europy preparowane pod kątem, że jest dobrze, a będzie jeszcze lepiej. Jak miałem dotrzeć i ostrzec pierwszego sekretarza? Postanowiłem przekazać informację tak, żeby nie można jej było ocenzurować. Na oczach miliarda świadków. Podczas bezpośredniej transmisji.

– Nie wiem, do czego pan zmierza?

– A konkurs skoków o tyczce pan widział, kurczę pieczone?

– Nie powie pan, że słynny gest Kozakiewicza...?

– A co?! Tydzień uczyliśmy go tego gestu. A jemu furt wychodziła albo figa albo króliczek zwycięstwa.

– Ale gdzie tu ostrzeżenie?

– Przesłanie miało być dla wujka Edka jasne. Poprzeczka za wysoko podniesiona, naród pokazuje, tu się zgina... a Moskwa nie wierzy łzom. Tylko Kozakiewicz wszystko popsuł.

– Nie rozumiem? Przecież pokazał?

– Ale przeskoczył, kurczę pieczone! A miał strącić tę poprzeczkę. W pysk. Tym sposobem przekaz stracił swój sens, Gierek władzę, a Kozakiewicz musiał uciekać na emigrację.

– I tak nie udało się panu zmienić historii?

– Nie pierwszy raz, nie ostatni. Pamiętam w latach czterdziestych, na obozie sportowym Komsomołu w Azji Centralnej prowadziłem musztrę. Sześciuset młodych komsomolców ogolonych na zero. Aż tu nagle z krzaków wypadł jakiś derwisz, goły jak święty turecki, i runął na twarz przed moimi dzieciakami. Pokłony im bije.

– Ciekawe.

– Mnie to też zaciekawiło. A wiesz pan, jak trudno zmiękczyć takiego fakira, co na gwoździach śpi, po rozżarzonych węglach chodzi, można go podtapiać, zakopywać w ziemi i nic! Ale miał słabą stronę. Nie lubił bicia po pysku i już w piątej godzinie przesłuchania derwisz, zanim ostatecznie wyciągnął kopyta, wyśpiewał, że malczik, trzeci z lewej, „odmieni oblicze świata"...

– Co znaczy odmieni? – dociskałem. – Papieżem miał zostać?

– „Zniszczy komunizm". To mówiąc, wyzionął ducha.

– I co pan zrobił?

– Mogłem zastrzelić wskazanego, ale żal mi się zrobiło szczeniaka. Tym bardziej że właśnie zapadł na zapalenie opon i bez ducha leżał. Poza tym jakże to w gusła wierzyć? Na wszelki wypadek postanowiłem go naznaczyć i jakby naprawdę kombinował, wyeliminować. Mój ordynans Kitajec miał mu wytatuować na głowie mapę świata z obszarem zdobytym przez komunizm na czerwono... Ale nim dokończył, chłopak wyzdrowiał, włosy mu odrosły, nazwisko zmienił i szukaj wiatru w polu... I dopiero trzydzieści lat później na pogrzebie Breżniewa wiatr strącił czapkę z głowy jednego z prominentów. Ja się patrzę na łysinę – moja mapa!

– Nie powie pan, że to był sam Michaił?

– Ja nic nie mówię. W pysk! Ale następnego dnia, na wszelki wypadek, gdyby proroctwo derwisza miało się sprawdzić, nawiązałem kontakt z moskiewską placówką CIA i rozpocząłem grę w zupełnie innej drużynie.

Zanotowałem, żeby przy okazji podrążyć jeszcze ten temat (który przecież wcześniej poznałem z ust kłusownika w zupełnie innej wersji), ale na razie nie przeszkadzałem memu gospodarzowi w swobodnej narracji.

– Oczywiście, czasem sobie pobiegam, albo popływam, ale do pewnych granic... À propos tych ostatnich! Nie wiem, czy panu opowiadałem, że kiedyś pracowałem na granicy?

– Był pan celnikiem?

– Jedynie tajnym kontrolerem celnym, rzuconym na odcinek granicy, z którego nie dochodziły ani skargi, ani donosy, i wynikało, że cała obsada jest jak jeden mąż uczciwa. Władze doszły do wniosku, że albo to wyjątkowa zmowa, albo ciekawostka przyrodnicza. I wysłano mnie, żebym sprawdził, razem z Piorunem. Jeden dzień nic, drugi nic, wreszcie trzeciego piesek wyniuchał pewnego Żabojada z dużymi pakunkami. Pytam go, co tam wiezie. On na to, że Rousseau.

– Rousseau, Jean Jacques?

– Akurat byłem świeżo po kursie filozofii i sportów obronnych. I wiedziałem, że mamy tego Rousseau w kartotece, a szczególnie jego książkę *Umowa społeczna*, przez którą wybuchło parę rewolucji, a i u nas trzeba było nawet stan wojenny wprowadzić, żeby kraj przed sojusznikiem uchronić.

– Jest pan tego pewien?

– Miał żem swoje instrukcje. Mówię: „Rozpakować, obywatelu!". On rozpakowuje, a tam żadnej bibuły, tylko jakieś obrazy – bohomazy. „Gdzie ta umowa, w pysk"? – wołam. On na to, że umowa była tylko ustna, ale wystawa będzie społeczna. „No właśnie, gdzie ta umowa społeczna?" – cisnę. A on obrazkami się zasłania i coś parla, że Celnik, że prymityw... Ja prymityw? Za obrazę władzy aż w pysk musiałem go zdzielić.

– Ależ, panie Bronisławie, jemu najprawdopodobniej chodziło o to, że te obrazy wykonał Celnik-Rousseau, malarz prymitywista, naiwny...

– Teraz to też nie jestem już naiwny, ale wtedy skrobaliśmy wszystkie płótna, żeby się dobrać do matrycy z tą umową społeczną. I nic. Najgorsze było co innego. Kiedy się rozeszło, że nie będzie wystawy Celnika w Głównym Urzędzie Ceł w Warszawie, inni celnicy złożyli na mnie donos. W dodatku, ponieważ nie doszukałem się żadnych machlojek, to mnie partyjny beton przeniósł na kierowcę do ambasady w Ułan Baton. A tam nudny korpus dyplomatyczny, a już szczególnie żony ambasadorów starsze niż te dinozaury z pustyni Gobi. Z nudów chciałem im tam nawet Jurasik Park założyć.

– W jaki sposób?

– Jak w filmie, metodą klonowania. Miejscowe władze poszły mi na rękę. Dały mi do dyspozycji laboratorium. Wyposażenie zostało skradzione w najlepszych uczelniach USA. Dostarczono mi też wykopane jaja, żeby pobrać z nich materiał genetyczny. Pobieram pipetą, naświetlam... A tu nagle stop. Wezwanie do kraju. Koniec filma.

– Coś poszło nie tak?

– Aż za dobrze. W związku z czym poszedł donos i na Kremlu wpadli w panikę, że pod przykrywką klonowania dinozaurów sklonuję Mongołom Czingiz Chana i jak ten gad ruszy na Moskwę, to przyjdzie ruski miesiąc popamiętać... Potem dobry kwartał w służbach robili sobie ze mnie jaja. Ale szybko wróciłem do łask.

– No to jest pan rzeczywiście nie do zdarcia – stwierdziłem z podziwem.

– Nie będę się chwalić, ale kiedy służyłem w marynarce, mówili o mnie niezatapialny, podczas służby w lotnictwie niestrącalny, a w saperach niezniszczalny.

– Tylko pogratulować panu wytrzymałości materiału.

– I szczęścia, panie Marciński, szczęścia. Tylko w zeszłym roku trzy razy dosłownie cudem uszedłem z życiem. Pierwszy raz, w marcu to było, mam wsiadać do samolotu w Kuala Lumpur udającego się do Pekinu, ale malezyjski celnik przyczepił się do tego kilograma marychy, którą zabrałem na własne potrzeby. Samolot odleciał. W pysk.

– A to pech!

– Przeciwnie, Jędrzejku, wielkie szczęście. Bo już nikt nigdy go nie zobaczył. Rozpłynął się gdzieś w wodach Oceanu Indyjskiego.

– Nie powie pan, że to był tragiczny lot MA 370...?

– Niestety.

– Nikt nie wie, co się z nim stało. Nie został najmniejszy ślad.

– Ja mam pewne podejrzenia, ale obowiązuje mnie klauzula poufności. Kolejny przypadek to samolot Air Asia. Katastrofa na Morzu Jawajskim.

– I znów pan nie wsiadł?

– Przeciwnie. Wysiadłem.

– Przed startem?

– Nie, podczas katastrofy, która zastała mnie w kiblu... Trafiłem na korzystny wir powietrza, kabina okazała się solidna, toteż na desce klozetowej przepłynąłem całą Cieśninę Malakka, szukając papieru toaletowego.

Popatrzyłem na niego podejrzliwie.

– Z tego co wiem, nikt nie ocalał z tej katastrofy.

– A co się będę chwalić? Tym bardziej że wsiadając, posługiwałem się fałszywą tożsamością. A w międzyczasie jeszcze raz fatum, które dopadło Malajów, dla mnie okazało się łaskawe.

– Nie powie pan, że był w maszynie zestrzelonej nad Donbasem? – zawołałem. – To niesmaczne!

– Oczywiście, że nie, ale czuję się współwinny nieszczęścia.

– Nie rozumiem.

– Tego nie da się opowiedzieć jednym zdaniem.

– Mów pan dwoma!

– No więc bywa, że po nocy dzwoni do mnie stary kumpel, jeszcze z KGB. Nostalgia go zżera, samotność władzy, a ja jestem jedyną bratnią du-

szą, jaka mu na tym świecie została. Inni nie żyją. No i płacze mi w słuchaw-
kę, jacy ci Ukraińcy niegodziwi, jak dzień i noc bezskutecznie walczy z nimi
o pokój... I wtedy wyrwało mi się nieopatrznie: „Wołodia, myślę, że już tylko
Bóg może cię uratować!". On to niestety zrozumiał opatrznie i wysłał sepa-
ratystom baterie rakiet Bug z obsługą naziemną...

Zamurowało mnie i pragnąc mu dopiec, powiedziałem, że w jego przypadku bardziej od Pana Boga bałbym się Eliasza.

– A to ki diabeł? Pewnie ktoś z Mossadu, oni dają sobie takie pseuda ze
Starego Testamentu.

– Nie, całkiem nowoczesny prorok. W filmie *Niezniszczalny* poszukuje
takich gości jak pan.

– Zadanie takie dostał? Od jakiej agencji?

– Nie, to raczej jego indywidualne hobby. Może dlatego, że facet miał
niesłychanie kruche kości, nawet urodził się w kawałkach.

– To chyba niemożliwe!

– Śmieję się. Urodził się w jednym kawałku, ale strasznie połamany.
A jak raz spadł ze schodów, to od razu miał czternaście złamań. Poskładali
go z najwyższym trudem...

– U nas za coś takiego żadna kasa chorych w życiu by nie zapłaciła
– pokiwał głową pan Bronisław. – Jeden człowiek góra jedno złamanie.

– Eliasz wiedział o tym i dlatego całe życie szukał swojej odwrotności.
Kogoś, kto się nie łamie. No i trafił na Bruce'a.

– Bruce'a Lee? Zręczny był, ale nie taki niezniszczalny. Jak to u Kitajców. Podpadł triadzie i nawet ja bym go nie obronił.

– Nie Bruce'a Lee tylko Bruce'a Willisa.

– Ten już prędzej bardziej pasuje. Słyszałem o gościu, że wychodzi
cało ze wszystkich szklanych pułapek, jakby rzeczywiście był nieśmiertelny. Tylko powiem panu – to nic nowego. Mieliśmy taką komórkę poszukiwania niezniszczalnych, stosującą absolutnie naukowe metody. Szef
programu, ksywka „Diabeł", miał opracowany program selekcji potencjalnych kandydatów do super sabotażu i dywersji. W fazie pierwszej „Diabeł" wprowadzał grupę kandydatów do piwnicy, potem zawiązywał sobie
oczy i w ciemno walił z nagana. Kto przypadkiem przeżył, kwalifikował się
do kolejnych eliminacji. Potem wyrzucał ich z samolotu bez spadochronu.

Kto się nie zabił, przechodził do dalszego etapu. Ostatni kandydat przeżył nawet wybuch nuklearny.

– I pewnie pan był selekcjonerem, bo chyba nie „szczęśliwym – niezniszczalnym"?

– Ja jedynie czyściłem „Diabłowi" spluwę. Zresztą wygranemu nie zazdrościłem, bo wiedziałem, że jako niezniszczalny i praktycznie nieśmiertelny do końca świata będzie siedział zamknięty w najgłębszej sztolni kopalni na Nowej Ziemi.

– Ale dlaczego?

– Na wszelki wypadek. Wyobraża pan sobie takiego niezniszczalnego puszczonego luzem, zwłaszcza kiedy nagle zmienił się ustrój? Ile potencjalnych szkód w wypadku przewerbowania lub działalności na własny rachunek?

* * *

Powyższa opowieść podsunęła mi myśl, aby, po powrocie ze spaceru, pociągnąć pana Bronisława za język, na temat innych tajnych programów naukowych, o których wielu mówi od lat, a nikt nigdy ich nie potwierdza, choć równocześnie nie zaprzecza.

Umiejętnie podsuwane komplementy i nalewka, którą rozpiliśmy we dwóch, sprawiły, że kłusownik rozgadał się jak miało kiedy. Gdyby wierzyć w każde słowo Batona, należałoby uznać, że w tajnych zasobach FSB znajdują się i Arka Przymierza, skonfiskowana przezeń osobiście w abisyńskim Aksum w trakcie etiopskiej rewolucji, i odnaleziona na stokach Araratu Arka Noego.

– Kiedyśmy poszli z kubańskimi ochotnikami obalać tego miejscowego nygusa, dorwaliśmy tę złoconą skrzynię – opowiadał ze swadą. – I co? Rozczarowanie, panie Jędrzejku. Najprostsze słowo – rozczarowanie! Przykazań było ledwie pięć, zamiast manny znajdował się tam ryż dmuchany, a laskę Mojżesza ktoś podmienił na ciupagę. W dodatku wszystko było tak naelektryzowane, że kiedy nasz politruk dotknął skrzyni, dupło, zadymiło i wszystko, co było w środku, znikło razem z politrukiem. Co gorsza, okazało się to początkiem upadku miejscowej rewolucji. Świadkowie stwierdzili, że politruk wniebowstąpił, przeto uznano go świętym, pojawiły się pielgrzymki, handel relikwiami... I jak mieliśmy nad tym zapanować, w pysk?

– Słowem długo pan tam zabawiał?

– Faktycznie nie długo! Pytali mnie wprawdzie, czy nie chciałbym zostać na tych półkoloniach jako drugi pierwszy sekretarz, albo szef tamtejszej służby bezpieczeństwa, ale się nie zgodziłem.

– Ze względów humanitarnych? Brzydziła pana taka rola?

– E tam! Po prostu było tam dla mnie za gorąco. Widzi pan, ja tam wolę zimniejsze strony. Nowa Ziemia, Czukotka, Półwysep Tajmyr...

Nie wiem, czemu te słowa wywołały we mnie ziąb przenikający do szpiku kości.

– A daj pan spokój! – zawołałem. – Jak w ogóle tam mogą mieszkać ludzie?

– Po pierwsze, nie mogą, tylko muszą. A jak muszą, to *priwykli*! Opowiadałem panu o „akcji G"?

– Nie.

– Piękna akcja. Szykowaliśmy się, żeby Grenlandię od Duńczyków odkupić, bo stamtąd jest bliżej, żeby z Amerykańcami walczyć o pokój. Duńczyki może by i na to poszli. Zwłaszcza kiedy piąty raz syrence w kopenhaskim porcie nieznani sprawcy utrącili głowę. Niestety, Eskimosy zaprotestowały.

– Tacy ambitni?

– Raczej tacy cwani. Wyliczył jeden z drugim, że w dziesięć lat po wprowadzeniu na Grenlandii gospodarki planowej, nawet lodu by zabrakło.

– Coś w tym jest! – przytaknąłem. – Od czasu kiedy Rosja zagarnęła wielkie połacie Arktyki, z roku na rok pole lodowe robi się coraz mniejsze!

– Globalne ocieplenie, w pysk. Jak tak dalej pójdzie, przyjdzie pora budować arkę...

– À propos Arki Noego, wspomniał pan, że też ją widział?

– Czułem, jak teraz te zapachy z ogrodu, w pysk. No i troszkę pomacałem.

– Nie bardzo rozumiem. A nie widział pan?

– A co tu rozumieć. Podczas wspinaczki na lodowcu Araratu doznałem kurzej ślepoty. Toteż kiedy pod szczytem natrafiłem na tę arkę, mogłem tylko ją przez chwilę dotknąć...

– Tylko skąd pan poznał, że to arka?

– Po smrodzie! Przez sześć tysięcy lat nie wywietrzał zapach tych wszystkich stłoczonych tam zwierząt, nie mówiąc już o czosnku, którego rodzina Noego zgodnie z upodobaniami swej nacji używała w nadmiarze. Miałem zresztą i inne dowody. Wbiłem sobie drzazgę pod paznokieć, a w laboratorium metodą radioaktywnego węgla C-14 ustalono jej wiek z dokładnością do dnia...

– A co z samym obiektem?

– A kto to może wiedzieć? Zaraz pojawili się Amerykanie, zapakowali korab w dziesięć tysięcy kartonów i wywieźli, oczywiście za zgodą władz tureckich.

– Wywieźli, nie rozgłaszając nic o odkryciu?

– Nie powiedzieli, bo na mój nos coś się nie zgadzało w tym testamencie. Może Stary nie pasował do Nowego.

– A może w ogóle to nie była arka? Zwłaszcza że pan jej nie widział.

– I kto tu z nas dwojga jest katolik? Przecież stoi w waszym regulaminie: „Błogosławieni, którzy nie widzieli, a uwierzyli". Zresztą, oprócz wspomnianej drzazgi znalazłem świadka. W pustelni już po armeńskiej stronie granicy wskazano mi „starika"...

– Który ją oglądał?

– Który nią pływał.

– Teraz to już pan naprawdę polewa!

– Ja polewam? To Stwórca polewał grzeszny świat przez czterdzieści dni i trzydzieści dziewięć nocy... Naoczny świadek mi to opisywał.

– Panie Bronku, w wiele rzeczy mogę uwierzyć, nawet w dokumenty zagubione podczas Rewolucji Październikowej, ale w to, że ktoś może żyć sześć tysięcy lat?

– Faktycznie sporo, ale u nich w rodzinie wszyscy tacy długowieczni. Matuzalem żył dla przykładu dziewięćset sześćdziesiąt dziewięć lat, Noe dziewięćset pięćdziesiąt... Cham miał po prostu więcej szczęścia od nich.

– To był biblijny Cham?

– A pan myśli, że ktoś kulturalny by się przez te wieki uchował? Wędrówki ludów, wojny, rzezie, rewolucja... Ale wszyscy chama obchodzili z daleka.

– Poza panem.

– A co?! – wyprężył się dumnie. – Jak podłączyłem go do wariografu, wszystko wyśpiewał, tylko niestety, chyba napięcie daliśmy za duże, bo zaraz obrócił się w proch... Szkoda chama.

Dałem spokój arce, a korzystając, że kłusownik się rozgadał, dalej ciągnąłem go za język. Dość niefrasobliwie wyznał mi, że całe sztaby naukowców, zwłaszcza gdy pieniędzy było w resorcie w bród, pracowały nad programami dotyczącymi parapsychologii bojowej, czy wokół tak fascynujących zagadnień jak podróże w czasie.

Jak się okazało, większość pomysłów, które fantaści niefrasobliwie przelewali na papier, była następnie testowana przez odpowiednie służby. Podróże w kosmos zostały w pewnym stopniu ujawnione, ale z innymi patentami było różnie. Ponieważ doszliśmy akurat do mej ziemianki, podniosłem z półki i machnąłem przed oczami Batonowi DVD z *Wehikułem czasu*, najnowszą ekranizacją słynnej powieści.

– A to, panie Bronisławie, prawda czy literacka fikcja? – zapytałem.

– Nie wiem. O czym to?

– O wehikule czasu!

– Czytać umiem. Ale tak konkretnie?

– O machinie pozwalającej się przemieszczać w czasie.

– Każda machina przemieszcza się w czasie krótszym lub dłuższym. Pociąg osobowy z Warszawy Wschodniej do Chojnówki jedzie dokładnie trzy godziny czterdzieści pięć minut, ale jak puszczą tędy Pendolino...

– Chodzi o podróżowanie do przyszłości albo przeszłości!

– Ciekawe – mruknął. – No i kto, pańskim zdaniem, coś takiego wymyślił?

– Anglik, George Herbert Wells. Ale, co pewnie pana ucieszy, wielbiciel komunizmu i sympatyk Związku Radzieckiego, który swego czasu odwiedził nawet towarzysza Stalina.

– A wrócił?

– Cały i zdrowy.

– Czekaj no pan. Tatko powiedział mi kiedyś, że mieliśmy tego Wellsa w naszej kartotece znajomych towarzysza Stalina w kategorii „Użyteczni idioci". Z dopiskiem: „Eliminować dopiero po zajęciu Londynu".

– A nie było w tej kartotece niczego na temat wspomnianego wehikułu?

– Nie widziałem, nie słyszałem. Nie było takich badań, bo pachniały kontrrewolucją jak cybernetyka.

Próbując odświeżyć mu pamięć, zacząłem opowiadać z grubsza treść filmu, jak to młody zakochany naukowiec za pomocą machiny czasu wyruszył w przyszłość, aby zmienić przeszłość.

– Przynajmniej jeden człowiek mógł na własne oczy zobaczyć Lepsze Jutro – skomentował.

– Pojutrze – poprawiłem. – W skutek awarii machiny stracił przytomność i ocknął się dopiero po paru tysiącach lat. Rozgląda się i co widzi...?

– Komunizm?! – ożywił się Baton.

– W pewnym sensie. Wszyscy równi, biedni, goli, bez przemocy, szczęśliwi – jednym słowem Eloje.

– Tylko bez przekleństw, Marciński!

– Tak się nazywali. Eloje! Ale była to tylko jedna strona tego przyszłościowego medalu. Bo równocześnie pod ziemią żyli mutanci Morlokowie, którzy manipulowali Elojami, a nawet ich zjadali. Tylko nikt o tym nie mówił.

– Jak o KGB. Niby go nie było, a było...

– Oczywiście nasz bohater stanął na czele rewolucji Elojów, zniszczył Morloków...

– Czyli czysta fantazja.

– Taka konwencja, w końcu sam wehikuł czasu to tylko fantastyka.

– Polemizowałbym. Tyle że u nas to ustrojstwo nazywało się „wriemiawojaźnik" – stwierdził Baton.

– Przecież przed chwilą stwierdził pan, że nie prowadzono takich badań?!

– Bo oficjalnie nie prowadzono, ale na krótko przed upadkiem komuny nasza służba bezpieczeństwa skonfiskowała podobne urządzenie, które skonstruował pewien naukowiec, dysydent w kawalerce na Ursynowie. Tyle że wówczas montowaliśmy inny wynalazek o nazwie okrągły stół, no i nie było czasu zająć się kapsułą.

– A później?

– Naukowiec, kiedy tylko dostał paszport, uciekł za granicę, naszą grupę w Trzeciej RP zweryfikowano negatywnie... A samo urządzenie? Niezidentyfikowane leżało bezczynnie w kazamatach resortu. Aż w dziewięćdziesiątym piątym wystawiono je na licytację jako zabawkę dla majsterkowiczów. Z paru kolegami odkupił żem tę machinę i ściągnąłem jego autora ze Stanów, który akurat krył tam dachy azbestem.

– Rozumiem, że chcieliście się przenieść w lepsze czasy? W lata pięćdziesiąte czy może trzydzieste?

– Uchowaj Boże! Poza tym urządzenie nie mogło transportować ludzi, a jedynie niewielkie przedmioty. I właśnie dlatego przyszedł mi do głowy genialny plan. Transfer gotówki. Akurat zaczęła się denominacja, więc po cenie papieru zgromadziliśmy milion stuzłotówek, pamięta pan takie z Ludwikiem Waryńskim, w pysk? Wystarczyłoby przerzucić całą tę makulaturę z roku tysiąc dziewięćset dziewięćdziesiątego piątego do roku osiemdziesiątego piątego, kiedy stanowiło to kawał grosza. Przebicie mielibyśmy ponad dziesięciotysięczne.

– A jakby przesyłka wpadła w niepowołane ręce?

– Spokojna głowa. Machinę ustawiliśmy na Pradze w mieszkaniu, które od niepamiętnych czasów było lokalem kontaktowym Milicji Obywatelskiej. Miałem tam spotkania z konfidentami. Do forsy była dołączona instrukcja z moim podpisem, żeby wymienić wszystko na dolce i czekać. Nastawiliśmy ustrojstwo na pierwszego listopada roku tysiąc dziewięćset osiemdziesiątego piątego godzina 18.18. Włożyliśmy forsę do pojemnika. Wynalazca włączył... Zadymiło, dupło. Pojemnik znikł.

– A wy staliście się bogaci.

– W tym problem, że nic się nie zmieniło, kurczę pieczone. Wynalazca miał szczęście, że powtórnie nam uciekł, bo bym go tymi rękami, w pysk.

– A więc rzekomy wynalazek okazał się jedynie mrzonką?

– Mrzonką. No to niech pan posłucha. Mój kumpel, historyk, znalazł jakiś czas potem w pamiętnikach Szefa Priwiślińskiej Ochrony informację, że w roku tysiąc osiemset osiemdziesiątym piątym nagle w lokalu kontaktowym pojawiło się milion miniaturowych listów gończych za liderem partii „Proletariat" (Ludwik z przodu, jego organ z tyłu)...

– Rozumiem! Zamiast dziesięć lat do tyłu wysłaliście przesyłkę o całe sto lat.

– No. Portret był nieduży, ale podobieństwo doskonałe. Policmajstrzy rozdali te bumażki konfidentom i już wkrótce mogli wysłać przywódcę Partii ciupasem do Szlisselburga. Jak w piosence „i słucha Waryński, lecz nie wie, że cienie się wokół zbierają".

Podchwyciłem „...powtarza jak kiedyś w Genewie...". I dalej już śpiewaliśmy na dwa głosy. „ ...kochani, ja muszę do kraju. La la la...", zupełnie nie przejmując się wyciem Pioruna!

– Chyba czuje, że fałszujemy? – zapytałem, przerywając.

– Nie – zaprotestował Baton. – Piesek chce się włączyć jako trzeci głos. Przestaliśmy śpiewać. Piorun niestety wył dalej.

– Nie da się go jakoś wyłączyć? – zapytałem po kwadransie.

– Musi swoje odwyć... Trzyma się limitu. Pół godziny wycia dziennie. Chyba żeby go na kogoś poszczuć. Nie, nie na pana – odwrócił się do psa i wskazał pobliski zagajnik. – Kota, Piorun, kota.

Pitbull umilkł i puścił się kłusem między chaszcze.

– Treser dużo może, ale zawsze jest coś za coś – stwierdził kłusownik.

– Albo posłuszeństwo, albo kreatywność. Albo wycie, albo szczucie!

– Fakt, życie nie składa się z samych sukcesów – pokiwałem głową.

– O to, to, to! – podchwycił. – Pamiętam, jak pracował żem w laboratorium genetycznym KGB, to też zdarzały się nam niepowodzenia. Na przykład był w planie człowiek-kot... a z probówki wyszedł człowiek-świnia. I jeszcze doniósł na nas do Amnesty International. A jaki chlew po sobie w laboratorium zostawił. Innym razem wykluł nam się człowiek-ptak.

– Niesamowite.

– Ale niestety pingwin.

– Rozumiem, nie chciał latać.

– No! Twierdził, że nie potrafi. Ale jak się dowiedział, że mają go zesłać na Sybir, to choć nie orzeł, przez otwarte okno odleciał do ciepłych krajów.

– Rewelacja!

– Prawdziwą rewelacją okazał się dopiero człowiek-kret. Potrafił kopać korytarz nawet w betonie z prędkością kilometra na godzinę. Ale niestety okazał się ślepy.

– Jak to kret!

– Ślepy ideologicznie, panie Marciński! Trzy prototypy żeśmy przez to stracili. Jeden egzemplarz się podkopał nam pod murem berlińskim, drugi pod chińskim, i natychmiast przeszli na stronę wroga.

– Tacy ślepi to widać nie byli. A ten trzeci?

– Podkopał się pod murem Kremla...

Tu umilkł.

– I co? – zapytałem.

– I nic. Siedzi tam do tej pory. Co pewien czas kierownictwo szuka kreta w swoich szeregach. Ale nieskutecznie, bo po jakimś czasie trzeba podejmować akcję od nowa. Najgorszy jednak kłopot mieliśmy z wyhodowaniem człowieka-człowieka.

– Nie rozumiem.

– W połowie normalnego człowieka, stanowiącego element bazy, a w połowie nowego doskonałego człowiek radzieckiego, czyli nadbudowę. Pomysł świetny, ale nijak nie udawało się utrafić odpowiednich proporcji. Zawsze wychodziło coś na kształt kreta, pingwina i świni w jednej osobie.

– Czytałem gdzieś, że Amerykanie w latach sześćdziesiątych skonstruowali elektronicznego kota.

– Że jak?

– Znaczy wzięli normalnego, nafaszerowali aparaturą podsłuchową i zamienili z ulubionym kotem żony Chruszczowa. Mruczek, bo tak się nazywał, miał szwendać się po Kremlu i podsłuchiwać Politbiuro.

– Rozumiem, że zepsuł się, jak to amerykański szmelc?

– Gorzej. Zamiast podsłuchiwać, zaczął chodzić na kotki i od ich godowych okrzyków całe CIA się trzęsło.

– Nie mogli go jakoś przyciszyć?

– Mogli. Ale jak go wykastrowali, to popełnił samobójstwo, rzucając się pod limuzynę pierwszego sekretarza.

– Słyszałem o tym incydencie. A nawet go widziałem. Jest rok tysiąc dziewięćset sześćdziesiąty trzeci. Posiedzenie Politbiura w sprawie kryzysu kubańskiego, zjeżdżają się wszyscy członkowie, by podjąć decyzję. Wóz albo przewóz. A tu ten kot. Czarny kot, który uratował świat.

– O czym pan mówi?

– To było podczas kryzysu kubańskiego. Ostatni przekaz, który wysłano do naszych negocjatorów w Ameryce, brzmiał: „Job waszu mać, czarny kot przeleciał nam drogę. Musimy wycofać rakiety z Kuby, bo szlag nas wszystkich trafi".

– Słyszałem, że Chruszczow był przesądny. Ale mimo wszystko przyzna pan, co może wyższa technika?

– Jaka technika? Jaka wyższa?! – obruszył się. – Przecież myśmy w latach osiemdziesiątych mieli elektronicznego psa w Białym Domu... Cudo naukowo-techniczne. Tyle że mu sowiecka świadomość przeszkodziła w odniesieniu sukcesu.

– Jak to?

– Któregoś razu jak Reagan zaczął źle mówić o ZSRR, to tak go pogryzł, że wywalono go z Białego Domu z wilczym biletem.

– A nie zrobili mu sekcji, po uśpieniu?

– Panie Jędrzejku, a kto w Waszyngtonie uśpiłby psa? Oddali go w dobre ręce, do rodziny zastępczej.

– Tak, sporym mankamentem jest, że psy w odróżnieniu od ludzi nie umieją udawać...

– Słyszał pan, jak nas zaangażowali, żebyśmy wytropili z Piorunkiem kryjówkę Bin Ladena?

– I wytropiliście?

– Oczywiście, ale ile strachu człowiek się przy okazji najadł. Tak łatwo mogli nas zdekonspirować. Bo po pierwsze, Piorun jada tylko wieprzowinę, po drugie, pije tylko „stoliczną", no i szczeka na każdego Araba, jakiego zobaczy. Dobrze, że przynajmniej jest obrzezany!

– Ale jak skończyło się z tym Bin Ladenem?

– A jak miało być?! Piorun doprowadził mnie do jego kryjówki. A potem już było jak podczas historycznego spotkania doktora Livingstone'a z dziennikarzem Stanleyem. „Pan Osama bin Laden, jak mniemam?" „Towarzysz Bronisław Beton-Baton, jak sądzę..." Niestety, Amerykańce natychmiast wystrzelili rakietę i przerwali ten kulturalny, doskonale zapowiadający się dialog. Siła odrzutu była taka, że pofrunąłem, jak nie przymierzając Batman!

– Tylko brakuje, żeby pan powiedział, że Batmana to też pan wymyślił.

– Ale byłem przy jego narodzinach. Mówiłem panu o moich oskardowych wczasach w Magadanie?

– Mówił pan. Trzysta procent normy w przerzucaniu skalnego kruszywa.

– Długo czarnoroboczym tam nie byłem. Najpierw zdemaskowałem leserów i bumelantów, potem ukrytego mnicha starowiera, na koniec całą szajkę japońskich szpiegów i w efekcie już po dwóch tygodniach awansowałem na starszego strażnika w obozie nad Kołymą. Nudy, tylko furt to kopanie złota, czasem tylko trafił się większy diament albo jakaś egzekucja. Na szczęście nasz komendant Fiedia, ksywa „Dostojewski", lubił się bawić w humanistę. A to trzech łagierników wężami strażackimi oplótł i zostawił na mrozie, aby jako grupa Laokoona stężeli, a to skazańca przyszył do konia, żeby mieć centaura w stajni, aż na koniec jednemu doprawił skrzydła i kazał Ikara udawać.

– I zabił się młody?

– Tak wszyscy podejrzewali. Ale on przypadkowo trafił w prądy wznoszące, ukryła go zadymka i przez Cieśninę Berlinga fru, przeleciał do Ameryki, gdzie żyje sobie jako Batman Forever. Oczywiście nie ma pojęcia, że za tę zbrodnię Ikara mój biedny Fiedia w charakterze Syzyfa do sądnego dnia będzie w kopalni złota kamulce obracać.

– Zbrodnia i kara! – zaśmiałem się. – Sprawiedliwości stało się radość!

– Była i nagroda – uśmiechnął się Baton – za wykazaną czujność rewolucyjną już po tygodniu mogłem wrócić do Moskwy.

XXI.
Pociąg do Hollywood

Czasami szczęście bywa blisko. Inna sprawa, trzeba umieć je wykorzystywać. Nie zdążyłem jeszcze odżałować swego gapiostwa w związku z burzą, kiedy pojawiła się kolejna okazja. Kończyliśmy właśnie autoryzację rozdziału o wynalazkach, w których Baton miał rzekomy udział, kiedy poprosiłem go o udostępnienie połączenia z internetem.

– Muszę posprawdzać w słowniku daty, parametry, nazwiska – tłumaczyłem. – Chyba nie chce pan, żeby wzięli nas za idiotów i nieuków.

– Niby kogo za kogo? Pana za idiotę czy mnie za nieuka? A może na odwrót?

– Pół na pół – odparłem dyplomatycznie. – Obaj będziemy świecili oczami.

– A sprawdzaj pan, tylko ostrzegam, spróbujesz pan jakiejś sztuczki, to paluchy połamię. A teraz odwróć się!

Spełniłem jego żądanie. Wstukał jakieś kody i na ekranie niczym gwiazda betlejemska zapłonął napis Google.

Zabrałem się do roboty, mając nadzieję, że spacerując za mymi plecami, po jakimś czasie znudzi się śledzeniem wszystkich moich działań. I faktycznie, już po kwadransie ziewnął, po następnych minutach jeszcze raz. Czekałem na stwierdzenie, że „pójdzie się utlenić", ale nalał sobie drinka i wziąwszy krzesło, postanowił usiąść koło mnie.

– No to krewa! – pomyślałem i w tym momencie dobiegła mnie soczysta klątwa: „O skubani! Na przeszpiegi lecą!".

Zobaczyłem, że nad lasem pojawiły się dwie kolorowe lotnie kierujące się bez wątpienia w naszym kierunku.

Baton, zapominając o Bożym świecie, chwycił dubeltówkę i pognał na taras.

Błyskawicznie wszedłem w moją pocztę, otworzyłem. Masz dwa tysiące trzysta nieodebranych wiadomości – zobaczyłem. Jeden rzut okiem upewnił mnie, że wszystkie napisała Beatka. A więc nie zapomniała o mnie!

Błyskawicznie wcisnąłem „odpowiedz", zastanawiając się, co powinienem napisać poza słowem „Ratunku". Ale nim zdążyłem cokolwiek zrobić, huknęły dwa strzały i zadudniły buciory Batona. Ledwie udało mi się zamknąć okienko...

– Uciekli – wysapał. – A panu jak idzie robota...?

– Jestem w połowie – wymamrotałem.

– To na dziś wystarczy. Jednym kliknięciem zerwał połączenie z siecią, co odczułem jak cios w splot słoneczny. Jednocześnie wyciągnął zza pazuchy komórkę i przekazał w języku naszych „wypróbowanych przyjaciół" informację, że dwa niezidentyfikowane obiekty naruszyły przestrzeń przygraniczną rezerwatu.

– I po co ja mam do nich strzelać, kiedy sąsiedzi za mnie to załatwią – wyjaśnił.

– Ale to przecież jakieś dzieciaki z aeroklubu w Czarnym Stoku, jeśli dobrze przeczytałem na skrzydłach.

– Dzieciaki nie dzieciaki, ale nie będą latać bezkarnie nad moją posiadłością i zwierzostan płoszyć! A tak przy okazji, nie wiesz pan, panie Jędrzejku, jak można zdobyć kontakt do Zielonych?

– Niestety, nawet mój brat nie ma znajomości w PSL-u. Podobno w szeregach tej organizacji czytanie literatury jest oficjalnie zabronione.

– O prawdziwych Zielonych mówię, ekologistach znaczy się. Elementach z tej samej paczki co ci lotniarze!

– Tym bardziej nie mam pojęcia, panie Bronisławie. Zwłaszcza gdy przebywam tu w stanie swoistego internowania.

– A wypluj pan to słowo, bo nie wiesz, co ono oznacza. Siedział pan kiedyś w prawdziwym mamrze?

– Szczerze mówiąc nie.... – speszyłem się, przypominając sobie pełne grozy historyjki zasłyszane od mego gospodarza.

– No to nie jest pan sobie w stanie wyobrazić, jakie to może być niemiłe miejsce.

– Wiem, bo oglądałem film *25 godzin*, którego bohater umiera wręcz ze strachu przed więzieniem, do którego ma się zgłosić.

– Sam się ma zgłosić? A gdzie to się dzieje?

– W Ameryce.

– No to mów mi pan tak zaraz. Znam ten koszmar. Przepełnienie, skorumpowani klawisze, zwyrodniali więźniowie, gwałt i przemoc... A pański bohater jak wyglądał... Czekaj pan, niech zgadnę? Bladziutka, szczupła buzia, oczy niebieskie, klata nie za szeroka, pupcia też wąska... lalunia!

– Widział pan ten film?

– Nie, ale znam więzienny ranking popularności. Czego to ludzie nie robili, żeby przetrzymać tam pierwszy tydzień. Jak w wojsku – byle dotrzymać do przysięgi.

– Ale co konkretnie robili?

– Generalnie – obrzydlali się! Zarażali się trądzikiem, tatuowali sobie na tyłku hasła o treści... patriotycznej, albo rozśmieszającej, załatwiali papiery na okoliczność hifa. A jeden pseudohacker przedobrzył. Włamał się do centralnego rejestru skazanych i przerobił swoje dane.

– Że jest niewinny?

– Że jest kobitą. Chciał połączyć przyjemne z pożytecznym. No i dali go na żeński oddział nimfomanek. Przeżył z tymi napalonymi babami ledwie tydzień. Chociaż mógł zrobić jeszcze gorzej, podać się za małoletniego, a do młodego mięska stara recydywa ciągnie jak...

– À propos młodzieży, zupełnie nie rozumiem, w jakim celu strzelał pan do nich? Nie wyglądali przecież na szpiegów.

– A jak miałem nie strzelać? Widział pan szmatę, którą za sobą ciągli?

– Wyznam szczerze, że nie...

– „Stop śmietnikowi"! Urządzili, dranie, kolejny protest w sprawie wysypiska śmieci, które od lat mamy na skraju Puszczy Białowieszczańskiej, i jest dobrze.

– Jak to dobrze? Brud! Przy południowym wietrze smród aż dotąd dochodzi!

– Ale za to jaki ekosystem tam powstał. Na wysypisko zlatują się wszystkie wrony z całej Wspólnoty Nieodległych Państw, a samych szczurów naliczyłem cztery gatunki, w tym jeden był workowaty...

– Niemożliwe.

– Jak to niemożliwe, sam takiego ustrzeliłem, kiedy z workiem na plecach uciekał... Bo widzisz pan, cała okolica Chojnówki żyje z rabunku surowców wtórnych, więc jak by im to żerowisko zamknąć, gotowi byliby rewolucję zrobić... Na szczęście do tej pory ekologiści mieli u nas nic do gadania.

– Więc czym się pan przejmuje?

– Że urosną w siłę. Dawniej mogli się najwyżej do drzewa przykuć, a teraz, sam pan widzi, na lotniach latają. A jak będzie ich stać na drony, wszystko wypatrzą.

– Chyba pan przesadza, z drugiej strony myśląc przyszłościowo... Słyszał pan pewnie, że w Ameryce Zieloni to potęga. Proszę sobie wyobrazić, że jak jeden senator ze stanu Luizjana na rowerze rozjechał glizdę, to musiał spowiadać się z tego przestępstwa przed specjalną komisją.

– Niemożliwe, z powodu jednej dżdżownicy?

– Tak się panu tylko wydaje, że niemożliwe. Glizda była czarna, niepełnosprawna, miała nietypową orientację seksualną i zawsze głosowała na Partię Demokratyczną.

– Może zdarzył się raz taki incydent...

– Incydent? Tam, proszę pana, na tych ekologistów nie ma mocnych. Jak jest ustanowiony rezerwat, to mogą tam zalegać pod nim gigantyczne złoża ropy naftowej, a obrońcy środowiska nie dopuszczą do ich eksploatacji, zwłaszcza jeśli rezerwat jest ostoją aligatorów, ginących ropuch, a przede wszystkim pelikanów...

– Pelikany? Znam. Takie ptaszyska z tarczycą. Oj miałem ja z jednym z nich na pieńku, kiedy raz podczas spaceru połknął mi chlebak, w którym miałem legitymację służbową, raport, który właśnie pisałem na gajowego, i wieczne pióro... też marki Pelikan.

– Przypadkowo o podobnych problemach powstał film, *nota bene* zatytułowany *Raport Pelikana*...

– O moim chlebaku?

– Chodziło o wiele bogatsze dossier, otóż wielki biznesmen, właściciel prawie połowy stanu, musi zamordować dwóch sędziów Sądu Najwyższego, żeby pozostali wydali werdykt stwierdzający, że likwidacja rezerwatu jest zgodna z konstytucją.

– A nie mógł ów oligarcha załatwić tego prościej, zebrać sejm i senat na nadzwyczajnej sesji i wprowadzić odpowiednie poprawki do konstytucji? Albo w ogóle rozpędzić cały ten trybunał?

– Nie mógł, mimo że urzędujący prezydent to był jego kumpel, połowa ministrów siedziała u niego w kieszeni.

– Naprawdę?

– Jednemu dał niskooprocentowany kredyt na domek jednorodzinny, drugiemu pożyczył szmal na rozkręcenie rodzinnego przedsiębiorstwa, a trzeciemu...

– Daj pan spokój, bo ja o tym słuchać nie mogę. Dziki kraj! USA! Sam skrót świadczy najlepiej – Upadek, Samowolka, Anarchia.

– Nawet zbrodnia! – potwierdziłem. – Ledwie dziewczyna, analizująca zabójstwo sędziów przesłała swoją hipotezę do FBI, ludzie zaczęli padać jak muchy. Zginął jej promotor, przyjaciel promotora, paru funkcjonariuszy...

– Chwila, chwila! – Baton powstrzymał moją narrację. – Czegoś tu nie rozumiem. Czy mając takie kontakty, ten burżuj musiał jeszcze kupować grunty? Nie lepiej było pośredniczyć w handlu gazem z Wenezuelą?

– Gazociąg też można zablokować.

– Akurat! U nas ekolodzy parę razy próbowali dziurawić Rurociąg „Przyjaźń", i co? Tyle co sobie chłopi nabrali ropy do kanistrów. Z tytułu tranzytu. A przy okazji, jaki tytuł ma ten ponury obraz?

– Mówiłem już *Raport Pelikana*.

– Kurczę pieczone! – Baton aż podskoczył. – Przypomniał mi pan tego ptaka, co mi połknął...

– Wiem, legitymację, raport, wieczne pióro. Też marki Pelikan. Ciekaw jestem, co pan z nim zrobił?

– A co miałem zrobić? Postanowiłem zrewidować wszystkie podgardla, w pysk. Przychodzę rano nad jezioro i nagle mi się czarno przed oczami zrobiło. Zamiast pelikanów po horyzont kormorany.

– Zamieniły się akwenami lęgowymi?

– W nocy ludzie gajowego przemalowali ptice z pelikanów na kormorany. Bo miał przyjechać incognito ówczesny premier z kochanicą, a osobliwie tę piosenkę o kormoranach lubił. „Dzień gaśnie w szarej mgle..." – zanucił fałszywie.

– I co pan począł? – przerwałem.

– A co miałem począć? Jeszcze raz napisałem raport na gajowego, a że nie miałem czym, wyrwałem kormoranowi piórko z... tyłu, zaostrzyłem i sporządził żem swój własny Raport Kormorana... – Znów zanucił: „Wiatr strąca krople z drzew...".

W tym momencie zadzwoniła jego komórka. Baton niezwłocznie odebrał, po czym przeszedł na język znany mi wyłącznie ze słyszenia. Po krótkiej wymianie zdań wydał mi się wyraźnie wyluzowany.

– Bracia Białorusini – powiedział. – Koniec mojego kłopotu.

– Złapali lotniarzy?

– Też. Ale dostałem wiadomość wskazującą, że już wkrótce ktokolwiek przestanie nam zakłócać ciszę leśnych ostępów.

– Skąd ta pewność?

– Zapadła decyzja, że po drugiej stronie granicy zostanie zlokalizowane składowisko odpadów nuklearnych. Ludzie zaczną się stąd masowo wynosić, a za to grzyby będą nam rosnąć jak dęby!

* * *

W następnych dniach udało mi się w końcu ustalić kilka nowych szczegółów z życiorysu Betona-Batona. Powoli likwidowałem białe palmy, ale nadal o zrobieniu tablicy chronologicznej trudno było marzyć. Nadal też miałem mnóstwo epizodów, w których do końca nie było pewne, co jest dziełem Bronisława, co Mordechaja, a co zasługą zbiorową. Ustaliłem z mozołem, że po okresie internacjonalistycznej służby na całym świecie, w bliżej nieznanych okolicznościach pod koniec lat siedemdziesiątych przybył do Polski. Być może jako cichy doradca. W każdym razie załapał się na stan wojenny, choć nie wiem, w jakim charakterze. Większość uzyskanych danych pochodziła z przypadkowych niedyskrecji... Na przykład raz, kiedy wspominałem o działaniach służb prewencji w jakimś Chile czy Birmie, zauważył lakonicznie.

– Wielkie mecyje. Prawie jak u nas w ZOMO w osiemdziesiątym drugim.

– Był pan w ZOMO? – uchwyciłem się tego wątku.

– Prowadziłem tam wyłącznie pogadanki z etyki i religii. A ponieważ była w oddziale zabezpieczona wolność sumienia, niewierzący funkcjonariusze chodzili pałować solidaruchów na pierwszego maja, a wierzący i prawdziwi patrioci na trzeciego.

– Nie ma co – mruknąłem z przekąsem – piękne czasy!

– Ale nie wrócą i szaty rozdzierać by próżno.

Później dowiedziałem się, że choć od lat osiemdziesiątych jego pobyt w Polsce był w zasadzie stały, to jednak jako „wolny strzelec" co rusz dokonywał wypadów w świat szeroki, w chwilach kiedy naprawdę był potrzebny.

– To znaczy kiedy? – drążyłem.

– Kiedy los świata wisiał na włosku.

– A może pan dać przykłady?

– A mało to zagrożeń czyha na ten biedny glob? Ot, lata sobie asteroida, w pysk. Lata i lata, aż tu pewnego dnia zmienia trajektorię i dup w naszą biedną Ziemię. Jak wtedy, kiedy wyginęły dinozaury.

– To bardzo popularna historia, tyle że zdarzająca się wyłącznie w filmach.

– Filmy – parsknął z obrzydzeniem – radzieckie jeszcze ujdą, ale w tych amerykańskich nie ma ani grama prawdy – tu poparzył mi prosto w oczy.

– Panie Jędrzejku, niech pan powie z ręką na sercu, czy widział pan kiedyś intelektualistkę blondynkę, Żyda policjanta, Metysa filozofa i prezydenta Murzyna? A taki właśnie zespół w ichniejszych filmach przeważnie ocala nasz świat. Idiotyzm!

– O przepraszam! Chyba tkwi pan ciągle w minionych czasach! – zaprotestowałem. – A prezydent Obama? A Magdalena Ogórek?

– Wyjątki potwierdzają regułę. A w rzeczywistości wszystkie prawdziwe kłopoty spadały zawsze na głowę jednego Batona. Czy pan wie, że w służbach miałem ksywkę „Atlas"?

– Wierzę, ale wolałbym otrzymać od pana konkretne przykłady z tego atlasu.

Podrapał się w głowę.

– Tak wiele ich było, że trudno wszystkie spamiętać. Ale niech pan rzuci nazwę jakiegoś filmu, który został mi ukradziony, a od razu wszystkie szczegóły staną mi przed oczami jak żywe.

– No na przykład *Pociąg*...

– Śmierdzi...? – zawołał i chwycił się za nos (choć wiało akurat od północy i fetor z wysypiska był prawie nieodczuwalny). – Przeżyłem to, a nawet przewąchałem osobiście, kiedy jechałem dwanaście dni koleją syberyjską z ośmioma Jakutkami w przedziale bez wody...

– Niech pan mi nie przerywa. Miałem na myśli nie „pociąg śmierci", lecz film o podobnym tytule – *Pociąg zagłady*. Rzecz dzieje się w Ameryce.

– Jak zwykle. Ale o czym to jest?

– O pociągu i o zagładzie.

– Bywają ludzie, którzy mają pociąg do zagłady... Nawet u nas. Pamiętam w Sajuzie był kiedyś facet od rozbrojenia i walki o pokój, który nazywał się Zagładin.

– Przypadkowa zbieżność nazwisk?

– Nieprzypadkowa! W tym samym czasie ministrem rolnictwa kolektywnego był Kułakow, od bezpieki – Katuszew... A szefem Komsomołu – Pastuchow...

– Bardzo mnie to nie zaskakuje. U nas w latach siedemdziesiątych też zdarzały się resortowe nazwiska. Pamięta pan? Od budownictwa był Glazur, od rolnictwa Kłonica, a od kultury Piorun... pardon, Kruczek.

– Ale to przyniosło jedynie zagładę ekipy towarzysza Gierka, bo mu się naród rozwałęsał – Baton zachichotał z własnego konceptu. – A ten pociąg zagłady to bardziej inter-cioty czy błędolino?

– Bardziej towarowy. Jedzie ze stanu Utah do Denver, stolicy stanu Colorado. Cały skład wypełniony jest chemikaliami i w dodatku wiezie bombę atomową.

– Skandal, żeby wozić coś takiego koleją. Trzeba chyba w ogóle nie mieć hamulców.

– Jakby pan zgadł. Zaraz na starcie psują się hamulce.

– No widzisz pan, amerykański szajs!

– I wszystko wskazuje na to, że skład musi się wykoleić.

– Ale – wpadł mi w słowo – znajduje się dzielny kolejarz...

– Akurat przebywający na urlopie specjalista od bezpieczeństwa! – poprawiłem.

– Czekista brzmiałoby lepiej. Miałem kiedyś znajomego czekistę, który był tak oblatany w pociągach...

– Wysadzał je?

– Co pan, z wykolejeńcami ja się nie kolegowałem! Witia Domagałow znał po prostu wszystkie kolejowe rozkłady jazdy na świecie. Raz przez pomyłkę zrzucono nas na pustyni Mojave. Głusz dookoła, że oko wykol... Bo wszystkie rośliny kolczaste. Naraz hen, daleko słyszymy turkot. Pociąg jedzie. A Domagałow od razu: „Opóźniony do Yumy 15'10". Kładziemy się na torach i udajemy śpiących tubylców, może się zatrzyma?

– I co?

– Nie zatrzymał się... A właśnie – wrócił do tematu – rozumiem, że ten amerykański gieroj oczywiście zatrzymuje pociąg?

– Prawie.

– Jak to prawie? Przecież nie dochodzi chyba do katastrofy?

– Dochodzi!

– No, ale bomba atomowa nie wybucha.

– Nie od razu. Na początek wybucha pożar.

– To jeszcze małe nieszczęście. U nas w służbach obowiązywała zasada: „Jakby się paliło, to polewać wodą".

– W żadnym wypadku wodą... Tam były chemikalia. Sód, chlor, magnez...

– No to prawdziwy cud, że przy takim żarze atomówka nie eksplodowała.

– Ależ, spokojnie, panie Bronisławie, eksplodowała.

– Kurczę pieczone! A co z Denver?

– Nie ma Denver, koniec serialu, koniec dynastii... Carringtonowie wyparowali, a w całej okolicy totalna katastrofa ekologiczna.

– Czy oni w tej Ameryce już pozapominali o happy endach? – Baton wydawał się wstrząśnięty.

– Happy end jest, ale dotyczy wymowy dzieła. Widać w filmie mobilizację całego społeczeństwa, naród w obliczu tragedii zespala się ze swoim prezydentem...

– Piękna wymowa?! Daj pan spokój! Przecież czy wymówisz pan *kaniec filma* czy *kaniec mira*, to i tak koniec. Przeżyłem coś takiego.

– Atomową katastrofę ekologiczną? W Czarnobylu?

– Gorzej. Na Kamczatce.

Wzruszyłem ramionami, bo nie słyszałem o takiej katastrofie. Baton dostrzegł moje powątpiewanie.

– A co to pan realiów Sajuza nie znał? – huknął. – Było ścisłe embargo na takie informacje. A ja pracowałem wtedy na pół etatu w zabezpieczeniu pewnej tajnej bazy atomowej. Niezła fucha. A i dorobić można było.

– Dorobić?

– To już było po prywatyzacji ZSRR – wyjaśniał – przyjeżdżali różni tacy... kontrahenci, niby jako działacze pokojowi, ekolodzy, geofizycy – Amerykańcy, Japońce, Arabusy, na to sprzedawało się im głowice.

– Sprzedawał pan broń atomową? To przecież gorzej niż zbrodnia!

– Gdyby one działały, to może byłaby zbrodnia. Ale to był tylko szmelc z demobilu. Wszystko zgnite, ciężka woda – lekka, czerwona rtęć, prawie czarna. Na przykład raz trafiła się nam barterowa transakcja z Inguszami, pięć skrzynek spirytu za kilo czerwonej rtęci. I niestety przydarzała się tragedia.

– Wypadek?

– I to jaki!

– Były ofiary?

– Ze dwadzieścia!

– Jezu, tysięcy czy milionów?

– Osób. Wszyscy co pili. Bo ten kaukaski spiryt był kazionny, a w dodatku metylowy.

– No to wielkie szczęście, że pan wtedy nie pił.

– Co nie pił? – zawołał oburzony do żywego. – Był spiryt i ja bym nie pił?!

– Jednak, jak widzę, nic się panu nie stało. Nawet wzroku pan nie stracił.

– To bardzo źle pan widzi – powiedział kłusownik, wycierając łzę z kącika oka. Bo ja, panie Marciński, oślepłem ideowo, i od tego dnia przestałem widzieć świetlaną przyszłość.

– Piękna historia, ale gdzie ocalenie świata?

– Którego? Pierwszy się zawalił, a trzeci nie jest do uratowania...

– Jednak mówił pan, że parokrotnie uratował pan całą kulę ziemską?

– Ale pan namolny jak nie przymierzając rzep! – westchnął ciężko.

– Ale dobrze. Opowiem panu! Swego czasu przebywałem jako obserwator pokojowy na chińskiej granicy, nad Ussuri. To był akurat moment, kiedy żółtki wydały wojnę ptactwu, bo im strasznie plony wydziobywało.

– Czytałem o tym. Miliard Chińczyków wyszło na pola z bębenkami, piszczałkami, terkotkami.

– No! Przerażone ptaki wzbiły się w powietrze, a który ze zmęczenia padał, to ginął pod pałkami tłumu. A my po całej stronie Ussuri – pięćdziesiąt dywizji staliśmy przebrani za strachy na wróble, żeby to tałatajstwo do nas nie przyfrunęło i resztek plonów z magazynów wojskowych nie powyjadało. Zresztą ptaki nie były takie głupie i przeważnie omijały Sojuz bokiem. A jeśli już nawet, jak żurawie musiały przelecieć, to pierwsze międzylądowanie miały dopiero w Polsce, w stolicy... Pamięta pan wiersz: „Co nam zdrajcy. Jest piąta kolumna w Warszawie..."?

– Nie znałem tej wersji.

– Bo autor po rozmowie z cenzurą złagodził tekst. No więc stoimy jako te strachy i pilnujemy... Z nudów zarzuciliśmy naszego sierżanta Griszę do Amuru na sznurku w charakterze przynęty i czekamy, czy coś złowi. Nagle w rzece coś chlupnęło. Po chwili czuję szarpnięcie. Ciągnę, ciągnę, wyciągnąć nie mogę. Reszta strachów zaczęła mi pomagać, ale nie dajemy rady.

– Jakaś duża sztuka!

– Tak też pomyślałem, ale patrzę, a na drugim brzegu gromada Chińczyków też za coś ciągnie...

– Złowiliście tę samą rybę?

– Gorzej, tego samego sierżanta Griszę z sumem w zębach. Co za wyzwanie dla naszej ambicji. No i batalion haubic walnął z grubej rury, żeby tych chińskich kłusowników przestraszyć. No i wyciągnęliśmy tego suma wszystkich strachów na brzeg.

– A Chińczycy? Odpowiedzieli ogniem?

– Prawie. Wydali tysiąc dwieście czterdzieści trzy poważne ostrzeżenia. Ale strachu nas ten spór o sierżanta Griszę kosztował w sumie sporo.

– À propos sumy – powiedziałem – pańska opowieść przypomina mi trochę film *Suma wszystkich strachów*.

– O czym to było?

– Z grubsza mogłoby nosić podtytuł: *Jak rozpętałem trzecią wojnę światową*.

– Nuklearną?

– Ma się rozumieć.

– Kurczę pieczone, w jaki sposób?

– Wszystko zaczęło się od tego, że arabski chłop znalazł bombę atomową zgubioną przez izraelski samolot ósmego dnia wojny siedmiodniowej. Kupił ją od niego handlarz broni... Za grosze!

– Skoro była okazja, grzech nie kupić! Na Stadionie Dziesięciolecia też wszystko można było kupić za grosze. Niestety, stary stadion już wyparował.

– Jak ten w Baltimore po wybuchu nuklearnym. Bo widzi pan, ta bomba wpadła w ręce spiskowców nazistów i ogólnie burżuazyjnej swołoczy, która postanowiła rozpętać trzecią wojnę światową.

– Po co?

– Nie wiadomo. To jest właśnie najsłabszy punkt filmu. Chociaż, kiedy nie wiadomo po co, to wiadomo, że dla pieniędzy.

– Kurczę pieczone! Co za durnota!? Myśmy byli gotowi rozpętać wojnę w imię socjalizmu, dla dobra ludzkości i całego postępowego świata, no bo co po pieniądzach, jak tego świata już nie będzie?

– W filmie akcja biegnie tak szybko, że nie ma czasu się nad tym zastanowić. Wybucha bomba na stadionie, potem zbuntowani ruscy generałowie atakują amerykański lotniskowiec, Stany odpowiadają ogniem... Prezydent, który ledwie uszedł z atomowego piekła z życiem, pali się do przyciśnięcia atomowego guzika w czarnej teczce. Co gorsza, druga strona odpowiada podobnymi przygotowaniami...

– To kto tam wtedy rządził?

– Po schorowanym alkoholiku stery Rosji objął właśnie energiczny, świetnie mówiący po angielsku czekista.

– I do tego niezwykle żywotny – wtrącił się pan Bronisław. – Druga dekada mu leci, a on coraz mocniejszy, podczas gdy poprzedni czekista na tym stanowisku utrzymał się ledwie rok... A tak między nami, pan wie, na co umarł Jura Andropow?

– Na nerki.

– Tak się mówi. A ja znam parę szczegółów W roku tysiąc dziewięćset osiemdziesiątym drugim, wkrótce po objęciu władzy, Sekretarz Generalny postanowił poddać się prototypowej kuracji. Miały zostać wykorzystane małpie hormony, psie serce, krew dziewic i piwo żigulirowskije.

– Co pan gada?

– To co wiem! Dorabiałem wtedy jako starszy sprzątacz śniegowy na wewnętrznym dziedzińcu Kremla...

– Taka funkcja przy pańskiej pozycji i dorobku?!

– To była, naturalnie, tylko przykrywka, bo już wtedy pracowałem dla kogoś innego. Kukliński mnie zaprotegował, po tym jak wywiozłem go nyską do RFN-u...

– Ależ to fascynujące – poczułem, jakbym natrafił na zupełnie nieznany wątek jego biografii. – Mówi pan nyską. Razem z żoną i synami...?

– O tem potem. Miało być jak ocalam świat.

– Ocalając pułkownika Kuklińskiego, już pan ocalił...

– Ale to była akcja bezpośrednia. No więc widziałem na własne oczy efekty kuracji. Naukowcy przedobrzyli, wpadła im w ręce stara recepta profesora Pawłowa i zamiast odmłodzić Jurija o ćwierć wieku, to cofnęli go o ponad pół do poziomu dziesięciolatka...

„Czyżby Marcin Jędras wspominając cudowne odmłodzenie Batona, pomylił to z tym właśnie zdarzeniem?" – przemknęło mi, ale siedziałem jak trusia.

– Andropow ledwie się obudził, to z nogi od tronu Romanowych procę sobie wystrugał, z czerwonego sztandaru wigwam zmajstrował, a kocurowi Nikicie, który jeszcze czasy Chruszczowa pamiętał, minę przeciwczołgową do ogona przyczepił i puścił przez carskie wrota. Obstawa w nogi, a Jura łaps! za czarną teczkę i chodu przez okno. Za chwilę alarm! Sztab wojsk rakietowych zgłasza, że ktoś przy kodach atomowych majstruje i za pół godziny nie będzie Europy Zachodniej, a za godzinę Chin.

– Koniec świata!

– To już nie była suma, panie Jędrzejku, to był iloczyn wszystkich stra-chów. Na szczęście świat uratował iloraz mej inteligencji i wspomniane słabe nerki generalnego sekretarza.

– Nie rozumiem.

– Kiedy to się wszystko działo, jakby nigdy nic zamiatałem nadal śnieg, aż tu czuję, coś na mnie kapie ze szczytu soboru Uspienskiego. Myślałem, że to przelatujące żurawie – ale coś to za długo trwa. Ja patrzę, a to pod-szyty dzieckiem Andropow siedzi na najwyższej wieży soboru Wasyla Bła-żennowo, przy czarnej teczce gmera, z napięcia popuszczając. No to ja za giwerę... ta, ta, ta, ta! Prosto w nery.

– I tak z zimną krwią zastrzelił pan Genseka...?

– Ale ocaliłem ten świat, w pysk. Ale żebym z tego powodu doczekał się jakiejś wdzięczności. Nawet premii nie dali, a odpowiedzi z Mosfilmu do dziś dnia nie ma.

– Z Mosfilmu? A czego się pan spodziewał?

– Że przynajmniej nakręcą film o moim wyczynie. *Człowiek z karabi-nem II*, czy *Lecą żurawie III*. A tu nic. Nie dzwonią, nie piszą.

– Bo nie miał pan nikogo życzliwego, kto pomógłby się panu wylanso-wać – zawołałem, natychmiast wracając do tematu produkcji telewizyjnej. – Wystarczyło mieć pod ręką właściwych ludzi. A ich są przecież krocie – tu zacząłem sypać jak z rękawa nazwiskami reżyserów, scenografów, którzy mogliby się zająć kręceniem jego niezwykłych przygód.

Baton wydawał się oszołomiony bogactwem mej oferty.

– Niech mi pan udostępni jakikolwiek telefon – kusiłem – a zapewnię panu oskarową obsadę!

– Nazwiska! – jego oczka zrobiły się naraz chytre i podejrzliwe. – Kto niby miałby tam wystąpić?

– No, rolę samego Superagenta, czyli pańskie alter ego, mógłby zagrać Kondrat...

– Kto?

– Marek Kondrat, świetny aktor, dobrze widziany u władzy, przy oka-zji mielibyśmy sponsoring paru banków, a w dodatku świetny chwyt rekla-mowy. Kondrat gra współczesnego Konrada Wallenroda.

– Odpada – znielubiłem go od czasu tego *Dnia Świdra*.

– Oglądał pan ten film? – nie mogłem powstrzymać się od zdumienia.

– Reklamówka mi wystarczyła. Ten rynsztokowy język. Ja rozumiem, że tak mówią na co dzień politycy, ale żeby przeciętni polscy inteligenci? Żadnego Kondrata Wallenroda! W pysk!

– A co by pan powiedział na obywatela Stuhra?

– Młodego czy starego?

– Obu. Stary zagrałby pańskiego tatkę, a młody pana.

– Niby jako *Pokłosie II*. Nie wchodzę. Owszem stary podobał mi się w tej *Eksmisji*, ale potem było coraz gorzej.

– A widział pan *Pogodę na jutro*?

– Nie oglądam tych wszystkich gównianych prognoz. Zapowiadają deszcz, ja wiem, że kłamią, więc wychodzę bez parasola, a tu leje jak z cebra.

– Film był pod takim tytułem, polska komedia!

– Niby o czym?

– No to muszę panu opowiedzieć. Były działacz „Solidarności" Józef Kozioł, którego gra właśnie wspomniany Stuhr, uczestniczył w wypadku, który spowodował pijany działacz partyjny, i schronił się właśnie w klasztorze.

– A z której to partii był ten działacz, z PSL-u?

– Wtedy istniała tylko jedna prawdziwa partia!

– Pamiętam! I komu to przeszkadzało? Rozumiem, że to jakiś stary film?

– Nie, dosyć nowy, z początków XXI wieku, ale zawiera elementy retrospekcji. No więc po kilkunastu latach spędzonych w klasztorze, w trakcie Tygodnia Kultury Sakralnej Kozioł zgodził się zastąpić zachrypniętego braciszka i wystąpić w chórze, na ulicy. I tam spotyka go żona z synem.

– I poznaje ich?

– Wystarczy, że oni go poznają. Tyle że po tylu latach zamknięcia w celi Kozioł przeżywa szok, bo nie może poznać Polski.

– Jak to nie może, kurczę pieczone? A co się takiego zmieniło?

– Wszystko.

– Taaak? – Baton roześmiał się szeroko. – Wszystko? Przecież jeśli film rozgrywał się na początku naszego stulecia, to premierem był były sekretarz, prezydentem były minister sportu! Lewica siedziała u władzy, opozycja w opozycji... telewizja kłamała jak za Urbana, prokurator ścigał dziennikarzy. Jedyna różnica była taka, że Stasi Gierkowej nigdy nie przyszłoby do głowy kandydować na prezydenta i pokazywać w telewizorze, jak się kroi bezy.

– Jednak przede wszystkim Kozioł nie może poznać swojej rodziny – tłumaczyłem.

– Ząb czasu tak ją nadgryzł?

– Z powodu moralnej degradacji, która ją dotknęła. Proszę sobie wyobrazić, żona ma konkubenta, handlarza kradzionymi samochodami. Syn jest asystentem wpływowego polityka lewicy. Młodsza córka ma za kochanka narkotykowego dealera, który faszeruje ją prochami, a starsza dla szmalu zgodziła się zostać bohaterką „reality showu"... Mieszka w szklanym domu, kamery pokazują ją w najbardziej intymnych momentach, a kulminacją ma być noc poślubna z kandydatem wybranym z tysięcy chętnych.

– Randka w widno? – pokiwał głową Baton. – Jednak mam nadzieję, że powrót ojca marnotrawnego wszystko zmienia na lepsze?

– O tak! Zdecydowanie na lepsze! Córka w narkotykowym amoku wpada pod samochód, matka dostaje zawału, syn dokonuje samookaleczenia, żeby wyłudzić pieniądze za skradziony samochód, a sam Kozioł rozbija szklaną klatkę w trakcie nocy poślubnej córki i sam skatowany przez ochroniarzy trafia do szpitala, gdzie znalazła się już cała jego rodzina.

– No proszę, typowa polska komedia moralnego niepokoju... I jak ma być u nas dobrze?

– Jeszcze nie skończyłem! Film ma bardzo moralny i wychowawczy wydźwięk. Konkubent żony jako złodziej samochodów trafia do pierdla.

– Dobrze!

– Eksdealer staje się żebrakiem.

– Bardzo dobrze.

– Skompromitowany polityk zamiast w smokingu prowadzić nas do Europy, w jaskrawym stroju przeprowadza dzieci przez jezdnię.

– A Kozioł wraca do klasztoru? – dorzucił, chichocząc.

– Chciałby, ale nie może, wydalili go z wilczym biletem, więc zamiast tego wygolony na łyso śpiewa w zespole Hare Kriszna.

– Oj, nie przypominaj mi pan! – Batona opuściło nagle dotychczasowe rozbawienie. – Swego czasu w departamencie walki z Kościołem przeszedłżem krótki kurs szkoleniowy dla potencjalnych mnichów...

– I jak panu poszło?

– W składaniu włosiennicy w kostkę miałem ocenę celującą, w posypywaniu głowy popiołem byłem wiceliderem resortu.

– A kto był pierwszy?

– Sam szef, pod okrągłym stołem. Niestety, jak doszło do wysyłania na praktyki, wpadł żem jak śliwka w kanalizację.

– A to dlaczego?

– Z powodu rozdzielnika! Jeden kolega o pięknym radiowym głosie poszedł do redemptorystów, słodziutka koleżanka do karmelu, sierżant, mistrz pałowania – do pallotynów, tylko mnie przypadła praktyka w klasztorze buddyjskim. Sześć lat w Tybecie. Nudy na pudy. Nawet modlitwy za człowieka kręcił młynek, zapolować można było co najwyżej na lamę, albo na Yeti, a drewno na opał i lód na popitkę musiałeś rąbać kantem dłoni, kurczę pieczone.

– No to właśnie dzięki tej wspólnocie losów Stuhr powinien być idealny w odtwarzaniu pana na ekranie.

– Panie Marciński, ja stawiam na pewniaków, a on się nie sprawdził nawet jako „Wodzirej". Koniec. Powiem szczerze, trochę mnie uraził.

– To niech pan da sam swoje typy obsadowe! – rzuciłem.

– Kapitan Kloss... Mikulski znaczy się.

– Niestety nie żyje.

– Wilhelmi Roman.

– Też niestety.

– Mały rycerz, Łomnicki Tadeusz.

– Nic nie poradzę.

– A co to spisek jakiś? Jak pan jeszcze mi powie, że Himilsbach też nie żyje...

– Od dawna i to razem z Maklakiewiczem.

– Kurczę pieczone. To już żaden twardziel nie został na tym świecie. A Limba?

– Kto?

– Limba. Chłop jak dąb. Zawsze gra twardzieli takich jak ja.

– Linda! – połapałem się. – W porządku, ten akurat jest do wzięcia.

– Limba! – upierał się przy swoim. – Linda to jest żeńskie imię i nijak nie pasuje do chłopa! Miałem kiedyś na Brooklinie jedną Lindę. Rozwódka z wielkim biustem i maleńkimi stringami...

– Ale w tym wypadku aktor na imię ma Bogusław, a Linda to jest nazwisko. Niech pan mi da komórkę, a już dzwonimy do Bogusia. I kręcimy *Psy 5*.

Myślałem, że już go podszedłem! Sięgnął do kieszeni po telefon, we mnie serce zastygło w nadziei. Ale w ostatniej chwili zmienił zamiar.

– Niech się pan zajmie scenariuszami, panie Jędrzejku – rzekł wolno, ale dosadnie, jakby przezwyciężając wewnętrzny opór. – Organizację zostaw pan mnie. W pysk.

XXII.
Pretty women

Lolita wróciła równie nagle, jak wcześniej zniknęła. Ot, po prostu zajechała przed dom swym motorem i weszła na pokoje niczym powiew lepszego świata, w mikroskopijnych szortach i kusym sweterku odsłaniającym rozkoszny pępek, poniżej którego znajdował się wytatuowany jakiś napis, jak sądzę po chińsku.

– „Obcym wstęp wzbroniony" – wyjaśnił mi niechętnie Baton. – I nie łyp mi ślipiami za dziewczyną, bo nie dla psa kiełbasa. Dla ciebie też nie! – rzucił do Pioruna, który na wzmiankę o wędlinie zastrzygł uszami.

Dziewczyna wyglądała jak odmieniona. W dodatku zachowywała się jakby w międzyczasie spadła na nią cała pewność świata. Pocałowała Batona w policzek, mnie z dystansu skinęła głową, po czym zamiast paść na kolana i zacząć szorować parkiet, cisnęła na kanapę plik jakichś ilustrowanych czasopism i zniknęła w swoim pokoju.

– W głowie się jej przewróciło – skomentował pan Bronisław. – Wszystko przez moje dobre serce. Zgodziłem się, żeby dziewczyna wzięła udział w sesji fotograficznej dla prasy branżowej. I oto skutki.

Sięgnąłem po przyniesione czasopisma, ale wyrwał mi je z ręki.

– Najpierw ja obejrzę! – chwilę oglądał w skupieniu, potem trochę się rozjaśnił. – No dobrze, dobrze. Popatrz sobie pan...

Był to folder z minimalną ilością tekstu, w którym i tak przeważały cyfry, jak mniemam – parametry bojowe. Ilustracje były zdecydowanie atrakcyjniejsze. Na pierwszym zdjęciu naga Lola trzymała na brzuszku rusznicę przeciwpancerną, na drugim prężyła się na dachu wozu bojowego, a na trzecim z wdziękiem pilotowała helikopter, oparłszy kształtne piersi o rączki wolanta... Że to gosposia Batona poznałem właściwie po oczach i wspomnianym tatuażu, ponieważ na twarzy miała gustowny muzułmański czarczaf...

– A ta zasłona na buzi to po co? Ze względu na ochronę prywatności? – zapytałem.

– Wymogi handlowe! Firma Prince&Prince, która zamówiła folder, handluje głównie ze światem arabskim... Wie pan, co tu jest napisane? – wskazał na tytuł narysowany jakimiś robaczkami.

– Nie mam pojęcia.

– „Powitanie z Bronią"... Bo Lola na tę operację wzięła sobie drugie imię – Bronka.

– Bronisława? To na pana cześć?

– I jako ostrzeżenie. Że należny do Bronka i można ją pożerać jedynie wzrokiem... – wyrwał mi folder i zaczął nerwowo kartkować. – Ale kto mógł przypuszczać, że tak się zagalopuje w ujawnianiu tajemnic wojskowych?! Ech, pozwolić na jedną małą chwilę niesubordynacji, to zaraz się rozbestwi. Bronka! Bronka!

Trwało to sekundę, gdy ku memu zdumieniu dziewczyna zjawiła się w pełnym rynsztunku bojowym z plecakiem.

– Na moją komendę sto pompek, ale już!

Ku memu zaskoczeniu padła w miejscu i bez szemrania zaczęła wykonywać rozkaz, a kiedy Baton na moment odwrócił głowę, puściła mi najwspanialsze oko, jakie miałem przyjemność oglądać. Zrobiła tych pompek, jeśli dobrze liczyłem, sto jeden, i nawet się nie spociła, po czym Baton kazał jej odmaszerować.

– Tak trzeba traktować tę słabą płeć! – powiedział, pociągając drinka.

– A i to nie zawsze pomaga. Prowadziłem kiedyś, w latach pięćdziesiątych, szkolenie, w piątej kolumnie dywersji i sabotażu im. Maty Hari. Ja sam i osiemdziesiąt kobit. Kandydatek na nasze matrioszki.

– I czego pan ich uczył? – zapytałem.

– Życia i obyczajów na Dzikim Zachodzie, które musiały zgłębić przed przerzuceniem za żelazną kurtynę. Niektóre, panie Marciński, były tak surowe, prosto z tajgi, że majtki chciały zakładać przez głowę, a biustonosze nosiły zamiast nauszników. A ja jak dobry ojciec uczyłem ich wszystkiego. Co to make up, topless, sleeping, petting i leasing...

– Nie podejrzewałem pana o to.

– Mając za cel finalny pobiedę socjalizmu, nauczyłem ich nawet golić nogi i wąsy... Nic więc dziwnego, że wszystkie po prostu szalały za mną... Traktowały mnie jak Boga.

– O ile wiem, wtedy nie wierzyło się w Boga.

– Toteż one były niewierzące, ale praktykujące. Jak to się mówiło „kult jednostki!". A szefem tej jednostki byłem ja. Nie lubię się chwalić, ale powiem panu, że jak doszło do zajęć praktycznych, to robiło się tak gorąco, że wieczna zmarzlina pod naszym barakiem tajała. Tyle że pod koniec kursu tak mi się to wszystko przejadło, że aż zacząłem wodzić łakomym okiem za naszym wartownikiem, garbatym szeregowcem z NKWD – Iwanem, chodzącym o kulach, któremu wszystko z wyjątkiem głowy szrapnel urwał. I w związku z tym do niczego się nie nadawał.

– Mnie tam by to się nigdy nie przejadło – zauważyłem, cały czas zastanawiając się, kiedy dziewczyna wróci.

– To było obejrzeć te kursantki. Przyjmowano po minimum dwudziestoletnim stażu w Partii. Brzydkie koty jak deszczowa noc.

– Nie mogę uwierzyć. Musiała się trafić przynajmniej jedna przystojna.

– A widział pan jeszcze parę lat temu ruskie stewardesy, albo etażowe...? A na kursie były jeszcze większe wymagania. Czy pan wie, że prymuska rocznik tysiąc osiemset siedemdziesiąt osobiście znała rodziców Lenina?

– I takimi matrioszkami chciał pan podbić Zachód? Wydawało mi się zawsze, że do tych celów wybierało się przede wszystkim takie dziewczyny jak Lolita...

– Żeby wpadły już przy pierwszej kontroli jak tak krasawica, pani Chapman?! A kto by badał szczegółowo dokumenty zaniedbanej, dobrodusznej staruszki? Taka przyjmowała się doskonale w społeczeństwie dobrobytu, zaprzyjaźniała z sąsiadami i nikt się nie dziwił, kiedy po okresie aklimatyzacji przyjeżdżała do niej wnuczka funkcjonariuszek SMERSZ-u, warunkami fizycznymi zbliżona do mojej Lolity... – tu cicho westchnął – niestety, do szkolenia wnuczek mnie nie dopuszczono.

– No to pech! – pokiwałem głową.

– Bywają gorsze nieszczęścia – stwierdził pan Bronisław. – Znajomy kapitan na niejawnym etacie dziennikarza ożenił się z modelką. Dziewczyna była zgrabna jak manekin. Ale że pan młody upił się w czasie przyjęcia weselnego, do łóżka włożyliśmy mu prawdziwego manekina. Rano pytamy: „Jak tam panna młoda?". A nowożeniec: „Ładna, ale w łóżku drewno".

Roześmiałem się.

– Przypomniał mi pan podobny epizod, przed paru laty kolega aktor poślubił koleżankę aktorkę nie pierwszej już młodości.

– Bywa.

– Tylko jak doszło do nocy poślubnej i babsko zmyło make-up, zdjęło perukę, wyjęło zęby, odpięło piesi i zaczęło odkręcać nogę, kolega nie wytrzymał i zawołał: „Nie przejmuj się mną, rzuć mi to, o co w tym wszystkim chodzi, a ja już się sam pobawię"!

– Chętnie bym to zobaczył – zatarł ręce Baton – ale niestety chyba nie inwigilowaliśmy tego mieszkania.

– Z czego się tak śmiejecie? – zapytała Lola. Jej jąkanie znikło bez śladu, głos stał się miękki, głębszy, przesycony naturalną seksualnością.

– Nie twoja sprawa – burknął Baton. – Nalej sobie drinka i do kuchni.

Wyszła, kręcąc pupą jak polinezyjska tancerka, aż, przysiągłbym, ryj martwego dzika na ścianie się oblizał.

– I widzi pan, jak od jednego sukcesu łatwo może się przewrócić w głowie? Myślisz niewiniątko, do trzech zliczyć nie potrafi... A tu, niespodziewajka!

– To prawda, jest nawet o tym film, w którym pewien biznesmen, Ryszard mu było, wpadł z delegacją do Los Angeles – Miasta Aniołów.

– Byłem! – sapnął kłusownik. – Faktycznie Miasto Aniołów, bo na każdym rogu aniołek. Tyle że upadły. A niektóre tak w trotuar powrastały, że się im odciski na betonie porobiły...

– I właśnie w takim mieście niestety łatwo jest zejść ze ścieżki cnoty.

– Przecież mówię, moralne szambo, bezrobotne pannice z rozkładówki „Playboya" pracują jako lodziarki albo fryzjerki.

– No i Ryszard, jak to bywa w delegacji, zgubił tam drogę. A że był nietutejszy, to się zapytał przygodnej panienki. I od słowa do słowa...

– Zaczęła się rozmowa? – zaskoczył Baton. – Rozumiem, towar był pierwszorzędnej jakości?

– Początkowo, mówiąc delikatnie, wydawał się dość średni. Panna umalowana na grubo, włosy jak badyle, ale jak już wylądowała z Ryszardem w hotelu i ten zamówił dla niej szampon do wanny, a dla siebie szampan, po czym wypił jeden kieliszek, drugi...

– To dziewczyna zaczęła mu się podobać? Znam ten syndrom. Oczywiście tylko ze słyszenia! Podobno po piątej kolejce nawet babcia klozetowa staje się zjawiskiem.

– To nie taki przypadek, kiedy panienka już zrzuciła nędzne ciuchy, wykąpała się, makijaż zmyła, ściągnęła perukę i okazała się piękną kobietą – Julią Roberts.

– Popatrz tylko, a ja myślałem, że tylko nasze statystki dorabiają dupcią w garderobie.

– Ależ, panie Bronku, to była tylko taka rola.

– Tak się mówi. Każda cichodajka twierdzi, że jest przyzwoitą kobietą, żeby zrobić lepsze wrażenie. – Podniósł zdjęcie Lolity. – Czy mnie się przypadkiem nie wydaje, że w tle widać cień podnieconego fotografa?

– Mnie się nie wydaje, natomiast Julia zrobiła takie wrażenie na Ryszardzie, że ją wynajął od razu na cały tydzień.

– Na tydzień? Całkiem logiczne. Przy dłuższych terminach dają upust. Rozumiem, że ona też dała?

– Żeby raz. Zwłaszcza że facet okazał się rozrzutny – stroje, bankiety, klejnoty. Nie dziw, że na koniec dzidzia dała upust swoim uczuciom. I się w nim zakochała, choć to nie było profesjonalne podejście. A nawet go pocałowała, mimo że wedle zasad klientów się nie całuje.

– To prawda – przytaknął Baton. – U nas u platerówek... znaczy się markietanek jest to zapisane w regulaminie. A u kurew cywilnych panuje przesąd – „pocałujesz klienta, może się zmienić... w męża".

– No i tak się właśnie skończyło w *Pretty women*. Okazało się, że wbrew burżuazyjnym i klerykalnym poglądom w jedną noc z taniej dziwki z zszarganą opinią można stać się przyzwoitą kobietą. A w tydzień to nawet damą, żoną, i dziewicą... I to przy powszechnym aplauzie społeczeństwa. Nawet dyrektor hotelu musiał Julię zaakceptować. I tylko pozbierawszy jej dawne brudne łachy, dyskretnie szepnął do personelu: „Wypierzmy przyszłość". Tyle że jest to możliwe tylko w amerykańskim filmie.

Baton tylko się zaśmiał.

– Panie Marciński, żebym panu nie pokazał palcem bliższych przykładów podobnej transformacji. Nie mówię już o żonach kadry oficerskiej... A jak to się tam skończyło?

– Już mówiłem, optymistycznie. Kopciuszek wydał się za księcia!

– Mnie się to nie podoba – zaprotestowała Lolita. – Wolę tradycyjną wersję baśni o Kopciuszku.

– A ty się nie wtrącaj – warknął gospodarz. – Życie to nie bajka!

– Jak która – odcięła się. – Dzisiejsze bajki różnią się od tych starych, bo świat jednak się zmienia.

– Właśnie! – poparłem ją.

– Mnie to mówicie? – obruszył się Baton. – Sam to wiem najlepiej! Od kiedy kumpel ze służb specjalnych, pseudo Schwarzenegger, zmienił płeć, organistę w Chojnówce wywalono za pokazywanie organów małolatkom, a w szkółce leśnej szkolą się tirówki, jest dla mnie jasne, że świat już nigdy nie będzie taki jak kiedyś.

– No! I filmowcy wyciągnęli z tego konsekwencje. Wiedzą, że dziś dla dzieci disneyowska myszka to Fiki Miki, Kaczora Donalda olano...

– A na psa – Pluto! – dorzuciła Lola.

– I dlatego coraz częściej pokazują świat bajek tak, jak wygląda nasz w krzywym zwierciadle – stwierdziłem.

– Jak pan to rozumiesz?

– Weźmy na przykład nasz kraj. I opowiedzmy o nim w konwencji baśni o złym czerwonym smoku gnębiącym ojczyznę – królewnę, której na pomoc śpieszy dzielny szewczyk... czy raczej elektryk. A co się dzieje po dwudziestu latach? Elektryk przeszedł na emeryturę. Jego koledzy przegrali wybory, a królewna żyje ze smokiem na kocią... na smoczą łapę.

– I to w czerwonym kapturku! – zachichotała, podchwytując konwencję Lola. Postanowiłem kontynuować tego ping-ponga, widząc, jak wzrok Batona przenosi się to na mnie, to na nią, to na mnie, to na nią...

– Krasnoludki poszły na bezrobocie.

– Zbójcy do parlamentu.

– A Dobrą Wróżkę Unię wykorzystano do dopłat bezpośrednich.

– I tylko patrzeć, jak królewna ojczyzna po pocałowaniu przez czerwonego smoka sama zmieni się w ropuchę ze świńskim ryjem.

– A skąd wyście to wszystko wymyślili? – przerwał nam w końcu oszołomiony gospodarz.

– Wygląda na to, że oboje byliśmy na *Shreku* – wyjaśniła Lola.

Spojrzał na nas podejrzliwie.

– Na czym?

– Na filmie. To taka historia jak pewien ogr zostaje królem...

– Kto?

– Ogr! Na pierwszy rzut oka prostak, gbur o aparycji potwora – wyjaśniła dziewczyna.

– Coraz częściej zdarza się we współczesnym świecie, że chamstwo i prostactwo biorą górę – podkreśliłem, ciesząc się, że Lolita wreszcie bierze pełnoprawny udział w naszych rozmowach.

– Współczesny świat – warknął Baton. – Raczej koniec świata. Słyszał pan, że w Ameryce kobita ma kandydować na prezydenta? W głowie się nie mieści. Oczywiście wiedziałem, że prędzej czy później do tego dojdzie, były nawet takie proroctwa Polityczno Ynternacjonalnego Tajnego Instytutu Antykapitalistycznego (w skrócie zwanego PYTIA). Chociaż mówili wcześniej, żeby oswoić własne społeczeństwo, będą musieli wybrać na prezydenta Murzyna, potem geja, dalej Żyda, Polaka i dopiero na sam koniec babę. Jak ta Fillary teraz zostanie wybrana, znaczy się koniec świata...

– Wcześniej musiałby chyba zostać prezydentem Żyd i Polak?

– Panie Marciński! Historia zawsze może pójść na skróty i wtedy okaże się, że Stany przepadły!

– No to powinien pan się cieszyć! – zauważyłem cierpko.

– Kiedyś to bym się cieszył, ale teraz Ameryka to nasz nowy Wielki Brat i nie może być mi obojętne, komu tam dają nominacje.

– Ale nominacja to nie wszystko. Wybory w USA to długotrwały proces, opozycja stanie na głowie, żeby to uniemożliwić.

– Panie Jędrzejku, co może taka opozycja? Jeśli jej nawet do mediów nie wpuszczają.

– W Ameryce opozycja ma swoje media – wrzuciła Lolita.

Jej patron zachichotał.

– Jakie to media, głuptasku? Radiowęzły chyba. Jak ta u nas pożal się Boże Republika...

– Republikanie mają Fox News – kontrowałem. – To potężna stacja!

– U nas wszystkie media to Fox News, bo gdzie nie otworzysz Lis albo jego żona. Zresztą jeśli nawet mają jakieś media, a nie mają policji, to co mogą zrobić?

– Mogą wyszperać, że kandydatka nie taka święta – powiedziałem.

– Na przykład, że w Boga nie wierzyła, była za aborcją i rozdziałem Kościoła, a jeszcze będąc na uczelni, uczestniczyła w balecie.

– Klasycznym, jak Wałęsówna, czy nowoczesnym?

– W pewnym filmie o takiej kandydatce tematem dla tabloidów był „różowy balecik", w którym taka kandydatka brała udział jako studentka. Poszła tam na całość, panie Bronisławie. Hardcore, shocking, fucking, anal, oral...

– Nawet oral? Niemożliwe – żachnął się kłusownik. – A jaki to film?

– *Ukryta prawda*.

– W USA zawsze prawda jest ukryta, nie to co u nas. Pamiętam czasy, kiedy „Prawda" była dostępna w każdym kiosku. I nie uwierzysz pan, ten importowany organ kosztował u nas osiemdziesiąt groszy, podczas gdy „Trybuna Ludu" złotówkę.

– Drożej? Ale dlaczego?

– Bo dwadzieścia groszy szło na tłumaczenie z rosyjskiego. Teraz niestety już nie ma „Trybuny", ale są jeszcze „Gazety", gdzie, jak dobrze wczytać się, to między wierszami widać ukrytą prawdę.

– A w tym filmie mimo zarzutów, choć kandydatka rezygnację złożyła, to i tak Kongres ją wybrał...

– Zrobiła balecik dla kongresmanów? Czy też zadziałała zmowa partyjna? Jak u nas.

– Nie, Sąd Lustracyjny oczyścił ją z zarzutów. Stwierdzono, że na pornofotkach to nie była ona, tylko jakaś policjantka z Brooklinu. Balecik okazał się kursem języka obcego, aborcja zaś to dobra rzecz, a ateizm nikomu nie przeszkadza. Za to jej konkurent poszedł do pudła.

– A to dlaczego?

– Bo bohaterstwo, którym się wykazał, ratując topielca, zostało sztucznie wykreowane. Gość wynajął kaskaderkę, którą miał niby uratować...

– Co za ludzie? Wszystko zrobią dla kariery. Ale to nic nowego pod słońcem. Jak kiedyś przenieśli mnie karnie do Ochotniczej Straży Pożarnej, to też mieliśmy tam takiego bohatera strażaka, który sam chałupy podpalał. Oczywiście, żeby mieć lepsze wyniki w gaszeniu. No i rzeczywiście, zawsze był pierwszy na miejscu.

– I został zdemaskowany? – zapytała Lolita.

– Gdzie tam? Jeszcze awansował, że ho, ho! Nawet film o nim nakręcili. „Kargul, pójdźże do płota – mówi nasz bohater". A tam z tyłu już mu się chałupa fajczy.

– *Sami swoi*?

– Jak najbardziej swoi. Ale myśli pan, że u obcych dzieje się inaczej? Pamiętam, służyłem jako operator filmowy czołówki w samodzielnym oddziale przy dywizji Kubańskich Kozaków w Angoli.

– Słyszałem, *Psy wojny*.

– Raczej tygrysy. Brygada tygrysów. No i trzeba trafu, że kamera mi się, kurczę pieczone, zacięła akurat podczas śmierci pewnego afrykańskiego dowódcy.

– Pech!

– Powiem więcej, tragedia! Wiadomość o zgonie już poszła w świat. Z Łubianki dzwonią, czy film gotów, bo chcą go w ONZ-cie pokazać. „Tak, toczno – mówię – gotow!" Bo jak by nie był, to by było po mnie.

– No i co pan zrobił?

– Wzięliśmy innego afrykańskiego dowódcę. Na szczęście oni wszyscy ciemni jak tabaka w rogu i podobni jak dwie krople smoły. W pysk. Szczególnie na czarno-białej taśmie ORWO. Przebrałem naszych tygrysków w panterki enpla i nakręciliśmy bohaterską śmierć jeszcze raz. Nawet lepiej wyszło niż w oryginale.

– Rozumiem, że w Moskwie byli zadowoleni?

– A jak! Mieli wszystko – czarno na białym.

– A podobno teraz stare filmy już kolorują – wtrąciła Lola.

– Po moim trupie! – warknął kłusownik. – To znaczy, po trupie bohaterskiego Afrykańczyka. Jak by to wyglądało? Murzyn kolorowy? To by odebrało memu filmowi cały autentyzm.

– Autentyzm? Dzięki Bogu w Ameryce takie ukrycie prawdy jest nie do pomyślenia.

– Co pan opowiadasz, panie Jędrzejku? Akurat wiem od tatki, kiedy był agentem w FBI. W latach pięćdziesiątych Jankesi przesłuchiwali Rosenberga, tego co ukradł Amerykańcom plany bomby atomowej. Facet już był gotów śpiewać nazwiska, kontakty... I wtedy tatko zamiast do wykrywacza prawdy podłączył wtyczkę do krzesła elektrycznego.

Zanotowałem, nie wspominając, że z ust Batona słyszałem już inną wersję tego zdarzenia. Ale być może było to drugie dno ukrytej prawdy. Zresztą od samej rozmowy ważniejsza była dla mnie obecność Lolity. Nadal nie potrafiłem rozgryźć odmiany w jej zachowaniu. Ani pojąć, jak mogło do niej dojść. Chyba że wcześniej udawała jedynie garkotłuka. Najważniejsze, że dystans między nami zmalał. Spoglądała na mnie życzliwie, wręcz kokieteryjnie...

Może jednak była to tylko gra w porozumieniu z Batonem, który mnie po prostu testował.

XXIII.
Taśmy prawdy

Nigdy nie odgadłem, według jakiego klucza Lolita pojawiała się
i znikała. Czasem przybywała tylko na noc, kiedy wędrowałem jak nie-
pyszny do swojej ziemianki, kiedy indziej zajeżdżała znienacka koło kolacji.

Tak było tamtego dnia pod koniec lata. Co ciekawe, mimo gniewnych
fuknięć Batona zachowywała się tak jakby chciała nadrobić wszystkie
tygodnie małomówności. W dodatku sypnęła całą porcją wiadomości
z wielkiego świata, do których dostęp kłusownik wyraźnie mi reglamen-
tował. Czyżby pojawiały się tam informacje, o których nie powinienem
wiedzieć?

Owego wieczora sama z siebie zaczęła opowiadać o aferze wstrząsa-
jącej od paru miesięcy warszawką. Była ona ponoć związana z masowym
podsłuchiwaniem polityków i lokalem „Sowa i przyjaciele"...

– Jestem bardzo ciekawa, co wyniknie z tych taśm prawdy? – powiedziała, kończąc cytowanie tekstów pełnych wulgaryzmów, jakimi prześci-
gali się nasi celebryci.

– Nic nie wyniknie! – burknął Baton.

– Naprawdę? Pan też tak uważa? – tu dziewczyna popatrzyła na mnie
pytająco.

– Różnie może być – powiedziałem filozoficznie i zwróciłem się do Batona. – Widział pan przecież *Taśmy prawdy*?

– Nawet niektóre słyszałem. Te nagrywane w redakcjach „Izwiestii", „Życia" i „Żołnierza Wolności", owszem, przesłuchiwałem, ale taśm
z „Prawdy", organu KPZR, nigdy nie miałem w rękach.

– Myślę o tym głośnym filmie *Taśmy prawdy*. Poległ na nich Nixon...

– Przecież pan wie, że sam żem wydawał taśmy z magazynu. Ale, panie Jędrzejku, o czym tu gadać, to tylko w Ameryce jakieś taśmy mogą obalić prezydenta, ale u nas nawet nie ruszą premiera...

– Premier podobno sam się rusza – powiedziała z naciskiem Lolita.

– Mówi się, że pojedzie na eksponowane stanowisko do Brukseli.

– Znaczy się kopniak w górę – zaśmiał się Bronisław. – Ale system trzyma się mocno!

– Faktycznie problematyczny to awans – stwierdziłem. – U nas był „Słońcem Peru”, a tam będzie tylko jedną z dwunastu gwiazdek.

– A właśnie – Baton nieoczekiwanie zmienił temat – chyba panu nie opowiedziałem o moich przygodach w Ameryce Łacińskiej.

– Z Guevarą?

– To było wcześniej w Boliwii. A w roku tysiąc dziewięćset osiemdziesiątym drugim wysłano mnie do Ameryki Łacińskiej, żebym na miejscu sprawdził, co to właściwie jest ta junta – powiedział fonetycznie.

– Chunta, panie Bronisławie – poprawiłem jego wymowę – po hiszpańsku pisze się „j”, a czyta się „ch”.

– Przecież wiem, ale czy mogłem przy generałach powiedzieć, co oznaczają napisy na murach w Polsce. „Junta juje!”. Ale jak rozkaz, to rozkaz. Pojechałem tam, a nasz najgłówniejszy generał pożyczył mi ciemnych okularów, żebym od jakiegoś słońca Peru nie oślepł. Chodzem, patrzem, chodzem, patrzem, chodzem, patrzem...

– Można krócej? – przynagliłem.

– Nie można, bo to trochę trwało. Bo co pochodzę, to ciemno widzę.

– Pewnie przez te okulary przeciwsłoneczne – domyśliła się Lolita.

– Przez miejscową ciemnotę. Okazało się, że w międzyczasie prawie wszystkie junty poupadały. Co gorsza, Pinochet, którego porównywali z naszym „TW Wolskim”, wprawdzie wziął Chile za mordę, ale jakie reformy zrobił. I jeszcze władzę dobrowolnie oddał... Niebacznie napisałem o tym w raporcie, to oskarżyli mnie o czarnowidztwo. „To ma być biały wywiad, sukinkocie!” – darł się na mnie pułkownik, formalnie nasz atasz kulturalny. Wysłali mnie więc do Argentyny. Ale tam to mi nawet okulary nie pomogły. Miejscowe władze wyczuły we mnie komunistę, zapakowały do samolotu, a kiedy znaleźliśmy się nad wodą, dowódca kazał skakać. Bez spadochronu.

– I skoczył pan?

– Wypchnęli mnie kopniakiem. A tam pode mną wodospad. Na szczęście spadłem nie nad nim, bo byłoby po mnie, ale pod... A tam głębia, no więc żyję. Tylko się człowiek wody opił i kwasu.

– I kwasu?

– Ikwasu – tak się ten wodospad nazywał.

– Iguazú! – zawołałem. Któż nie zna tych wodospadów. Choć osobiście widziałem je wyłącznie na filmie *Misja*...

– A daj mi pan spokój z misjami. Kiedy napisałem dla resortu sprawozdania o „teologii wyzwolenia" jako sposobie zapisania całej Ameryki do RWPG, to tak mi pogonili kota, że Piorun by lepiej nie potrafił. „Od teologii – wołali – to my mamy Kąkola, Broniarka i Pastusiaka! A jak trzeba będzie wyzwalać, to ich towarzysze z Kuby i Angoli wyzwolą... Won klerykale!".

– I co pan zrobił?

– Wziąłem na przeczekanie. I poszedłem robić biały wywiad do Brazylii.

– Zawsze marzyłam, żeby tam pojechać – westchnęła Lola – przynajmniej od chwili, kiedy zobaczyłam *Człowieka z Rio* z Belmondem w roli głównej.

Kłusownik aż podskoczył.

– A dajcież mi spokój z Belmondem. W czasach, kiedy ten Francuzik był na szczycie, przez nasze łudzące podobieństwo, co wszedłem do męskich pisuarów, to zaraz miałem mokre nogawki, bo na mój widok wszyscy faceci się odwracali: „O Belmondo, Belmondo".

– Belmondo? – Lolita przez moment zatrzymała wzrok na swym patronie. – Zawsze wydawało mi się, że jest pan bardziej podobny do Charles'a Aznavoura.

– Ja jestem podobny do kogo chcę – obruszył się Baton. – A co do tej Brazylii, to mam mieszane uczucia.

– Proszę opowiadać – wyciągnąłem dyktafon.

– Kolega z resortu, ksywa „Leoncio", miał tam plantację. Początkowo robił za kierowcę u jednego hitlerowca, zastawiając pułapki na Bormannów czy innych menelów... Mengelów, ale ci jak na złość powymierali. Toteż sam „Leoncio" z córką obersturmbannführera Hildegardą się ożenił i przejął posiadłość. Niestety, równocześnie zakochał się w białej niewolnicy z plantacji...

– Co pan mówi? Niewolnictwo zniesiono w Brazylii sto lat temu.

– Oficjalnie. Ale mnóstwo godziło się na taką rolę na czarno, zwłaszcza nielegalne emigrantki z Ukrainy albo Białorusi. No więc, jak już mówiłem, ta akurat niewolnica była biała. I żarła.

– Chyba Izaura – wtrąciła Lola.

– Wiem, co mówię. Żarła i żarła. W końcu się tak utuczyła, że gdy raz w trakcie miłosnych igraszek z „Leonciem" zmienili pozycję na mniej zasadniczą, dosłownie rozgniotła plantatora na miazgę. A ja znowu musiałem uciekać...

– Nie rozumiem?

– Bo obie nieutulone w żalu wdowy – Hildegarda i niewolnica – miały na mnie chętkę. A takiej telenoweli z pewnością już bym nie przeżył.

Na moment zapadła cisza

– Może wrócimy jednak do „Sowy i przyjaciół" – zaproponowałem.

– Nic o tym nie wiem, chociaż... Pamiętam, jak mój tatko opowiadał mi, że w czasach zimnej wojny zamierzali przeprowadzić wielki zamach na amerykański styl życia.

– Podpalić McDonalda chcieli?

– Gorzej, dostali rozkaz zaatakowania Disneylandu. Na akcję wyruszyły najlepsze zakapiory SMERSZ-u o pseudonimach „Puchat", „Prosiak", „Króliczek", „Kłapouch", „Kangur" i „Maleństwo"...

– A pański, że się wyrażę tatko?

– Miał pseudo „Sowa", rzecz jasna. Komando „Sowa i przyjaciele". Niestety, kiedy balowali, żeby się odprężyć przed akcją, spłukali się do ostatniego centa i jak stanęli u wrót lunaparku, nie mieli na bilety. Wtedy jeden z uczestników powiedział, że gdyby pili we WŁASNEJ knajpie, to by nie było takiego problemu. I pewnie to on założył tę restaurację.

– A który to był? Przecież pański ojciec nie żyje?

– Nie wiadomo który, bo każdy mógł sobie przywłaszczyć pseudo po mym starym.

– I myślisz pan, że coś z tego wyniknie? – zapytałem.

Baton zastanawiał się przez chwilę.

– Teraz nic z tego nie będzie, ale za jakieś pół roku, jak się wszystko posypie, to trzeba będzie tę chatkę sprzedać i wyjechać do RPA.

– Dlaczego do RPA? – zainteresowała się Lolita.

– Bo póki co nie mamy z Pretorią umowy o ekstradycji...

– Sądzi pan, że nie uda się tego zamieść pod dywan? – dopytywałem się. – W końcu pozamiatali już tyle afer, hazardową, informatyczną...

– Może by się i dało, ale główny zamiatacz ucieka, a dywan ukradli... Na mój nos będzie to miało opóźniony ciąg dalszy. Kto nagraniami wojuje, ten od nagrań zginie. Opowiadałem panu o Nixonie?

– Parę razy.

– Miły facet, choć burżuj, miał zdrowe podejście do społeczeństwa, za mordę i pod fleki.

– Chyba pan przesadza?

– Może i przesadzam. Dla mnie osobiście był bardzo sympatyczny.

– Rozmawiał pan z prezydentem USA w cztery oczy?

– Oczu było tam więcej, bo na każdej ścianie wisiał jakiś portret, a Richard lubił nocą ze szklaneczką ginu szwendać się po Białym Domu i gadać z tymi portretami swoich poprzedników... Wykorzystując ten fakt, nasze kierownictwo wymyśliło operację „Rozmowa". Najpierw dali mnie na kurs do redaktora Broniarka, który napisał mi teksty, potem do charakteryzatorów, na koniec w przebraniu George'a Washingtona przerzucono mnie do Białego Domu.

– Jeśli pan jeszcze powie, że produkcją zajął się Lew R.?

– Sza! Za młody był. W każdym razie kiedy spotkał mnie Nixon, a był już po piątym ginie, wcale się nie zdziwił, że spotkał ducha Washingtona. I od słowa do słowa...

– Zaczęła się rozmowa – podchwyciłem. – I o czym pan z nim gadał?

– O nieśmiertelności. Że słowa wielkich ludzi bywają ulotne... „Dick – mówiłem do Richarda – czy ty wiesz, że połowa tego, co ja mówiłem do narodu, została zapomniana, a druga połowa przekręcona".

– Tak się tym przejął, że już od następnego dnia kazał nagrywać każde swoje słowo, potem wystarczyło wywołać aferę, zażądać taśm i Nixon poleciał...

– Chyba i ja już powinienem polecieć – przerwałem, rzucając okiem na dyktafon. – Baterie mi się kończą.

– No to wymień pan szybko, żeby nie było wstydu. Jak baterie siadają, to w nagraniu wychodzi, że rozmówca strasznie się jąka. I zamiast mówić jak człowiek, to kuka ku... ku... ku kurwa i ku... ku... kurwa.

Popatrzyłem na Lolitę. Powinna się spłonić albo zaprotestować, ale wyraźnie myślała o czymś innym, bo nie podchwyciła mego spojrzenia. Zamiast tego przy deserze od spraw ogólnokrajowych przeszła do lokalnych.

– Słyszeliście już, że żona gajowego miała kolejne widzenie?

– Czy to możliwe?

– Panie Marciński! – tłumaczył Baton. – Syba (zgrubienie od Sybilli) ma więcej widzeń, niż niejeden więzień skazany na dożywocie. W zeszłym roku na gruszce widziała św. Agatę z kilometrówkami marszałka Sikorskiego w zębach. Dwa lata temu objawiły się jej krasnoludki włamujące się do gminnego banku...

– A co zobaczyła teraz? – zwróciłem się do Lolity.

– Miejscowym mediom wyznała, że miała spotkanie trzeciego stopnia z kosmitą.

– Aż trzeciego! – zagwizdał kłusownik. – Ma na to jakieś dowody?

– Na razie tylko brzuch jej rośnie.

– Więc jednak coś w tym jest – uznał Baton. – Gajowy, jak wiadomo, nie od tych rzeczy, nic tylko łowy, męskie towarzystwo, piwo i kręgielnia.

– W spotkanie z kosmitami to uwierzę, jeśli dziecko urodzi się zielone – powiedziałem.

– Straszny z pana niedowiarek, a przecież na całym świecie miliony ludzi wierzą w UFO – zauważyła Lolita.

– Ja też wierzę, zresztą jak mam nie wierzyć, skoro żem je sam robił. W pysk! Ze specjalną grupą UFO – „Uczebno-fantasticzeskoj ochrany"... lataliśmy od początku lat pięćdziesiątych nad USA. Raz nawet strącili jeden nasz patrol w miejscowości Roswell...

– Zaraz, zaraz – wszedłem mu w potok narracji – podobno kosmici znalezieni w Roswell to nie byli ludzie.

– Bo to nie byli ludzie. Do akcji wybierało się szczególnych kurdupli, Jakutów, Czukczów, odpowiednio spłaszczonych, żeby się do talerza zmieścili. No, a po locie takim wirującym spodkiem, sam pan rozumie, każdy musiał być zielony...

– Rozumiem, że w tle akcji był wywiad?

– Oczywiście. Głównie środowiskowy. Nie rób pan takiej głupiej miny! Jak pan myśli, po co porywaliśmy ludzi? Jechał taki autostradą pod San Francisco, tracił świadomość, a budził się w Nowym Jorku... A w międzyczasie braliśmy go na nasz statek bazę MS „Trójkąt bermudzki" i tam poddawaliśmy wszechstronnym badaniom.

– Po co? – tym razem zapytała Lolita.

– Kierownictwo koniecznie chciało się dowiedzieć, jak jest zbudowany Amerykanin i czym rożni się od człowieka radzieckiego.

– A czym niby miałby się różnić?

– Genami. Przecież człowiekowi radzieckiemu nie przyszłoby do głowy bić Murzyna. (Zwłaszcza że w ZSRR w tamtych czasach nie było Murzynów.) Ciekawiło nas też, jaka anomalia w korze mózgowej sprawia, że pucybut zostaje milionerem. W całym ZSRR przez pięćdziesiąt lat nie zdarzył się taki przypadek. Ani jeden. Albo dlaczego w każdych wyborach w Stanach jest tylu kandydatów na jedno stanowisko, a nie jedna wspólna lista?

– Ciekawy jestem, jaki był wynik tych badań?

– Gdzieś w latach sześćdziesiątych koncepcja genetyczna upadła. Zwłaszcza gdy pięciu profesorów uciekło z MS „Trójkąt" wpław do Ameryki w samych bermudach. To nas zastanowiło, bo przecież byli to nasi ludzie, sól ziemi, kość z kości... Co gorsza, wszyscy podobni renegaci po ucieczce za żelazną kurtynę stawali się dokładnie tacy sami jak nasi wrogowie. Wniosek nasuwał się oczywisty, sprawcą musiał być podrzucony na statek wirus – zmutowany prątek kapitalizmu skrzyżowany z krętkiem bladym. I to pod wpływem klerykalnego paciorkowca.

– Pogratulować odkrycia!

– Towarzysz Chruszczow wpadł nawet na pomysł, żeby przeciw tej zarazie zaszczepić całą Amerykę. I tym sposobem zrobić z wrogów przyjaciół.

– Ciekawe, jak chciano tego dokonać?

– Za pomocą naszych rakiet zainstalowanych na Kubie, wypełnionych przeciwciałami... Niestety Kennedy zwąchał, co jest grane, i musieliśmy te pokojowe oruża wycofać, w pysk.

– Nigdy bym nie pomyślał.

– Ja też bym nie pomyślał, że kiedy rakiety tymczasowo składowano w Polsce, ów wirus kapitalizmu samorzutnie zdołał się uwolnić i zaatakował nasze dotąd zdrowe społeczeństwa.

– Przecież w tych rakietach miały być antyciała? – zauważyła Lola.

– W naszych warunkach zmieniły się w prociała. No i w roku tysiąc dziewięćset osiemdziesiątym, wredny bakcyl zaatakował dziesięć milionów zdrowych dotąd obywateli, w większości kwiat klasy robotniczej. Nawet ogólnowojskowa terapia zaproponowana przez generałów trzynastego grudnia nie poskutkowała. Drobnoustrój samoczynnie zmutował. Zaatakował najlepszy odłam awangardy proletariatu, powodując tzw. syndrom uwłaszczania się nomenklatury. A jakie były tragiczne objawy! Chroniczna niechęć do czerwonego i pazerność na zielone.

– Ale epidemia w końcu wygasła?

– Niekoniecznie. Doszło do kolejnej mutacji i pojawił się jeszcze inny bakcyl *platformus obywatelis*. Teoretycznie nieszkodliwy. Ale w kilka lat najzdrowszego człowieka zmienia w leminga.

Zauważyłem, że Lolita zakryła twarz pucharkiem z lodami, aby nie parsknąć śmiechem.

– Całe szczęście, że te wszystkie „znaki" pojawiają się poza moim terenem – kontynuował kłusownik.

– Jakie znaki?

– Oto skutki nieoglądania telewizji śniadaniowej. A przecież mamy sezon ogórkowy, więc muszą pojawiać się albo potwór w Szkocji, albo kosmici na całym świecie. Powiedz mu, Lola, co pokazywali ostatnio?

– Ostatnio pokazywali, że na polach kukurydzy pojawiły się ogromne koła, widoczne najlepiej z lotu ptaka. Początkowo w Ameryce, później w Anglii, w Indiach...

– Rdza zbożowa?

– Prędzej już sówka chojówka – rzekł pan Bronisław – ponieważ u nas wspomniane kręgi pojawiają się w lasach i mają kształt okrągłych wiatrołomów. Więc się trochę boję, czy to już nie początek wojny.

– Wojny światów? – próbowałem uściślić.

– Wojny hybrydowej. Ujawniają się kosmici, my chcemy ich wyłapać, a sąsiedzi z Białorusi spieszą z bratnią pomocą.

– Czyli pańskim zdaniem jest to dzieło ludzi?

– A jak inaczej. Pytanie czyich ludzi. Gajowy twierdzi, że to na pewno banderowcy.

– Czy to nie przesada?

– Powiedziałbym, że przesada, gdybym sam przed laty tym się nie zajmował. Był to mój skromny wkład w pokojową rywalizację na terenie kosmosu. Jak pan pamięta, wyprzedziliśmy Amerykanów w lotach kosmicznych, w pysk.

– Wiem, i nieraz zadaję sobie pytanie, jak to możliwe.

– Amerykańcy za bardzo rozproszyli siły. Pracowali równocześnie nad startem i lądowaniem, a u nas jedne obiekty tylko startowały, a drugie tylko lądowały... A u nas każdy kosmonauta pochodził z trojaczków. Jednojajowych podobnych do siebie jak trzy krople... – popatrzył na dziewczynę – ... mniejsza już czego! Jeden leciał w kosmos, drugi wracał. A trzeci, polituk, jeździł po świecie i robił nam propagandę.

– Ale co to ma wspólnego ze znakami na ziemi? – zapytałem.

– Właśnie! – poparła mnie Lolita, zabierając się do zmywania naczyń.

– Dużo. Kiedy Amerykanie zaczęli latać na orbicie i przygotowywać się do lotu na Księżyc, kierownictwo kazało nam coś z tym zrobić! Okazało się jednak, że ani tego strącić, ani przemilczeć. Koniec końców jeden akademik zaproponował coś innego. Wykonać widoczny z kosmosu napis na całą Syberię: „Sława sowieckiemu sajuzu". Żeby przynajmniej wpędzić kosmonautów amerykańskich w psychiczny dyskomfort. Każdy łagier...

– Chyba za Chruszczowa nie było już łagrów? – zauważyłem.

– Faktycznie. Każdy „ośrodek odosobnienia" miał dać drużynę drwali i wyrąbać jedną literę w tajdze. Mój koło Jakucka dostał literkę O i wyrobił się pierwszy. Pozostali nadzorcy przylecieli zobaczyć, jak to wygląda. A że byli analfabeci, to każden ze swoją grupą też wykonał literę O. No i jak to zobaczyli kosmonauci amerykańscy, to zaraz zaczęli gadać o kosmitach, którzy zostawiali znaki na ziemi.

– Dlaczego o kosmitach?

– No bo kto inny, o zdrowych zmysłach, wyrąbałby w środku tajgi dwadzieścia dwa kółka o średnicy pięciu wiorst od Tobolska do Wierchojańska?

XXIV.
Zanęta

Zmiana, która zaszła w Lolicie i która wydawała się postępować dalej, nie dawała mi spokoju. Widać było, że wprawdzie jeszcze spełniała rozkazy pana Bronisława, ale coś się w jej relacjach z kłusownikiem zmieniło. Wiejskie ciele, które wcześniej powtarzało dwa razy jedno słowo, znienacka stało się inteligentną, wyraźnie wykształconą dziewczyną. Zamieniła się rolami z siostrą bliźniaczką, czy jak?

Dziś mniemam, że miałem w tej przemianie swój udział. Pragnąc za wszelką cenę wyrwać się z izolacji i nęcąc Batona perspektywą filmową, przy okazji i w niej rozbudziłem nadzieję na karierę w show biznesie. Przy każdej okazji wracałem do pomysłów filmowych. Baton niby się zgadzał, ale pozostawał oporny co do konkretnych działań i za nic nie chciał dać się namówić na wyjazd do Warszawy.

– W ostateczności – mówiłem – zdjęcia próbne można zrobić tutaj.

– I miałbym tu wpuścić całą ekipę? – żachnął się. – Akustyków, oświetleniowców, charakteryzatorów?!

– Ależ, panie Bronisławie, zdjęcia można kręcić jedną kamerą, przy świetle dziennym, a co do make upu... Tyle pan mówił o swoich umiejętnościach naśladowczych, że w ogóle nie trzeba będzie pana charakteryzować. A Lola przy jej urodzie może pójść od razu na zdjęcia próbne...

Dziewczyna skromnie zmrużyła oczęta.

– Tak? A któż za jej kostiumy zapłaci? – zrzędził Baton.

– Mogę wystąpić bez niczego – nieoczekiwanie zaproponowała dziewczyna.

Pan Bronisław aż się zagotował.

– Wiedziałem – krzyknął – na czym polegają te zdjęcia próbne. Zawsze zaczyna się od zdjęcia majtek. Po moim trupie! Lolitka jest pod moją opieką i na żadne perwersje nie pozwolę. Wstyd byłby na całą Chojnówkę.

– Ależ, panie Bronisławie, my myślimy o przyzwoitych produkcjach dla TVP, emitowanych przed godziną dwudziestą trzecią – uspokajałem.

– A jeśli nawet dramaturgia widowiska wymagałaby ostrzejszych scen, od czegóż są dublerki.

Na twarzy Loli pojawił się wyraz rozczarowania.

– Za żadne skarby! – upierał się kłusownik. – Jeśli pozwolę Loli w czymś zagrać, to ma być tam mała, brzydka i niezgrabna. Ale to – skrzywił się chytrze – chyba niewykonalne.

– Wszystko jest wykonalne, kino to sztuka oszustwa – powiedziałem.

– Widział pan może film *Miss Agent*?

– A co to takiego? Tytuł brzmi swojsko.

– Komedia z Sandrą Bullock.

– Lubię takie małe ciemne ślicznotki – kłusownik wyraźnie się rozluźnił.

– Akurat w tym filmie Sandra ślicznotką nie jest. Przeciwnie: zapuszczona, ma tłuste włosy, wągry...

– Rozumiem, że jakiś zawód ją spotkał.

– Zawód policjantki. W dodatku jest prawdziwą fanatyczką pracy. I dlatego, kiedy otrzymuje zadanie nie do wykonania, podejmuje się „ku chwale ojczyzny".

– A jakie to było zadanie? – zainteresowała się Lola.

– Zostać Miss Ameryki.

– Żartuje pan? Brzydula? – zdumiał się Baton. – Jeszcze żeby chodziło o Miss Anglii, to rozumiem, bo jak sobie przypomnę te Angielki ze służb pomocniczych, to byle klacz pociągowa była od nich atrakcyjniejsza... Ale w Ameryce ładnych panienek nie brakuje, jest nawet wielka konkurencja.

– Toteż Sandra dostała polecenie służbowe być ładną. I to w dwa dni. Fachowcy wydepilowali ją od stóp do głów. Zwalczyli łupież, trądzik, łojotok i najęli najlepszego eksperta od bycia piękną kobietą.

– Faceta?

– Ale geja.

– Rozumiem, tylko dlaczego nie mogli wziąć od razu jakiejś ładnej?

– Konieczna była policjantka, żeby udaremnić zapowiedziany zamach na Miss Ameryki.

– Zamach? Po co od razu takie wielkie słowa – skrzywił się pan Bronisław. – Ochraniałem swego czasu z kolegami Miss Polonię i nie trzeba było się specjalnie zmachać, żeby urwać numerek, który Miss miała przyczepiony do majtek.

– To miał być prawdziwy zamach bombowy. Zadaniem Sandry było go udaremnić. Jury zostało odpowiednio ustawione, więc została wybrana pierwszą wicemiss, żeby nie spuszczać potencjalnej królowej z oka.

– Nieźle jak na debiutantkę w średnim wieku! Co, Lola?

– Widziałam ten film, pasjonujący – powiedziała lakonicznie.

– Najlepsza była scena finałowa, ogłaszają wynik, koronują, a Sandra do tej co wygrała woła: „Oddawaj koronę!". A tamta: „Nie oddam!"... No to Sandra na siłę zdziera. Tamta w bek.

– Korona by jej z głowy nie spadła.

– Korona może nie, ale głowa – bezwzględnie. Bo bomba była ukryta właśnie w koronie...

– Co pan powiesz? – zdumiał się Baton. – W koronie. Sprytne, sprytne. Tegośmy na kursie sabotażu nie przerabiali... Ale królów teraz mało, coraz mniej. Chociaż jakiś czas temu w Bułgarii król miał startować w wyborach, ruski car też się odnalazł... No ale człowiek uczy się całe życie. Tylko ten tytuł.

– *Miss Agent*.

– Kiepsko mi się kojarzy, pod koniec lat siedemdziesiątych prowadziłem całkiem ładną grupę tajnych współpracowniczek z sekcji K. Miałem pod sobą siedem lokali kontaktowych. Wszystkie pierwsza klasa, drugie piętro, ręczniki, łazienka na korytarzu, trzecia godzina gratis.

– Niesamowite. Daleko od centrum?

– Lokale były w jednym budynku, na Marszałkowskiej, niedaleko Polonii. I wyobraź pan sobie, dziwnym trafem dom ten zdobył pierwszą nagrodę w konkursie Mister Warszawy.

– No to pięknie.

– Pięknie? Całą robotę mi sparaliżowali, żaden klient nie ośmielił się przyjść, bo od rana do nocy prasa, telewizja, wywiady. A na cholerę mi wywiady, jak ja sam, z wywiadu. Najgorzej, że do tej pory nie wiem, kto nam tę świnię podłożył. CIA czy... KGB...

– Przecież Mistera Warszawy wybierali sami mieszkańcy.

– Panie Marciński, mieszkańcy wybraliby dom pełen dziwek i ubeków? Co innego gdyby startował w konkursie Mister Agent. Ale czekaj pan, Jędrzejku, w związku z tą twoją opowieścią przypomina mi się autentyczna historia.

Lolita musiała chyba ją znać, bo ziewnęła, przysłaniając usteczka kształtnymi paluszkami.

– Byłem międzynarodowym obserwatorem w... Jak się nazywa taka impreza, kiedy wybierają obsadę...

– Casting – podpowiedziała Lolita.

– Nie słyszałem. W każdym razie był stuprocentowy kandydat na drugą kadencję – Borys mu było. Ale *pro forma* pojawił się też Mister Agent... A właściwie tawariszcz Agient. Czerezwyczajny przedstawiciel NKWD w STASI, albo na odwrót. Wołodia mu było. Skądinąd mój stary kumpel. Wszystko szło w porządku, aż do finału, bo casting ustawiony, a tu na zapleczu wielkiej sceny mój agent mówi do Borysa: „Oddawaj koronę". I pistolet mu do głowy przystawia.

– A główny pretendent?

– Wolał stracić koronę niż głowę! I majątek... – Baton zatarł ręce.

– I w ten sposób Mister Agient zdobył zaszczytny tytuł Mistera Rasiji i z przerwami wygrywa w kolejnych edycjach tego konkursu do dziś.

– Stary kumpel, powiada pan? A gdzieście się poznali, jeśli wolno zapytać?

– W DDR, około roku tysiąc dziewięćset osiemdziesiątego dziewiątego... Powiem szczerze, myślałem, że to płotka, co przy swej aparycji wysoko nie zajdzie.

– A jak wyglądał? – zainteresowała się dziewczyna.

– Jak przyrośnięty ratler z wyłupiastymi oczami. Nieduży, łysy blondyn, pozujący na sportowca, czasem pokazują go w telewizji, jak walczy na macie ze swymi podwładnymi. I zawsze wygrywa. Chociaż ze mną nie wygrał.

– W judo? Na macie?

– Na mecie. Pojedynek odbył się w lochach Stasi w Berlinie. Położyłem go na rękę. Mocowaliśmy się właśnie w lokalu kontaktowym, i już już mnie miał, kiedy wpada jakaś babina, płowa, wyblakła, ot funkcjonariuszka organizacji młodzieżowej, w samym ręczniku, bo właśnie z sauny wyszła, i krzyczy: „Mur pada", no i ja wykorzystałem moment... I łup. Położyłem Ruska. Mam nawet z tego łup. Zegarek na pamiątkę – trofiejny! O...

Otworzyłem złotą kopertę i zaraz zobaczyłem napis „Władimirowi – Angela. Unter den Linden november 1989".

– Cholera! Ma jakieś dodatkowe urządzenia.

– Niewiele, pokazuje czas moskiewski, a w dniach świąt państwowych odzywa się w nim kremlowski kurant.

* * *

Dni płynęły i wiele się w mym położeniu nie zmieniało. Sprawy filmowe też ciągle nie mogły ruszyć. A gdyby nawet ruszyły... Dzieliła nas fundamentalna różnica estetyki. Baton nie cierpiał na przykład moich ulubionych filmów amerykańskich, zwłaszcza najnowszych. Wychowany na kinie radzieckim wściekał się z powodu powszechnego dziś pacyfizmu i ekologizmu.

– Co to za wróg, który sam siebie nie szanuje? Co to za filmowcy, co kręcą filmy przeciw własnej władzy?

– Powinno się to panu podobać, przecież nie cierpi pan USA.

– Ale nie lubię wygrywać walkowerem. A już najbardziej wydawać własnych żołnierzy w ręce wroga. U nas to było nie do pomyślenia nawet w Afganistanie. No chyba że za cysternę spirytu...

– A jak pan myśli, jaki jest powód, że Amerykanie sami kręcą filmy przeciw własnej władzy?

– Moim zdaniem przedobrzyli ze szkoleniem.

– Nie rozumiem.

– Pan jest jak dziecko. Już towarzysz Lenin wiedział, że film to najlepsza propaganda, bo wtedy jeszcze telewizji nie było. Wystarczy więc wyszkolić odpowiednio filmowców... Sam byłem na takim kursie. Pod Moskwą wybudowali nam takie miasteczko Goliwód, oj tam się wódę goliło, ale przede wszystkim aktyw reżyserów trenował tam nienawiść do amerykańskiego trybu życia – do hamburgerów, saloonów, szeryfów z nogami na stole, sprzedajnych kongresmenów... Wystarczy, że amerykańscy filmowcy chodzili na podobne szkolenia.

– To absurd. Nie uwierzę, żeby amerykańskie uczelnie miały szkolić Amerykanów przeciw Ameryce?

– A przeciw komu, Rosji, Chinom, kiedy obowiązuje odprężenie? A może przeciwko Arabom i Murzynom w dobie poprawności politycznej?

– Ale to jeszcze nie tłumaczy, żeby amerykański wykładowca mógł siać nienawiść...

– Amerykański? Pan wie, ilu tam było naszych. Ja sam żem w San Francisco prowadził przez jeden semestr zajęcia z marksizmu-pacyfizmu. Tak im zabełtałem w głowach, że nie mogli odróżnić króla Jordanii Husajna od Saddama Husajna. Pół kursu tak się tym przejęło, że aby zaprotestować przeciw wojnie w Zatoce, rzuciło się z Golden Gate do pacyfizmu... Pacyfiku! Więc jeśli już chce pan mi tu wciskać jakieś wzorce, to nasze, nasze!

Moje podchody trwały i wydawało mi się, że powolutku zbliżam się do głównego celu, bo chociaż Baton pozostawał sceptyczny do większości pomysłów, w Loli aż się gotowało.

Któregoś dnia, kiedy akurat gotowała obiad, przez otwarte drzwi przysłuchując się naszej rozmowie, zacząłem roztaczać perspektywy możliwych nagród filmowych. Baton słuchał tylko jednym uchem, bo jak twierdził „Złotego Niedźwiedzia" zrobił sobie kiedyś z Leonidem Breżniewem, w „Złotej Muszli" w San Sebastian zgubił sztuczną szczękę, kiedy rzygał po imprezie, a co do „Złotej Palmy", cały departament musiał dbać, aby nie odbiła jakiemuś z naszych artystów. Toteż nim skończyłem czarowanie, przerwał moją narrację.

– Panie Marciński, przecież oni te wszystkie nagrody dają po znajomości. Samym swoim! W życiu nie załapię się na takie trofeum.

– Może nie w głównej kategorii. Oscary dają również za role drugoplanowe – powiedziałem zachęcającym tonem.

– A za role zakulisowe? – zainteresował się Baton.

– Nie słyszałem. A czemu pan pyta?

– Bo słyszałem, że w nowej rzeczywistości mają kręcić, nowe, słuszne, poprawione wersje starych filmów i mógłbym się przydać jako świadek epoki.

– Ciekawe od czego zaczną? – wtrąciła się Lolita.

– Pewnie od *Zakazanych piosenek* – podsunąłem.

– A daj pan spokój! – warknął. – Tylko nie to. Wtedy w tysiąc dziewięćset osiemdziesiątym pierwszym w hali Oliwii pracowałem jako zastępca akustyka i tak mnie od tego seansu nienawiści uszy spuchły, że potem w Urzędzie Rady Ministrów z Urbanem mnie mylili. Z tego, co dochodzą do mnie słuchy, mają kręcić *Potop Cztery*.

– Chyba dwa!

– Panie Marciński – kłusownik lekko podniósł głos – przecież wiadomo, że *Trylogia*, jak sama nazwa wskazuje, składa się z trzech części. *Potop* tom pierwszy, tom drugi, tom trzeci. Wiem, bo czytałem, od przodu i od tyłu. Zresztą z obu stron *Potop* czyta się tak samo. Więc skoro już były trzy, to nakręcona kolejna wersja będzie nosić numer cztery.

– Tylko jaki miałby być cel tych sequeli? – zapytałem, rezygnując z jałowego sporu o numerację. – Arcydzieła Hoffmana trzymają się nieźle.

– Gejopolityka – ściszył głos. – Szwedzi to teraz nasz bliski partner, Ukraińcy prawie bracia, z Turcją należymy do NATO. A w tych dawnych filmach tylko bitwy, pojedynki, wbijanie na pal. Przecież tak nie może być, że w kółko Ukraińcy rżną Żydów, Polacy Ukraińców, zaś Polaków Tatarzy.

– A Tatarów kto?

– Jak to kto? Żydzi orzynają ich na bazarach. Stąd jest propozycja, żeby to wszystko zmienić.

– Jak?

– Na to jeszcze nie ma zgody. Jeden reżyser uważa, że trzeba pokazać, jak wszyscy w zgodzie wstępują do Unii Europejskiej, a drugi że Szwecja, Polska i Turcja się jednoczą i dają wspólnie łupnia Moskalom...

– Ciekawa koncepcja – stwierdziłem. – Tylko co z bohaterami? Nie może być zbyt wielu pierwszoplanowych postaci. Trzeba się zdecydować, który pociągnie całość – Skrzetuski, Kmicic czy Wołodyjowski.

– Ja chciałabym Bohuna – powiedziała Lola, lekko pąsowiejąc.

– A co za problem, kto będzie bohaterem, i tak wszystkie role może zagrać Olbrychski.

– Nie za stary?

– Ma syna. A i dla starego Daniela rola się znajdzie. Na przykład tego pijanicy z bielmem, nieco szajbniętego... Jak mu było? – Baton na moment zmarszczył brwi. – O, Pan Zajoba!

– A kobiety? – wtrąciła się Lolita niosąca nam wazę z zupą. – Postawią na zawodówki czy amatorki?

– No...

– Gdyby ode mnie zależało – wpadłem w słowo Batonowi – mogłaby pani zagrać zarówno Helenę, Oleńkę, jak i Hajduczka...

– Naprawdę? – jej oczy zrobiły się maślane, a waza z zupą wysunęła się z rąk.

– Uważaj pan, co mówisz! – huknął Baton. – W głowie dziewczynie zawracasz, a i zupy szkoda! W dodatku to nie musi być wcale *Potop*, a coś innego. Miałem w branży filmowej kilku tajnych współpracowników – specjalistów od komedii i jeden z nich, Mareczek, jakiś czas temu pisał do mnie, czy nie pomógłbym mu w pewnej wysokobudżetowej produkcji. To ma być powszechnie znana klasyka polska pod tytułem *Zgoda*.

Chwilę trwałem w namyśle.

– Niestety, panie Bronisławie, jeśli dobrze pamiętam klasykę, to nie ma utworu o takim tytule.

– Ale będzie, bo dotychczasowy nie pasuje do naszej rzeczywistości.

– A jak brzmiał pierwotnie?

– *Zemsta*. I to się nie sprawdziło.

– Nie sprawdziło? Dobre sobie... – zawołałem, myśląc o setkach inscenizacji komedii hrabiego Fredry.

– Ale jest mylący, jak każda *Zemsta*. A ja tego nie cierpię. Poszedłem raz z koleżanką kombatantką do operetki na *Zemstę nietoperza*, bo darmowe bilety dawali, a tam, okazało się, ani nietoperza, ani zemsty, a w bufecie drożyzna!

– Trzeba było pójść na *Wesołą wdówkę*...

– A z kim ja byłem? Z wdówką po koledze prokuratorze. Tyle że od tej muzyki po spektaklu nie miałem żem już główki do wdówki.

– Mówiliśmy o Fredrze. Jego komizm charakterów jest wiecznie żywy.

– A daj pan spokój, dotychczasowa *Zemsta* jest taka zaściankowa, zacofana. I powiedzmy sobie, kogo obchodzi na świecie wojna polsko-polska o mur graniczny? Przy odpowiednim budżecie można by nakręcić film o murze berlińskim, albo chińskim... I byłby sukces światowy.

– Ciekawe.

– Pokażę panu, co Mareczek mi napisał. Życiowy dramat. Jest normalna niemiecka rodzina, czysta, zdyscyplinowana. A tu pewnej nocy Ruskie im przez podwórko mur stawiają. I od tej chwili losy ich ulegają zmianie – jeden zostaje Rejentem w RFN-ie, drugi, Cześnik... powiedzmy czynownikiem w DDR-ze. Żeby się przypadkiem nie dogadali, muru pilnuje ruski czekista, jak samo nazwisko wskazuje Papkin, i psy. Szansę na porozumienie otrzymuje dopiero młode pokolenie – Vaclaw und Klara... Na koniec za sprawą mularzy (czy nawet wolonomularzy) mur pada, młodzi się jednoczą. Wymowa jest jak trzeba.

– A w znanej ekranizacji Wajdy tej wymowy nie było? – zawołałem.

– W końcu Klarę zagrała tam córka premiera Buzka, czyli reprezentantka PO. Dziewczyna wychodzi za Wacława, syna Rejenta – wypisz wymaluj ktoś z PiS-u. Zgodę na ten związek wyraża Janek, kombatant z *Czterech Pancernych*, wsparty przez Olbrychskiego, kiedyś Azję, a obecnie zwolennika Europy i Platformy Obywatelskiej... Podstolina – Figura z pazernością na kasę jako żywo przypomina PSL...

Tu Baton mi przerwał.

– A kogo reprezentuje, pańskim zdaniem, Papkin w kreacji Polańskiego?

– Wpływową mniejszość narodową, bez której nic w tym kraju nie może się udać.

– Ale nie udało się – westchnęła Lolita – wyszedł gniot. Ale gdyby przymierzyć się jeszcze raz – tu posłała mi takie spojrzenie, że nieomal poczułem smak szampana pitego z jej pantofelka.

Baton musiał to zauważyć, bo nagle wstał i rzucił:

– Dosyć na dziś. Lolka do garów, Jędrzej do ziemianki!

XXV.
Pamięć

Moje notatki z rozmów z Batonem-Betonem sięgnęły już pięciuset stron, ale plany uzyskania wolności nie posunęły się nawet o cal, a nasze relacje z Lolitą ocieplały się w tempie wyścigu ślimaków. Owszem, wymienialiśmy coraz żywsze spojrzenia, dziewczyna potrafiła co jakiś czas bezczelnie oblizać usta czy pogłaskać się znacząco po udzie. Jednak nie zbliżyliśmy się do siebie bardziej niż cztery metry. No i zawsze towarzyszył nam Baton albo Piorun.

Tymczasem pewnego wrześniowego wieczora zapytałem kłusownika, czy nie dysponuje jakimiś notatkami ze swych przygód, co w znacznym stopniu ułatwiłoby nam pracę.

– A po co mi notatki, kiedy i bez tego pamiętam wszystko jak złoto.

– Najwięksi tak twierdzili, aż pewnego dnia dopadał ich Alzheimer.

– Jak by mnie ktoś taki dopadł, to zastrzeliłbym go jak psa, tfu kota!

– A gdyby zapomniał pan, jak się strzela?

– To wtedy bym się zabił własną pięścią. W pysk.

Widząc wyraźny niepokój w jego oczach, dorzuciłem łaskawie.

– Wie pan, nad pamięcią można pracować, ćwiczyć.

– A myśli pan, że ja nie ćwiczę? Codzienne rano liczę sobie od jednego do stu i od stu do jednego. I to bez palców. Albo przepowiadam sobie historię: Lenin, Stalin, Chruszczow, Breżniew, Andropow, Czernienko, Gorbaczow, Jelcyn, Putin i na abarot, Putin, Miedwiediew, znowu Putin... I wie pan, do jakich epokowych wniosków doszedłem?

– Nie mam pojęcia!

– Że naszym bratnim imperium rządzą na zmianę łysi i owłosieni.

– Co pan powie?

– To są fakty. No bo popatrz pan – Ulianow był łysy, a Stalin?

– Miał piękną czuprynę.

– Właśnie! Po nim przyszedł Chruszczow – jak kolano, a znów Breżniew – same brwi na dwie głowy by mu starczyły.

– Ale już Andropow łysy nie był.

– Treskę nosił, a w porównaniu z nim Czernienko był wręcz kudłaty.

– Fakt. Ale dalej rzeczywiście ma pan rację. Gorbaczow żarówa, a Jelcyn rozczochrany...

– No a teraz po łysawym Putinie, krótko owłosiony Miedwiediew, i znowu Putin, trochę implantowany...

– I ma pan prognozy, co będzie dalej?

– Nie wiem, ale wszyscy liczący się siłownicy z Kremla golą się na łyso, żeby nie zostać podejrzanymi o chrapkę na tron.

– I mówi pan, że takie ćwiczenie pamięci daje efekty?

– Znakomite. Chociaż nie zawsze.

– To prawda, we Francji sobie tak nie poćwiczysz. Ludwik I, Ludwik II, Ludwik III, nim doliczysz do XVIII, każdy zaśnie.

– Niedawno widziałem film, którego bohater powtarzał sobie prezydentów USA. Tyle że jak zapadł na tego Alzheimera, to potrafił wymienić góra czterech prezydentów od tyłu: Obama, Bush, Clinton, Reagan, a potem biała plama...

– Prawdę powiedziawszy, ten albinos Carter to była taka biała plama w historii USA.

– Najgorsze, że nikt nie wierzył, że stracił pamięć. I każdy chciał mu się dorwać do głowy.

– A to dlaczego?

– Bo widzi pan, on był szefem komanda od brudnej roboty, które miało na swym koncie zabójstwa senatorów, dziennikarzy...

– Księży? – zainteresował się Baton.

– Nie pamiętam. Najgorsze, że nikt mu nie wierzył. Ani córka, ani zięć. I postanawiają oddać go do zakładu.

– I miej pan tu dzieci. Rodzonego ojca do psychuszek. Hańba!

– W ostatniej chwili proponują mu alternatywę. Nie oddadzą go do zakładu, ale przyjmie do domu kobietę.

– Gosposię czy kochanicę?

– Panią psycholog. Ale nie na przychodne tylko na stałe. Sympatyczną czarnulę, taką co i zupy mu ugotuje ...

– Wielki błąd. W życiu bym się na to nie zgodził. Obca osoba pod jednym dachem to najprostszy sposób, żeby się dobrać do głowy. Na przykład przez sen. Ten pański Alzheimer zasypia, a podświadomość nie. I dlatego nigdy nie dość czujności. Nigdy... – tu uniósł głowę. I zobaczył w drzwiach Lolitę wpatrującą się w nas swymi wielkimi fiołkowymi oczami. – ...ale mówmy o czymś innym, panie Jędrzejku. – A ty czemu się gapisz? Malin lepiej nazbieraj. Bierz koszyk i już...

Posłuchała.

– I o czym to mówiliśmy? – pan Bronisław zwrócił się do mnie.

– Chyba zapomniałem.

– To i dobrze, bo przez pana bym zapomniał, że jest ważny mecz. Siadaj pan ze mną.

– Wie pan, że za futbolem nie przepadam. I jeśli pan pozwoli, oddalę się do siebie, obejrzę sobie jakiś film. Komedię romantyczną...

Nie zapytał nawet jaką, tylko wzruszył ramionami, co uznałem za znak przyzwolenia. Oczywiście ledwie minąłem narożnik domu, puściłem się ścieżyną w kierunku maliniaka. Jednak orientacja w terenie nie była nigdy moją najsilniejszą stroną i już wkrótce o tym się przekonałem, kiedy ścieżka wyprowadziła mnie na skraj potoku podle starego młyna. Po młynie nie było już ani śladu, pozostał jedynie stary jazz, nad którym ongiś stara wrożycha (rodem z Zaporoża) na podstawie zwidów w wodnej kurzawie potrafiła przepowiedzieć przyszłość. Jak opowiadał Baton, pośród rozlicznych zalet miała jedną wadę. Mówiła prawdę bez względu na okoliczności.

Pierwszy raz podpadła, gdy latem tysiąc dziewięćset osiemdziesiątego trzeciego roku przepowiedziała generałowi Jaruzelskiemu, że zostanie prezydentem Trzeciej Rzeczpospolitej, ale umrze jako katolik w kraju kapitalistycznym, czym wzbudziła szok w całej świcie.

Drugi przypadek miał boleśniejsze następstwa. Otóż nasz ostatni prezydent wkrótce po wygranych wyborach dowiedział się, że następne przegra. Z młodym inteligentem z Krakowa. Poskarżył się liderowi partii. Ten czym prędzej kazał wyrzucić Jarosława Gowina i otoczyć dyskretnym nadzorem Jana Marię Rokitę, samą wróżychę natomiast odesłano ciupasem do Donbasu. I słuch po niej zaginął.

Doszedłem na skraj wody, ale nie zauważyłem ani żadnych widm, ani co gorsza Lolity. Rozglądając się, dostrzegłem za to rozległy zagon kwitnących roślin... A zaraz potem spośród nich wyłonił się Baton z Piorunem...

– A gdzie to pana zaniosło? – zawołał.

– Chciałem nałapać trochę powietrza przed dalszą pracą, porozkoszować się naturą i tą wspaniałą ciszą jak makiem zasiał?

– Cicho, sza! – Baton lekko poszarzał na twarzy. – Kto panu o tym powiedział, kurczę pieczone?

– Ale o czym?

– O tym maku com zasiał?

– Tak się tylko mówi – usiłowałem bagatelizować.

– Tak tylko się mówi, a potem się siedzi. Będę z panem szczery, obsiałem te pół hektarka, ale wyłącznie na własny użytek.

– Panie Bronisławie, w pańskim wieku... – uśmiechnąłem się, ciesząc się w duchu, że nie skojarzył mej eskapady z Lolitą.

– A jak by pan zgadł, w moim wieku. Alkoholu lekarz mi zabronił, viagry się boję, na to zaczął żem rozglądać się za jakąś namiastką...

– I decyduje się pan na taką straszną rzecz jak narkotyki?

– Rzecz może straszna, ale jakie zwidy. To zdecydowanie lepsze, niż uchlać się jak świnia albo zasnąć w łubinie. Spał pan tak kiedyś?

– W łubinie? Nigdy.

– To nie ma co pan żałować. Mnie zdarzyło się przeżyć tam prawdziwy horror! Całą noc śniło mi się, że trafiłem do szkoły prowadzonej przez zakonników.

– Rozumiem, na okrągło indoktrynacja i pedofilia?

– Co pan! Przyjemnie i kulturalnie. Nawet paciorek polubiłem.

– To gdzie ten horror?

– Jak to gdzie? Cały czas denerwowałem się, co będzie, jak się obudzę... Jak się wyspowiadam parawitelstwu z podobnych marzeń? Natomiast zasnąć po sztachnięciu się marychą, po prostu czysta rozkosz.

– I co takiego się wówczas panu śni?

– Świetlana przeszłość. Komsomoł, Służba Polsce, Służba Bezpieczeństwa... Ech, młodość!

– A także tiurmy i gułagi?

– Wie pan, jak się ma dwadzieścia lat i legitymację czekisty, to nic nie jest straszne... Dam i panu spróbować skręta, jeśli mi pan pomoże w żniwach?

– Pomogę, ale trzeba jeszcze wiedzieć, jak ten mak potem przerobić?

– Wielki mi problem, powiem panu, technologii nauczyłem się od samego Pablo Escobara.

– Tego słynnego bossa z kartelu w Madellin?

– No, taki krępy Latynos z wąsikiem, okropnie narwany, przy byle okazji chwytał za broń... – na twarzy kłusownika pojawił się charakterystyczny wyraz rozmarzenia. – Byłem u niego swego czasu pod pseudonimem „Kola" z misją łącznikową, proponując, aby włączył się do światowego frontu walki o pokój i sprawiedliwość społeczną.

– I udało się?

– Wszystko było na dobrej drodze. Za cenę objęcia oficjalnej władzy w Kolumbii i wolnej ręki w zatruwaniu koką Ameryki, Pablo gotów był nosić czerwony krawat i śpiewać przy goleniu *Międzynarodówkę*. Ale jak się dowiedział, że ma uiszczać dziesięcioprocentową składkę partyjną, to się trochę wkurzył...

– Trochę. To znaczy?

– Normalnie – zastrzelił swego adiutanta, tłumacza i mnie.

– Pana? Przecież pan żyje?

– Faktycznie, kurczę pieczone, ale pomogły mi cud i kamizelka kuloodporna, w pysk... Zresztą wkrótce zły humor mu przeszedł. Tylko kazał mi pseudo zmienić. Bo jak twierdził, Koka i Kola razem za bardzo śmierdziały mu Ameryką Północną... W każdym razie przez krótki czas pożyłem sobie w Kolumbii jak król. Co będę panu mówić. Byłem bogaty jak Gudzowaty, wpływowy jak Gawronik, piękny jak Bagsik... Chociaż ostatecznie wpadłem jak Grobelny...

– Kasa okazała się nie dość bezpieczna?

– Jakby pan zgadł! Myślałem, że najbezpieczniejszą kasę ma bank w Panamie. U generała Noriegi za piecem. To przecież jakbym trzymał szmal w centralnym banku rezerw federalnych, bo Noriega był bądź co bądź tajnym współpracownikiem CIA. Niestety, wszystko szło dobrze tylko do czasu. Nowy prezydent USA zaczął lustrację. Amerykańscy marines obalili generała i bezpieczny bank upadł. W jedną noc – byłem Bogatin, a stał się Biednin. Po prostu Kanał...

– Panamski?

Nieoczekiwanie jego twarz przybrała kolor buraczkowy!

– A nie przypominaj mi pan o kanale, tatko tyrał przy nim ledwie miesiąc, a bąble miał na rękach do końca życia.

– Od kopania?

– Od kałasza, który mu do łap przymarzł, gdy pilnował łagierników z wieżyczki podczas czterdziestostopniowych mrozów.

– W Panamie mrozy? W dodatku przekopu dokonano na samym początku dwudziestego wieku, więc nawet pański ojciec nie mógł w tym uczestniczyć!

– Ależ pan durny, Jędrzejku. To był Biełamor kanał? Kopali go jak wiadomo, kpiarze, żartownisie i satyrycy. I musiał pilnować ich ktoś o takim poczuciu humoru, jakie miał stary Morderchaj.

Tu urwał, bo z bocznej dróżki wyszła Lolita. Smukła jak palma, na głowie dźwigała dzbanek z malinami.

– Panowie też na malinki? – zapytała słodko.

Pomyślałem sobie, że nie trzeba nawet marihuany, żeby na jawie przyzywać zwidy, i tylko przełknąłem ślinę.

– Malinkę to ci może zrobić Piorun – pogroził palcem pan Bronisław.

Wróciliśmy do domu, by tradycyjnie zasiąść przy basenie, ale tym razem popracowaliśmy krótko. Baton dziwnie markotny powiedział mi, że nazajutrz musi wyjechać na dzień lub dwa do Warszawy.

– I masz mi się, panie Marciński, dobrze sprawować, niczego nie kombinować, bo Piorun zostaje. A poza tym wszędzie mam swoje oczy, uszy i drony...

Miałem ochotę zaproponować, żeby zostawił mi również Lolitę, ale jakoś nie zdobyłem się na śmiałość. Zamiast tego zapytałem go o powód nagłego wyjazdu.

– Czyżby wybiera się pan na pogrzeb kolegi kombatanta, albo może dostał pan jakiś order? Z tego co wiem, teraz znów odznaczają ludzi z pańskich sfer...

– A daj pan spokój z orderami i pogrzebami – warknął kłusownik.

– Mam w tej sprawie niemiłe wspomnienia. Kilkanaście ładnych lat temu chowaliśmy jednego radzieckiego marszałka. Miał tyle medali, że mu się z przodu nie mieściły, tak że musiał te mniej ważne z tyłu na krzyżu nosić. Ktoś wpadł na pomysł, żeby pochować go w rodzinnej wsi pod Magnitogorskiem. Cmentarz był na terenie starej kopalni magnetytu. I nie uwierzysz pan, całkiem nam nie szło. Co go do ziemi kładliśmy, to trumna sama wyskakiwała w górę, kurczę pieczone.

– Taki był żywotny?

– Nie, ale ordery ktoś namagnesował i bieguny jednoimienne się odpychały. Ale jak te z tyłu przepieliśmy na nogawki i położyliśmy marszałka brzuchem w dół, skończyły się kłopoty. A co do moich odznaczeń, nie przewiduję żadnych. Bo przecież oficjalnie mnie nie ma.

– W takim razie co będzie powodem pańskiej absencji?

– Szczepienia ochronne.

Trochę się zdziwiłem.

– Przecież Piorun niedawno był szczepiony. Pokazywał mi pan jego książeczkę zdrowia, kiedy mnie pokąsał...

– Nie Piorun się szczepi, tylko ja.

– Ale na co? – dopytywałem.

– Na wszelki wypadek.

– Chodziło mi na jaką chorobę?

– Ja się szczepię na wszystko – sapnął najwyraźniej na odczepnego.

– W koszmarnych czasach żyjemy. Jak człowiek rozejrzy się dookoła, to go po prostu cholera bierze, wszędzie syf i malaria...

– Ale to przecież przenośnia.

– Może, ale ja przenosić się na tamten świat nie zamierzam. A wszędzie czyhają rozmaite zarazy. W samej Chojnówce żyje komornik chory na wściekliznę, proboszcz z nosacizną i pani prokurator, która zapadła na pryszczycę... Więc nigdy nie dość ostrożności, choć i to może nie pomóc. Wyobraź pan sobie taką sytuację Mój kolega latarnik w West Point zaszczepił się prawie na wszystko, na białaczkę, na żółtaczkę, na czerwonkę, na zielonkę...

– Na co?

– Na zielonkę. Tak się nazywa alergiczne uczulenie na radioaktywny szpinak. Niestety, umarł na... jak to się nazywa takie czarne?

– Czerniak!

– Wąglik, panie Marciński, wąglik.

– Ale w jaki sposób się zaraził? Miał może styczność z bydłem?

– Wręcz przeciwnie, przysięgły jarosz, ale lubił szelma czytać. I kiedy dostał w anonimowej przesyłce tom *Szkice wąglikiem*, rzucił się do lektury... No i kaput. Wąglik plus nostalgia. Wystarczył tydzień, by skoczył ze swej latarni podczas odpływu.

Nie pozostało mi nic innego, jak zgodzić się, że wojna bakteriologiczna to poważne zagrożenie...

– A co pan myśli o Oj-boli? – popatrzył na mnie spode łba.

– Eboli! – poprawiałem.

– Jak ją zwał, tak zwał, ale wszelkie sugestie, że to robota Ruskich, są obrzydliwym pomówieniem!

– Wie pan, nigdy mi nie przyszło do głowy, ale teraz jak pan tak intensywnie zaprzecza, zaczynam się zastanawiać...

– Przecież to by było niezgodne z logiką – zaperzył się. – Jeśli ktoś eksperymentuje z wirusami, to mogą to być wyłącznie jacyś obrzydliwi prawicowcy. Wszystko celem zniszczenia lewicy!

– Co pan mówi?

– To przecież oczywiste! Popatrz pan tylko, AIDS atakuje kochających inaczej i poprawność erotyczną. Ebola – Murzynów z najbiedniejszych krajów Czarnej Afryki. Jeśli ten wirus byłby naszym dziełem, to by atakował najbogatszych.

– Mówi pan o dawnych czasach, panie Bronisławie. Teraz to wasi oligarchowie są najbogatsi!

– Do czasu, bo jak który zarazi się bakcylem zbytniej pazerności, trzeba takiego izolować!

– Naprawdę?

– Z fachowcem pan gadasz. Przez pewien czas pracowałem w tajnym laboratorium bakteriologicznym na wysepce na środku Morza Aralskiego.

– Jako biochemik, czy biotechnik?

– Radiowęzeł tam prowadziłem. I co rano cały ośrodek budziła moja audycja. „Czołem sołdaty, mówi wasz stary wirus". Żeby pan wiedział, nad czym myśmy tam pracowali.

– Ciekaw jestem.

– Nad bakteriami groźnymi wyłącznie dla grubasów.

– Dlaczego?

– Przecież to oczywiste. Proletariusze wszystkich stron są chudzi, więc przeżyliby taki atak bakteriologiczny. Ale to nie koniec, robiono eksperymenty z inteligentnymi zarazkami Parkinsona i Alzheimera, tak zaprogramowanymi, żeby same potrafiły znaleźć sobie ofiarę.

– To nieprawdopodobne.

– A jak inaczej zemścilibyśmy się na Reaganie, pani Thatcher i... mniejsza zresztą... Dalej pracowaliśmy nad grypą dla niepoznaki nazwaną azjatycką...

– No dobrze, ale skoro działał pan w takim ośrodku, to musi być pan odporny.

– Na dżumę, ebolę, wąglik, cholerę – oczywiście, ale, panie Marciński, pozostaje jeszcze łupież, świnka, katar i rzeżączka... Nie mówiąc już o wirusach komputerowych.

* * *

Po kolacji pan Bronisław odprowadził mnie do ziemianki. Noc już zapadła, toteż w ciemności za płotem bez trudu dostrzegłem długie światła jakiegoś samochodu...

– A kto to jeździ nocą po lesie? – zapytałem, zastanawiając się, czy w związku z wyjazdem pana Bronisława nie podjąć pewnego planu, który ostatnio zaczął mi świtać w głowie, a któremu nadałem kryptonim „Hrabia Monte Christo".

– Obcy! – mruknął Baton, dorzucając siarczyste przekleństwo. – Niczego nie uszanują. Chcą tu, dwieście metrów od mojej chatki, na samym skraju Puszczy Białowieszczańskiej, postawić mi motel, w pysk.

– Jacy obcy, Niemcy? – powiedziałem z nadzieją w głosie, że być może zainteresuję moim losem społeczność międzynarodową.

– Żeby! – sapnął gniewnie. – Białorusin z rosyjskim paszportem. Gawri-
ło! Mafią czuć od niego na milę.

– No to powinien się pan cieszyć, kruk krukowi...

– O to, to. Powinno! A tymczasem ja jestem rozdarty, w pysk, znaczy
wzdłuż i wszerz. Bo z jednej strony jestem za, a z drugiej przeciw. A z trzeciej nie mam zdania, bo mi właściciel proponuje dwie połówki etatu za funk-
cję parkingowego...

– Dwie połówki? Znaczy cały etat.

– Chyba według pana, to ma być fikcyjne pół etatu dla mnie i realne pół
dla Pioruna. A z kolei z czwartej strony...

– To problem ma jeszcze czwartą stronę?

– Jak każdy w tej okolicy. Północ, południe, wschód i zachód, choć jak
Ukrainę weźmiemy do NATO, to będziemy mieli dwa Zachody... No i znajdziemy się w kleszczach.

– No więc kto jest tą czwartą stroną?

– Proboszcz! Wedle tubylczych podań w tym miejscu przed laty znajdował
się cmentarz. Żydowski albo karaimski, bo proboszcz nie bierze za tamtejsze
duchy odpowiedzialności, natomiast domaga się przyznania mu tego terenu.
No więc, jak pan widzi, mało że jestem rozdarty, to jeszcze poczwórnie.

Gdzieś w oddali ozwała się jakaś sowa (bez przyjaciół), a przeszedł mnie
dreszcz.

– Żeby to się tylko nie skończyło rozszczepieniem osobowości. Widziałem podobny przypadek niedawno w filmie pod tytułem *Tożsamość*, którego bohater, seryjny morderca, w celi śmierci sprawia, że jego osobowość
się dzieli.

– Nie takie rzeczy widziało się w celi śmierci. Pamiętam, jak sądziliśmy
kiedyś w Sajuzie bliźniaki syjamskie, jednojajowe. Jeden – przyzwoity księgowy, a drugi kanciarz, aferzysta, a nawet morderca...

– Niemożliwe!

– Możliwe! Zlecił komuś zabójstwo sekretarza rajkomu.

– A jaką częścią organizmu byli zrośnięci? – dopytywałem się, zastanawiając jednocześnie, jak zroślak mógłby coś ukryć przed bratem?

– Przecież mówił żem. Jednojajowi byli. Poza tym mieli jeszcze
wspólne serce i wątrobę. Sąd księgowego uniewinnił (bo okazało się,

że często brał środki nasenne i nie wiedział, co knuje brat), a aferzyście wymierzył czapę. Adwokat proponował polubownie, żeby dać średnią arytmetyczną. Dwadzieścia pięć lat dla obu. Ale w socjalistycznej praworządności nie ma odpowiedzialności zbiorowej, dlatego miano dokonać rozdzielenia. Niestety w noc przed egzekucją kanciarz udusił brata. Potem zębami dokonał rozdzielenia, sterroryzował strażnika i znikł jak kamień w wodę.

– A we wspomnianym filmie w osobowość mordercy wciela się dziesięć osób. W gwiazdę filmową u schyłku kariery, skądinąd wyjątkową zołzę, w jej kierowcę, w młode małżeństwo, które pobrało się w kwadrans, policjanta konwojującego więźnia. W tego więźnia i kierownika motelu, alkoholika. A także w trzyosobową rodzinę z nieznośnym małolatem. A jest jeszcze dziwka, która uciekła z Las Vegas. Postanowiła zostać dziewicą i chciała hodować owoce.

– Melony? – Baton wykonał gest dłonią, jakby je chciał objąć.

– Szczupła była, więc raczej pomarańczki. Całość wylądowała w motelu podczas burzy i równocześnie powodzi.

– Stan klęski żywiołowej?

– W każdym razie sytuacja bez wyjścia. W dodatku wspomniany motel zbudowano na starym cmentarzu indiańskim. Nie dziw, że zaczęli się nawzajem mordować.

Zza płotu doszło wycie psa albo wilka i zauważyłem, że Baton też się wzdrygnął. Mimo to kontynuowałem ponurą opowieść.

– A kogo zabili, znikał. Bo jak już nadmieniłem, wszyscy byli tworami wyobraźni tego mordercy. Zresztą bardzo się nie wysilił. Proszę sobie wyobrazić, wszyscy urodzeni byli dziesiątego maja, a każdy miał nazwisko wzięte od nazwy jakiegoś stanu – Waszyngton, Dakota, Alaska.

– Strasznie pan to komplikuje. Po co to wszystko?

– Skazaniec w ten sposób zamierzał udowodnić swoją niepoczytalność i uniknąć kary głównej.

– Symulant znaczy się?

– Tak jakby.

– To miał szczęście, że nie trafił na mnie – powiedział Baton. – Kiedy pracowałem w Rejonowej Komisji Uzupełnień, to miałem tam ksywkę „Bicz na symulantów". Bezbłędnie wyczuwałem kandydatów na dezerterów i wtedy... Oczywiście normalnego kaleki bym nawet palcem nie tknął. Ale jak znalazł się pedał, adwentysta, jarosz, nowobogacki albo starozakonny... No to miał przechlapane! Choć miałby nawet kategorię E, spod mojej ręki szli na komandosów. Stąd drugie przezwisko, jakie wtedy dostałem, to „Cudotwórca". Na mój widok głusi odzyskiwali wzrok, chromi przestawali się jąkać, idioci rozwiązywali równania z czterema niewiadomymi...

– Ale jak pan tego dokonywał?

– Tymi rękami!

– Aha! Bioenergoterapia?

– Samo energo. Jak żem dobrze ścisnął, to pewien chory na serce klaustrofob-pacyfista wdrapał się na szczyt anteny radiolokacyjnej, wznosząc okrzyki na cześć Ludowego Wojska Polskiego.

Doszliśmy już prawie do ziemianki, gdy Baton się zatrzymał, jak człowiek tknięty nagłą myślą.

– Wie pan co, pogadam z tym Gawriłą – rzekł.

– O leczeniu metodą bioenergoterapii?

– Przekonam go, żeby zamiast motelu postawił na tym cmentarzu prywatne więzienie. Słyszałem, że już pojawiła się taka inicjatywa: prywatne więzienia o podwyższonym standardzie... I, ma się rozumieć, o zaostrzonym rygorze! Na przykład dla niesfornych dziennikarzy, nieposłusznych biznesmenów, pieniaczy samorządowców i amatorów nielegalnych nagrań. Potem wystarczy, że jakiś szaman rozszczepi im świadomość, a przestępcy wymordują się nawzajem. Sami wymierzą sobie sprawiedliwość.

– A jak nie wymierzą? – zapytałem.

– To białoruscy strażnicy im dopomogą.

XXVI.
Strachy nocne, strachy dzienne

Nie wiem, czy sprawiły to opowieści o nawiedzonym cmentarzu, czy zbyt obfita kolacja, czy wreszcie podniecenie wywołane samą obecnością Lolity, w każdym razie spałem tej nocy źle i niespokojnie. Chyba po raz pierwszy w życiu przyśnił mi się mój brat, osobliwie poważny, w ciemnym garniturze. Jak na pogrzebie. Wolałem się nie zastanawiać, czy przypadkiem nie na moim.

– Wyciągnij mnie – wołałem. Marcin Jędras, pochylił się i sięgnął po coś leżącego na ziemi. – Pomóż mi! – powtórzyłem. I wtedy poleciały ku mnie te grudy i zabębniły w szklane wieko...

Zerwałem się na równe nogi. Poświata z kibla (zawsze gdy śpię sam, co w ostatnich latach bywa normą, lubię zostawić jakieś światełko) wskazywała, że przebywam nadal w ziemiance, a nie trzy stopy pod ziemią. Ale niepokojący szmer, który usłyszałem, trwał. Ktoś wyraźnie skrobał w drzwi mojej izdebki. Chciałem zawołać, kto tam, ale z niepojętego powodu głos uwiązł mi w gardle. Stałem nieruchomo, wstrzymawszy oddech, a serce dudniło mi w klatce piersiowej jak oszalałe. „Uspokój się, kretynie". „To pewnie wiatr" – szeptałem w duchu.

Coś zaskrobało znowu. Czyżby jakiś drapieżnik pod nieobecność gospodarza dostał się do zamieszkałej części posiadłości? Niedźwiedź? Może tygrys? Nie mogłem tego sprawdzić, drzwi otwierały się od zewnątrz.

Chwila ciszy, a potem coś brzmiącego jak szloch, chichot, łkanie... Hiena, ani chybi hiena! Bałem się poruszyć. Na szczęście głosy i skrobania już się nie powtórzyły. Wsłuchany w każdy powiew wiatru jeszcze z godzinę przewracałem się z boku na bok, aż wreszcie zmorzył mnie sen.

Po nocy lęków i obaw nastał równie nieoczekiwany ranek. Trochę zaspałem. Nie zdziwiło mnie, że drzwi od ziemianki zastałem otwarte, ani że Piorun zachowywał się dziwnie potulnie. Z nastroszoną sierścią przypatrywał się, jak badam powierzchnię wierzei. Były i owszem mocno podrapane, ale nie potrafiłbym stwierdzić, czy stało się to dawniej czy ostatniej nocy. W każdym razie kiedy ruszyłem w stronę rezydencji, wydawał się zadowolony tym faktem. Batona, jak można było się spodziewać, nie było. Pomieszczenia, oprócz kuchni, tradycyjnie zastałem pozamykane, a Piorun wyraźnie był głodny, bo polizał mnie w rękę i zjadł z mojego talerza połowę owsianki, jajko i parówki, które znalazłem w lodówce. Niestety, brama wjazdowa była nadal zamknięta, a napis po wewnętrznej stronie drutów: „Baczność, wysokie napięcie" nie zachęcał do forsowania ogrodzenia górą. W dodatku widziałem, że mobilne kamery podążają w ślad za mną, a podejrzewam, że w listowiu znajdowały się również DDR-owskie samopały, więc wolałem nie ryzykować. Korzystając jednak, że Piorun zachowywał się nadzwyczaj przyjacielsko, postanowiłem dokonać małej eksploracji posiadłości. Zostawiając daleko po prawej stronie deszczowy las, gdzie mogłem natknąć się na jakieś egzotyczne bestie, ruszyłem wzdłuż ogrodzenia młodniakiem do złudzenia przypominającym obrzeża Puszczy Białowieszczańskiej. Zaopatrzyłem się również w pozostawiony przez Lolitę w kuchennej szafce pojemnik z gazem pieprzowym, choć nie sądzę, że byłby on skuteczny przy spotkaniu z lwem lub tygrysem. Minąłem ruinę młyna, pole makowe, lasek brzozowy ze smentarzem dla zwierzaków, pilnie przypatrując się płotu, który nadal był pod napięciem, ale wydawał się niższy i chyba bez kamer... To nasunęło mi pewien plan. Zawróciłem do domu i wziąwszy z lodówki wędlinę, za jej pomocą zwabiłem Pioruna do ziemianki, a gdy już wszedł, zwinnie zatrzasnąłem drzwi od zewnątrz. I nie zważając uwagi na jego jazgot, wziąłem się do roboty. Wyskrobanie szczudeł zajęło godzinę. Nauka chodzenia na nich następne dwie. Wczesnym popołudniem byłem gotów spróbować. Wybrałem miejsce, gdzie po drugiej stronie płotu zobaczyłem piaszczystą wydmę. Postanowiłem dojść na szczudłach do krawędzi, a potem zeskoczyć po drugiej stronie, nawet jeśli miałbym przypłacić to skręceniem nogi. (Profilaktycznie zaopatrzyłem się w bandaż elastyczny.) W drodze ku wydmom musiałem pokonać krótki odcinek podmokły, gdzie teren opadał, a ścieżka szła skrajem wąskiej rzeczułki.

Szedłem, podśpiewując dla dodatnia sobie animuszu, gdy nagle szczudła wysunęły mi się z rąk. Przyklęknąłem. Na ścieżce zobaczyłem odciśnięty ślad stopy ludzkiej. Ktoś na bosaka musiał przebiegać ją w poprzek i to chyba całkiem niedawno. Jednak dalej na gęstej trawie nie pozostawił już żadnych śladów.

Rozejrzałem się dookoła, ale las wydawał się pusty. Co ciekawe, ptaki od rana wrzaskliwe, w tym miejscu osobliwie milczały. Nadal rozglądałem się uważnie i po chwili doznałem uczucia lodowatego chłodu, na liściu jakiegoś krzaku dostrzegłem świeże krople krwi, krok dalej zobaczyłem zakrwawioną poszarpaną turzycę. Strzęp futra musiał być zającem lub królikiem, i zostało całkiem niedawno rozdarte ze wzmożoną siłą...

Pędem rzuciłem się z powrotem, dobiegłem do ziemianki, otworzyłem drzwi, nie przejmując się, że Piorun wkurzony pułapką może się na mnie rzucić. Ale nic z tego. Leżał spokojnie na moim łóżku i oglądał telewizję.

– Piorun, kota! – zawołałem, wskazując przestrzeń przed ziemianką... Popatrzył nieufnie, a gdy powtórzyłem komendę, zamiast ruszyć z naturalną agresją, zaskomlił cicho i wlazł pod moją kołdrę. Niewiele myśląc, zastawiłem piramidą sprzętów drzwi (zamknąć ich jak wiadomo nie mogłem) i czekałem z gazowym pojemnikiem w ręce.

Nic jednak nie wydarzyło się ani tego popołudnia, ani przez noc, ani następnego ranka, poza tym, że musiałem posprzątać po Piorunie, który strasznie zapaskudził moją ziemiankę, za żadne skarby nie chcąc wyjść na zewnątrz.

Baton wrócił drugiego dnia grubo po południu, skacowany w najwyższym stopniu. Przywiozła go Lolita, naturalnie świeża i wypoczęta, jakby od urodzenia piła tylko mleko i nie zajmowała się niczym innym tylko sportem i rozrywkami umysłowymi.

Kłusownik przeszedł przez dom, potykając się o sprzęty i usiadł ciężko nad basenem, dziewczyna zrobiła mu okład na głowę. Ale to ciągle nie pomagało, bo wyjęczał.

– Klinika!

– Słyszała pani – zwróciłem się do Loli. – Trzeba natychmiast zadzwonić po pogotowie.

Na to dictum nasz pacjent zerwał się na równe nogi.

– Jakie pogotowie? Jestem zdrów jak rydz (Śmigły!). Klinika niech mi naleje, a panu przy okazji też.

Wypiliśmy i obu zrobiło się lepiej, z tym, że mnie bardziej, bo biorąc kieliszek, trąciłem delikatnie różowe paluszki Lolity. „Ech, jeśli tylko ten stary cymbał zaśnie!".

– No i gdzie się pan tak urządził, panie Bronisławie? – zapytałem tonem pełnym współczucia. – Czyżby organizm aż tak zareagował na szczepionki?

Pokręcił głową:

– Pojechałem wczoraj na wieczorek kombatancki z okazji kampanii wrześniowej – rzekł.

– Nie miałem pojęcia, że pan świętuje narodowe rocznice. Tylko coś późno w stosunku do daty pierwszego września...

– Lepiej późno niż wcale, czy pan wie, że spotyka się już trzecie pokolenie uczestników...

– To pięknie! Mój ojciec walczył od pierwszego września do bitwy pod Kockiem w armii generała Kleeberga.

– A rodzice mych kolegów pod Budionnym i Chruszczowem, od siedemnastego września. I właśnie świętowaliśmy tę znamienną datę. Więc chyba już pan rozumie, dlaczego mam takiego kaca?

– Rozumiem, że to również kac moralny, w dodatku dziś przyznawanie się do członkostwa w Komunistycznej Partii Ukrainy źle się kojarzy.

Obruszył się.

– Pan nic nie rozumie! Przeszłość – było minęło! Mnie się rozchodzi o teraźniejszość. Jak ja zobaczyłem, jakie kariery porobili moi dawni koledzy z resortu, kurczę pieczone. „Głupi Mirek" – szef gabinetu politycznego ministra, „Wacek – Lepka Rączka" – członek rady nadzorczej energetycznego giganta, „Krwawy Wiesio" – dyrektor spółki Skarbu Państwa. I tylko Baton jak był, tak został gołodupiec. I to na własną prośbę.

– Czy może pan wyrażać się jaśniej, bo nie bardzo rozumiem, jak to na własną prośbę?

Otarł mankietem spocone czoło, a Lolita nalała nam kolejny kieliszek.

– Interesu to ja nigdy nie zrobię. Chociaż tyle razy mogłem. Pamiętam, było to w roku tysiąc dziewięćset osiemdziesiątym dziewiątym. Pojechaliśmy wspomagać towarzyszy NRD-owskich. Kryzys był tam straszny, a ja miałem konto „S" w DDR-owskich markach i cały czas kombinowałem, co z tym zrobić. Popiliśmy zdrowo z kolegami ze Stasi i nad ranem ocknąłem się na Wyspie Muzeów.

– Pod Muzeum Pergamońskim?

– Usiłuję wstać, blady jak ten pergamoń, patrzę, a tu w kanale Szprewy widzę ducha podobnego do marszałka Goeringa. On do mnie: „Cześć, Baton", no to ja mówię: „Guten morgen, Herman", bo na kacu jestem z wszystkimi na ty. A on na to: „Dobrze ci radzę, wybierz marki z konta i czekaj...". I zaraz pochłonęła go mgła czy inny tuman.

– I posłuchał go pan?

– Nie, bom myślał, że to prowokacja. Na ruble wszystko wymieniłem, będąc pewny, że co jak co, ale to jest najbezpieczniejsze. Tymczasem parę dni potem mur upadł. Kto miał gotówkę, poleciał do Berlina Zachodniego wymieniać w stosunku jeden do jednego. A ja moimi rublami już po roku mogłem sobie, kurczę pieczone, mieszkanie tapetować.

– Prawdziwy to pech! A ustalił pan przynajmniej, co to był za duch?

– Po paru wizjach lokalnych doszedłem do przekonania, że było to moje własne odbicie. A właściwie takie moje alter jego, które zna przyszłość. Ile ja potem eksperymentów robiłem, żeby obudzić tę moją podświadomość, ile wódy do lusterka wypiłem...

– I nic?

– Czasem moje alter jego się pojawia, robi mądre miny, ale kiedy pytam je o wyniki najnowszego losowania gry liczbowej, pokazuje mi język.

Na końcu języka miałem już pytanie o tajemniczą człekokształtną istotę buszującą na terenie jego posesji, ale się powstrzymałem. Powiedziałem tylko:

– No to rzeczywiście pech.

– Nie pierwszy, nie ostatni. Czy pan wie, panie Jędrzejku, że kiedy zawalił się system, miałem znakomitą koncepcję, jak można na tym skorzystać?

– Mianowicie?

– Pojechać do Szwajcarii i przycisnąć paru bankierów w temacie kont naszych towarzyszy z SLD, którzy teoretycznie niczego nie mają...

– I co?

– I nic.

– Nie chcieli pana informować, czy też przestraszył się pan konsekwencji?

– Ja miałbym się przestraszyć?! Przecież ja się nawet Boga nie boję, bo nie wierzę... Ale pomyślałem sobie, po co, na co mi... To, co mam, mi wystarczy... Nie mam dzieci, którym mógłbym zostawić kolejne miliardy.

– Zawsze może pan adoptować... – zobaczyłem uśmiech na twarzy Lolity. – Zresztą znając pana jurność, niewykluczone, że pewnego dnia pojawi się jakieś potomstwo.

– Jak będzie miał resortowego ojca, pieniądze nie będą mu potrzebne. Starczą znajomości.

– Ale może lepiej, żeby pierwszy milion dostał od ojca, a nie ukradł? – zauważyłem. – Tylko skoro panu nie zależy na pieniądzach, to skąd ta frustracja po spotkaniu z kolegami, którym się powiodło?

– Drogi Jędrzejku, wie pan, że od dziecka byłem za równością i dlatego akceptuję sytuację, w której ja mogę nic nie mieć, ale inni też niech nie mają. Jak w socjalizmie!

– Świat się zmienia – stwierdziła filozoficznie Lolita. A ja pod makijażem zobaczyłem ślad podkrążonych oczu dowodzący, że jednak jakieś trudy tej nocy poniosła.

– Zdenerwowało mnie jeszcze jedno – powiedział kłusownik. – Po grillu, który jeszcze pamiętam, a przed peep-showem w basenie, którego nie pamiętam, puścili nam idiotyczny film, który ostatecznie sprawił, że film mi się urwał.

– Pamięta pan, co to było?

– To był... Zabij pan... Mam to na końcu języka... Tytuł... Coś o doskonaleniu zawodowym... Mam! *Czeladnik*.

– *Terminator trzy* – podpowiedziała Lola.

– Przecież mówiłem! Terminator, czeladnik, wiedziałem, że coś z rzemiosłem! Terminator trzy. I od razu niedoróbka. Miały być trzy terminatory, a grały tylko dwa, w tym jedna okrutna samiczka.

Zobaczyłem kątem oka, że Lola dusi się ze śmiechu.

– Wydaje mi się, że jeden Schwarzenegger starczy za trzech – rzekłem.

– Starczy to on miał – uwiąd, bo sam mówił o sobie, że jest stary model. A przecież ile on ma lat? Sześćdziesiąt parę? Szczeniak! – znów wymieniliśmy znaczące spojrzenie z Lolitą. – Chociaż przy takiej robocie człowiek prędko się zużywa. Nie można tylko zabijać i zabijać!

– Można zawsze pójść na wcześniejszą emeryturę.

– To już lepiej do biznesu albo do polityki, jak moi kumple.

– No właśnie zapewne słyszał pan, że Arni po doświadczeniach gubernatora Kalifornii znowu chce kandydować.

– I bardzo słusznie. Tam potrzebny jest terminator. Mało jeden. Trzech. Ktoś powinien poskromić kryzys, przestępczość, pedalstwo i poprawność polityczną, w pysk. A jak mu się poszczęści, to nawet prezydentem zostanie.

– To akurat wykluczone! – wtrąciła się Lola. – Prezydentem USA może tylko być ktoś urodzony w USA, a nie w Austrii.

– A czy to jest jakiś problem? Austriaki Europy nie lubią, amerykański anschluss przyjmą chętnie i zostaną pięćdziesiątym drugim stanem, i w ten sposób kulturysta będzie mógł być prezydentem... Lolka, zmień mi ten kompres. Gdybym był młodszy, sam bym to mu załatwił. Ilu wpływowych kumpli w tym Wiedniu miałem, ilu interesujących ludzi tam poznałem – „Baranina", Kuna, Żagiel... Kluczyk... Plus kilku facetów od mokrej roboty w więziennictwie i szpitalnictwie...

Dziewczyna nałożyła kompres i przysiadła obok na oparciu mojego fotela, trzymając pana Bronisława za rękę, który z ukontentowania aż oczy przymknął. Jej niepokojące ciepło dotarło do mnie, wraz z zapachem perfum, ziół i mleka zapewne z wieczornego udoju.

– Nie sądzę, żeby to było możliwe – chrząknąłem, z trudem przezwyciężając suchość w gardle. – Stan aktualny niczego nie zmieni. Ten aktor urodził się przecież w Republice Austrii.

– Panie Marciński, ja też się urodziłem w Rzeczypospolitej Polskiej na Wołyniu, a pół życia miałem w papierach „Urodzony w Równem – Ukraińska SSSR".

Teraz ja się zdumiałem.

– Co pan mówi? Byłem przekonany, że urodził się pan w Leningradzie.

– Bo tam zostałem poczęty! Ale z początkiem lat trzydziestych rodzice wyjechali akurat na Ukrainę z misją służbową – organizować Wielki Głód, i mamusia przy pierwszej okazji dała nogę. Rozwiązanie nastąpiło już w Polsce. I dlatego czuję się pełnoprawnym Polakiem. Tak jak wnuki większości moich kumpli są z urodzenia Amerykanami.

– Nie bardzo rozumiem? – głos mi lekko drżał, kiedy moja dłoń delikatnie musnęła gołe ramię Loli.

– A co tu rozumieć?! Normalna praktyka! Kumple z resortu wysyłają swe synowe rodzić do klinik na Florydzie, żeby bachory miały od razu jankeski paszport. I niech ktoś im spróbuje powiedzieć: „Resortowe wnuki", to pierwszy ode mnie w pysk dostanie... – podniósł głos i otworzył oczy. – Urodziłem się w Równem i dlatego całe życie byłem za równością. A co tu pan?... – dostrzegł moją rękę całkiem niedaleko ramienia Lolity.

– Kompres się panu zsuwa – powiedziałem błyskawiczne – chciałem poprawić.

– Od kompresu jest Lola, a pan siadaj vis-à-vis, bo lubię widzieć, z kim rozmawiam, nawet jeśli ledwo patrzę na oczy. Przez ten cholerny film nadal kręci mi się w głowie!

– Może to nie od filmu... – powiedziałem, niechętnie odchodząc od Lolity, która ani nie mrugnęła.

– A od czego? Od wódki może? Baton po pół litrze prowadzi rajdowy samochód, po litrze czołg, a po półtorej flaszki miga... I nic mi przed oczami nie miga! W tym filmie po prostu „nic nie trzymało się kupy", jak mówiła pewna babcia klozetowa (ongiś fizylierka), z którą zdobywał żem wspólnie Wał Pomorski.

– Może pan podać przykłady?

– W sprawie wała?

– W sprawie filmu. *Terminator trzy*.

– Widział pan go? I wie pan, o co w nim chodzi?

– O uratowanie ludzkości, którą chcą wygubić inteligentne maszyny. I dlatego ludzie z przyszłości wysyłają Schwarzeneggera...

– I tu kolejna bzdura. Przecież to był robot właśnie do zabijania ludzi.

– Ale go przeprogramowali. Wystarczyło przekręcić jedną śrubkę.

– Jak u nas w resorcie, podczas transformacji. Wystarczyło jedno przekręcenie i zamiast dla KGB, pracowaliśmy już dla CIA.

– No to chyba wszystko powinno być jasne.

– Nic nie jest jasne. Panie Jędrzejku, jeśli ci ludzie z przyszłości mogą wysłać robota zabójcę, żeby chronił ludzi, to równie dobrze mogą go wysłać wcześniej. Żeby zdusił w kołysce Billa Gatesa, nim ten udoskonali komputery, albo Einsteina, tak żeby nie stworzono bomby atomowej. A najlepiej Voltę i Ampère'a, to by do dziś dnia nie było elektryczności.

– Ciekawy pomysł.

– Idźmy dalej. Kolejna filmowa bzdura – roboty niszczą ludzi atomówkami. Na tyle, ile się znam na fizyce, same byłyby pierwszą ofiarą. Wybuchy lepiej niż siłę żywą niszczą elektronikę! A już ta cała sztuczna inteligencja...

– Rozumiem, że pan w nią nie wierzy.

– Nie potwierdzam i nie zaprzeczam. A pan?

– Jestem przekonany, że w laboratoriach mocarstw prowadzi się takie badania. Na szczęście jest to pieśń odległej przyszłości.

Nieoczekiwanie zaoponował:

– Niekoniecznie. Czy pan wie, ile lat temu ja sam podjąłem się badań nad sztuczną inteligencją pracującą?

– Co pan mówi?

– I jak by pan widział tę inteligencję pracującą przy wyrębie tajgi czy kopaniu Biełamorkanału, to by panu serce rosło.

– Ale przecież to nie była „sztuczna inteligencja".

– A jaka? Prawdziwą wybiliśmy zaraz po rewolucji. Potem były już tylko zwyczajne wykształciuchy, w pysk.

– Czyli ewentualna dominacja maszyn to, pana zdaniem, tylko bajka?

– Bajka to zdarzyła się później, kiedy dookoła basenu pojawiły się bezlitosne terminatorki. Co za maszyny!

– Kto?

– No hostessy, ale debiutantki w swoim fachu. Mnie przypadła taka lodowata długonoga blondyna, dokładnie jak ta robocica z filmu.

– Jak jeszcze powie pan, że jej kończyna zmieniła się w piłę tarczową...

– Nie wiem, w co się mogła zmienić, bo lider mi ją zabrał, przygadując jeszcze: „Nie wiedziałem, Bronek, że jesteś wegetarianinem".

– Ale dlaczego?

– Bo wszystkie asystentki na ten wieczór dobierano według klucza warzywnego – każda nosiła jarskie pseudo – „Marchewa", „Pomidor", „Pietrucha", czy ta moja „Ogórek"... I dziwisz się pan, że z rozpaczy uderzyłem w gaz?!

Zamierzałem go zapytać, gdzie w tym czasie znajdowały się jego „pracownice", ale właśnie głowa opadła mu na pierś i zachrapał. Wróciłem na swoje stare miejsce i wyciągnąłem dłoń w stronę opalonego mini Lolity. Natychmiast natrafiłem na coś gorącego, wilgotnego, drżącego. Ale był to tylko język zawsze czujnego Pioruna. W pysk!

XXVII.
Kobieta zmienną jest

Sytuacja była co najmniej złożona. Baton spał, pochrapując, a Lolita znajdowała się o krok ode mnie, dosłownie na wyciągnięcie ręki. Któż by jej nie wyciągnął. Ale... Byłem przekonany, że cały apartament jest na podsłuchu, a jeśli był również na podglądzie? W dodatku Piorun zachowywał się jak typowy pies ogrodnika, co to sam nie zje, ale i innemu nawet obwąchać nie da. Siadł między nami, przenosząc wzrok to na mnie, to na nią, jakby orientował się, że rodzi się między nami jakaś więź, do której zadzierzgnięcia nie wolno dopuścić. Tak więc pozostawało mi patrzenie.

Usiłowałem więc wzrokiem powiedzieć jej, że jest ucieleśnieniem moich męskich marzeń, kimś, na kogo czekałem przez blisko pół wieku, przez lata niespełnionego małżeństwa czy serie mniej lub bardziej udanych namiastek.

Czy potrafiła to zrozumieć, zaakceptować? Spojrzenie miała łagodne, ale czujne. Cisza przedłużała się, stając się coraz bardziej nieznośną. Może powinienem zagaić o czymś neutralnym, o pogodzie, albo lekturach, które widziałem na jej nocnej szafce? Już zamierzałem otworzyć usta, ale Lola, niby w zamyśleniu szybciutko dotknęła swych pełnych warg, w oczywisty sposób nakazując mi milczenie. Ale jak tu milczeć, kiedy dusza krzyczała we mnie jak szalona?

Dziewczyna tymczasem wstała, wzięła ścierkę i zaczęła odkurzać półki z bibelotami, przestawiając je przy okazji, po czym odkręciła się na pięcie i rzuciwszy do Pioruna komendę: „Spacerek!", wyszła do ogrodu.

Dłuższą chwilę nie robiłem niczego, przeglądałem przyniesione czasopisma, zerkając z ukosa na śpiącego kłusownika, w końcu przeniosłem wzrok na półeczkę. Artefakty zostały zgrupowane w dość dziwnym porządku. Za pięknym słoniem znalazła się figurka kota z jadeitu, potem dwie papugi należące do gatunku amerykańskich ar, potem miniaturowa rzeźba nieprzedstawiająca umierającego Gala i order Royal Intelligent Service, przy czym trzecią literę przysłaniał skrawek porzuconej szmatki...

Może gdybym przed laty nie dorabiał sobie, układając łamigłówki umysłowe do „Szaradzisty", nie zwróciłbym na to uwagi, a tak... Po minucie dotarł do mnie cały obiecujący przekaz: ZA – SŁOŃ – KOT – ARY GAL– ER– I...

Galerią nazywaliśmy krótki łącznik prowadzący do ubikacji przy basenie, który z pewnością obejmowały kamery zewnętrzne, ale umieszczanie elektroniki w środku zakrawało na marnotrawstwo.

Niby to bawiąc się, przestawiłem figurki na stare miejsca, jeszcze rzuciłem okiem na pana Bronisława i poszedłem w kierunku toalety. Zasłony zasuwał elektryczny, prawie bezszmerowy mechanizm. Nacisnąłem przycisk i już po chwili otoczył mnie dyskretny półmrok...

Czekałem ponad kwadrans. W sumie było to najdłuższe siedemnaście minut w moim życiu. Ale opłaciło się.

Weszła drzwiami od toalety bez Pioruna. Pachnąca z rozpuszczonymi włosami, w bluzeczce narzuconej na gołe ciało (oczywiście bez stanika, a jak miałem się przekonać, spod spódniczki mini zniknęły także majtki). Nie wypowiadając ani słowa, pocałowała mnie z marszu, drapieżnie, namiętnie.

Wręcz zaparło mi dech. Była słodka jak mleko z miodem, a jej języczek dokonywał niebywałych wprost ewolucji. Wyraźnie wyposzczona w najmniejszym stopniu nie ograniczała aktywności moich rąk, a nawet sama dość sprawnie zbadała moje parametry, tego dnia ze trzy razy większe od zwykłych stanów średnich... Boże kochany!

Nie padło ani jedno słowo z naszych ust, z jej krtani nie wydobył się żaden rozkoszny pomruk, a erotyczny roller-coaster wynosił mnie na wyżyny podniecenia.

Skończyło się marnie. Jak u małolata. Ładunek opuścił pojazd dostawczy jeszcze przed wjazdem na teren bazy. Zażenowany cofnąłem się od dziewczyny, nie wiedząc, jak wytłumaczyć swe nagłe zakłopotanie i ostygnięcie... Ale w tym momencie zaszczekał Piorun.

Odskoczyłem od Lolity, która przez ubikację wróciła nad basen. A ja wracając do salonu, uruchomiłem pośpiesznie mechanizm kotarowy. Baton właśnie się obudził.

– Gdzie byłeś? – rzucił, wlepiając we mnie przekrwione oczy, jakby znów chciał wcielić się w rolę śledczego.

– W kiblu – odparłem, dopinając spodnie. – Coś mi musiało zaszkodzić.

– A Bronka?

– Zdaje się, że wyszła z psem.

– To dlaczego Piorun tak ujada?

– Może zobaczył jakąś wiewiórkę. To go zawsze denerwuje.

Obydwoje zjawili się po kilkudziesięciu sekundach. Lola ślicznie zaróżowiona, jak ktoś, kto odbył długą gonitwę, Piorun wyraźnie wkurzony, a wobec mnie dziwnie nieprzyjazny.

– Napijmy się! – powiedziałem, przejmując inicjatywę. Baton nie protestował, więc nalałem drinka jemu i sobie, po czym siadając z rozmachem, pozwoliłem szklaneczce wysunąć się z rąk, oblewając moje krocze i podbrzusze...

Pan Bronisław wybuchnął zdrowym śmiechem, Lolita też.

– Chyba będę musiał zmienić spodnie – wymamrotałem, pragnąc jak najszybciej zajrzeć do mej ziemianki.

– Tylko szybko wracaj, trzeba odrobić półtorej dnia laby!

Kiedy wracałem, posłyszałem podniesiony głos Batona i ciche odpowiedzi Lolity. Zorientowałem się, że nie chodzi o mnie, tylko o coś, co miało miejsce na wieczorku kombatanckim. Ale nie mogłem zbyt długo podsłuchiwać.

Na progu dobiegło mnie pokorne: „Zrobią to"... A kiedy wszedłem, dostrzegłem, że dziewczyna zabrała się do malowania kilkudziesięciu tabliczek, które miały zastąpić stare rozmieszczone wokół posiadłości, obecnie zardzewiałe albo przywłaszczone przez zbieraczy złomu. Wzorcowy tekst był krótki i jednoznaczny: „Kobietom i dzieciom wstęp wzbroniony".

– Ostre sformułowanie – zauważyłem. – Rzekłbym nawet, kontrowersyjne. Las jest przecież własnością całego narodu.

– Niech będzie własnością, ale na wszelki wypadek trzeba wywiesić ostrzeżenie. Bywa, dla relaksu człowiek strzela sobie do bezpańskich psów i kotów, pomyli się i nieszczęście gotowe. Słyszał pan o tym prawniku zza lasku?

– Którym?

– Prokuratorze czy sędzi, mniejsza o nazwisko. Parę lat temu zastrzelił wałęsającego się dzieciaka jak psa, a czepiają się go, jakby naprawdę popełnił jakieś wielkie przestępstwo.

– I pan mu jeszcze współczuje? – zawołałem. – Niepojęte!

– Ja współczuję? Jak można współczuć jakiemukolwiek prawnikowi, myślę wyłącznie o pożałowania godnym precedensie. Pod tym jednym względem podoba mi się Ameryka. Wlezie ktoś w szkodę – to mam prawo z obu luf...

Wolałem nie patrzeć w tym momencie w kierunku Lolity.

– Życie, panie Jędrzejku, nauczyło mnie jednego, nie cackać się.

– Z dzieciakami?

– I z kobietami. Trzeba postępować twardo i stanowczo. Bo inaczej wlezą człowiekowi na głowę. Pod tym względem doceniam Arabów.

– Powoli zaczynam rozumieć, dlaczego pan się nigdy nie ożenił – mruknąłem.

– Ja też zaczynam to rozumieć, chociaż czasami mam wątpliwości. W końcu jeden czy dwa małżeństwa na próbę by mi nie zaszkodziły, ale tak się ułożyło. Najpierw był człowiek za młody, brał co chciał, a teraz jest za stary...

– Ależ świetnie się pan trzyma, jak na swoje lata.

– I wolę się tego trzymać. Zresztą w dzisiejszych czasach po co brać ślub? Jak chcesz napić się piwa, nie musisz kupować browaru... Jeden mój znajomy, niejaki starszy sierżant sztabowy Lech Makulec, też był samotny jak palec i postanowił zamówić sobie dziewczynę przez internat...

– Licealistkę?

– Nie, nie, już dojrzałą. Przez komputer.

– Rozumiem, chodziło panu o internet!

– A co ja powiedziałem? Ogląda oferty i kalkuluje... No i wyszło, że najtaniej wyjdzie sprowadzić sobie krasawicę z Moskwy. Zamówił, podał swoje wymiary, jej, dopuszczalny wiek, maksymalny przebieg, kolor tapicerki... znaczy się włosów. I wie pan, co się stało?

– Mogę się domyślać, widziałem niedawno film o podobnej historii. *Dziewczyna na urodziny*. Jeden Anglik, imieniem John... Bankowiec, zamówił sobie w Moskwie dziewczynę.

– Na przychodne?

– Na stałe. Żenić się chciał. No i przylatuje piękna sztuka, Nadia. Grała ją Nicole Kidman...

– Piękna blondyna – cmoknął Baton.

– W tym filmie akurat zrobiona na chudą brunetkę.

– A to czemu?

– Żeby inteligentniej wyglądać, bo nawet do Rosji dotarły te dowcipy o blondynkach... No więc jadą samochodem z lotniska i John pyta: „Podoba ci się tutaj", a ona: „Yes". No to on nawija dalej, ale coś już podejrzewa. „Pogoda ładna", a właśnie zaczęło padać, a ona to samo: „Yes". No to on po całości. „Jesteś żyrafą?" I co słyszy: „Yes! Yes! Yes!". Bo, jak okazało, w ogóle nie znała angielskiego, tłumok jeden...

– No, no, bez wyrazów – obruszył się Baton. – Ja kiedy pojechałem na moją pierwszą placówkę, też nie znałem żadnego języka, kurczę pieczone. Ale szybko kobitki mię tego języka nauczyły, w pysk.

– Ten Anglik też uczył Nadię. Nawet jej słownik kupił. I było pięknie, aż do dnia jej urodzin, kiedy odwiedzili ich dwaj kuzyni Nadii, Rosjanie. A każdy miał mordę jak mały Cygan nogę. Parę dni pomieszkiwali z nimi, ale kiedy gościnność Johna się wyczerpała i kazał im się wynosić, wyszły z nich prawdziwe bandziory, pobili gospodarza, chcieli Nadię polać wrzątkiem... A jako jedyną szansę wykaraskania się z tej kabały zaproponowali Johnemu, żeby...

– Okradł własny bank! Bo inaczej zabiją dziewczynę, zresztą ich wspólniczkę, która tylko udawała, że nie zna języką? – wtrącił Baton.

– Dlaczego nie mówi pan, że widział ten film?! – zawołałem.

– Bo nie widziałem, ale znam tę historię. Tylko ta moja dupeczka, która usidliła Makulca, nazywała się nie Nadia a Nataszka.

– W takim razie ciekawi mnie, jak ten pański Makulec sobie poradził z tą bandą?

– Kiedy bandziory grożąc śmiercią panny, zawiozły go na pocztę, zatrzasnął się od wewnątrz w kasie pancernej, i stamtąd komórką zatelefonował na policję. A policja zwinęła bandę.

– Czyli zaryzykował życiem dziewczyny?

– Niczym nie ryzykował. Już miesiąc wcześniej, pierwszego dnia kiedy PKS-em Nataszka przyjechała do Chojnówki, skapowałem co to za okaz. Wystarczyło jeszcze sprawdzić akta. Zadzwoniłem do kolegów i poznałem wszystkie jej akcje. Okazało się, że występowała dotąd jako Larysa w Wiedniu, Masza w Bolonii, Tania w Barcelonie i Kola w Berlinie.

– Kola?

– Transwestytę udawała. Ale wyłącznie dla celów służbowych.

– I mimo tego dossier i pańskich ostrzeżeń ten pański Makulec żył z nią dalej pod jednym dachem?

– A pan, kurczę pieczone, by nie pożył sobie pod jednym dachem z taką laską? Cztery razy dziennie numerek plus dwa w nocy, bez żadnych zobowiązań, za to ze świadomością, że sytuacja jest pod kontrolą?

Rzuciłem okiem na malującą Lolę i zobaczyłem, że jest czerwona jak piwonia... Czyżby Baton mówiąc o Makulcu i Nataszce, miał na myśli siebie i ją, natomiast wcześniejsza historia o jej ojcu z Chojnówki była jedynie wymyśloną na moje potrzeby legendą?

– Wiesz co, mała – zwrócił się do niej Baton – tak sobie myślę, że można by co trzecią tabliczkę walnąć cyrylicą. Tylu tych Białorusinów tu się kręci, warto i ich ostrzec! Charaszo?

– Oczywiście – odpowiedziała, jakoś tak śpiewniej niż dotychczas.

– I nie rób mi takiej nabzdyczonej miny, bo jak ci przyrżnę wyciorem na gołe dupsko, to ruski miesiąc popamiętasz...

– Ależ, panie Bronisławie! – ośmieliłem się zaprotestować. – Tak nie można.

– A ty milcz! Bo nie masz pojęcia, co naprawdę lubią baby. Znasz powiedzonko: „Jak się kobity nie bije, to jej wątroba gnije"? No! A żebyś jeszcze wiedział, Jędrzejku, jakie te niewiasty miewają perwersyjne upodobania? Na przykład niektóre dbają, żeby się przypadkiem nie myć.

– Co pan? – żachnąłem się, rzucając okiem na Lolitę, ale widać malowanie pochłonęło ją bez reszty, bo nie zareagowała.

– Niektórzy, a szczególnie Francuzi, to lubią. A inni muszą lubić. Wiem, bo to przeżyłem. Podczas zgrupowania na Sachalinie miałem jedną gejszę... Właściwie precyzyjnie to określając – miewałem. Bo była jedna na cały pododdział. Mnie przypadał czwarty piątek miesiąca. Baterfleja się wabiła. I to się dało odczuć.

– Ohyda – mruknąłem.

– Ale można przywyknąć. Niestety, okazało się, że pracowała też dla japońskiej mafii.

– Yakuzy – podpowiedziałem. Kłusownik jak zwykle zrozumiał słowo opatrznie.

– Zawsze zastanawiam się, na czym to polega, że te wszystkie mafie ciągnie do jacuzzi. Rozumiem prać pieniądze, ale całe wieczory w basenie? Reumatyzmu od tego dostałem.

– Pan? Na Sachalinie?

– Nie na Sachalinie, bo tam bania przysługiwała raz na kwartał, tylko u nas, w kraju. W ABW. Pamiętam, dostaliśmy cynk, że u jednego byłego rzecznika rządu w basenie dochodzi do niebezpiecznego styku biznesu, polityki i półświatka... No i chodziło o to, żeby dobrze rozpracować ten styk. A że nie mieli akurat pod ręką fachowca, bo Agent Tomek miał i bez tego od cholery roboty, szukali emeryta... No i jeden kret polecił mnie.

– Pana?! I pracował pan dla Czwartej Rzeczypospolitej?!

– Żadna praca nie hańbi. Chociaż zdrowie można stracić. Dziesięć wieczorów spędziłem dosłownie na dnie... basenu, czekając na tego półświatka... koronnego! Czy wie pan, kto tam zaglądał? Policja i opozycja. Komuchy i pięknoduchy. Konspira i satyra... Nagrywałem takie rzeczy, że ucho by panu zbielało. Nic dziwnego, że sam gospodarz miał uszy jak nietoperz... Mogłem zgromadzić kolekcję lepszą niż ten Sowa z przyjaciółmi.

– Rozumiem jednak, że coś nie wyszło?

– Wyszło, ale niestety nie dało się nagrań odtworzyć. Wszyscy dostojni goście sikali do basenu, zwiększyli zasolenie wody i drogocenną aparaturę trafił szlag. A jeszcze od jednej posłanki, która się kąpała bez majtek, oberwałem po mordzie. Ale lekko... Bo maskę nurka miałem...

Zrobił tak żałosną minę, że postanowiłem go pocieszyć.

– Nie ma co się łamać, panie Bronisławie! Porażki zdarzają się nawet najlepszym.

– Są porażki i porażki... Czy pan uwierzy, że pewnego dnia przylazła tu do mnie Cyganka... Z zawiniątkiem na ręku, które porusza się, kwili, powiedziała: „Odnoszę co pańskie".

– Rety, rety! – zawołałem. – Zrobił pan dziecko Cygance? Znaczy niewieście z rodu Romów?

– O co mnie pan posądza, panie Marciński!? Owszem, miewało się kontakty z rozmaitymi mniejszościami narodowymi, ale na widok taboru cygańskiego zawsze powtarzałem: „Arrivederci, Roma". W zawiniątku było zwierzątko, wypisz wymaluj Piorun, który widać na festiwalu folkloru dopadł jakąś sukę.

– No to w czym problem? Kocha pan psy.

– Niestety, kiedy zająłem się maleństwem, które bezzwłocznie zanieczyściło mi podłogę, Cyganka opitoliła mi kuchnię, salon i tyle ją widziałem. Na szczęście nie znała się na sztuce i brała tylko szmal i złoto...

– No ale przynajmniej pies panu został.

– Żeby pies. Jak to maleństwo podrosło, to się okazało, że to wcale nie sobaka, a kot. A właściwie kotka, w pysk... A wie pan, czym się kończy kupowanie kota w worku?

– Nie mam pojęcia.

– Wiele lat temu, na długo przed Bron... Znaczy zanim jeszcze Makulec postarał się o wspomnianą Nataszkę, dopadła i mnie chwilowa depresja. Akurat kolejny pies mnie obumarł, tydzień potem wlazł żem we własne wnyki, a wybory w naszej gminie wygrała prawica. No i wtedy żem poznał jedną taką dziewczynkę, jakby to powiedzieć, przez internat.

– Przez internet!

– Nie poprawiaj pan, kiedy nie wiesz, w którym komitecie dzwoni! To były czasy, kiedy się jeszcze listy pisało, a agencja znalazła coś dla mnie, w żeńskim internacie. Panie Jędrzejku, co to była za dziewczyna – osiemnaście lat, uroda trzy aniołki Charliego w jednym. Już w drugim liście zdjęcie mi swoje przysłała. W stroju kibini... Znaczy bikini.

– I pan też jej swoją fotkę wysłał?

– Po co? I bez tego była oczarowana moim intelektem. Podałem się za młodego leśnika. I pisywaliśmy do siebie namiętne listy. Potem wymieniliśmy numery telefonów, co zaowocowało setką niezwykłych rozmów. Nawet trochę o seksie, ale tylko w początkowym stadium.

– To znaczy?

– Tarło łososi, gody głuszców, rykowisko jeleni... Nie ma pan pojęcia, jak ona kochała tę przyrodę. Napisała mi, że jej ojciec był rozparcelowanym baronem pełnej krwi. Możesz pan uznać mnie za durnia, ale naprawdę gotów byłem się ożenić. Tylko mój instynkt klasowy był przeciwnego zdania i nim doszło do korespondencyjnego podpisania intercyzy, w przebraniu kuratora odwiedziłem ten internat.

– I co z tego wyszło?

– Wielki skandal! Że moja luba wysłała zdjęcie innej mieszkanki internatu – mogę zrozumieć, to że sama była czterdziestoletnią brzydką jak noc portierzycą, też! Ale kiedy dowiedziałem się, że jej stary, rzekomy arystokrata, to był baron SLD, którego za przekręty pozbawiono immunitetu, majątku, a nawet legitymacji partyjnej, nie zdzierżyłem.

– I co pan zrobił?

– Uciekłżem. Ale postanowiłem się zemścić. Posłałem jej list, że kłamałem z tym leśnikiem, a w istocie jestem wiceministrem ochrony środowiska i dziewictwa narodowego, który szuka nie bogatej, zepsutej laseczki, tylko niezbyt ładnej, niezbyt młodej i najlepiej ubogiej towarzyski życia na dobre i złe. Naturalnie zmieniłem adres korespondencyjny. Niech teraz żałuje do końca życia swoich kłamstw! – sapnął, jakby zrzucił z siebie wielki ciężar.

– I pan się jeszcze dziwi, że nigdy więcej w mojej głowie nie powstała myśl o małżeństwie?

– No wie pan – powiedziałem tonem człowieka doświadczonego – zawsze się można kulturalnie rozwieść.

– Kulturalny rozwód! – wybuchnął. – Tak się tylko mówi! Ale jak dojdzie co do czego, tragedia... Nie dalej jak rok temu kolega z nagonki, Filipek, z zawodu kolejarz, rozwodził się ze swoją starą. Miało być kulturalnie, cicho i spokojnie. Majątek po pałam, a jako powód zgodnie postanowili podać...

– Kompletny rozkład pożycia?...

– I psa!

– Co?

– Współmałżonka nie mogła dłużej żyć z psem!

– Z psem żyć? – zawołałem. – A mąż ją do tego przymuszał? Hańba! Przemoc w rodzinie!

– Chodziło o życie pod jednym dachem. Mieszkanie było małe, w bloku, a żona była uczulona na sierść. Adwokat uznał, że w sądzie lepiej zabrzmi uczulenie na psa niż na męża...

– Na pewno. A czym jej podpadł mąż?

– Głównie tym, że zamiast zajmować się żoną, całe noce bawił się kolejką elektryczną. Z drugiej strony, żeby pan zobaczył tę żonę – baba jak parowóz. W dodatku jeśli idzie o obowiązki małżeńskie, to Filipek od lat miał na nie szlaban.

– Ale rozwodzili się, jak pan wspomniał, kulturalnie? – zapytałem.

– Bardzo. W wyniku procesu baba zabrała: mieszkanie, meble, samochód, wkłady oszczędnościowe. A na dodatek psa.

– Mimo uczulenia na sierść?

– Ona była uczulona na sierść męża! – Filipek jest tak owłosiony i kudłaty, że parokrotnie postrzelono go na polowaniu, biorąc go za dzika. Teraz Filipek nie może się zbliżać do swego ulubieńca na odległość dziesięciu smyczy... Ech, życie – tu Baton zamyślił się głęboko.

– Skończyłam – zameldowała Lolita. – Dokładnie czterdzieści cztery tablice.

Kłusownik łypnął okiem na jej dzieło.

– To teraz idź i powieś te tabliczki co trzysta metrów – warknął. – Tylko wychodząc, wyłącz przedtem elektrykę płotu, bo się spalisz jak ćma.

– Jasne.

Informację, że dziewczyna potrafi rozbroić jeden z głównych systemów ochrony obiektu, zanotowałem głęboko w pamięci. Gdyby jeszcze tylko zechciała mi pomóc...

– I weź ze sobą Pioruna – dorzucił kłusownik. – Jakby ktoś cię chciał zaczepić, szczuj bez litości.

– Ależ pan orze w tę dziewczynę – powiedziałem z podziwem, kiedy za obojgiem zamknęły się drzwi – i ma pan u niej posłuch jak arabski szejk.

Chyba sprawiłem mu przyjemność tym porównaniem do szejka, bo uśmiechnął się i rzekł chełpliwie:

– Kobiety! Gdyby pan miał w życiu choć połowę, co mówię, ćwierć kobiet co ja miałem, to by pan nigdy nie podważał moich metod postępowania. Był żem majtkiem na żeńskim żaglowcu szkolnym „Czukotka" i szpiegiem w filipińskim mieście Naga. A także inspektorem chórów Koreańskiej Armii Ludowo-Wyzwoleńczej. I jak mi która nie śpiewała czysto, to po godzinach przerabiała ze mną wszystko na brudno. Ale wyznam panu – przereklamowane to wszystko. Jedno dobre, że po tych moich przejściach wiem już wszystko o kobietach.

– Gratuluję. Zupełnie jak Mel Gibson, aktor amerykański, w filmie *Co myślą kobiety*.

– Myślą? Pan żartuje! Przecież każdy wie, że nie myślą, a najwyżej kombinują.

– No więc właśnie Gibson słyszy, co kombinują niewiasty.

– Przeszedł jakieś szkolenie w tym zakresie?

– Ależ nie – tłumaczyłem – miał wypadek, napił się alkoholu, poślizgnął na kulkach do kąpieli i wpadł do wanny razem z włączoną do kontaktu suszarką.

– I przeżył to?

– Akurat napięcie było tylko sto dziesięć wolt... Jak to w Ameryce.

– Słyszałem, teraz w Kalifornii taki kryzys paliwowy, że w godzinach szczytu prąd dochodzi tylko do niższych pięter drapaczy chmur.

– W każdym razie coś Melowi w głowie przeskoczyło, bo naraz doszło do niego, że słyszy, co myślą kobiety. O nim, o innych mężczyznach... A jak otoczyła go wycieczka licealistek wracających z zajęć WF-u, to omal nie padł...

– Musi wrażliwy być na zapachy?

– Ich myśli go powaliły! Wszystkie nieprzyzwoite. Początkowo go te nowe umiejętności przerażały, i nawet poszedł z tym do lekarza, ale potem zrozumiał, jaki ma kapitał w głowie. Po prostu „Miliard w rozumie". No i zaczął od rozumu swojej szefowej. Zgadywał w lot jej pomysły, uprzedzał jej projekty... I sam załapał kontrakt na miliard, mimo że był to pomysł jego kierowniczki.

– Przereklamowane! Żeby baba wymyśliła coś za miliard...?

– Niechże pan nie będzie męskim szowinistą. Zdarzają się kobiety naprawdę wybitne.

– Wiem, co mówię. W latach osiemdziesiątych testowaliśmy na Łubiance wykrywacz myśli... który żeśmy Amerykańcom w kawałkach ukradli,

i były kłopoty ze złożeniem do kupy. Ale w końcu udało się zmontować i zaczęliśmy badania na czekistach – ochotnikach, ale szybko zrezygnowaliśmy.

– Dlaczego?

– Bo trzeba by całą jednostkę rozstrzelać! Każdy miał w głowie impe-
rialistyczny styl życia. No to ustalono – bierzemy się za baby. Podłączamy
jedną do wykrywacza – nic. Podłączamy drugą – nic.

– Urządzenie siadło?

– Urządzenie było w najlepszym porządku, tylko baby o niczym nie
myślały.

– Nie można o niczym nie myśleć.

– To pan nigdy babą nie był. Aparatura nie uwzględniała myśli powsze-
dnich dotyczących domu, pogody lub seksu, a wyłącznie filozofię, kulturę,
no i obronność... I pod tym kątem zero odczytów. Tylko śnieg padał na mo-
nitorze... Trzecia, czwarta, piąta... Naraz komendant woła: „Stój! Wzmoc-
nić ostrość i powiększenie". Wzmacniamy, a on: „Nu i na intelektualistku
papali".

– I co takiego odkryliście w jej myślach?

– Kawałek okładki z pisma „Burda", który w toalecie publicznej prze-
czytała. Mel tak się rozczulił, że się chciał z nią żenić.

– Mel?! A mówił pan, że nie widział filmu?

– Jaki film? Mel miał na imię komendant naszej sekcji psychologicznej.
Konkretnie podpułkownik Mel Gibsonow. A właściwie nawet Mels, tyle że
w pięćdziesiątym szóstym rodzice mu „s" nożem obcięli.

– Zupełnie nie rozumiem.

– A co tu rozumieć!? – MELS to było w tamtych latach najlepsze imię
dla rewolucjonisty, skrót do Marks, Engels, Lenin, Stalin... Tyle że Stalin stał
się nagle niemodny. Nie wiedziałem tylko, że to się przyjęło w Ameryce...
Chociaż można w jednych dziedzinach być na szarym końcu, a w innych
przodować.

– Co pan ma na myśli?

– Choćby w kwestii wykrywaczy. Znane są wykrywacze metali, wykrywacze kłamstw, a co z wykrywaczami papieru?

– Wykrywacze papieru? Nigdy o niczym podobnym nie słyszałem.

– A ja nie tylko słyszałem, ale i widziałem.

– Gdzie?

– W Bułgarii, w toaletach. W charakterze wykrywaczy papieru występują tam babcie klozetowe, minimum w stopniu sierżanta, które co rusz zaglądają do kabiny, czy ktoś papieru nie wrzuca do kibla, zamiast do specjalnego kosza, który opróżniają raz na tydzień. I tu ma pan przykład wyższości człowieka pracy na bezduszną aparaturą... I wolałbym, żeby tak zostało.

– Nie rozumiem, do czego pan zmierza?

– Obawiam się wynalezienia elektronicznego urządzenia, które może wykryć zakopany papier, na przykład na mojej działce.

– Ale czemu miałoby służyć coś takiego? Zakopał pan dolary i nie może pan ich znaleźć?

– Pieniądze to ja potrafię wywęszyć kilometr pod ziemią, mimo że podobno nie śmierdzą.

– Więc w czym problem?

– Ostatnio na skraju mojego zagajnika pojawili się faceci podający się za saperów. Zaproponowali, że sprawdzą moją działkę pod kątem niewypałów... Co ciekawe, gotowi byli ją sprawdzić za darmo.

– I pan się nie zgodził?

– W życiu! – żachnął się. – Takie pułapki zauważam jeszcze przed ich zastawieniem. Wie pan, co by było, gdyby natrafili na moje archiwum? Teczki, mikrofilmy, kserokopie... Jaka to by była bomba? Pół sceny politycznej by zmiotło... A drugie pół musiałoby uciekać.

Tu rzucił okiem za okno, potem na zegarek, potem znów za okno.

– Długo coś mi Lola nie wraca – powiedział. – Piorunka też nie widać.

Ciekawe, że pomyślałem dokładnie o tym samym. Nie podobało mi się to spacerowanie dziewczyny samej o zmierzchu, zwłaszcza gdy miałem namacalne dowody, że nie jesteśmy w Batonowych ostępach sami i dzieje się wokół coś bardzo niedobrego.

Wyruszyliśmy na poszukiwanie pełni animuszu, Baton wziął dubeltówkę (skądinąd wiedziałem, że ma również gnata pod pachą), dwie latarki (jedna dla mnie). Chciałem jeszcze zabrać kompas, ale zgromił mnie krótkim: „Ja nigdy nie tracę orientacji w lesie!".

I faktycznie, pierwszy kwadrans posuwaliśmy się dosyć raźno. Od tabliczki do tabliczki. Po raz pierwszy mogłem doceniać zewnętrzny obwód posiadłości. Przeważał młodniak, większe drzewa w bliskim sąsiedztwie płotu zostały wyrąbane (za zgodą ministra środowiska i konserwatora zabytków), aby uniemożliwić działalność paparazzich, szpionów i pospolitych ciekawskich.

– Plotka to potężna broń – tłumaczył Baton. – Wyobraź pan sobie, jakieś dziesięć lat temu zrobił żem małe kłusowanko dla paru znajomych. Siedzimy przy ognisku, pieczemy dzika. A tu pstryk... Strzał z fleszem zza krzaka. Kumpel do mnie – zdejm go! Ja za gwintówkę, a fotografa już nie ma. Uciekł znaczy się. No i mam łamanie głowy. Co będzie, jak się ukaże to zdjęcie w czasopiśmie ilustrowanym. Ja i ten ryj...

– Niech pan nie przesadza, kto na zdjęciu pozna, że to dzik, a nie zwyczajny prosiak.

– Nie o tych ryjach mówię. Tylko o moich gościach! Wie pan, kto tu był?

– Podejrzewam, że wiem.

– No to mów pan. Ale bez nazwisk!

– Prokurator, mafioso, biznesmen i minister.

– To pan głupszy niż mój Piorun. To byłoby normalne myśliwskie towarzystwo. Ale Baton wyprzedza historię o parę posunięć i tego dnia zaprosił żem prominentów z następnej ekipy! I wiedziałem, że jeśli te fotki ujrzą światło dzienne, ja będę spalony, że zadaję się z oszołomami, a oni będą spaleni, że spotykają się z kimś takim jak ja, nie mówiąc już o dziku! Który całkiem się spalił.

– Czy pan nie przesadza, plotka i owszem może zaszkodzić, ale...

– Panie Jędrzejku, wiem, co mówię. Kiedy pracowałem w Departamencie Czarnej Propagandy w sekcji plotki, to zdobyłem dość dowodów, że dobrze puszczona pogłoska może zabić. Widziałem antysemitów, których uznano za przedstawicieli mniejszości narodowej, Don Juanów wrobionych w pedofilię, dysydentów z łatką konfidenta SB. A raz... Ale nie będę się chwalił.

– Skoro pan zaczął, proszę skończyć!

– A niech będzie! Na pańską odpowiedzialność. No więc raz o pewnym zakamieniałym komuniście, twardszym niż stal z Magnitogorska, puściliśmy swego czasu plotkę, że to zgniły liberał, intelektualista, przyjaciel artystów, a w dodatku znienawidzony przez radzieckie kierownictwo...

– I ludzie w to uwierzyli?

– Gorzej, Mietek sam w to uwierzył. Karierę na tym zrobił w „Polityce", za żonę artystkę pojął i do salonów się przylepił. Panie Marciński! Gdyby tak był młodszy, to on, a nie Miller z Kwaśniewskim do Unii by nas wprowadzał, homilie czytał i szczerbiec z Bushem po Wawelu nosił. I powiem jeszcze... Stop! Urwał. Zatrzymaliśmy się w miejscu. Stary kłusownik przez chwilę się rozglądał, obejrzał złamaną gałązkę, wypatrzył zdeptaną trawkę.

– Czemu skręciła? – zamruczał do siebie, niuchając nosem nie gorzej niż Piorun, ale po chwili uśmiech powrócił mu na twarz. – Normalnie, siku zrobiła!

Poszliśmy dalej, mijając kolejną dwunastą tabliczkę, następnie trzynastą... Przy czternastej zobaczyliśmy, że coś jest nie tak, napis wisiał krzywo, piętnasta została umieszczona do góry nogami, a szesnasta i cała reszta zwyczajnie leżała na kupie obok kosza. „Co się stało?!"

Ogarnął mnie niepokój. Pan Bronisław tymczasem do ziemi przypadł i węszyć jął jak ogar...

– Szlak jeszcze ciepły, nie uszła daleko. Do tego miejsca pies był razem z nią! – mruczał, po czym krzyknął donośnie. – Piorun do nogi!

Odpowiedział mu skowyt. Wpadliśmy w chaszcze i po kilkunastu krokach dostrzegliśmy psa przywiązanego do drzewa damskim paskiem. Zacząłem go rozsupływać, Baton tymczasem podbiegł dalej i po chwili dobiegł mnie jego głos.

– No ładne, ładnie.

Lolita leżała na ziemi. Oczy miała przymknięte, oddychała jednak, a gdy się zbliżyłem, doleciał mnie mocny zapach alkoholu...

– Pijana jak bela – stwierdził kłusownik i uniósł leżącą obok butelkę Curaçao. Nalał odrobinę białego rumu na palec, oblizał – wzmocnili spirytem, bandyci. Dawka powaliłaby i słonia.

– Ale kto mógł to zrobić? I w jakim celu?

– Jeśli myśli pan, że w erotycznym, to jest pan w błędzie – błyskawicznie zajrzał pod spódniczkę – majtki nienaruszone. Obudzi się, to ją przesłuchamy – to mówiąc, zarzucił sobie śpiącą na plecy jak piórko, mimo że na długość była większa od niego.

– Nie zamierza pan ich ścigać?

– Odjechali piętnaście minut temu motorem. Latarką wskazał świeżą koleinę, a pociągnąwszy nosem, poczułem słaby zapach rozwiewających się spalin.

Ruszyliśmy w drogę powrotną. Teraz dopiero mogłem podziwiać krzepę pana Bronisława. Zasapał się trochę dopiero, kiedy pojawiła się brama do jego dóbr.

Zastanawiam się, dlaczego nie spróbowałem ucieczki. Baton był objuczony, Piorun nie zwracał na mnie uwagi. Mogłem spokojnie zostać w tyle, a potem puścić się w stronę szosy, licząc na łut szczęścia i litościwego kierowcę. Ale nie przyszło mi to na czas do głowy. Zbyt byłem zaaferowany rozważaniem, co się właściwie stało?

Lolitę spojono w środku lasu, miejscu odległym od drogi. Ktoś, kto namówił ją do libacji, musiał wiedzieć, że tam się znajdzie, może był z nią umówiony, a może śledził od momentu wyjścia przez bramę...

Każda ewentualność nie wróżyła niczego dobrego. W co właściwie grała utrzymanka pana Bronisława, i z kim?

Baton ułożył ją w alkowie, zgasił światło, a sam poszedł do łazienki, pozostawiając nas na chwilę sam na sam w półmroku. (Chyba nie było tu kamery na podczerwień?) Księżyc przez szczelinę w firankach oświetlił jej cudowny profil i rozchylone usta. Pochyliłem się i wycisnąłem na nich namiętny pocałunek. Nawet kiedy wróciłem do siebie, czułem, że pachnę pomarańczą. Noc przebiegła mi wśród różowych snów.

Skoro świt, kiedy tylko usłyszałem, że drzwi od mej ziemianki zostały odblokowane, pobiegłem w stronę rezydencji. Chlupot dochodzący z basenu dowodził, że właściciel zażywa kąpieli. Lekceważąc kamery, pobiegłem do pokoju Lolity, marząc o przywitaniu jej. Bez pukania otworzyłem drzwi. Wrzasnęliśmy równocześnie. Znaczy ja wrzasnąłem, bo z jej ust wydobyło się jakieś nieartykułowane wycie. Wydało mi się, że na jawie przyśnił mi się jakiś koszmarny horror. Z pościeli Lolity podnosiło się właśnie najobrzydliwsze półnagie babsko, jakie zdarzyło mi się widzieć. Wielkie, grube, wąsate, z napuchniętą czerwoną twarzą i gigantyczną brodawką na policzku. Na dodatek jej oczy małe, przekrwione przypominały ślepia gada.

– Nie wchodzi się bez pukania! – huknęła.

– Najmocniej przepraszam – wybełkotałem, próbując się cofnąć. Było to jednak trudne, tuż za mną stał bowiem ociekający wodą Baton.

– A co pana tak przypiliło, panie Marciński? – zachichotał. – Rozumiem nagły afekt, ale obawiam się, że obejdziesz się smakiem. Dzida nie gustuje w takich jak ty. A już na pewno nie wtedy, kiedy jest na służbie.

XXVIII.
Puste miesiące

Jeśli myślałem, że gorzej być nie może, to w ciągu następnych miesięcy mogłem się przekonać, jak wielkim byłem optymistą. Pani Dzida (nie ustaliłem nigdy, czy było to zdrobnienie od Jadwigi czy Zdzisławy) okazała się potworem, przy którym Piorun wydawał się barankiem, a Beton-Baton dobrodusznym wujaszkiem. Do wszystkich wad fizycznych, które mogłem zobaczyć podczas pierwszego spotkania, dołączył się jeszcze parszywy charakter. Nowa gospodyni okazała się babskiem wyjątkowo złośliwym. Zresztą czy babskiem?

Baton nigdy nie mówił do niej inaczej jak „kapralu". A co do reszty, piersi miała wprawdzie niczym krowa rekordzistka, ale kiedy raz wpadłem na nią przy pisuarze... Baton nie podejmował tego tematu, ale z czasem doszedłem do przekonania, że jest to dzieło kuracji hormonalnej i poprawności politycznej.

Skąd się wzięła? Gdzie przebywała dotąd? Nie mam pojęcia. Gotów już byłem uwierzyć, że to mój pocałunek przemienił królewnę w ropuchę, ale prawda musiała być bardziej prozaiczna. Lola straciła zaufanie starego kłusownika, więc postanowił przydać mi lepszego cerbera.

W odróżnieniu od Loli zamieszkała u Batona na stałe. I jeśli tylko kłusownik był zajęty, nie odstępowała mnie nawet na krok. A jeśli idzie o kontaktowość – sądzę, że zaprzyjaźnienie się z Piorunem byłoby czymś łatwiejszym. Po pierwsze, oprócz pomruków, sapnięć i pierdnięć nie wydawała z siebie żadnych dźwięków. Zresztą nie bardzo mogła.

– Afgańcy urżli jej język – wyjaśnił mi pan Bronisław. – Właściwe dali jej do wyboru albo język, albo... – tu wykonał znaczący gest. – Chyba teraz tego wyboru żałuje. Po powrocie z wojny zaopiekowali się kapralem psycholodzy i jeden odkrył w nim osobowość kobiecą... I tak przekabacił, że jak uciekła z kliniki w mundurku siostry miłosierdzia, nigdy go nie zdjęła... Co zresztą okazało się niezwykle przydatne w paru moich akcjach. Aha, i jeszcze jedno, nie próbuj pan z nią żadnych sztuczek...

– Jakich sztuczek?

– Znając przewrotność was artystów, mógłbyś próbować ją uwieść, liściki miłosne pisać. Nic z tego. Kapral jest analfabetką.

Czułem się, jakbym obudził się w jakiejś złej bajce. Choć nie traciłem nadziei, że znajdę na nią jakiś pomysł. Ponieważ towarzyszyła mi cały czas, próbowałem wzbudzić jej zainteresowanie filmami – niestety, komedie romantyczne wywoływały zero reakcji, tradycyjne mordobicia – ziewanie, z rozpaczy sięgnąłem po różnego rodzaju baśnie... I naraziłem się jedynie na stek obelg Batona pod adresem pani Rowling.

– Też pana okradła? – zapytałem.

– I to siedmiokrotnie!

– Zupełnie nie pojmuję, w jaki sposób pańskie życie mogło inspirować twórczynię *Harry'ego Pottera*?

– No to weź pan tę uczelnię niewinnych czarodziejów – zaczął, nie zauważając, że uśmiecham się z politowaniem. – Przecież to toczka w toczkę nasz piękny internacjonalistyczny plan, żeby przygotować kadry do nowej Ameryki pod naszymi rządami. Na początek trzeba było wyłonić ze społeczeństw jednostki podatne na socjalistyczną magię... Potem wysyłaliśmy zwerbowany narybek do specjalnej szkoły życia i przetrwania. Przejście było na Dworcu Białoruskim. Peron dziewięć b.

– Jest tam taki peron?

– Pozornie nie ma. Ale wystarczy trafić na właściwe drzwiczki i już człowiek wkraczał w inny świat. Bocznica prosto do Uczelni im. Towarzysza Wolanda. A tam mieliśmy zbudowaną Amerykę w skali jeden do jeden. Cała nasza akcja miała kryptonim „Głodny... portier", czyli po angielsku „Hungry...".

– Tylko dlaczego portier?

– Bo akcja miała głodnym proletariuszom otworzyć drzwi do lepszego świata niesprawiedliwości społecznej.

– A ten wasz Gogwart wyglądał jak Nowy Jork czy Nowy Orlean?

– Na początek jak typowe miasto z dziewiętnastego wieku. Małe cofnięcie ekonomiczne było nieuniknione. Żeby lepiej przygotować się do rewolucji, należało poznać osobiście braci Marks i Engels. Nauczyć się, jak czarować masy... Potem zwiedzić dzielnice z kolejnych dekad dwudziestego wieku aż po współczesność.

– I czego tam mogliście nauczyć młodzież? Latania na miotle?

– Tylko czołowe feministki. Natomiast wszyscy inni musieli zgłębić mechanikę czarowania, która była im niezbędna do przetrwania.

– W Związku Radzieckim?

– Co pan?! Drugie wyjście z Chodziarski-Gosudarstwienno-Anuteriennej Akademii Raboczych Tawariszczy, w skrócie ChoGWART, było na Central Station w Nowym Jorku, skąd nasze „matrioszki"... chciałem powiedzieć „nasi niewinni czarodzieje" z doskonałymi świadectwami, dokumentami i tożsamością lokowani byli w mediach, filmie i rządzie. Lekko nie było. W pierwszej fazie działalności publicznej nasi absolwenci mogli być narażeni na polowanie na czarownice.

– W Ameryce?

– Jeden senator McCarthy w latach pięćdziesiątych połowę narybku nam wyłapał. Na szczęście reszta przetrwała, i choć rewolucji proletariackiej zrobić się nie udało, ale za to stworzyła hippizm, pacyfizm, feminizm i poprawność polityczną... Zahartowaliśmy ich jak stal.

– Ciekawe jak?

– Przydzielając punkty, w pysk.

– Za pochodzenie?

– Przyjmowaliśmy tylko osoby ze słusznym pochodzeniem. Chodziło mi o system nagród i kar. Za postępy dawaliśmy punkty dodatnie, a za wpadki ujemne. Potem dobrzy jajogłowcy szli na stanowiska w USA, a źli u nas do kopalni kamienia...

– Filozoficznego?

– Filozofowie do filozoficznego. Socjologowie do socjologicznego, a geolodzy do łupanego...

– Tylko skąd pomysł, że pani Rowling pisząc *Harry'ego Pottera*, wzorowała się na was?

– Skąd?! – zaśmiał się Baton. – Mógłbym się zastanawiać, gdybym nie znał tej autorki – złodziejki.

– Zna pan panią Rowling?

– Na kursie miała ksywkę Hermiona. Obrzydliwa prymuska. Jeszcze nie zadałżem pytania, już trzymała łapę w górze... Pamiętam nawet jej pracę końcową. Złożyła ją, zanim ostatecznie dała nogę na miotle.

– Naprawdę? A o czym była ta praca? O magii czy o czarach?

– O jednym, drugim i trzecim. „Jak zrobić dzieciakom czterech kontynentów wodę z mózgu w szczytowym stadium kapitalizmu".

Niestety kapral Dzida na żadnej miotle odlatywać nie zamierzała. A wszelkie moje usiłowania, aby odnosić się do niej (niego) maksymalnie życzliwie, skutkowały jedynie wzmożoną złośliwością. Na szczęście intelektualne możliwości nie pozwalały Dzidzie na jakieś szczególnie wymyślne kawały. Poprzestawała więc na smarowaniu deski klozetowej klejem, wpuszczaniu do łóżka pająków i umieszczaniu zdechłych myszy w moich butach. Uwielbiała też rozciągać przy drzwiach sznurek, o który musiałem się potknąć. Nigdy nie zdołałem tego potwierdzić, ale podejrzewam, że sikała mi do piwa, jeśli choć na moment zostawiałem gdzieś niedopity kufel. W rezultacie praca z Batonem stawała się najprzyjemniejszymi godzinami w mej niedoli. Tyle że i sam Baton się zmienił. Stał się opryskliwy, nerwowy. Czyżby wreszcie dopadła go starość?

Jesień minęła (używając określenia pana Bronisława) jak z buta strzelił, nastała zima, osobliwie śnieżna. Dni mijały czarno-białe. Prace nad wspomnieniami postępowały wolno. Kłusownik często wyjeżdżał, a nawet jak był, nie zawsze miał dla mnie czas. Co robił, nie wiem? Dzida wprowadziła zasadę, że niewezwany miałem zakaz zbliżania się do rezydencji. Co więc robiłem? Siedziałem między potężną transseksualistką a Piorunem i oglądałem filmy. Chociaż ile razy można oglądać w kółko to samo? Zresztą, podejrzewam w tym łapę Dzidy, filmów zaczęło jakby ubywać. Na początek zniknęły moje najbardziej ulubione, potem te bardziej artystyczne. Zamierzano mnie wykończyć poprzez ogłupienie?

Do puli zanotowanych wspomnień też niewiele dociekło nowego. Co najwyżej kilka epizodów. Razem rozmawialiśmy o roli szybkości działania w historii.

– Bywa – mówiłem – że o losach narodów decydują dni.

– A nawet minuty! – zgodził się ze mną i wspomniał o pewnej akcji z początku lat siedemdziesiątych.

– Byłem wówczas konwojentem i liczyły się minuty, bo musiałem z dostarczeniem mego podopiecznego koniecznie zdążyć...

– *Zdążyć przed północą?* – posłużyłem się tytułem znanego filmu.

– Dokładnie przed 19.30!

– Dziwna pora.

– Jak to dziwna? Główne, najważniejsze wydanie „Wieczoru z Dziennikiem".

– A kogo miał pan eskortować?

– Naszego najważniejszego agenta z Wolnej Europy, który miał publicznie zdemaskować tę szczekaczkę...

– Zaraz, czy to nie był ten...

– Któren?

– No... Mam na końcu języka... Nazywał się, jak ten aktor z kabaretu Starszych Panów... Michnikowski... Gołas... Czechowicz!

– Bez nazwisk. Jędrusik w każdym razie, to on nie był. Dostałem zadanie dostarczyć go na czas i jeszcze po drodze nauczyć tekstu.

– Jak to tekstu... Starego agenta i radiowca...?

– Jakiego starego? On nawet nie wiedział, że jest naszym agentem. Prawdziwa wtyka przeszła na stronę Amerykańców i odmówiła powrotu do Monachium, tylko nam ta niedojda została. A tu w Warszawie studio gotowe, kierownictwo czeka, towarzysze naciskają... Pojechałem więc do Monachium i złożyłem ofermie propozycję nie do odrzucenia, potem go za łeb, do worka z pocztą dyplomatyczną i na lotnisko... I tu problem. A nawet dwa.

– Jakie?

– Okazało się, że jego organizm nie toleruje lotu w luku bagażowym. Jeszcze do lotniska nie dojechaliśmy, całą pocztę dyplomatyczną musiałem prać, a całkiem nowy worek trzeba było wyrzucić. No ale co było robić? Uśpiłem tego, pożal się Boże, agenta, wrzuciłem do bagażnika służbowej wołgi i gazu przez Czechosłowację. I tylko myślę, jak go tej roli nauczyć. Bo czasu nie ma. A on śpi.

– I jak sobie pan poradził?

– Słuchawki włożyłem mu na głowę, puściłem nagrania Kąkola, Broniarka i Fillera. Niech się skubaniec uczy przez sen...

– Doskonały pomysł. I co? Udało się?

– W pewnym sensie. Zajeżdżamy na plac Powstańców. Próba kamerowa. Zadaję pierwsze pytanie i co słyszę? – tu Baton zademonstrował mi piskliwy bełkot przypominający disnejowskie wiewiórki.

– Co to było? – zawołałem.

– Facet nauczył się wszystkiego, tyle że z braku czasu puszczałem mu te nagrania na przyśpieszonych obrotach. I tak mu zostało. Ale nic. Wezwaliśmy specjów od techniki. Nagraliśmy agenta tak jak gadał, a w dzienniku odtworzyliśmy na zwolnionych obrotach – tu wymruczał basem: „Jak wiadomo, nasza rozgłośnia była na żołdzie imperialistów amerykańskich...". Niezłe co?

– Niezłe – odparłem. – Ale czy nie sądzi pan, że cokolwiek sztuczne?

– Panie Marciński, a kto się na tym mógł poznać? Co wtedy nie było u nas naturalnego, kiedy nawet prognozę pogody kierownictwo telewizji uzgadniało z Biurem Prasy i z Kremlem... A wylosowane numery totolotka zatwierdzał osobiście Minister Finansów.

– Swoją drogą ciekawe, co się potem z tym agentem stało?

Pan Bronisław wzruszył ramionami.

– Gdyby rzeczywiście był agentem, to działałby do dziś w dyplomacji, pracował w mediach, miał hurtownię lub sieć sklepów, ale ten... Był niedojda i pozostał niedojdą.

* * *

Osobliwa rzecz. W którymś momencie dotarło do mnie, że straciłem rachubę czasu. Musiało być już po połowie grudnia, ale nic nie wskazywało, żeby Baton albo Dzida zaczęli przygotowywać się do świąt. Zapytałem go o to, ale warknął jedynie, że „zabombonów nie uprawia", a jak chcę, to mogę sobie urąbać jakąś choinę i wstawić do ziemianki.

. – Na więcej pan nie licz!

– Chciałbym przynajmniej wiedzieć, którego dziś mamy?

– Według jakiego kalendarza?

– Gregoriańskiego.

– Sobotę! A jak przyjdzie Nowy Rok, to sam pan usłyszysz, bo cała Chojnówka fajerwerki wtedy puszcza.

– Chodziło mi wyłącznie o tradycję. Przełamanie się opłatkiem...

– Tradycja – prychnął gniewnie. – Parę lat temu z grupą weteranów ruchu robotniczego zrobiliśmy sobie w remizie świecką wigilię. Kiełbaska, smalec, wódeczka... Nawet kolędy były. „Przybieżeli zomowcy..." Albo „Lulaj, że lulaj". No więc tak się człowiek ululał, że nie wiem, jak do domu trafiłem i samochód zaparkowałem. W każdym razie zasnąłem na kanapie w salonie na krótko... Budzę się i co ja widzę? Zwierzaki rozmawiają. Dzik z psem, wiewiórki z lisem jąkałą.

– Taki *Folwark zwierzęcy*?

– Nie, bo dzikie też tam były – żółw, bóbr, ryś, a wszystkich gonił lew. Źle, myślę, oj źle. Jeśli gusła się sprawdziły i zwierzaki zaczynają gadać, to mam przechlapane. Niech tylko mój Piorunek poleci z mordą do UOP-a. Jestem ugotowany!

– I co pan zrobił?

– Jak to co? Pioruna za smycz, dwururkę w ręce i na podwórko.

– Po co?

– Dawniej robiło się egzekucję w piwnicy, ale teraz mam tam fitness klub...

– I zastrzeliłby pan przyjaciela?

– A co miałem zrobić? Piorun czując pismo nosem, wyje, zapiera się. Ja też ledwo na nogach stoję... Na koniec jakiś kabel wyrwał ze ściany i gadające zwierzaki znikły.

– A więc to była telewizja? Rozumiem, program *Polskie Zoo*! Jeszcze wtedy to szło?

– Ale zaraz przestało straszyć ludzi! Wystarczyło parę telefonów... i już się nie nadawało! – tu zmiarkował, że być może rzekł zbyt wiele, bo zmienił temat. – A opowiadałem panu, jak byłem kolędnikiem?

– Nie? Kiedy?

– W osiemdziesiątym pierwszym. Po trzynastym grudnia. Mnóstwo opozycji pokryło się po norach i nie sposób było ich stamtąd wykurzyć. No to departament wymyślił operację „Kolęda". Chodziliśmy po domach z szopką – ja jako Anioł, porucznik Płomień jako diabeł i sierżant Kosa jako śmierć. Silna grupa wraz z wezwaniem na kolędę... tfu na komendę. I wie pan, że ci durni ludzie nas wpuszczali bez potrzeby wyłamywania drzwi. Koledzy śpiewali, a ja rozglądałem się, czy pod przebraniem sparaliżowanej babci nie ukrywa się Bujak...

– Jednak go wtedy nie złapaliście?

– Bo nie to było naszym podstawowym celem. Chodziło tylko o rozpoznanie – kto jest kto. Szopka, z którą chodziliśmy, była troszeczkę tendencyjna – w żłobie dzieciątko Lenin, pasterze w mundurach, a Józef w ciemnych okularach...

– Hańba! – jęknąłem.

– Tak reagowała większość. Biła po pysku, żądała pokazania blachy, było że psem poszczuli. Natomiast jeśli nie reagowali, uuu wiedziałem – konspirują albo kogoś przechowują. I do roboty.

– A nie mogli to być przypadkiem swoi?

– Swoich to mieliśmy na innej liście, a niektórych, jak pański brat, nawet na paru listach... – tu spojrzał na mnie i dorzucił usprawiedliwiająco. – Takie czasy. Jak by mi wtedy powiedzieli, że będę mógł sobie na święta żreć hamburgera, popijając coca-colą, a na pasterkę skoczę sobie do McDonalda, sam zacząłbym walczyć z reżimem...

Faktycznie, kilka dni później niebo nad Budą Polską rozpłomieniło się od sztucznych ogni, a ja w kącie mego pokoju wydrapałem kreskę, przysięgając robić to codziennie i przynajmniej nie stracić rachuby czasu, który zasuwał jak szalony. Miałem wrażenie, że kresek przybywało po kilkanaście w tygodniu. Jak się okazało słusznie, bo podejrzałem kiedyś Dzidę, która mozolnie skrobiąc po ścianie, burzyła mi całą chronologię.

Skądinąd Nowego Roku też nie obchodziliśmy. A gdy zapytałem Batona dlaczego, tylko się zjeżył.

– A może jeszcze miałbym się przebrać za Dziadka Mroza?

– Wolałbym za Świętego Mikołaja.

– Jeszcze czego? Mam uczulenie na ten kostium.

– Naprawdę? Od dawna?

– Od roku, kiedy musiałem pogonić śrutem takich dwóch podających się za Świętych Mikołai. Wiali, przebierańcy, aż worki pogubili...

– Mój Boże, a jeśli to byli prawdziwi?

– A gdzie pan widział Świętych Mikołai łażących po dwóch, w dodatku na Wielkanoc? Kiedy jeden z nich uciekał, zgubił brodę i płaszcz, i pod spodem okazał się Mikołajem samiczką. Poza tym lepiej być za bardzo ostrożnym niż za mało. Major Smith Smithowicz Smithow uczył nas, żeby zawsze zakładać, że sprawy mogą pójść nie po naszej myśli, a najbliższy druh może okazać się zdrajcą. Panie Jędrzejku, niech pan zapamięta raz na jutro – ostrożni żyją dłużej. Kiedy ktoś mnie częstuje alkoholem, zawsze zamieniam się z nim na kieliszki. Wsiadam zawsze dopiero do trzeciej taksówki. Kiedy są panienki do wyboru, biorę brzydszą...

– A nie bierze pan pod uwagę, że ktoś może znać pańskie zasady? Czekać w trzeciej taksówce i dolewać truciznę do kieliszka?

– Może. Ale jak pan widzi, ja ciągle żyję, Jędrzejku. W odróżnieniu od wielu moich przyjaciół.

W tym momencie weszła Dzida z butelką szampana i wypiliśmy jednak „Do siego roku"!

Nie wiem, jak w reszcie Polski, ale w Puszczy Białowieszczańskiej nie czuło się globalnego ocieplenia, i z początkiem stycznia chwyciły takie mrozy, że z hukiem pękały pnie drzew, a watahy wilków podchodziły pod domostwo, wyjadać żarcie z miski Pioruna. Na rozkaz Batona Dzida zajmowała się dokarmianiem, rozwoziła siano po paśnikach, otręby, obierki i inne przysmaki przywożone z okolicznych zakładów zbiorowego żywienia. Pewnego dnia jednak poważnie zaniemogła i Baton musiał wyruszyć sam na obchód stanowisk. Znaczy ze mną, bo przekonałem go, że lepiej będzie, jeśli to ja poprowadzę skuter śnieżny, a on mając wolne ręce, w razie niebezpieczeństwa łatwiej sięgnie po broń.

– Nie taki głupiś, jak cię brat maluje! – pochwalił mnie, ładując worki na sanki, które miał doczepione do skutera. – Rzeczywiście wszystkiego w pojedynkę się nie zrobi. I bywają sytuacje, że nawet pies nie pomoże. A czasami, zaszkodzi, o Boże.

– O czym pan mówi? – zdumiałem się.

– O BORZE! – powtórzył z naciskiem.

– Nie wiedziałem, że pan robi się religijny.

– Mówię o BORZE! Czyli Biurze Ochrony Rządu, w pysk. Czy pan wie, co się kiedyś stało podczas wizyty premiera Rosji?

– Kiedy?

– Parę lat temu. Teraz omijają nasz kraj jak ta rura na dnie Bałtyku. Ale wtedy przez psa wybuchła afera na sto gwizdków. Chłopaki musieli wysadzić zamek.

– Nie daj Bóg, zabytek jakiś?

– Zamek od bagażnika limuzyny, która, trzeba trafu, stała na parkingu opodal hotelu, w którym zatrzymał się premier byłego mocarstwa... Podczas rutynowej kontroli pies coś zwąchał w bagażniku, no to chłopaki wysadzili zamek...

– I znaleźli tam bombę?

– Jaką bombę? W samochodzie była suka, która miała cieczkę i to zmyliło służbowego tropiciela. Za moich czasów nie do pomyślenia.

– Nie bardzo rozumiem?

– No bo do takich akcji, gdzie istniała możliwość prowokacji seksualnej, używaliśmy psów eunuchów, albo pedałów. Nie do seksualnego skorumpowania.

– Piorun też jest taki... mniejszościowy? – podejrzliwe popatrzyłem na psa, który ledwo wyściubiał pysk z budy.

– Piorun to zupełnie coś innego. Dyscyplina, hart ducha. Dasz mu rozkaz, będzie hetero, dasz inny, homo, a w pewnej akcji udawał nawet sukę.

– Dobrze, że taka praktyka doboru kadr nie dotyczyła ludzi.

– Nie dotyczyła? Co pan tam wie, panie Marciński. U nas nie, ale jeśli idzie o werbunek za granicą... Słyszał pan, skąd się wzięła nazwa tych chłopaków GEJ?

– Nie mam pojęcia.

– Gosudarstwiennyj, Eksterritorialnyj Jebionok (tradycyjnie wymawiał j zamiast r). Najważniejsze są profesjonalizm i dobry kamuflaż! I dzięki temu Ameryka schodzi na psy.

Kątem oka zauważyłem, że Piorun otworzył oczy i pilnie przysłuchuje się naszej rozmowie. Najwyraźniej wzmianka o gejach nie przypadła mu do gustu. Warknął cicho.

– Leżeć, sobako – huknął Baton. I pies zamknął oczy.

– Zawsze jest taki posłuszny? – zapytałem.

– Zawsze! Tylko raz doszło między nami do małej różnicy zdań na polowaniu. Kaczka, którą ustrzelił żem, wpadła w gnojówkę. Ja do Piorunka: „Aportuj". A on: „Sam aportuj". Ja ponawiam komendę: „Aport!", on udaje, że nie rozumie. W końcu mówię: „Piorun, ostatni raz pokazuję ci, jak to się robi".

– I co?

– Jak to co? Chlup, kurczę pieczone, kaczkę w pysk i pieskiem, pieskiem.

– A jaka to była kaczka?

– Co będę panu mówił: po upieczeniu – krzyżówka, pół kaczki, a pół guana... No i Piorunek poniósł konsekwencje swego zachowania.

– Jakie?

– Dużo by mówić. Efekt się liczy – dziesięć szwów.

– Jezus, Maria! Skatował pan swego ulubieńca? Za nieposłuszeństwo?

– Ja? Ja bym na psa ręki nie podniósł. No czasem, ale wtedy używam nogi. Otoczyłem go pogardą i bojkotem towarzyskim. A pies ambitny. Więc tak się tym gryzł, gryzł, że w końcu był w takim stanie, że nawet zastanawiał się żem: dobić nie dobić? Nie dobiłem, tylko wezwałem pogotowie.

– To się chwali.

– Nabojów szkoda. Więc zabrali go do lecznicy rządowej, a ja jak bez ręki. Dwadzieścia pięć godzin na dobę sam.

– O ile wiem, doba ma jedynie dwadzieścia cztery godziny...

– Nie wtedy, kiedy czas się dłuży. Pamiętam takie okresy, kiedy doba potrafiła mieć i czterdzieści osiem godzin. Raz nawet dałem się zamknąć, żeby wejść w psychikę opozycjonistów.

– I wszedł pan?

– Nie za bardzo. Ktoś się pomylił i zamiast do opozycjonistów, dał mnie do kryminalnych.

– Wielkie nieba!

– Nie wzywaj pan imienia nadaremno. Nic wielkiego się nie stało. Ot skatowali, przecwelili. I teraz żal...

– Zupełnie zrozumiałe.

– Żal, bo żaden ze współgarowników potem do mnie się nie odezwał. Nie napisał, nie zadzwonił. Pieskie życie. No ale ruszajmy, knieja wzywa!

Nie przepadam za świeżym powietrzem. Tym razem miałem go w dwójnasób. Jechaliśmy od paśnika do paśnika. Z komórek Baton wyciągał trawę, sypał karmę. Posuwaliśmy się starymi, nieco przysypanymi śladami po poprzednich bytnościach. Byłem już mocno zziębnięty, gdy koło jakiegoś starego mostku Baton najpierw zwolnił, a potem gwałtownie przyśpieszył w pewnym miejscu. Kątem oka zobaczyłem stary ślad kierujący się w tamtą stronę.

– A tam nie jedziemy?

– Byłem tam już! – warknął nieprzychylnie.

– Nie trzeba dokarmiać systematycznie?

– Byłem, sprawdziłem, że borsuki nadal śpią i nie ma więcej potrzeby tam jeździć.

Przez resztę drogi milczał jak zaklęty. Czyżby uznał, że powiedział za dużo? W każdym razie kiedy po powrocie do domu puścił się najpierw do WC, podszedłem do sanek. Oprócz pustych worków był tam jeden pełny. Zajrzałem do środka. Dwa bochny czarnego chleba, pęto kiełbasy, konserwa turystyczna i pół litra. Do licha, jakież zwierzę mogło preferować podobny jadłospis?

XXIX.
Tajemnica majora Smitha

Odkrycie dokonane podczas wycieczki obudziło we mnie całe pokłady ciekawości. Skojarzyłem to ze śladem ludzkiej stopy nad strumieniem i z tajemniczym gościem, który dobierał się do mej ziemianki w czasie pełni. Nie miałem jednak pojęcia, w jaki sposób obecność intruza na terenie rezerwatu może wpłynąć na moje dotychczasowe położenie.

Tymczasem w naszych zimowych rozmowach pojawiła się nowa kwestia. Pan Bronisław reglamentujący przede mną wiadomości z szerokiego świata, już gdzieś po dwóch tygodniach nie wytrzymał i opowiedział o zamachu islamskich terrorystów na paryski tygodnik.

– Szmatławiec jak nasze „Nie", ale ludzi szkoda! A pamiętam, jak przestrzegałem starego Gogola, żeby za żadną cenę muzułmanów do Francji nie wpuszczał, chyba że się nawrócą.

– Na chrześcijaństwo?

– Albo komunizm, wsio rawno. Niestety generał Gogol nie wyczuł pisma nosem. Choć nos miał jak mały Cygan nogę.

– Generał Gogol…?

– Gogol, albo de Gaulle, pies z nim tańcował! W każdym razie nie posłuchał moich rad i teraz żabojady mają, co sami chcieli. I mówię panu, bo jest pan młodszy, dożyjesz jeszcze minaretu z Wieży Eiffla i meczetu w tym różowym wiatraku.

– Gdzie?

– Niedaleko placu Pigalle. Słyszał pan: „Najlepsze kasztany są przy placu Pigalle".

– Znam – „Zuzanna lubi je tylko jesienią...".

– Spocznij. Bywałem tam w latach siedemdziesiątych. I powiem panu, co się tyczy tych kasztanów, to przy placu Pigalle za dużo ich nie ma. Głównie brunety, farbowane blondyny i rude.

– To i tak spory wybór...

– Z PRL-owskimi dietami to mogłem sobie wybrać jedynie łysego malarza postimpresjonistę po czterdziestce. Oj bieda, bieda. A pan też tam bywał...?

– Mogłem co najwyżej pomarzyć. Słynny „Moulin Rouge" znam jedynie z filmu o tej samej nazwie.

– To film szpiegowski?

– Nie, muzyczny. Młody artysta z Danii, imieniem Chrystian, przybywa do Paryża, poznać baśniowy świat Bohemy...

– Z Danii mówisz? – Baton zmarszczył czoło. – Słyszałem o jednym Chrystianie, artyście z Kopenhagi. Pedofil, ale przyzwoity człowiek. Tak pięknie opowiadał bajki, że dzieciaki go uwielbiały. A to zajął się brzydkim kurczątkiem, a to wyjął ołowianego żołnierzyka, a to położył kominiarczyka na pasterce...

– To nie ten Chrystian, obecnie takie rzeczy w Unii Europejskiej zabronione.

– Nie dla wszystkich, dla aktywistów lewicy robione są wyjątki. Pamiętam, w roku sześćdziesiątym ósmym ochraniałem tam jednego. Bandyta Cohn mu było. Rewolucjonista pełną gębą, choć niebezinteresowny. Miał stawkę dzienną za zrobienie zadymy – dwie lolitki i skręt z marychą. A wracając do tego wiatraka. Powiem panu szczerze – obiekt przereklamowany. Byłem tam parę razy, bo jak który z naszych oficjeli miał wolny czas w delegacji, to rwał się zaraz do tego wiatraka. Tylko co tam mógł zobaczyć? Panienki jak z ruskiej gwardii o gołych cyckach. Wielki mi cymes... Żeby tak chociaż która majtki zdjęła!

– Bo to był, panie Bronisławie, artystyczny kabaret! – zawołałem.

– E tam! Prawdziwy kabaret to był u nas w PRL-u – stwierdził z pełnym przekonaniem.

– Naprawdę? Nie przypuszczałem, że bywał pan w kabarecie.

– Tylko z obowiązku. Rzucili mnie swego czasu do departamentu roz-rywki. Mieliśmy tam dwa działy. Zadania pierwszego polegały na chodzeniu do kabaretu i spisywaniu dowcipów oraz ludzi, którzy tam przychodzą i się śmieją...

– A drugiego?

– Na wymyślaniu pożądanych żartów i wpuszczaniu ich w społeczeństwo. Jak trzeba było komuś zrobić koło pióra, albo jakąś mniejszość narodową pogonić... Miła intelektualna robota. Do czasu. Aż raz, pamiętam w osiemdziesiątym roku kartki mi się pomyliły. Dał żem do kabaretu jako egzemplarz z cenzury nasze wypociny, a sieci tajnych agentów żarty kabareciarza.

– No i co?

– Ano nic. Kabareciarz i tak mówił swoje, a w kraju, dzięki naszym agentom, którzy uznali program kabaretu za nasze wytyczne, wybuchła bezkrwawa rewolucja... Następne, niestety, będą krwawe. Aż czasami człowiek się cieszy, że ma swoje lata. I długo nie pociągnie.

– O czym pan mówi?

– A chciałby pan żyć w Europie, w której rządzą talibaby? Modlitwa trzy razy dziennie, kobity w opakowaniu, a wódka zakazana? Pod tym względem nawet chrześcijaństwo jest lepsze. Choć wszystkiego zabrania, ale zawsze się można wyspowiadać.

– Obawiam się, że może mieć pan rację. Zachód sobie nie radzi z problemem, udając, że go nie ma. I niestety, wcześniej czy później skapituluje. A chrześcijaństwo, chcąc nie chcąc, będzie musiało wrócić do katakumb.

– Gdzie?

– Do podziemia.

– Mam nadzieję, że wykroi tam ciepły kącik dla gejów, lesb i komunistów, bo tych arabusy pierwszych wezmą pod nóż. Podziemie – nieoczekiwanie jego głos przybrał ton rozmarzenia – w stanie wojennym bywałem w chrześcijańskim podziemiu częściej niż na powierzchni. Ile ja nabożeństw wysłuchałem, ile prelekcji nagrałem, ile spotkań wyśledziłem.

– I zawsze udawała się panu taka inwigilacja?

– Trzeba było tylko znać hasło. Raz wpuszczali na „Laudetur", kiedy indziej na „Quo vadis".

– I był pan na *Quo vadis*?

– Wiele razy, hasło powracało cyklicznie co tydzień.

– Myślałem o filmie według naszego wielkiego noblisty.

– Noblisty i intelektualisty. Intelektualiści to nie była moja działka – mruknął. – Ja pracowałem na pół etatu w departamencie do walki z Kościołem. A który to noblista? Kuria-Skłodowski?

– Sienkiewicz, pradziad naszego ministra.

– Byłego ministra – poprawił ponuro.

– Nie wiedziałem. Mimo wszystko powinien pan obejrzeć obraz, ma go pan na DVD. To niejako o pańskich protoplastach, Tygellinie...

– Protoplastów to ja używam, jak mi się nogi obetrą. Niech pan mówi jaśniej, o czym to.

– O miłości. Film zaczyna się od tego, jak do Petroniusza arbitra elegancjarum przychodzi Marek Winicjusz, przedstawiciel nobilitas, i już w caldarium zaczyna...

– A nie może pan mówić zrozumiale...

– Dobrze, do czołowego przedstawiciela rzymskiej nomenklatury wpada jego szwagier wojskowy. I mówi mu w saunie: ratuj...

– Kasa mu się skończyła? Czy odkryto jakiś przekręt z zamówieniami publicznymi?

– Gorzej, zakochał się.

– Masz. A wybranka nie chciała do zielonego garnizonu?

– Ligia w ogóle nie chciała być jego wybranką.

– Fakt. Być żoną oficera to dziś żadna kariera. A jak się nazywała? Legia?

– Ligia. Tylko że jej pobratymcy wołali na nią Kalina. Bo to nie była rzymianka. Tylko taka bardziej Ligia cudzoziemska. Zakładniczka pochodząca prawdopodobnie z naszego Biskupina. Przebywała w Rzymie razem z Ursusem.

– Nie lubię traktorzystek. Za szerokie w biodrach.

– Ona akurat była za wąska. A przynajmniej tak powiedział o niej Petroniusz, żeby jej cesarz nie poderwał. No i kiedy na uczcie popatrzył na tę Kalinę, to od razu skrzywił się i mówi: „Za wąska w biodrach".

– Kalina. Trefne imię! Pamiętam, jak towarzysz Gomułka pienił się, co tylko w telewizorze Kalinę Jędrusik pokazali. Do tej pory nie wiadomo, na co bardziej – na cycki, czy krzyżyk między nimi?

– Na szczęście Neron nie dowidział, przynajmniej dopóki okulista poradził mu, żeby patrzył na świat przez różowy szmaragd.

– Dobra, wróćmy do rzeczy, dlaczego dziewczyna nie chciała tego Winniczka?

– Winicjusza. Nie tyle nie chciała, ale nie mogła, bo on był człowiekiem pogańskiego reżimu. A ona chrześcijanką. Tak jakby dziś on był z bractwa pancernej brzozy, a ona moher czystej wody.

– Znam ten ból od dawna. Mało to towarzyszy woziło dzieci do innego miasta chrzcić, żeby się sekretarz nie dowiedział. A ile widziałem podwójnych pogrzebów na Powązkach. W dzień z salwą, poduszką z orderami i sekretarzem, a w nocy w katakumbach z księdzem...

– Dziś to już się robi jawnie. Z biskupami. A dopiero potem z egzekutywą.

– Pora umierać. Tylko strach przed kropidłem! Jeśli nawet Jaruzel się przed śmiercią nawrócił. I Oleksy zostawił swoją spowiedź w testamencie... Jak ją upolitycznią, połowa SLD ucieknie, a druga pójdzie do mamra.

– Niech pan nie przesadza. U nas naród łagodny. Cokolwiek by wyszło na jaw, wybaczy. Zresztą media zrobią swoje i odwrócą kota ogonem. Jak w Rzymie, Neron podpalił miasto, ale szybciutko oskarżono chrześcijan.

– Zawsze potrzebny jest kozioł ofiarny. Zapamiętasz pan moje słowa. Dla opinii publicznej nieważne jest znaleźć winnego. Ważniejsze jest, żeby kogoś ukarać. Tylko właściwie dlaczego Neron spalił Rzym?

– Bo mu się już nie podobał. Jak to artyście. I chciał zbudować drugi, wspanialszy... Dobrze, że nie pożył długo, bo by zamarzył sobie i trzeci.

– I widzi pan, o ile bardziej humanitarny był nasz Gierek. Budował drugą Polskę, ale pierwszej całkiem nie wygruził.

– Neron też dbał o swoje społeczeństwo. Igrzyska mu robił.

– Olimpijskie?

– Bardziej takie masowe show. Połączenie koncertu gwiazd z autorodeo na Stadionie Narodowym.

– Coś jak koncert Madonny?

– No Madonny akurat przy tym nie było, ale i tak frekwencja zapewniona, ludzie zachwyceni, w pakiecie – lwy, chrześcijanie, żywe pochodnie... A żeby pan zobaczył kulminacyjną scenę. Nagle pojawia się Ligia na byku... naga.

– Gdzieś widziałem taki obraz. Naga blondynka tyle że na koniu. Okropność!

– To samo pomyślał sobie Ursus, którego wypuścili akurat na arenę. No i nie wytrzymał. Jak podskoczy. Jak złapie byka za rogi. Zaczęła się prawdziwa walka byka z parowozem... chciałem rzec z traktorem.

– I kto wygrał?

– Na krótką metę Ursus. Na nieco dłuższą Neron, ale jak się przyjrzeć dalszej perspektywie, to czas pracował dla chrześcijan. Niedługo cesarz stracił i władzę, i życie. I jeszcze do piekła poszedł.

– No to po mojemu głupek był. A nie lepiej było dogadać się z elitą chrześcijan – oddać im na krótko władzę, niech sobie porządzą. A potem wrócić spokojnie za pomocą demokratycznych wyborów.

– Pewnie lepiej, ale widzi pan, Neron był szalonym artystą. A i chrześcijanie nie siedliby z nim do okrągłego stołu.

– Może, może... À propos tych igrzysk, o których mi pan opowiadał, mam kumpla, który pracuje na bramce w telewizji. I opowiadał, jak raz do programu *Zwyczajni nadzwyczajni* zgłosił się gladiator i lew.

– Tołstoj?

– Nie chudoj. Ale i tak wielkie bydle. Facet mówił, że lew tresowany, w pysk, że za *Quo vadis* dostał Złote Lwy w Gdańsku... Strażnik słucha i słucha, na koniec wzdycha. „Wszystko to pięknie, lew wspaniały, ale gdzie my wam w publicznej telewizji chrześcijan znajdziemy?".

* * *

Jedną z najbardziej tajemniczych postaci przewijających się we wspomnieniach Batona był major Smith. Sądzę zresztą, że był to pseudonim, a naprawdę nazywał się Szmidt. Nie wykluczam, że podobnie jak Ostap Bender był jednym z całej rzeszy nieślubnych dzieci lejtnanta Szmidta, przywódcy buntu na pancerniku Oczaków w roku tysiąc dziewięćset szóstym, rychło zresztą straconym. Tyle że bardziej prawdopodobne, iż mógł być jednym z wnuków. W Związku Radzieckim oryginalnych Smithów nie robią, a tych paru entuzjastów rewolucji, którzy tam przybyli z zewnątrz, skończyło w łagrze. Podejrzewam więc, że był to pseudonim osobnika, który rzeczywiście był dowódcą Batona. I zniknął w tajemniczych okolicznościach.

Trudno byłoby zresztą na podstawie tych wszystkich strzępków ustalić jego portret pamięciowy. W anegdotach dotyczących stref poniżej pasa Smith jawił się jako oferma, w akcjach natomiast jako nadczłowiek z nieludzką siłą wspieraną przez równie niebywałą inteligencję. W dodatku nigdy Baton nie zdradził jego prawdziwego imienia, twierdząc, że w dokumentach amerykańskich miał jako „given name" – Smith.

– A co się pan tak dziwisz? W Ameryce nikt nie reguluje, jak się nazywasz, możesz sobie równie dobrze wziąć na imię Jezus albo Elektroluks.

W swych notatkach nazywałem go „nieuchwytny Smith", bo rzeczywiście pojawiał się nagle we wspominkach Batona i równie szybko znikał.

– Opowiadałem panu o genialnym planie majora Smitha? – zagaił pewnego razu kłusownik, gdy roztopy i upierdliwa mżawka uniemożliwiły wyjście nam choćby na krótki spacer.

– Nie wiem, o którym. Wszystkie były genialne.

– Pamiętam, jak jeszcze byliśmy w Wietnamie. Rzucił pomysł prywatyzacji walk narodowo-wyzwoleńczych.

– Nie bardzo rozumiem.

– Ja też początkowo nie rozumiałem. Ale major Smith był prawdziwym wizjonerem. I na przykład zamiast walczyć z uprawami narkotyków w Indochinach, wspierał je, by zatruwały amerykańskie społeczeństwo. Podobnie zarażał co ładniejsze dziwki przed wysłaniem ich do łóżek Amerykanów, pobierając zwyczajowo jedynie dziesięć procent od całego interesu. Długo ten okres prosperity nie trwał, ale raz rzucony pomysł stał się w roku tysiąc dziewięćset osiemdziesiątym dziewiątym rozkazem. Ostatnim resortowym rozkazem.

– Zdradzi pan, jak brzmiał?

– Teraz już mogę, nie narażając się na zarzut zdrady. Zebrano wówczas kilkunastu najbardziej zaufanych ludzi i powiedziano nam: „Towarzysze, założycie mafię".

– Dostaliście polecenie założenia mafii? Nigdy w to nie uwierzę!

– Major Smith gdyby żył, a nie zaginął bez wieści, też by nie uwierzył. Ale myśmy byli świadomym aktywem i wiedzieliśmy, że jak się dokonuje pokojowej transformacji socjalizmu w kapitalizm, to trzeba założyć i giełdę, i Radę Polityki Pieniężnej. No i mafia też musi powstać... I to w pierwszej kolejności. No i zgłosiły się rodziny Dziadów, Pershingów, Gawroników... A kto został naszym ojcem chrzestnym, wie pan?

– Sukces ma wielu ojców – odparłem wymijająco.

– Ale tych najważniejszych ledwie paru. Najpierw była trójca nieświęta – Olin, Minim i Kat, wiem, bo sam im z Moskwy szmal w walizkach woziłem. Potem paru kolejnych Donów. A każdy Cichy..., a tak zupełnie na koniec...

– Cichy Donek? – rzuciłem kontrolnie.

Raptownie spoważniał.

– Pan to powiedział – warknął. – I ostrożnie ze słowami!

– Ściany mają uszy? – zapytałem domyślnie.

– Nie tutaj! Ale nigdy nie wiadomo, kiedy słowo stanie się ciałem. Pamiętam, jak w latach minionych werbowaliśmy z kolegami tajnych agentów w strukturach „Solidarności”... I niech się pan nie krzywi! Takie czasy. Żadna praca nie hańbi. Ale powiem panu, szło nam jak z kamienia. Bo ci, którzy coś wiedzieli, nie chcieli gadać, a ci, co gadali jak najęci, gówno wiedzieli. Na szczęście centrala dawała premię od łba. A że robota ciężka i w mordę można było od przyzwoitego człowieka oberwać, poszliśmy więc trochę na skróty, kurczę pieczone. Brało się książkę telefoniczną, zamykało oczy... I w pysk.

– A kryptonimy, podpisy?

– Mieliśmy takich fachowców, co sfałszowaliby autograf samego Beethovena brajlem...

– Brajlem? Beethoven był wprawdzie głuchy, ale nie niewidomy.

– Myślałem o tym drugim – Homerze. A podpisy? Tu trzeba było wysilić wrodzoną inteligencję. Ja osobiście leciałem nazwami ulic. Jak ktoś mieszkał na ulicy Bieruta, był „Bolek”, na Spółdzielczej „Spółdzielca”, na Strażackiej „Zapalniczka”. Gdyby reżim potrwał dłużej, mielibyśmy z dziesięć milionów agentów, a kasę przeznaczoną dla nich do podziału.

– Jeszcze chwila, a powie pan, że w ogóle nie było kapusiów.

– Owszem, panie Marciński, byli, ale głównie nie tam, gdzie ich znajdują. Słyszał pan o czymś takim jak zbiór zastrzeżony? Tam są takie nazwiska, że oko by panu zbielało. Na samego Marcina Jędrasa trzy metry bieżące teczek.

– Wróćmy może do majora Smitha...

– A po co wracać, kiedy on sam wrócił – tu Baton pobladł nagle, zębami jął szczękać, aż podsłuchująca pod drzwiami Dzida poleciała po pigułki i samogon.

– Kiedy?

– Mniejsza o to gdzie i kiedy. Parę ładnych lat temu szedłem sobie wieczorem ścieżką przez puszczę z Piorunkiem. Nagle mój brytan w nogi, ogon pod siebie i co ja widzę?

– Majora Smitha?

– Potwora, senną zjawę, żywego trupa!

– Faktycznie, wspominał pan kiedyś, że major zginął... Nie pamiętam tylko jak.

– Podczas ewakuacji Sajgonu wypadł nieborak z helikoptera nad Kampuczą. Gdyby mnie pasy nie powstrzymały, sam bym skoczył za nim, w pysk.

– Ale dlaczego?

Popatrzył na mnie.

– Typowy wojenny dylemat – helikopter był nadmiernie obciążony i żeby dolecieć do Tajlandii, trzeba było się zdecydować: albo ludzie, albo łupy...

– Co pan mówi?

– To nie była moja decyzja, tylko dowódcy. Major Smith kazał siąść mi na miejscu pilota, potem rozwalił resztę drużyny... Sam niestety się poślizgnął... I poleciaaał!

– I nie było szans, że wówczas przeżył? Może wpadł w wodę?

– Nikt jeszcze nie przeżył upadku z tysiąca metrów. Z nożem w plecach!

– Jednak mówił pan, że major Smith potrafił zawsze spadać na cztery stopy.

– Ale z wysokości trzech tysięcy stóp? I teraz wyłazi na ścieżkę i idzie na mnie. I powtarza: „Gdzie jest moja forsa, Bronek". Strach mnie ogarnął, bo jak jeszcze pomyślałem o zaległych odsetkach, więc na wszelki wypadek przeładowałem broń i mówię: „Stój, bo strzelam". A on dalej lezie. No to już bez ostrzeżenia „bach, bach" z obu luf.

– I trup?

– A gdzie tam, siekańce, przeleciały mu na przestrzał przez klatkę piersiową, a on idzie dalej i zęby szczerzy. I co mam o tym myśleć?

– Może to hologram. Albo podróżnik w czasie.

– Panie Marciński! Jest naukowo dowiedzione, że podróże w czasie są niemożliwe, a w dodatku szkodliwe. Tatko osobiście nadzorował egzekucję grupy fizyków, którzy zawiedli zaufanie towarzysza Stalina.

– W jaki sposób?

– Twierdzili, że znaleźli uskok, dzięki któremu można przemieszczać się w czasie. Kierownictwo im uwierzyło. Mieli wyekspediować w przeszłość spec komando SMERSZ-u, by zlikwidować pod koniec dziewiętnastego wieku paru ludzi, którzy później bruździli Związkowi Radzieckiemu w jego walce o Mir. Koedukacyjna ekipa była już gotowa. Pożegnanie przed wymarszem, aż tu towarzysz Stalin patrzy na jednego, patrzy i naraz mówi: „Ja was znaju". To wy w tysiąc dziewięćset piątym w Baku strzelaliście do mnie zza węgła. A do drugiej – towarzyszko Kapłan – a coście się tak zawzięli na Władymira Lenina?

– Kurczę pieczone!

– Teraz pan już wie, dlaczego zrezygnowano z programu. Fizycy bezwzględnie dostali czapę, komandosi też. Tylko jeden mały czerniawy, kudłaty asystencik w okularkach zdołał zamknąć się od środka w kabinie transmitora i uruchomił program. Przemieścił się do roku tysiąc dziewięćset pierwszego do Szwajcarii i tam ogłosił swoją teorię bezwzględności...

– Chyba względności?

– „Bez" ucięła mu słynna szwajcarska cenzura. W każdym razie opublikował wzór wynaleziony przez towarzysza Stalina jako własny.

– Jaki wzór?

– Dopuszczalnej szybkości rozstrzeliwania starych komunistów. KC w kwadrans.

– Ależ ten wzór brzmi „mc kwadrat".

– Sam pan widzisz, jakie są kłopoty przy przekładzie z cyrylicy na szwabachę...

– Może jednak wróćmy do pańskiego spotkania z majorem Smithem, jeśli nie był to podróżnik, to może po śmierci stał się wilkołakiem albo zombi?

– Niewykluczone. W każdym razie mój dowódca wyglądał dokładnie jak w tysiąc dziewięćset siedemdziesiątym czwartym, tylko był w trochę gorszym stanie. Mundur w strzępach, jeden but, skóra tu i ówdzie odpadła i tylko ten charakterystyczny uśmiech złotej jedynki mu pozostał. Co tu długo mówić, gdyby nie wierny Piorun, który stanął między nami, byłoby po mnie. Rano wracam z kałaszem, a z Pioruna flaczek został. Całą krew z niego ten żywy trup wyssał. Gdybym psiny do lecznicy nie zawiózł i nie zrobił transfuzji...

– Rozumiem. I jak pan rozwiązał ten problem?

Baton nerwowo zamachał rękami:

– To jest problem nie do rozwiązania.

– Dlaczego?

– Bo major Smith jest, a jakby go nie było. Czego ja nie próbowałem. Tydzień tropiło go komando specnazu, które sprowadziłem za własne pieniądze.

– I co?

– Nic szczególnego – dowódca zaginął, zastępca zwariował, a funkcjonariusze wybili się nawzajem. Próbowałem zatem skorzystać z usług egzorcysty. Stracił wiarę i zapisał się do SLD. Najałem prywatnego detektywa, to uciekł przez zieloną granicę na Białoruś i poprosił tam o azyl.

– I dostał?

– Dostał, ale go upaństwowili.

– Rozumiem, że jednak coś pan zrobił?

– Stanęło na pokojowej koegzystencji. Major Smith zaszył się w mateczniku, bierze haracz, przyjmuje zaopatrzenie żywnościowe i zachowuje się w miarę spokojnie, z wyjątkiem okresu pełni, kiedy pod żadnym pozorem nie należy wchodzić mu w drogę. Niech pan to dobrze zapamięta!

Zapamiętałem.

XXX.
Marny humor

Im bliżej wiosny, tym nastrój Batona robił się coraz gorszy. Wychudł i sczerniał, sprawiając wrażenie, jakby gnębiła go jakaś choroba. Nie cieszyły go postępy mojej pracy. Ani że tom pierwszy był już właściwie gotowy.

Żeby skończyć tę część, potrzebowałem sprawdzenia paru rzeczy w internecie.

– Zapisz pan, czego pan chcesz, moi ludzie sprawdzą – odparł na moją propozycję.

– Mógłbym sam sprawdzić, pod pana okiem.

– Panie Marciński! – nabzdyczył się. – To nie jest z mojej strony dowód braku zaufania, ale ja do pańskiego laptopa w życiu internetu nie podłączę. Są hackerzy, którzy na to czyhają.

– Na co?

– Na to, żeby wejść do pańskiego albo mojego komputera i skasować bazę danych... Piękny postęp! Za moich czasów hacker to był gość, co walił hakiem w szczękę, ale kiedy to było? „Praszło z wietrom", jak mawiał Rett Buterow na zsyłce w Sybirze. Poza tym na te komputery to ja jestem za stary. Z tym to trzeba zaczynać od małego.

– To prawda, widziałem na jednym filmie historię jedenastolatka, który dostał osiem lat za komputerowe włamanie do Banku Rezerw Federalnych i do Pentagonu.

– Małodiec! – ocenił kłusownik. – I powiadacie, dostał osiem lat. Dziki kraj te USA. U nas trzeba było mieć skończone trzynaście, żeby pójść pod stienku.

– Te osiem lat to nie więzienie, tylko zakaz dostępu do komputera.

– I chłopak wytrzymał? To co on przez te lata dojrzewania z rękami robił?

– Wytrzymał, ale jak czas minął, to rzucił się do klawiszy, jak urwany z łańcucha.

– Zaraz, czy to nie ten facet co z kumplem w garażu wymyślił komputer, patrząc przez windows?

– Nie, całkiem inny. Bill Gates, jeśli jego ma pan na myśli, nie tyle stworzył komputer, co...

– Przecież wiem, że nie mógł stworzyć, bo komputer tak naprawdę wynalazł w siedemnastym wieku niepiśmienny chłop spod Kazania – Wasia Dyskowicz Komputerow – przy pomocy żony Myszki.

– W każdym razie Gates nie wymyślił komputera tylko oprogramowanie. Sam z grupką kolegów w garażu stworzył Microsoft.

– A wie pan, skąd ta nazwa Mikro soft? – przerwał mi Baton.

– Nie...

– Badaliśmy tę sprawę z towarzyszem Zacharskim. I ustaliliśmy, że tak na tego zapyziałego geniuszka mówiły wszystkie dziewczynki z okolicy. Mały i miękki... Mikro soft! I dlatego wolał nie wychodzić z garażu.

– Naprawdę?

– Wiem to z pierwszej ręki. A czy wspominałem panu, jaki pseudonim miałem, będąc rezydentem w Kalifornii?

– Jaki?

– Ron, Ciamajda.

– Ciamajda, głupi pseudonim.

– Tak pan uważasz? Pamiętam, kiedyś chciałem spenetrować ich tajne laboratorium w Palo Alto. Zadzwoniłem po przepustkę. Podaję nazwisko. Oni: „Ciamajda. Can you spell it?". Więc literuję: C... I... A... A oni: „Wystarczy! Przyjeżdżaj pan, przepustka czeka!".

– To rzeczywiście świetny pomysł.

– Amerykanie są jak dzieci. Nie uwierzysz pan, w Nowym Jorku, na Manhattanie, w dwa tysiące pierwszym roku mieszkałem spokojnie pod własnym swoim nazwiskiem, zaliczyłem szkołę pilotażu, to znaczy bez startu i lądowania, sam lot, odbyłem kurs pirotechniczny... A do telewizji

CNN czy NBC wchodził żem na służbową legitymację KGB. Bo wszyscy mieli uczulenie wyłącznie na Al Kaidę.

– No to miał pan szczęście...

– W życiu w ogóle najważniejsze jest mieć szczęście. Kiedyś pod nazwiskiem Jones zatrudnił żem się na Giełdzie Nowojorskiej, symulując zespół Downa. Musieli mnie przyjąć w ramach akcji zatrudniania niepełnosprawnych.

– Jako maklera? – zapytałem zdumiony.

– Odkurzałem komputery, w pysk. I w nocy na umówiony znak robił żem krótkie spięcie, co pozwalało przeprowadzać pewne zyskowne transakcje. Niestety, raz spięcie zrobiło się długie, co spowodowało wielki krach na imperialistycznej giełdzie...

– W którym roku?

– Nieważne. Ważne że od tego czasu wskaźnik giełdowy w Nowym Jorku nosi na moją cześć nazwę Down Jones.

– No to może być pan dumny.

– A daj pan spokój. Podjąłem ryzyko, przeprowadziłem misterną akcję, ryzykowałem głową, tyle że poleciały na łeb na szyję główne akcje Związku Radzieckiego, zakupione przez naszych agentów. I po co nam to było? Ameryka wyszła z kryzysu umocniona, a ZSRR zbankrutował. I nikt mi za to nie podziękował.

* * *

Co się tyczy złego nastroju Batona, to wynikał on chyba z przyczyn obiektywnych, o których nie bardzo chciał mówić. Najgorzej bywało po obejrzeniu wiadomości w telewizji, w czym od dłuższego czasu nie brałem udziału, ale zdarzały się również i inne powody jego zdenerwowania.

Jednego razu dowiedziałem się na przykład o planowanej pikiecie koło jego daczy.

– Nieodpowiedzialni młodzi ludzie wpadli ostatnio na pomysł, żeby pikietować domy starych, spokojnych ludzi, zasłużonych emerytów...

Nie wytrzymałem.

– Zasłużonych stalinowskich oprawców! – zawołałem.

– Zresztą wiele nie popikietują. Załatwiliśmy drobne zmiany w Google Maps i od paru tygodni pikiety odbywają się pod nieodległym domem spokojnej starości, w którym siedzą tacy dementycy, że nawet nie są w stanie sprostować, mimo że jedno w drugiego „żołnierz wyklęty", bohater „Szarych Szeregów", czy ciotka solidarnościowej rewolucji.

– Podziwu godna finezja.

– Nie wszystko da się załatwić aż tak finezyjnie. Jakieś trzy sezony temu telewizja komercyjna zaczęła mi pod nosem baraki budować, chcieli mi tu kręcić jakiś „reality show" pod nazwą *Szkoła przetrwania*. Szczęściem wdał się w to palec Boży, z zapałkami, i nie przetrwali, zamiast szołu – paszoł won!

– Na Boga, podpalił pan obiekt?

– Ja? Nikt mnie za zapalniczkę nie złapał. Ale Bóg mi świadkiem, gdyby ten barak sam się nie spalił ze wstydu, to nie zdzierżyłbym.

– Jak można być tak nienowoczesnym?

– Kto nienowoczesnym? Baton? Przed paru laty za ciężkie pieniądze chcieli mnie wziąć do ukrytej kamery. To znaczy kamera miała mi towarzyszyć cały dzień w domu i w lesie. Jak nastawiam wnyki, jak głuszę ryby, słowem kłusownika dzień poprzedni.

– I pan odmówił? Przecież zapewniłoby to panu popularność.

– A na diabła mi taka popularność. Żeby któryś ze starych kolegów po fachu zobaczył, że jeszcze żyję. W życiu! A w ogóle nienawidzę plotek.

– Zwłaszcza jeśli mogą dotyczyć pana i pańskiej działalności? – zapytałem z uśmiechem.

– Powiem panu szczerze, panie Marciński, plotka to rzeczywiście straszna broń. Wiem, bo robiłem przecież w tej branży.

– U nas?

– Też, chociaż to za mały kraj na dużą akcję – owszem paru ludziom załatwiliśmy reputację konfidentów, innym renomę niezłomnych patriotów, kilku potencjalnym donżuanom przykleiliśmy łatkę gejów, także do dziś mają wielkie powodzenie w balecie i telewizji, ale dopiero w USA można było rozwinąć skrzydła. Jak puściliśmy plotkę, że Lyndon Johnson maczał palce w zabójstwie Kennedy'ego, to nie mógł nawet marzyć o następnej kadencji.

– To była pańska robota?

– A czyja? Wystarczyło puścić cynk paru dziennikarzom, jak przychodzili do nas po kasę, i paniusiom z towarzystwa podczas snu, i cały Waszyngton aż chodził... A jak wmówiliśmy całej Ameryce, że ich najlepszy prezydent, Nixon, to dyktator, który chce zniszczyć demokrację... Ile lat ich służby specjalne nie mogły się pozbierać.

– Dużo miał pan takich sukcesów?

– Dużo. I jedną klęskę. Bo jak puściliśmy pochopnie plotkę, że Gorbaczow to liberał, demokrata, reformator, tylko po to żeby dostać kredyty i uśpić czujność Zachodu, to niestety uwierzył w to nie tylko Zachód, ale i Wschód, sam Gorbi, a nawet my sami. I to był koniec.

– A w kraju? – nalegałem.

– W kraju najlepsze plotki rozchodzą się same. Pamiętam, jak w osiemdziesiątym pierwszym roku pierwszy sekretarz dowiedział się w tajemnicy, że Ruscy nie wejdą do Polski i musi wziąć za pysk „Solidarność" własnymi rękami, to ze strachu popuścił w portki. Wtedy my dla kawału puściliśmy tę plotkę. I jak wrócił do domu, to służąca czekała z czystymi gatkami. „A skąd Marysia o tym wie?" – zapytał generał. „A bo Wolna Europa podawała". Roześmieliśmy się obaj. I chyba po raz ostatni widziałem Batona uśmiechniętym.

Przez cały kwiecień widywaliśmy się rzadko. Miałem coraz więcej wolnego czasu, który wykorzystywałem, spacerując po okolicy. Dzięki Bogu, monstrum nazywane Dzidą przestało się szwendać za mną krok w krok. Tu musiał wystarczyć Piorun. Babochłop wolał zdać się na kamery monitoringu umieszczone wzdłuż ogrodzenia. Powiem szczerze, w czasie mych peregrynacji dokonałem wielu ciekawych odkryć. Znalazłem barcie dzikich pszczół, kilka wilczych dołów, omal nie wpadłem we wnyki i udało mi się odkryć cztery pary żelaznych paści na grubszego zwierza. Nasunęło mi to zresztą pewien interesujący pomysł, który miałem zamiar wykorzystać przy nadarzającej się sposobności. Choć od pomysłu do realizacji daleka droga, a ja nigdy nie grzeszyłem szybkością w działaniu.

Po raz kolejny nie wykorzystałem awarii prądu, która wyłączyła całą elektrykę w Budzie Polskiej. Zdarzenie było o tyle dziwne, że nie zauważyłem żadnej burzy. Czyżby znów miało dochodzić do czasowych przerw w dostawie prądu przez elektrownię? Baton wyprowadził mnie z błędu.

– Piorun posikał się na transformatory i zrobił zwarcie! Jego szczęście, że uciekł i nic nie mogłem zrobić!

– A gdyby pan mógł?

– To bym im nogi z dupy powyrywał.

Postanowiłem zadać pytanie, które nurtowało mnie od czasu obejrzenia filmu *Bruce Wszechmogący*.

– A ogólnie, co by pan zrobił, gdyby miał pan moc absolutną?

– Jak komendant naszego posterunku w Chojnówce?

– Dużo, dużo większą.

– Dużo...? Wie pan, nigdy nie chciałem być ministrem spraw wewnętrznych, choć za Kiszczaka mogłem zostać dyrektorem departamentu.

– Mówię o mocy i możliwościach, o jakich nie tylko Kiszczakowi, ale i samemu Andropowowi się nie śniło.

– No to wyżej już był tylko Józef, powstań, Stalin.

– No i Pan Bóg.

– Jak dla kogo. Przecież wie pan, że jestem niewierzący.

– To niczego nie wyklucza. Ostatnio oglądałem film, w którym nieoczekiwaną łaską zostaje dotknięty nawet dziennikarz z telewizji.

– Kraśko czy Lis?

– Nie, Jim Carey.

– Głupi i głupszy, nic dziwnego. I co takiego mu się przydarzyło?

– Pan Bóg zadzwonił do niego na pager. A potem zaproponował, że jedzie na urlop i niech go zastąpi.

– To by mi się podobało. I co ten Carey robi ze swą mocą?

– Wie pan, początkowo niewiele. Załatwia sobie lepszą posadę w telewizji. W głównym wydaniu dziennika. Poza tym mści się na chuliganach, załatwia sobie nowy wóz, i sprawia, że pies przestaje sikać na transformator... tfu fotel, tylko kulturalnie chodzi do kibla, spuszcza wodę i jeszcze czyta tam gazetę...

– A dla innych niczego nie zrobił?

– Innych chciał załatwić hurtem. Ale kiedy zarządził, żeby się spełniły modlitwy wszystkich obywateli, to zaraz wybuchły zamieszki.

– Naprawdę?

– Bo wszyscy, którzy trafili szóstkę w totka, dostali ledwie po siedemnaście dolarów.

– A ja myślałem, że taki był pobór mocy i światłości wiekuistej, że prąd wysiadł w ćwierci stanów i Kanadzie... A wie pan, że w Polsce tego problemu by nie było?

– Z prądem?

– Z hurtowym spełnianiem życzeń. Bo wprawdzie połowa ludzi modli się o różne rzeczy, to druga połowa w tym samym czasie marzy, żeby ich bliźni przypadkiem tego nie dostali. Bilans byłby na zero. A gdybym ja dostał taką moc, to wie pan, co bym zrobił?...

Popatrzyłem na niego z zainteresowaniem.

– Najpierw zesłał plagi na wszystkich moich wrogów, szarańczę na gajowego, pomór na kółko łowieckie, syf na chuliganów i malarię na całą prawicę. Potem podniósłbym renty kombatanckie, zrobił wszystkie leki za złotówkę i postawił w każdej gminie pomnik...

– Pewnie Edwarda Gierka?

– Do wyboru, kurczę pieczone – Bieruta, Gierka, Gomułki i Jaruzela, bo jestem demokrata pluralistyczny, w pysk.

– Piękny program. A dla siebie?

– Nauczyłbym porządku Pioruna i... tak między nami... sprawiłbym, żeby się zakochały we mnie wszystkie piękne kobiety w Chojnówce.

– Wszystkie?

– A ile tam tych pięknych jest? Trzy – żona gajowego, córka sołtysa i gospodyni księdza.

Wejście Dzidy ze skrzynką z narzędziami przerwało ten interesujący dialog. A szkoda, poznałbym może ten „świat według Batona".

* * *

Tymczasem mój plan, którego chwilowo nie omówię, przybierał coraz bardziej konkretny plan. Dookoła szalała wiosna, kwitło kwiecie i zieleniło się listowie, a ja dokonywałem w towarzystwie Pioruna coraz śmielszych wypadów w odleglejsze partie rezerwatu. Miałem nadzieję, że jeśli napotkam jakiegoś drapieżnika, większe zainteresowanie wzbudzi pies niż ja. Zresztą po roku odosobnienia, pryz, coraz gorszym traktowaniu przez Dzidę, miałem coraz mniej do stracenia.

Owego majowego dnia zapuściłem się w południowo-wschodnią rubież, idąc boczną ścieżką, którą kiedyś ominął w swej akcji „dokarmiania" Baton. Przeważał starodrzew, a las mimo świeżej zieleni robił wrażenie dosyć mroczne.

Nagle Piorun zaskowyczał.

Obróciłem się na pięcie i dostrzegłem ulubieńca kłusownika w łapach nieprawdopodobnego obszarpańca. Jego wizerunek niewiele różnił się od opowieści Batona. Pan Bronisław nie uwzględnił jedynie brudnej marynarskiej czapki, a także nienaturalnie wielkich kłów upodabniających jego byłego dowódcę do buldoga. Na moment stracił zainteresowanie psem i skierował swą pokrytą liszajami i strupami twarz ku mnie. Na szczęście miałem pod ręką pojemnik z gazem pieprzowym i bez namysłu sieknąłem go po oczach. Zawył. Opuścił psa i zaczął trzeć oczy.

– Piorun do nogi – rzuciłem – wycofujemy się.

Mój spokój usprawiedliwiało znaczne oddalenie od czasu pełni. Z potwora tymczasem wyparowała znaczna część agresji...

– Machorku, machorku i wodku! – wyszeptał błagalnie.

– Major Smith, jeśli się nie mylę? – zapytałem, nie przestając się cofać...

Fakt rozpoznania musiał go mocno zaskoczyć, a może nawet przestraszyć, bo błyskawicznie znikł w zaroślach, a my z godnością pobiegliśmy w stronę drogi.

XXXI.
Pełnia

Baton nie wracał ranki i wieczory. Dzida interesując się wyłącznie, żebym nie sforsował płotu, wyraźnie rozluźniła nade mną kuratelę, a Piorun, po tym jak uratowałem mu życie i uwolniłem z łap majora Smitha, stał się wręcz przyjacielem.

Ku mojemu zdumieniu coraz częściej w powtarzających się scysjach z Dzidą brał moją stronę. Na przykład kiedy dla żartu cisnęła we mnie piłką tenisową, złapał ją w locie. Kiedyś bez trudu podstawiała mi nogi, a gdy protestowałem, obrywałem kopniaka. Tym razem przy pierwszej podobnej okazji ostrzegawczo zawarczał. Dzida jednak zlekceważyła ostrzeżenie, biorąc solidny zamach. Dopadł ją i zatrzymał rozdziawioną paszczę tuż przy jej łydce. Zrezygnowała! Nareszcie miałem jakiegoś sojusznika. Moje przygotowania do akcji postępowały. Neutralność Pioruna ułatwiała mi sytuację.

Tymczasem niebezpieczeństwo stawało się coraz większe. Któregoś dnia przyłapałem Dzidę rozmawiającą przez telefon. Wydawała jedynie pomruki, ale z każdą chwilą była coraz bardziej chmurna. Zauważywszy, że ją obserwuję, posłała mi brzydki grymas. Czyżby otrzymała jakieś nowe polecenia dotyczące mej osoby?

Dawniej byłem człowiekiem ufnym. Jednak blisko roczny pobyt w Budzie Polskiej kompletnie zmienił mi charakter. Dlatego nie uszło mej uwagi zachowanie Dzidy po tej rozmowie. Nieprzyjemna i złośliwa naraz zdobiła się wręcz przymilna. Zauważyłem, że krąży wokół mej ziemianki, czekając aż się oddalę. Któregoś razu po powrocie zauważyłem, że zrobiono mi kipisz. Na szczęście wszystkie notatki, laptop i komórkę ukryłem w bezpiecznym miejscu (w podstawce ogrodowego krasnala). Czy mogło jej chodzić o dorobek mej rocznej pracy? Dlaczego? Jeszcze bardziej zacząłem się mieć na baczności.

Mój nastrój udzielił się Piorunowi. Zauważyłem, że porzucił swoje dawne legowisko i zaczął spać na progu ziemianki gotowy zaatakować każdego nieproszonego gościa. W nocy kilkakrotnie słyszałem kroki, ale głuche warczenie odstraszało nieproszonego gościa od wejścia do środka.

Za dnia Dzida jednak zachowywała się wręcz przymilnie, a któregoś wieczora przyniosła mi do ziemianki ulubionego drinka na bazie wódki z grejpfruta. Normalnie wypiłbym go duszkiem. Tym razem, kiedy wyszła, delikatnie umoczyłem język. Koktajl wydał mi się podejrzanie cierpki. A język zdrętwiał na dobre pół godziny. Wylałem miksturę do zlewu.

Rano Dzida zajrzała do mnie skoro świt i widząc mnie, jak rozwalony w wyrze z Piorunem u boku oglądam sobie *Pół żartem, pół serio*, wydawała się zaskoczona. Na szczęście była zbyt ograniczona, żeby udawać... W każdym razie jej zachowanie tylko wzmogło moje podejrzenia. Gestami zaprosiła mnie do domu. W jadalni czekało śniadanie – parująca jajecznica ze szczypiorkiem, mocno przyprawiony tatar, śledzie, sok pomarańczowo-grejpfrutowy. Powiedziałem, że nie jestem głodny i że w nocy męczyły mnie torsje. Po czym nie tknąłem ani jajecznicy, ani śledzia, ani tatara, zadawalając się zjedzeniem surowego jajka i odrobiny owoców. Sam zrobiłem sobie herbatę... Błogosławiłem tępotę Dzidy, która chyba nie podejrzewała, że ją podejrzewam. Podobnie nie tknąłem obiadu. Dzięki opowieściom Batona znałem tysiąc i jeden sposobów otrucia człowieka. Zastanawiałem się jedynie, kiedy Dzida dojdzie do wniosku, że zalecona metoda pozbawienia mnie życia zawiodła i wybierze inną. Garotę, sztylet czy ewentualnie broń palną? Oczywiście nie miałem pewności, czy dostała rozkaz mej likwidacji, ale postanowiłem to sprawdzić. Przy okazji zwinąłem do kieszeni apetyczną parówkę, którą postawiła mi przed nosem, a gdy poszła do toalety, podałem ją Piorunowi.

– Miejmy nadzieję, że to wyłącznie przewrażliwienie – szepnąłem sobie w duchu.

Pies mocno już obłaskawiony przyjął poczęstunek z zachwytem. Przełknął z takim apetytem, że nawet zacząłem mu zazdrościć. Ale tylko przez chwilę. Nie minęła minuta, a targnęły nim konwulsje, przewrócił się na bok, z pyska począł toczyć pianę, skowycząc boleśnie. Po chwili znieruchomiał.

– Wybacz, piesku!

Nie tracąc czasu na zastanawianie się, na ile jest to samowolka, na ile realizacja poleceń Batona, by przejąć zgromadzony przeze mnie materiał i pozbyć się niewygodnego świadka, zawlokłem trupa do schowka na szczotki i nie czekając na powrót Dzidy, która widząc niezaplanowany efekt, mogła zabrać się za inny sposób wykończenia mnie, z kibla rzuciłem się w stronę lasu.

Usłyszałem jej dziki bełkot, a następnie dudnienie jej susów. Miałem nadzieję, że przyda mi się kondycja. Być może kiedyś kapral Dzida był sprawny fizycznie, obecnie mocno otłuszczony był zdecydowanie mniej sprawną maszyną do zabijania. Nie mógł (mogła) mnie dogonić.

A ja spokojnie realizowałem swój plan. Minąłem pasiekę, rozlewisko, kruchy mostek nad strumykiem, potem odbiłem w ścieżkę ledwie widoczną wśród traw. Mając za jedyną obronę pojemnik z gazem pieprzowym, umierałem ze strachu, ale czułem – teraz albo nigdy. Ścieżka tymczasem weszła w naturalny szpaler. Dostrzegłem powalone drzewo i ostrożnie skoczyłem w bok, nie zostawiając śladu na miękkim gruncie. Listowie powinno mnie ukryć. Inna sprawa, że Dzida szarżująca jak wściekły nosorożec, wydawała się w ogóle mnie nie dostrzegać. Ze zwinnością, której przy stupięćdziesięciokilogramowym cielsku nikt nie powinien podejrzewać, przesadziła kłodę. Trzask i nieludzki skowyt. Paści pana Bronka, które tam ustawiłem podczas wyprawy z Piorunem, zadziałały perfekcyjnie. Rozpęd sprawił, że „Horpyna” runęła jak długa, i rozległ się kolejny trzask. Bełkot i szamotanina dowodziły, że moja strażniczka znalazła się w matni. Ostrożnie wróciłem na drogę i wspiąłem się na powalony pień. Dzida leżała twarzą ku ziemi. Noga tkwiła w zębatych żelazach, podobnie uwięzione były obie ręce. Nie mogło być lepiej. Zawróciłem, bojąc się, że poczuję współczucie, albo wyrzuty sumienia. To jest tylko samoobrona – powtarzałem sobie – tylko samoobrona. Wróciłem do domu, gdy już zaczynało się zmierzchać. Zdążyłem jeszcze pochować Pioruna na grządce między tulipanami. „Wybacz, piesku, to nic osobistego". Powinienem uciekać i miałem to przemyślane. Spowodować awarię w transformatorowni, przedostać się przez ogrodzenie i korzystając z roweru, wiać jak najdalej. Ale postanowiłem doczekać do świtu.

Wiedziałem, że awaria uruchomi służby współpracujące z Batonem, a po ciemku daleko nie ucieknę, rankiem na drodze łatwiej było znaleźć jakąś okazję. W lodówce zostało trochę wódki Dzidy (a więc raczej niezatrutej), wyszedłem więc na taras i przegryzając jabłkami, wprowadzałem w szarą rzeczywistość element baśniowy.

Pojawił się księżyc ogromny, pyzaty. I zdało się, że na moment cała przyroda zamilkła jak publiczność w operze w oczekiwaniu uwertury. Potem dobiegło mnie odległe wycie i włos zjeżył mi się na głowie. Wyobraziłem sobie majora Smitha, czy raczej monstrum, którym się stał, jak zwietrzywszy krew, odnajduje na ścieżce osobnika uwiezionego w paściach wystawionego nieomal na poczęstunek...

Wstrząsnął mną dreszcz, wróciłem do domu i zaryglowałem drzwi. Całkiem bezbronny nie byłem, pod łóżkiem Dzidy znalazłem kałasznikowa z pełnym magazynkiem oraz tradycyjną dubeltówkę. Robiąc sobie posłanie na kanapie, postawiłem broń w zasięgu ręki. Inna sprawa – czy potrafiłbym jej użyć?

We śnie dręczyły mnie majaki. Widziałem wykrzywioną szaleństwem twarz majora, jak dopada Dzidy i rozpoznając w kapralu swego podkomendnego, oswobadza ją, a potem idą razem zapolować na mnie.

Budziłem się więc często, ale nikt nie dobijał się do domu. Widoczny za oknami księżyc też w końcu zaszedł i nad ranem mogłem spokojnie zasnąć.

Nastawiony budzik obudził mnie o siódmej. Postanowiłem ruszać, oczywiście łączyło się to z koniecznością unieszkodliwienia elektrycznych zabezpieczeń. Atak na transformator wydawał mi się sposobem prostszym i mniej niszczycielskim niż podpalenie obejścia.

Wziąłem ze sobą komórkę, laptopa, cyknąłem kilkadziesiąt zdjęć rezydencji Batona, łącznie z jego Wenus z Milo i fragmentem Bursztynowej Komnaty i o 7.25 przeżegnawszy się, ruszyłem ku drzwiom...

I w tym momencie charakterystyczny hałas z zewnątrz poinformował mnie, że na podjazd zajechał samochód Batona. Nie mógł wrócić w gorszej chwili! Nogi ugięły się pode mną. Co robić, co robić? Mogłem się tylko domyślać, co będzie, gdy dowie się o śmierci Dzidy, nie mówiąc już o otruciu Pioruna. Sparaliżowany strachem stałem wpatrzony w wejście. Mijały minuty, ale nikt nie wchodził. Drżącymi rękami otworzyłem drzwi i zobaczyłem kłusownika.

Stał, opierając się o ścianę. Bez czapki, która leżała na ziemi, blady na twarzy, wydawał się dziwnie zmalały. Tak wykończyła go nocna podróż...? Słyszałem jego krótki, urywany oddech. Dopiero po chwili uniósł głowę i mnie zobaczył. „Komedia skończona" – wyszeptał i osunął się na ziemię.

Nie ulegało wątpliwości, dopadł go zawał. Sama Opatrzność zwracała mi wolność. Silnik pick-upa ciągle pracował, a oba skrzydła bramy były rozwarte na oścież. Mogłem odjechać. Nie potrafiłem jednak tego zrobić. Trzy razy obszedłem samochód, aż na koniec wciągnąłem Batona na pakę. Żył jeszcze i choć oczy miał zamknięte, wśród chrapliwego oddechu pojękiwał: „Duda, Duda!".

Nie miałem pojęcia, o co może mu chodzić, i jaki związek ma to z jego atakiem. Wyjechałem z obejścia, minąłem podwójną sosnę w kształcie litery V wyrastającą z jednego korzenia i po kilkuset metrach dojechałem do drogi. Na asfaltówce skręciłem na zachód. Po minucie upewniłem się co do słuszności wyboru. Pojawił się napis „Chojnówka 11 kilometrów". To, że działałem dość precyzyjnie, nie korespondowało ze stanem umysłu. W głowie miałem mętlik. Nawet jeśli jedna setna opowieści była prawdziwa, wiozłem zbrodniarza, który wielokrotnie zasłużył na śmierć i nigdy nie okazał cienia skruchy...

Pędząc ile mocy w silniku, dotarłem do miasteczka przypominającego dziewiętnastowieczny skansen, pełen niskich drewnianych chałup, parkanów i kwitnących ogrodów. Na szczęście od razu zobaczyłem szpital, jedyny okazały, w miarę nowy gmach przy głównej ulicy. Podjechałem, naciskając klakson. Zaraz nadbiegli lekarze i sanitariusze. Baton znalazł się na noszach i wjechał w czeluści Izby Przyjęć. Spełniwszy rolę dobrego Samarytanina, powinienem natychmiast się zmywać. Nie zrobiłem tego. Bardziej z ciekawości niż z głupoty. Chciałem się dowiedzieć o rokowania pana Bronisława. Lekarz wyszedł do mnie dopiero po godzinie.

– Stan bardzo ciężki – powiedział – zawał jest niezwykle rozległy, ale pacjent ma silny organizm, jeśli przeżyje dobę, będziemy mogli powiedzieć coś więcej... A pan – spojrzał na mnie uważnie – kim jest dla pacjenta? Synem może?

– Gościem na jego daczy – odparłem i chciałem iść do samochodu. Nadspodziewanie mocno przytrzymał mnie za rękę.

– Musi pan porozmawiać z paroma osobami! – rzekł.

Zaraz koło mnie objawiła się grupka mężczyzn, z których jeden, okrąglutki, mocno łysiejący przedstawił mi się jako prokurator, drugi, jak tyka grochowa, był miejscowym wójtem, trzeci wprawdzie milczał, ale zalatująca od niego woń kadzidła wskazywała, że może być księdzem.

– Rozumiemy, że jest pan zmęczony – powiedział prokurator. – Dlatego w tej chwili nie będziemy pana męczyć. Niewykluczone jednak, że będziemy musieli zadać kilka pytań, dlatego prosimy, aby pozostał pan tu jeszcze trochę. Przynajmniej do jutra.

– Mam wrócić do domu pana Bronisława? – zapytałem.

– Nie, nie – powiedział burmistrz. – Nie musi się pan fatygować. Wynajęliśmy dla pana hotelik w mieście.

– Będę się modlił za pacjenta – zapewnił duchowny.

Hotel okazał się obskurny i prawie pusty, jeśli nie liczyć skubiącej w nosie recepcjonistki i osobnika w policyjnym mundurze, który zaległ w holu, najwyraźniej pilnując, bym się samowolnie nie oddalił. Chciałem jak najszybciej zadzwonić do Beatki i nawiązać kontakt ze światem, ale zostałem poinformowany, że po niedawnej burzy nie odbudowano jeszcze linii telefonicznej. Jeśli idzie o komórkę, po roku nieuiszczania opłat była jedynie gadżetem zdolnym robić zdjęcia i nic więcej.

Z braku innych zajęć cały dzień spędziłem przed telewizorem. Wszystkie stacje mówiły o wyniku wyborów prezydenckich, które zamiast faworyta wygrał niejaki Duda, kandydat namaszczony przez lidera opozycji. Mówiąc szczerze, nie znałem dotąd tego człowieka. Rozmawiano też o perspektywie jesiennych wyborów parlamentarnych, które może wygrać, i to większością umożliwiającą samodzielne rządzenie, opozycja. Czyżby dlatego pan Bronisław wspominał o końcu świata? Jego świata? Czy to spowodowało jego zawał?

Popołudniowa drzemka trwała aż do zmroku i wyrwało mnie z niej pukanie do drzwi. Prokurator? Ledwie poznałem Lolitę. W dżinsach i kurtce przypominała młodego chłopaka. Zobaczyłem, że płacze.

– Nie żyje! – zawołała.

Przyjąłem ją w swoje ramiona. Poczułem jej twarde piersi na mej wątłej klatce, otoczyły mnie jej włosy, a łzy zrosiły obficie. Głaskałem ją po głowie, nie mówiąc nic, bo też nic mądrego nie przychodziło mi do głowy. Jak mogła kochać aż tak mocno tę kanalię? Chyba bez słów dotarło do niej moje pytanie, bo odpowiedziała:

– Był moim ojcem! Choć w głębi ducha uważał, że powinnam być jego synem.

I znów płakała i tuliła się do mnie. Próbując ją pocieszać, całkiem nieoczekiwanie natrafiłem na jej usta, spuchnięte, słone, a przecież nadzwyczajnie spragnione uczucia. Pożądanie eksplodowało w nas równocześnie, zdarliśmy z siebie ubrania i jak para głodnych zwierząt rzuciliśmy się na siebie, szukając pocieszenia, rozkoszy, miłości.

Wszystko, co do tej pory robiłem w tej dziedzinie, wydaje mi się letnią, pozbawioną smaku zupą. Lola okazała się nektarem i ambrozją. Pokarmem Bogów, śpiewem ptaka u schyłku dnia. Rekompensatą za trzysta pięćdziesiąt dni i nocy. Spełnienie snów i najskrytszych marzeń. Nie odczuwałem przy niej najmniejszego wstydu, żadnych wahań, zahamowań. Moje ciało było jej posłuszne i tak niezawodne, jakby sama sobą przedstawiała afrodyzjak w najczystszej postaci. Młoda Afrodyta, która zstąpiła do Chojnówki.

Czy w wielogodzinnym maratonie w ogóle rozmawialiśmy? Zapewne tak. Chociaż nie zapamiętałem ani jednego słowa. Przepraszam dwa, powtarzające się i zawsze zamykane pocałunkiem. „Nie pytaj!". Może popełniłem błąd, nie pytając?

Gdzieś w międzyczasie recepcjonistka przyniosła nam wino i kruche ciasteczka, ale nie przypominam sobie, żebym cokolwiek zamawiał. Byłem półprzytomny, pijany szczęściem. Co nie znaczy, że zupełnie ogłupiały. Za którymś razem, kiedy Lola zniknęła wziąć prysznic w łazience, postanowiłem trochę uporządkować pokój, zasłony, naszą skłębioną garderobę. Przy okazji strąciłem niechcący jej torebkę wiszącą na oparciu krzesła. Upadając, zamek rozjechał się samoczynnie i z wnętrza wyjrzała kolba pistoletu. „Kim ty jesteś, dziewczyno?" – przemknęło mi przez głowę. Może powinienem zajrzeć głębiej, poszperać... Ale nie chciałem być wścibski, zaciągnąłem zamek. Zapytam ją rano. Zresztą kiedy weszła w ręczniku, znów zapomniałem o Bożym świecie. Przy kolejnym orgazmie zawołałem nawet: „Kocham cię!" i spotkałem się z natychmiastową kontrą: „Nie mów za wiele!".

Za wiele? Uważam, że powiedziałem zdecydowanie za mało – w tym momencie chciałem jej rzucić świat pod nogi wraz z propozycją wspólnego spędzenia dalszej części życia. Szaleństwo? Przecież śmierć Batona niosła nam obojgu wyzwolenie! Ale znów nakryła moje usta swoimi. Około drugiej ostatecznie osłabłem i wtulony w nią usnąłem. Obudziły mnie ptaki, i słońce zaglądające do pokoju. Posłanie obok mnie było puste. Moją odzież złożono w kostkę, jej garderoba i torebka zniknęły. Ani śladu w łazience. Przepadły butelki, czyste szkło stało w szafce, rozpłynął się talerzyk z okruchami ciastek. Gdyby nie utrzymujący się zapach jej perfum, potu i czegoś, czego nie potrafię zdefiniować, a co było jakimś tajemniczym feromonem, mógłbym sądzić, że mi się jedynie przyśniła. A znalazłem też jeden długi włos na poduszce, pozostawiony przez niedopatrzenie czy z pełną premedytacją.

Chciałem wierzyć, że poszła do szpitala, a może do kościoła i zaraz wróci, ale gdy minęły dwie godziny, a jej nadal nie było, zszedłem do recepcji. Dyżurowała tam ta sama dziewoja, która przyniosła nam do pokoju wino i ciasteczka. Opisałem Lolę, pytając, kiedy wyszła. Recepcjonistka zrobiła wielkie oczy.

– Kto?

– Dziewczyna, która gościła u mnie, kiedy w nocy przynosiła nam pani wino.

– Nie przynosiłam żadnego wina.

Miałem ochotę zarzucić jej kłamstwo, i sięgnąłem po komórkę, którą strzeliliśmy sobie z Lolitą selfie... Niestety, w aparacie nie było żadnych zdjęć. Ani tych z hotelu, ani dokumentacji rezydencji Batona. Cholera! Czy tylko po to odwiedziła mnie w pokoju?

Tymczasem recepcjonistka odezwała się z własnej inicjatywy.

– Od wczoraj jest dla pana przesyłka.

W niewielkiej paczuszce znalazłem kluczyki, dowód rejestracyjny i wizytówkę wydawnictwa „Koszt i Spółka" z adnotacją: „Wynagrodzenie za dzieło". Na parkingu koło hotelu oczekiwało na mnie nowiusieńkie BMW, warte zapewne więcej pieniędzy, niż zarobiłem przez ostatnie lata. Zakręciło mi się w głowie. I zapragnąłem oddalić się jak najszybciej. Ale nie chciałem wchodzić w konflikt z miejscową prokuraturą. Wszystkie miejscowe władze Chojnówki mieściły się w niskim budynku w niewielkim stopniu przypominającym ratusz. Zapytałem o prokuratora.

– Jest na zwolnieniu lekarskim – odparła urzędniczka.

– Od wczoraj?

– Od tygodnia.

Nie powiem, że nieobecność śledczego mnie zmartwiła. Dla porządku jednak skierowałem się do gabinetu wójta, by dowiedzieć się, że ów urząd piastuje w Chojnówce kobieta.

– Co jest?!

Pozostawał mi jeszcze ksiądz. Problem w tym, że jak mnie poinformowano, w Chojnówce była jedynie cerkiew prawosławna, a katolicy jeździli do sąsiedniej parafii.

Coraz bardziej skołowany pobiegłem do szpitala. Na Izbie Przyjęć zapytałem o Bronisława Batona.

– Kogo?

– Pacjenta z zawałem, którego przywiozłem wczoraj i który zmarł wieczorem.

– Nikogo takiego tu nie było! Nikt ostatniej doby nie umarł.

Robiono ze mnie wariata, czy rzeczywiście postradałem zmysły?

Opuściłem szpital i wróciłem do hotelu. BMW stało na swoim miejscu, jedyny realny dowód, że jeszcze nie zwariowałem.

Zapytałem o WI-FI i z radością dowiedziałem się, że istnieje możliwość dostępu. W chwilę potem odpaliłem mojego laptopa. Wprawdzie ktoś w międzyczasie wyczyścił moją skrzynkę pocztową, ale pamiętając adres mailowy Beaty, wysłałem wiadomość: „Żyję i jestem w Chojnówce. Jadę do Warszawy". Potem podkusiło mnie, żeby wejść na strony wydawnictwa „Koszt i Spółka". Niestety, w całej Polsce nigdy nie było wydawnictwa o tej nazwie. Zanim zamknąłem laptopa, otrzymałem jeszcze sygnał „masz wiadomość". Beata odpisała szybko jak błyskawica. „Dzięki Bogu, że odezwałeś się. Czekam na Ciebie. Kocham!". W recepcji dowiedziałem się, że rachunek za mój pokój został już uregulowany. Nawet opłata za parking!

Nigdy dotąd nie siedziałem za kierownicą wozu z automatyczną skrzynią biegów, ale okazało się, że jazda nim jest łatwiejsza, niż przypuszczałem. Jakoś zamiast ku Warszawie pociągnęło mnie ku wschodniej granicy. Zaraz po jedenastym kilometrze począłem wypatrywać bocznej, piaszczystej drogi. Pierwsza próba okazała się nieudana i kręty trakt doprowadził mnie do jakiegoś schludnie wyglądającego domu późnej starości, ale łatwo nie rezygnowałem. Kiedy zobaczyłem podwójną sosnę, żywiej zabiło moje serce. Dodałem gazu. I...

Nie było gościnnie otwartej bramy, nie było płotu pod napięciem, ani zarośniętej dzikim winem chałupy w głębi. Przed moimi oczami rozpościerała się szeroka tafla jeziora, delikatnie marszczona porannym wietrzykiem. W dodatku okalające wodę trzciny, sitowie, tatarak i pływająca rzęsa wskazywały, że szmaragdowy akwen istniał tu od zawsze.

Podszedłem do skraju wody, aby opłukać rozpaloną twarz. I zdrętwiałem. W wodnej tafli odbijało się z całą precyzją zmęczone oblicze Marcina Jędrasa! Wsiadłem do wozu i energicznie zatrzasnąłem drzwiczki. Musiałem odjechać stąd jak najszybciej. Zanim okaże się, że i mnie nie ma.

Koniec

styczeń 2015 – styczeń 2016